AF238347

ACCESO GRATIS *a la Lectura en la Nube*

Para visualizar el libro electrónico en la nube de lectura envíe junto a su nombre y apellidos una fotografía del código de barras situado en la contraportada del libro y otra del ticket de compra a la dirección:

ebooktirant@tirant.com

En un máximo de 72 horas laborales le enviaremos el código de acceso con sus instrucciones.

REFORMA TRIBUTARIA 2020: PRINCIPALES CAMBIOS

REFORMA TRIBUTARIA 2020: PRINCIPALES CAMBIOS

MARÍA PILAR NAVARRO SCHIAPPACASSE
ÁLVARO MAGASICH AIROLA
Coordinadores

tirant lo blanch
Valencia, 2020

© María Pilar Navarro Schiappacasse
Álvaro Magasich Airola y otros

© TIRANT LO BLANCH
EDITA: TIRANT LO BLANCH
C/ Artes Gráficas, 14 - 46010 - Valencia
TELFS.: 96/361 00 48 - 50
FAX: 96/369 41 51
Email: tlb@tirant.com
www.tirant.com
Librería virtual: www.tirant.es
ISBN: 978-84-1355-258-3

Si tiene alguna queja o sugerencia, envíenos un mail a: atencioncliente@tirant.com. En caso de no
ser atendida su sugerencia, por favor, lea en www.tirant.net/index.php/empresa/politicas-de-empresa
nuestro procedimiento de quejas.

Responsabilidad Social Corporativa: http://www.tirant.net/Docs/RSCTirant.pdf

Listado de autores por orden alfabético

Sergio Alburquenque Lillo
Sandra Benedetto Back
Pedro Castro Rodríguez
Antonio Faúndez-Ugalde
Álvaro Magasich Airola
Patricio Masbernat
Rafael Mellado Silva
Alonso Morales Muñoz
María Pilar Navarro Schiappacasse
Mario Pino Moya
Gonzalo Polanco Zamora
Soledad Recabarren
Ernesto Rencoret Orrego
Sebastián Riestra López
Francisco Saffie Gatica
Patricia Andrea Toledo Zúñiga
Felipe Yáñez V.

Índice

ANÁLISIS DE LAS MODIFICACIONES PROPUESTAS EN EL PROYECTO DE «MODERNIZACIÓN TRIBUTARIA» A LA REGLA INTERPRETATIVA DEL CÓDIGO TRIBUTARIO Y LAS NORMAS ANTIELUSIÓN COMO INTENTO DE PRIVATIZACIÓN DEL DERECHO TRIBUTARIO
Francisco Saffie Gatica

NUEVOS CONCEPTOS DE RESIDENCIA Y ESTABLECIMIENTO PERMANENTE
FELIPE YÁÑEZ V.

Tercera Parte
IMPUESTO A LAS VENTAS Y SERVICIOS

ANÁLISIS CRÍTICO DE LA REFORMA AL IVA NO DIGITAL
ERNESTO RENCORET ORREGO

IMPUESTO A LOS SERVICIOS DIGITALES: DEL MUNDO A CHILE
Sandra Benedetto Back

Cuarta Parte
OTROS IMPUESTOS DEL SISTEMA TRIBUTARIO CHILENO

LA SOBRETASA DE IMPUESTO TERRITORIAL
Álvaro Magasich Airola

MODIFICACIONES A LA LEY N° 20.732, SOBRE REBAJA EL IMPUESTO TERRITORIAL CORRESPONDIENTE A PROPIEDADES DE ADULTOS MAYORES VULNERABLES ECONÓMICAMENTE
Álvaro Magasich Airola
María Pilar Navarro Schiappacasse

LOS CAMBIOS AL ESTATUTO JURÍDICO DE LAS «VIVIENDAS ECONÓMICAS» CONTEMPLADAS EN EL D.F.L N° 2, DE 1959 Y SU CARÁCTER DE CONTRATO LEY
María Pilar Navarro Schiappacasse

LA CONTRIBUCIÓN PARA EL DESARROLLO REGIONAL DESDE LA TEORÍA DE LA DESCENTRALIZACIÓN FISCAL
Patricio Masbernat

EL IMPUESTO VERDE A LAS EMISIONES DE FUENTES FIJAS EN LA REFORMA TRIBUTARIA
Sebastián Riestra López

ANEXO

EL COVID-19 Y EL «DERECHO TRIBUTARIO DE EMERGENCIA»: A PROPÓSITO DE LAS MEDIDAS TRIBUTARIAS ADOPTADAS EN CHILE PARA AFRONTAR LOS EFECTOS DE LA EMERGENCIA SANITARIA (ACTUALIZADO AL 20 DE MAYO DE 2020)

Sergio Alburquenque Lillo

PRÓLOGO

En los últimos diez años, Chile ha experimentado un importante número de reformas tributarias; por nombrar las más relevantes, baste mencionar los cambios al sistema normativo tributario introducidos por las Leyes N°s 20.455, 20.630, 20.780, 20.899 y 21.210. Los énfasis y los fines perseguidos por cada una de las reformas tributarias listadas difieren, lo que es fácilmente apreciable si se examina el mensaje presidencial que las precede.

Si bien es cierto que no todas las leyes enumeradas han implicado enmiendas profundas a todo el ordenamiento tributario chileno, no se puede menos que reconocer que a poco andar, cuando cambia el Gobierno —y que en los últimos diez años ha coincidido con un cambio de la coalición gobernante—, se modifican bases estructurales, principalmente, del impuesto a la renta, y del Código Tributario.

La obra que el lector tiene en sus manos pretende realizar un examen de los temas más importantes reformados mediante la Ley N° 21.210, que moderniza la legislación tributaria, publicada en el Diario Oficial el día 24 de febrero de 2020, tras una larga tramitación en el Congreso Nacional que se inició el día 23 de agosto de 2018. Una reforma que en un primer momento fue impulsada por el Gobierno del Presidente Sebastián Piñera (Piñera 2), buscando modernizar la legislación tributaria e impulsar la economía, fomentando el crecimiento económico, según da cuenta el mensaje presidencial del proyecto de ley. Sin embargo, el objetivo consistente en fomentar el crecimiento económico, luego del estallido social del 18 de octubre de 2019, dejó de ser un eje del proyecto, pues el énfasis finalmente recayó en la recaudación, con miras a financiar la profunda agenda social que el Poder Ejecutivo se comprometió a realizar.

En este contexto social, económico y normativo, el libro Reforma Tributaria 2020: principales cambios pretende ser un aporte en la difusión, discusión y análisis de los cambios más relevantes que esta enmienda legal introduce al sistema tributario, de forma tal que colabore en la labor de asesoría tributaria, de aplicación de la legislación por parte del

Servicio de Impuestos Internos y de los tribunales de justicia, pero que también sea un aporte a la labor de docencia e investigación en materias impositivas en Chile.

Si bien es cierto no es la primera vez que en Chile se realiza un análisis doctrinario de una reforma tributaria, la particularidad de este trabajo radica en que las temáticas tratadas en este libro, que se materializan en cada uno de sus capítulos, ha sido examinada por diversos profesionales expertos y expertas tributarios que han trabajado dichas materias, sea por su trabajo como asesor o asesora tributario, sea por su actividad docente o investigativa, de forma tal que el lector tendrá la posibilidad de confrontar distintas visiones sobre una misma temática: el sistema tributario chileno.

La obra que el lector tiene en sus manos realiza un estudio de las modificaciones que se introdujeron en los principales textos normativos del Derecho tributario chileno, a saber, Código Tributario, Renta e IVA, incluyendo, además, tópicos que en los últimos años comienzan a ser objeto de examen por parte de la doctrina chilena, pero que históricamente, estuvieron relegados a un segundo plano: impuesto territorial, impuestos verdes y potestad tributaria regional o local. Con todo, cabe advertir que el libro no realiza un examen exhaustivo de todos los cambios, sino que trata las grandes temáticas tributarias que contiene la reforma tributaria del año 2020.

En libro, en su primera parte examina las principales modificaciones al Código Tributario, referidas a los derechos del contribuyente, a la fiscalización por medios tecnológicos y a la relación de la norma general antielusiva con las normas especiales introducidas por la Ley N° 21.210. Dicho análisis lo efectúan Gonzalo Polanco, Antonio Faúndez, Rafael Mellado Silva, Mario Pino Moya y Francisco Saffie.

En la segunda parte, se analizan los cambios más relevantes al impuesto a la renta chileno, relativos al nuevo concepto de gasto necesario para producir la renta y los nuevos gastos especiales; a las modificaciones que ha experimentado el capital propio tributario y su importancia en el sistema tributario; al nuevo sistema de tributación aplicable a las PYMES, y las modificaciones que alteran las nociones de residente y establecimiento permanente. La revisión de estas temáticas es realizada por Patricia Toledo, Pedro Castro, Alonso Morales, Soledad Recabarren y Felipe Yáñez.

En la tercera parte, se realiza una revisión de las enmiendas legales en materia de IVA, dividida en dos temáticas: aquellas modificaciones a la estructura general del impuesto a las ventas y servicios, por una parte, y la tributación de los servicios digitales, por otra. El estudio de estas materias lo desarrollan Ernesto Rencoret y Sandra Benedetto.

Finalmente, en una cuarta parte, se tratan los otros impuestos del sistema tributario chileno reformados por la Ley Nº 21.210. En este sentido, se examina la sobretasa introducida en la Ley sobre Impuesto Territorial, las modificaciones a la rebaja en la cuota del impuesto territorial aplicable a los adultos mayores vulnerables económicamente, la limitación de los beneficios de las viviendas económicas reguladas en el Decreto con Fuerza de Ley Nº 2, la contribución para el desarrollo regional y las enmiendas que se introdujeron al impuesto a las emisiones de fuentes fijas establecido en el artículo 8º de la Ley Nº 20.780. El tratamiento de estas temáticas ha sido realizado por Álvaro Magasich, Ma. Pilar Navarro, Patricio Masbernat y Sebastián Riestra.

Para terminar estas palabras introductorias no quisiéramos dejar de expresar nuestro reconocimiento, por un lado a Editorial Tirant lo Blanch, por su disposición a publicar temáticas tributarias; y por otro, hacia el gran trabajo realizado por los autores, que estamos seguros contribuirá al debate tributario, y el compromiso demostrado, que esperamos, sea la primera de muchas obras que se efectúen en Chile de manera colaborativa para tratar un ámbito que es esencial en el desarrollo del país: a través de los tributos el Estado obtiene los ingresos que en mayor medida le permiten cumplir con su finalidad, la que no es otra que satisfacer intereses generales.

María Pilar Navarro Schiappacasse
Investigadora Postdoctoral del Instituto de Ciencias Sociales
Universidad de O'Higgins

Álvaro Magasich Airola
Profesor de la Escuela de Derecho de la Pontificia Universidad Católica
de Valparaíso y de la Pontificia Universidad Católica de Chile
Socio del Estudio Magasich & Cía

Valparaíso, 20 de marzo de 2020

Primera Parte
CÓDIGO TRIBUTARIO

DERECHOS DE LOS CONTRIBUYENTES

Gonzalo Polanco Zamora[*]

Consagrados por primera vez en nuestra legislación por la Ley N° 20.420 del año 2010, los derechos de los contribuyentes establecidos en el artículo 8° bis y complementados por el 8° ter y 8° quáter del Código Tributario, han sido objeto de modificaciones en los años 2011 y 2014. La Ley N° 21.210 de 2020 fortaleció estos derechos, tanto en su número como en su detalle, por lo que bien vale la pena un estudio más detallado de esta materia.

I. La importancia de su consagración

La primera interrogante que cabe considerar es sobre la necesidad de que se consagre en nuestra legislación en forma especial los derechos de los contribuyentes.

La Constitución Política plasma en el número 20 del artículo 19 una serie de garantías en el ámbito tributario, las cuales se refieren al principio de legalidad de los tributos; de la igualdad; la prohibición de tributos manifiestamente injustos o desproporcionados y la prohibición de tributos de afectación. Además de lo establecido en dicho numeral, el mencionado artículo 19 consagra principios que bien pueden ser aplicados en materia tributaria, como por ejemplo, la prohibición para las autoridades de establecer diferencias arbitrarias (artículo 19 N° 2 CPR); la posibilidad de que toda persona tenga derecho a «defensa jurídica en la forma que la ley señale», la prohibición para cualquiera autoridad o individuo de «impedir, restringir o perturbar la debida intervención del letrado si hubiere sido requerida» (artículo 19 N° 3 CPR); o la protección al derecho de propiedad y las facultades que otorga (artículo 19 N°

---

[*] El autor es abogado de la Universidad de Chile, LLM London School of Economics & Political Science. Director Ejecutivo Centro de Estudios Tributarios, Universidad de Chile.

24). Es más, la violación de los derechos consagrados en los numerales 21, 22 y 24 del artículo 19 de la Carta Fundamental permite la interposición de la acción por vulneración de derechos establecida en el artículo 155 del Código Tributario.

Por otra parte, la Ley N° 19.880, que establece las Bases de los Procedimientos Administrativos que Rigen los Actos de los Órganos de la Administración del Estado, enumera en su artículo 17 una serie de «derechos de las personas», muchos de los cuales podrían ser reclamados como derechos de los contribuyentes.

Existe una gran sintonía entre las expresiones utilizadas por esta ley y lo que indicaba el Código Tributario antes de la reforma de la Ley N° 21.210 de 2020.

Por ejemplo, la letra a) del artículo 17 de la Ley N° 19.880 preceptúa que los destinatarios de la acción estatal tienen derecho a «conocer, en cualquier momento, el estado de la tramitación de los procedimientos en los que tengan la condición de interesados, y obtener copia autorizada de los documentos que rolan en el expediente y la devolución de los originales, salvo que por mandato legal o reglamentario éstos deban ser acompañados a los autos, a su costa». El artículo 8° bis del Código Tributario, en su redacción anterior a la Ley N° 21.210 ampliaba el concepto y desmenuzaba este derecho en dos numerales diferentes, indicando en su número 3° que los contribuyentes tienen derecho a «recibir información, al inicio de todo acto de fiscalización, sobre la naturaleza y materia a revisar, y conocer en cualquier momento, por un medio expedito, su situación tributaria y el estado de tramitación del procedimiento». Por su parte, el número 5° del mismo artículo 8° establecía el derecho a «obtener copias, a su costa, o certificación de las actuaciones realizadas o de los documentos presentados en los procedimientos, en los términos previstos en la ley».

Por lo tanto, y dado que tanto nuestra carta fundamental como la Ley N° 19.880 reconocen o consagran derechos para las personas de los contribuyentes, cabe preguntarse cuál es el sentido de su estipulación en el Código Tributario.

La fiscalización del SII está sometida a una serie de reglas cuyo detalle excede la normativa por la cual se rigen otros órganos de la administración del Estado. Pocas entidades tienen reguladas con tanta minuciosidad las facultades del órgano y los procedimientos a que dan lugar. Por otro lado, escasas materias son tan sensibles para los habitantes de un país como la fiscalización de los impuestos, las que dicen relación directa con el patrimonio de una persona. Por lo tanto, existen intereses que se deben cautelar en forma especial por la autoridad tributaria, obligación que no pesa de la misma manera respecto de otros órganos de la Administración del Estado. El caso más paradigmático es el derecho a que las declaraciones impositivas tengan, salvos casos de excepción, un carácter reservado. Esta obligación de reserva, es una excepción del principio de transparencia y publicidad que consagra el artículo 16 de la Ley Nº 19.880.

La consagración de derechos específicos en materia tributaria, que corren en paralelo a los derechos consagrados en la legislación general para los administrados, no es, sin embargo, pacífica. Se ha criticado que esta dualidad puede llevar a una aplicación restringida de los derechos generales[1]. La situación se ha salvado, desde un punto de vista de la interpretación, resguardando expresamente la aplicación de la normativa general. Por ejemplo, el artículo 8º bis comienza diciendo «sin perjuicio de los derechos garantizados por la Constitución Política de la República y las leyes, constituyen derechos de los contribuyentes, los siguientes [...]».

II. Derecho comparado

La consagración de estos derechos es una tendencia mundial. En España, este camino comenzó con la publicación de la Ley 1/1998 de 26 de febrero, de Derechos y Garantías de los Contribuyentes. De acuerdo a la exposición de motivos, esta reforma iba dirigida «por una parte, a reforzar los derechos del contribuyente y su participación en los procedimientos tributarios y, por otra, y con esta misma finalidad, a reforzar las obligaciones de la Administración tributaria, tanto en pos de conseguir una mayor celeridad en sus resoluciones, como de completar las

---

[1]   En este sentido, FERREIRO LAPATZA (1998) pp. 195 y ss.

garantías existentes en los diferentes procedimientos»[2]. Sin embargo, esta normativa expresamente no hizo referencia alguna a las obligaciones tributarias, ya que «éstas aparecen debidamente establecidas en los correspondientes textos legales y reglamentarios». Dos años antes, se había creado el Consejo para la Defensa del Contribuyente[3]. Debido a las críticas surgidas en contra de la ey del año 1998, la disposición fue derogada[4]. En la actualidad, el artículo 34 de la Ley 58/2003, de 17 de diciembre, conocida como Ley General Tributaria, consagra veintiún derechos, los cuales son complementados con otras obligaciones que el legislador impone a la Administración Tributaria en favor de los obligados al pago.

Situación similar ocurre en México, país en el cual el Código Financiero del Estado de México dedica un capítulo completo a derechos y obligaciones de los contribuyentes. Esta normativa es más bien de carácter procesal, por lo que se promulgó la Ley Federal de Derechos del Contribuyente[5], estableciendo los derechos de los pagadores. Entre los derechos que se consagran, están el «obtener devolución», «información y asistencia», «respeto y consideración», «a conocer el estado de los procedimientos en los que sea parte», «a conocer la identidad de las autoridades fiscales bajo cuya responsabilidad se tramiten los procedimientos en los que se tengan condición de interesados», «ser oído en el trámite administrativo», «a corregir la situación fiscal», «derecho a ser informado, al inicio de las facultades de comprobación de las autoridades fiscales, sobre sus derechos y obligaciones en el curso de tales actuaciones y a que éstas se desarrollen en los plazos previstos por las leyes fiscales»[6].

Respecto de los países vecinos, en Perú, el artículo 92 de su Código Tributario, indica más de diecisiete derechos de los contribuyentes, los cuales son complementados por otras normas. Por ejemplo, el artículo 84 del mismo Código preceptúa la obligación de la Administración Tri-

2   ESPAÑA. Ley 1/1998, de 26 de febrero, de Derechos y Garantías de los Contribuyentes.
3   ESPAÑA. Real Decreto 2458/1996, de 2 de diciembre.
4   Para mayor estudio de sus críticas, ver FERREIRO LAPATZA (1998).
5   Para un mejor estudio, ver MIRANDA TUFIÑO (2016) pp. 30 y ss.
6   MÉXICO. Ley Federal de derechos del contribuyente.[en línea] https://www.sat.gob.mx/personas/derechos-de-los-contribuyentes [consulta 4 febrero 2020].

butaria de proporcionar «orientación, información verbal, educación y asistencia al contribuyente».

No puede dejarse de mencionar, en el ámbito latinoamericano, la «Carta de derechos del Contribuyente para los países miembros del Instituto Latinoamericano de Derecho Tributario (ILADT)», aprobada el 9 de noviembre de 2018, en el marco de las XXX Jornadas Latinoa-mericanas de Derecho Tributario sostenidas en Montevideo. La carta, redactada por un grupo de cuatro juristas y presidida por César García Novoa, tuvo en cuenta para su redacción, diversos documentos, entre ellos, de la Organización para la Cooperación y el Desarrollo Económi-co (OCDE) y la de la *International Fiscal Association* (IFA).

En el Derecho anglosajón, las administraciones tributarias declaran expresamente los derechos y obligaciones de los contribuyentes. La autoridad tributaria del Reino Unido, por ejemplo, indica en su sitio web siete derechos de los contribuyentes, entre los cuales se cuenta el «respetar y tratar al contribuyente como honesto», «proveer un servicio útil, eficiente y efectivo», «ser profesional y actuar con integridad», «proteger su información y respetar su privacidad», «aceptar que alguien pueda ser representado», «manejar reclamos rápida y justamente» y «atajar a quienes tuercen o quiebran las reglas»[7]. Como correlato, la misma administración declara las obligaciones del contribuyente, entre las cuales se cuenta el «ser honesto y respetar al funcionario», «guardar los respaldos adecuados y proteger la información» o «saber qué es lo que hace su representante en su nombre».

En los EE.UU, en tanto, el *Internal Revenue Service* (IRS) declara una carta de derechos de los contribuyentes, entre los cuales se encuentra «el derecho a ser informado», «a un servicio de calidad», «a no pagar más que el monto correcto del impuesto», «el derecho a cuestionar la posición de la IRS y ser escuchado», a «apelar de una decisión de la IRS en un foro independiente», «el derecho a llegar a una resolución»,

---

[7]   HM Revenue & Customs. Your charter. [en línea] https://www.gov.uk/government/publications/your-charter/your-charter [consulta 13 febrero 2020].

«la privacidad», la «confidencialidad», «contratar a un representante», a «tener un sistema de impuestos que sea justo y adecuado»[8].

Podemos decir, entonces, que la consagración de los derechos de los contribuyentes es una tendencia que adopta un gran número de países, de distintas tradiciones jurídicas. Los derechos que en cada uno se consagran varían tanto en número como en tipología. No obstante lo anterior, existen algunos elementos comunes, como el compromiso a tener una administración tributaria que respete al contribuyente y que actúe con profesionalismo. Existen algunas particularidades, como por ejemplo, el consagrar expresamente el derecho a cuestionar la posición de la autoridad (EE.UU); o el derecho a que las actuaciones fiscales que requieran la intervención del obligado se lleven a cabo en la forma en que resulte menos onerosa (México).

Al estudiar cada uno de los derechos que consagra la Ley N° 21.210 volveremos con algunas comparaciones entre lo que establece nuestra ley y otros países.

III. Historia

Los derechos de los contribuyentes fueron incluidos en nuestra legislación por la Ley N° 20.420 de 19 de febrero de 2010, proyecto que tuvo su origen en una moción parlamentaria del entonces senador Baldo Prokurica P. La moción parlamentaria del senador, de 13 de abril de 2005, hace referencia expresamente a la «precaria situación en la que se encuentran los contribuyentes»[9], que debían someterse a tribunales que carecían de independencia e imparcialidad, haciendo referencia a los antiguos jueces tributarios que eran funcionarios de la autoridad tributaria[10].

---

[8]   Internal Revenue Service. Taxpayers Bill of Rights. [en línea] https://www.irs. gov/taxpayer-bill-of-rights [consulta 13 febrero 2020].
[9]   PROKURICA, Baldo. Moción parlamentaria, sesión 45, legislatura 352. 13 de abril de 2005.
[10] Ver VALDIVIA VILLAGRÁN (2010) p 268.

Señalaba el parlamentario que «los derechos fundamentales garantizados por la Constitución deben reflejarse necesariamente en el campo
tributario. Aunque la Carta Fundamental no contenga, de manera explí-
cita, una enunciación o catálogo de lo que podría llamarse "derechos del
contribuyente", ello no significa que éstos no existan, pues son expresión
de los derechos de todas las personas, por lo que deben ser respetados,
amparados y promovidos por el Estado»[11].

Con posterioridad, se dictó la Ley Nº 20.494 de 27 de enero de
2011, cuyo propósito es indicado por su nombre, en el sentido que buscaba agilizar los trámites para el inicio de actividades de nuevas empresas. Esta ley introdujo los artículos 8º ter y 8º quáter, con el objeto
de asegurar a los contribuyentes que operaran por la facturación electrónica, la autorización de los documentos necesarios para el desarrollo
de su actividad. Señala el mensaje de la ley que «teniendo en vista particularmente tres de las principales dificultades con las que debe lidiar
todo emprendedor, se propone este proyecto de ley que busca facilitar
la apertura e iniciación de empresas de todos los tamaños en su primer
contacto con las autoridades comunales, esto es, las Municipalidades,
y con el Servicio de Impuestos Internos»[12]. Agrega el mensaje que «la
visita del Servicio de Impuestos Internos para verificar en terreno la
existencia del establecimiento demora la entrada efectiva en la vida productiva de muchos emprendimientos, los que pueden tardar en algunos
casos más de un mes en comenzar a desarrollar sus operaciones por simples que sean, produciéndose esa demora particularmente por no contar
con documentos tributarios timbrados, indispensables para el desarrollo
de la actividad»[13].

Posteriormente, el artículo 8º ter fue modificado por el artículo 2º de
la Ley Nº 20.727 de 31 de enero de 2014, que introdujo cambios a la
legislación tributaria en materia de factura electrónica.

Finalmente, la Ley Nº 21.210 comenzó su tramitación con el envío
del mensaje presidencial el día 23 de agosto de 2018. Uno de los objetivos explicitados por el proyecto es otorgar «mayor simpleza y certeza

---

[11]   Ibíd 10.
[12]   Mensaje Ley Nº 20.494, sesión 24, legislatura 358. 1 de junio de 2010.
[13]   Ibíd.

jurídica a los contribuyentes»[14]. El diagnóstico realizado por el ejecutivo daba cuenta de que, en su concepto, existía un desequilibrio entre las obligaciones impuestas a los contribuyentes y los derechos que se le reconocen a los mismos, desbalance que fue gestado por las últimas modificaciones efectuadas en materia tributaria.

Dice al respecto el mensaje que «en efecto, en los últimos años las diversas reformas han tendido a potenciar las facultades del Servicio, lo que se ha traducido en más fiscalizaciones, más información que se debe proveer al Servicio, más declaraciones juradas, etc. Sin embargo, los derechos de los contribuyentes no se han ajustado de la misma manera y en ocasiones ello genera una sensación de desigualdad y de indefensión»[15].

IV. Reemplazo de las antiguas normas

Un primer asunto que llama la atención de la Ley Nº 21.210 es que reemplazó en forma íntegra los artículos 8º bis, 8º ter y 8º quáter del Código Tributario.

Debido al diagnóstico efectuado por las autoridades en torno a la existencia de un desequilibrio entre las obligaciones y los derechos de los contribuyentes, se declara que se «hace una completa y exhaustiva revisión del artículo 8 bis, del artículo 8 ter y de varias normas que contemplan facultades fiscalizadoras y revisoras del Servicio»[16].

Como propósito general, el ejecutivo declara que «los procesos de fiscalización llevados a cabo por el Servicio de Impuestos Internos deben tener objetivos claros y definidos a priori. El contribuyente debe saber por qué y para qué lo fiscalizan, cuánto tiempo demora una fiscalización y cómo se pone término a un proceso. Debe saber también que la regla general es que una fiscalización no entrabe el legítimo ejercicio de sus derechos, que en consecuencia puede emitir sus documentos y efectuar trámites en un marco legal claro. También es fundamental que perciba que el organismo fiscalizador se enmarca en los procesos de revisión a

---

[14]   Mensaje Ley Nº 21.210, legislatura 366. 23 de agosto de 2018, p 3.
[15]   Ibíd, p. 41.
[16]   Idem.

las normas que establece el legislador, que la acreditación de sus operaciones se puede efectuar conforme a las reglas generales del derecho y que el ente fiscalizador no podrá exigir formalidades o solemnidades que no estén establecidas en la ley»[17].

V. Concepto de contribuyente

El Código consagra derechos de los «contribuyentes», concepto que se encuentra definido en el N° 5 del artículo 8° del mismo cuerpo legal como «las personas naturales y jurídicas, o los administradores y tenedores de bienes ajenos afectados por impuestos». Es un concepto amplio, pero que no necesariamente abarca a todas las personas que tienen relación con la administración tributaria, hecho que resalta la importancia, ya señalada en esta obra, de entender estos derechos sin perjuicio de los establecidos expresamente en la Ley N° 19.880 y en la Constitución Política de la República, para todos los sujetos que se vinculan con un órgano público.

La «Carta de derechos del contribuyente para los países miembros del Instituto Latinoamericano de Derecho Tributario», se refiere específicamente a este punto, y no engloba dentro del concepto contribuyente solo al obligado principal, sino que también a todos los obligados tributarios, y a aquellos cuyas responsabilidades tributarias se derivan de actos entre particulares, como por ejemplo, a los agentes de retención.

VI. Catálogo de derechos

Revisemos entonces el catálogo de derechos contemplados. Para su estudio, hemos seguido el orden señalado por la ley, ya que cada uno de ellos contempla diferentes obligaciones para la administración.

1° Ser informado sobre el ejercicio de sus derechos, el que se facilite el cumplimiento de sus obligaciones tributarias y a obtener información

---

[17]   Ibíd, p. 7.

clara del sentido y alcance de todas las actuaciones en que tenga la calidad de interesado.

Anteriormente el numeral 1º del artículo 8 bis establecía el derecho a «ser atendido cortésmente, con el debido respeto y consideración; a ser informado y asistido por el Servicio sobre el ejercicio de sus derechos y en el cumplimiento de sus obligaciones».

El legislador desglosa este derecho, diferenciando en lo que dice relación con el derecho a la información y el derecho a recibir un trato digno. Este último, es objeto de preocupación especial en el numeral dos.

El actual legislador reforzó el derecho a la información, el cual no se satisface sólo con el simple hecho de demostrar que se entregaron antecedentes sobre el proceso de fiscalización, sino que estos deben ser «claros», es decir, inteligibles, fáciles de comprender. El estándar en esta materia debería tender a mirar las características particulares del contribuyente, por lo que no se satisface sólo con la entrega de información uniforme para todos los que acudan a una unidad del servicio, o con la entrega de esos antecedentes en el sitio web, sin considerar la capacidad efectiva del contribuyente para comprender la dirección y alcance de las actuaciones a las que va a ser sometido.

2º El ser atendido en forma cortés, diligente y oportuna, con el debido respeto y consideración.

El legislador no se contenta con sólo «ser atendido cortésmente, con el debido respeto y consideración», como se indicaba en el Código hasta antes de la reforma. La atención debe ser diligente y oportuna. Este derecho se encuentra consagrado en otras legislaciones (Reino Unido); sin embargo, la infracción de esta obligación resulta difícil de establecer y por lo tanto, su aplicación práctica resultaba escasa.

Respecto de la oportunidad, los intentos para establecer plazos generales para que la administración tributaria diera respuesta no se concretaron, seguramente debido a los pobres resultados que han tenido los proyectos para fijar plazos fatales a la Administración.

¿Qué debe entenderse por forma oportuna? La respuesta nos lleva al artículo 59 del mismo Código, artículo que tiene una historia zigzagueante en cuanto a la fatalidad de los plazos para la administración.

Reformado el año 2010 por la Ley N° 20.420, estableció un plazo fatal de nueve meses para que el SII citara de conformidad al artículo 63 del Código Tributario, liquidara o girara los impuestos sujetos a revisión. Este plazo se contaba desde el momento en que el funcionario a cargo de la fiscalización certificaba que todos los antecedentes requeridos habían sido puestos a su disposición. Los resultados de esta norma fueron escasos; los contribuyentes y los funcionarios de la administración la desconocían y los que sí sabían de su existencia, no la invocaban. La Ley N° 20.780 de 2014 eliminó la fatalidad del plazo, por lo cual, la autoridad tributaria interpretó que las actuaciones efectuadas más allá del vencimiento eran válidas[18]. El legislador de la Ley N° 21.210, estableció que el plazo para las fiscalizaciones que comiencen con requerimiento de antecedentes es de 9 meses como «máximo», y esta expresión indica el límite superior al que puede llegar algo, sin que sea sinónimo de fatal. Habrá que ver cuál es la interpretación de la administración tributaria sobre este punto; sin perjuicio de lo cual, el inciso final de este artículo expresa que una vez vencidos los plazos establecidos en este artículo, la autoridad, a petición del contribuyente, debe certificar que el proceso de fiscalización ha terminado.

Otro esfuerzo para colocar plazos determinados a la Administración se encuentra en el número 5° de la letra B del artículo 6° del Código Tributario, que da un plazo de sesenta días para resolver las peticiones administrativas.

Volveremos sobre el punto al tratar los derechos en relación a las actuaciones del Servicio.

3° Obtener en forma completa y oportuna las devoluciones a que tenga derecho conforme a las leyes tributarias, debidamente actualizadas.

Anteriormente la ley establecía el derecho a «obtener en forma completa y oportuna las devoluciones previstas en las leyes tributarias, debidamente actualizadas».

En esta parte el legislador subrayó la necesidad de que la autoridad verifique la concurrencia de los supuestos normativos para dar curso

---

[18]   SERVICIO DE IMPUESTOS INTERNOS. Circular N° 33 de 2015, p. 2.

a la devolución. Hay que tener presente, sin embargo, que alguna jurisprudencia de nuestros tribunales ha dado un tratamiento especial a
la devolución de los pagos provisionales mensuales. Al respecto, se ha
indicado que «el legislador no ha querido que la devolución de los pagos provisionales mensuales quede supeditada a una fiscalización de la
declaración presentada por el contribuyente, justamente por lo acotado
del plazo que da para su devolución, lo que no significa por cierto que
el fisco quede en la indefensión, pues el mismo artículo 97 dispone la
forma en que se hará exigible su restitución, e incluso impone una figura penal para las solicitudes de devolución maliciosamente falsas o
incompletas»[19].

4º Derechos en relación a las actuaciones del Servicio.

Que las actuaciones del Servicio, constituyan o no actuaciones o procedimientos de fiscalización:

a) Indiquen con precisión las razones que motivan la actuación que
corresponda. En efecto, toda actuación del Servicio deberá ser fundada, esto es, expresar los hechos, el derecho y el razonamiento lógico y
jurídico para llegar a una conclusión, sea que la respectiva norma legal
así lo disponga expresamente o no. Adicionalmente, deberán indicar de
manera expresa el plazo dentro del cual debe ser concluida, en cuyo caso
se aplicarán las reglas legales cuando existieran, y en ausencia de un
plazo dispuesto por la ley, el Director mediante resolución dispondrá los
plazos dentro de los cuales las actuaciones deberán ser finalizadas.

El estándar exigido por el legislador en esta letra es alto, ya que indica expresamente que «toda» actuación del Servicio debe ser fundada, definiendo lo que se debe entender por tal, en el sentido que debe indicar
los hechos, el derecho y el razonamiento lógico y jurídico para llegar a
una conclusión. Lo cierto es que la Ley Nº 19.880 a la que ya nos hemos
referido consagra el principio de «transparencia» (artículo 16) de modo
que los actos de la administración del Estado permitan conocer el conocimiento, contenido y fundamentos de las decisiones que se adopten.

---

[19]   Tribunal Tributario y Aduanero de Ñuble y Región del Bíobio. 2 de agosto de
       2019. RUC 19-9-0000556-6; RIT VD-10-00049-2019. «INVERSIONES C Y
       C LIMITADA CON SII». Considerando 12º.

Junto con ello, de los principios de contradictoriedad (artículo 10) y de impugnabilidad (artículo 15), se desprende que los actos administrativos del Servicio de Impuestos Internos deben estar debidamente fundados. Se entiende, en todo caso, que el requerimiento de fundamentación debe ser cumplido por el «acto administrativo», es decir, aquel que expresa una decisión que adopta la Administración. Abona lo anterior, el artículo 41 de la misma Ley de Procedimientos, que expresa que «Las resoluciones (de los órganos) contendrán la decisión, que será fundada».

¿Qué sucede, entonces, con los actos de instrucción de la Administración Tributaria? Recordemos que los actos de instrucción son «aquéllos necesarios para la determinación, conocimiento y comprobación de los datos en virtud de los cuales deba pronunciarse el acto» (artículo 34 Ley Nº 19.880). La jurisprudencia tanto administrativa como judicial se pronuncia respecto de la necesidad de la motivación del acto final. Sin embargo, la letra a) del número 3º del nuevo artículo 8º bis del Código Tributario es meridianamente clara en torno a que la exigencia se aplica a «las actuaciones del Servicio», sean o no actuaciones o procedimientos de fiscalización.

La jurisprudencia de nuestros tribunales ha señalado que un simple requerimiento de antecedentes, es una actuación que se dispone en el marco de un procedimiento administrativo de fiscalización de los tributos. Por lo tanto, se debería consignar la naturaleza y materia a revisar. Si no se trata de una fiscalización, debe señalarse dicha circunstancia y si la persona es citada a declarar, se debe indicar en qué calidad (sea bajo el artículo 34 o 60 del Código Tributario)[20].

El tema no es trivial. Piense el lector en un simple requerimiento de antecedentes efectuado por el Servicio de Impuestos Internos para verificar antecedentes de la declaración anual de impuesto a la renta presentada por un contribuyente. De interpretarse en forma amplia, la falta de fundamentación de ese sencillo acto podría acarrear la nulidad de todo el proceso de fiscalización subsecuente. En todo caso, el SII ya ha hecho

---

[20] Tribunal Tributario y Aduanero de Valparaíso. 12 de julio de 2016. RUC 16-9-0000394-7, RIT VD-14-00058-2016. «CELIS MONTT, RAUL EDUARDO CON SII» (*LTM 16208662*). Considerando 14º.

mención a las especificaciones que debe tener en cuanto a información los requerimientos de antecedentes[21].

b) Se entregue información clara, sobre el alcance y contenido de la actuación.

c) Se informe la naturaleza y materia a revisar y el plazo para interponer alegaciones o recursos. Todo contribuyente tendrá derecho a que se certifique, previa solicitud, el plazo de prescripción que resulte aplicable.

d) Se informe a todo contribuyente, en cualquier momento y por un medio expedito, de su situación tributaria y el estado de tramitación de un procedimiento en que es parte.

Hemos querido hacer referencia a estas tres letras en conjunto ya que dicen relación con el deber de información de la autoridad tributaria hacia el obligado. Hasta antes de la reforma, los números 3 y 4 del artículo 8º bis consagraban el derecho a la información, el cual se refería, por un lado, tanto a la naturaleza y materia a revisar, conocer la situación tributaria y el estado de tramitación del procedimiento; y por el otro, a la identidad y cargo de los funcionarios del SII a cargo del proceso.

La Ley Nº 21.210 refuerza este derecho, colocando un apellido al requerimiento de información, en el sentido que debe ser «clara». Se agrega el hecho de que la información no solo debe referirse a la naturaleza y materia a revisar, sino que también el plazo para interponer alegaciones o recursos. Y se puede pedir certificación, a petición de parte, respecto de los plazos de prescripción que resulten aplicables. Este nuevo estándar sin lugar a dudas resultará exigente, ya que existen materias, como los plazos de prescripción, en que existe una enorme controversia respecto de su correcta aplicación[22].

e) Se admita la acreditación de los actos, contratos u operaciones celebrados en Chile o en el extranjero con los antecedentes que correspondan a la naturaleza jurídica de los mismos y al lugar donde fueron otorgados, sin que pueda solicitarse la acreditación de actos o contratos exigiendo formalidades o solemnidades que no estén establecidas en la

---

[21]   Ver Circular Nº 49 de 2010 y Nº 19 de 2011.
[22]   Al respecto, puede verse SELMAN NAHUM (2017).

ley. Sin perjuicio de lo anterior el Servicio, en los casos que así lo determine, podrá exigir que los documentos se acompañen traducidos al español o apostillados.

Esta letra hace referencia a un importante tema que no ha sido agotado suficientemente ni en la doctrina ni en la jurisprudencia, y que dice relación con el sistema de apreciación de los actos y contratos ante el SII. Algunos interpretan que son aplicables a este respecto las normas generales de las obligaciones establecidas 1698 y siguientes del Código Civil, esto es, debería primar un sistema de apreciación legal de la prueba. Esta posición tiene algunos problemas, el más importante es que no tiene una fácil complementación con lo dispuesto en las normas del Código Tributario, específicamente con su artículo 21. Otros, por el contrario, señalan que lo que debe prevalecer son las normas del artículo 35 de la Ley N° 19.880, esto es, la apreciación por parte del órgano administrativo de la prueba en conciencia.

La disposición crucial que regula la materia de la prueba en el Código Tributario está en el artículo 21, que se refiere al *onus probandi*, o quién tiene la carga de la prueba; pero esta se refiere a quién debe probar y no señala de qué forma deben ser apreciados los antecedentes acompañados por el contribuyente. Así, es usual ver cómo para dar por acreditado un contrato consensual se exige que se adjunte un contrato escrito, sin que sean admisibles otros antecedentes; elevándolo de esta manera a la categoría de solemne.

La Ley N° 21.210 establece como principio que debe darse por acreditado el acto, contrato u operación, con los antecedentes que correspondan a la naturaleza jurídica de los mismos, por lo que debería entenderse, haciendo aplicable lo dispuesto en el artículo 35 de la Ley N° 19.880, que un contrato consensual no solo puede ser acreditado a través de un contrato por escrito, sino que por medio de cualquier otro medio de prueba «admisible en derecho». Y en cuanto a la forma, se hace aplicable el principio *lex locus regit actum* del artículo 17 del Código Civil.

Es importante conciliar esta disposición con lo que establece el inciso segundo del artículo 31 de la Ley sobre Impuesto a la Renta. Este artículo tuvo varios cambios en la Ley N° 21.210; sin embargo, esta parte se mantuvo inalterada y viene a establecer requisitos adicionales cuando se trata de gastos incurridos en el extranjero. Refuerza también el principio de seguir, en cuanto a las formalidades del acto, la ley del foro, pero exige para que sea aceptable la rebaja como gasto, que los documentos den cuenta a lo menos de la individualización y domicilio del prestador del servicio o vendedor de los bienes adquiridos, según corresponda, la naturaleza u objeto de la operación, y la fecha y monto de la misma.

f) Se notifique, al término de la actuación de que se trate, certificándose que no existen gestiones pendientes respecto de la materia y por el período revisado o que se haya fiscalizado.

Esta es una consagración de algo que ya sucede en la práctica, ya que usualmente la autoridad tributaria termina sus fiscalización con la respectiva acta de conciliación y el certificado respectivo o la liquidación emitida de conformidad al artículo 24 del Código Tributario o bien, la resolución respectiva.

5º Que el Servicio no vuelva a iniciar un nuevo procedimiento de fiscalización, ni en el mismo ejercicio ni en los periodos siguientes, respecto de partidas o hechos que ya han sido objeto de un procedimiento de fiscalización. Para estos efectos se considerará como un procedimiento de fiscalización aquel iniciado formalmente por el Servicio mediante una citación conforme al artículo 63, excluyendo revisiones iniciadas por otros medios, salvo que la revisión concluya formalmente con una rectificación, giro, liquidación, resolución o certificación que acepte los hechos o partidas objeto de la revisión. No obstante, el Servicio podrá formular un nuevo requerimiento por el mismo período, o los periodos siguientes, y por los mismos impuestos asociados, sólo si dicho nuevo requerimiento tiene por objeto un procedimiento de fiscalización referido a hechos distintos de los que fueron objeto del requerimiento anterior. También el Servicio podrá realizar un nuevo requerimiento si aparecen nuevos antecedentes que puedan dar lugar a un procedimiento de recopilación de antecedentes a que se refiere el número 10 del artículo 161; o a la aplicación de lo establecido en el artículo 4 bis, 4 ter, 4 quáter, 4 quinquies, o a la aplicación del artículo 41 G o 41 H de la ley sobre Impuesto a la Renta; o que dichos nuevos antecedentes se obtengan en respuesta de solicitudes de información a alguna autoridad extranjera.

Este numeral se refiere a una cuestión que fue controversial durante la discusión de la Ley Nº 21.210. Los actos del SII son actos administrativos, no jurisdiccionales, y por lo tanto, no producen cosa juzgada.

Dicho de otro modo, siempre se entendió que el SII tenía las facultades necesarias para volver a fiscalizar los mismos periodos y por los mismos impuestos ya revisados, todo dentro de los respectivos plazos de prescripción. Este principio se plasma en lo establecido en el artículo 25 del Código Tributario, que al respecto señala: «Toda liquidación de impuestos practicada por el Servicio tendrá el carácter de provisional mientras no se cumplan los plazos de prescripción». Las únicas excepciones se encuentran en las materias que hayan sido objeto de un pronunciamiento jurisdiccional o en una revisión sobre la cual se haya pronunciado el Director Regional, a petición del contribuyente tratándose de término de giro.

La nueva norma establece que una vez que la autoridad tributaria comienza un proceso de fiscalización, precluye su posibilidad de iniciar un nuevo procedimiento respecto de las mismas partidas o hechos, ya sea en el mismo ejercicio o en ejercicios siguientes. Y se entenderá que hay un procedimiento de esta naturaleza cuando se haya iniciado formalmente con una citación del artículo 63 del Código Tributario. Como la Citación es una actuación generalmente facultativa, resultaría fácil eludir este efecto preclusivo, omitiéndola; sin embargo, la ley establece que si la revisión concluye formalmente con una rectificación, giro, liquidación, resolución o certificación que acepte los hechos o partidas objeto de la revisión, se produce de todas formas el mencionado efecto.

No obstante, la norma establece importantes excepciones. La más importante es la genérica, que habilita una nueva revisión si esta se refiere a «hechos o impuestos distintos» de los que fueron objeto del requerimiento anterior.

6º El ser informado acerca de los funcionarios del Servicio bajo cuya responsabilidad se tramitan los procesos en que tenga la condición de interesado. Lo anterior no será aplicable respecto de las materias tratadas en el artículo 161 número 10, ni de los procedimientos del artículo 4 quinquies. Asimismo, el derecho a ser informado, si ha sido objeto de una solicitud de intercambio de información, siempre que no implique un eventual incumplimiento de obligaciones tributarias.

Como es posible ver, el legislador de la Ley Nº 21.210, estableció en forma nítida dos excepciones al derecho a obtener información acerca de la autoridad del SII que tramita los procesos. Hasta la entrada en vigencia de la ley en estudio, se señalaba solamente que se tenía derecho a «ser informado acerca de la identidad y cargo de los funcionarios del Servicio bajo cuya responsabilidad se tramitan los procesos en que tenga la condición de interesado» (N° 4 del artículo 8° bis del Código Tributario).

La primera excepción dice relación con los procedimientos de recopilación de antecedentes en que se investiga la posible comisión de un delito tributario; el segundo, el procedimiento administrativo para solicitar la declaratoria de abuso o simulación tributaria.

La novedad dice relación con las solicitudes de intercambio de información, respecto a las cuales se consagra expresamente el derecho a ser informado si se es objeto de una solicitud en esta materia.

7° Obtener copias en formato electrónico, o certificaciones de las actuaciones realizadas o de los documentos presentados en los procedimientos, en los términos previstos en la ley.

Establecido en términos similares a lo que ya existía antes de la Ley N° 21.210, se agregó que las copias que se obtengan serán proveídas en formato electrónico.

De acuerdo al Artículo quinto transitorio, esta modificación al Código Tributario regirá transcurridos tres meses contados desde la entrada en vigencia de la ley.

8° Eximirse de aportar documentos que no correspondan al procedimiento o que ya se encuentren acompañados al Servicio y a obtener, una vez finalizado el procedimiento respectivo, la devolución de los documentos originales aportados. El Servicio deberá apreciar fundadamente toda prueba o antecedentes que se le presenten.

Este numeral reviste gran importancia, ya que han existido casos en los que la autoridad tributaria ha denegado la devolución de la documentación aportada por el contribuyente. La expresión «una vez finalizado el procedimiento» ha suscitado controversia. La autoridad tributaria en ocasiones ha fundamentado la denegatoria bajo el argumento de que se encuentra pendiente el fallo de la reclamación, por lo que el SII necesita los documentos para acompañarlos a este proceso. La jurisprudencia de nuestros tribunales ha señalado en esta situación que «un caso se encuentra finalizado cuando se emiten y notifican las liquidaciones en que desemboca el proceso de fiscalización. La facultad de fiscalización tiene por objeto determinar la obligación impositiva del contribuyente, y esa determinación se agota con la notificación de la liquidación»[23].

La gran novedad de este numeral está en la última frase, en el sentido que «el Servicio deberá apreciar fundadamente toda prueba o antecedentes que se le presenten». Ya hemos hablado anteriormente de la disputa que se ha suscitado respecto de la forma en que la autoridad tributaria debe apreciar la prueba que se le allega. La disposición no zanja la controversia, pero pensamos que por su redacción se acerca al principio de apreciación de la prueba en conciencia, establecido en el artículo 35 de la Ley N° 19.880, toda vez que incluye el imperativo de fundamentar el análisis de cada uno de los medios, sin que pueda estarse al sistema de la libre convicción.

9° Que en los actos de fiscalización se respete la vida privada y se protejan los datos personales en conformidad con la ley; y que las declaraciones impositivas, salvo los casos de excepción legal, tengan carácter reservado, en los términos previstos por este Código.

La disposición amplía la esfera de resguardo que deben cuidar los funcionarios del SII. Anteriormente, este derecho se restringía a «las declaraciones impositivas»; por el contrario, el legislador ahora establece que se debe respetar la vida privada y los datos personales, lo que nos lleva a la íntegra aplicación de la Ley N° 19.628 de 2012, sobre protección de la vida privada. En especial, los funcionarios deben considerar lo señalado en el artículo 9° de dicha ley, en el sentido de que «los datos personales deben utilizarse sólo para los fines para los cuales hubieren sido recolectados, salvo que provengan o se hayan recolectado de fuentes accesibles al público».

10° Que las actuaciones del Servicio se lleven a cabo sin dilaciones, requerimientos o esperas innecesarias, y en la forma menos costosa para el contribuyente, certificada que sea, por parte del funcionario a cargo, la recepción de todos los antecedentes solicitados y en cuanto no signi-

---

[23]   Tribunal Tributario y Aduanero Región de Los Ríos. 21 de febrero de 2019. RUC 18-9-001147-0, RIT VD-11-00026-2018. «SUR SANTIAGO LIMITADA CON SII». (*LTM 16192866*). Considerando 12°.

fique el incumplimiento de las disposiciones tributarias. Lo anterior es sin perjuicio del derecho que asiste al Servicio de solicitar nuevos antecedentes si así resulta necesario en un procedimiento de fiscalización.

Ya nos hemos referido anteriormente a cómo la pretensión de que el SII lleve sus actuaciones dentro de plazos razonables, nos lleva al artículo 59 del Código Tributario, el cual ha sufrido varias modificaciones desde el año 2010.

Llama la atención la inclusión de la mención a que las actuaciones del SII se lleven «en la forma menos costosa para el contribuyente» que es un elemento nuevo. En virtud de este derecho, el contribuyente podría oponerse, por ejemplo, a llevar sus antecedentes en papel cuando pudiera ser equivalente mostrar estos mismos antecedentes en formato digital. Es el mismo derecho que tienen consagrado legislaciones como la mexicana.

11º Ejercer los recursos e iniciar los procedimientos que correspondan, personalmente o representados; a formular alegaciones y presentar antecedentes dentro de los plazos previstos en la ley y que tales antecedentes sean incorporados al procedimiento de que se trate y debidamente considerados por el funcionario competente.

Este derecho ya se encontraba contemplado en la norma existente hasta antes de la dictación de la Ley Nº 21.210. Se explicitó en esta versión el derecho de los contribuyentes para ejercer recursos e iniciar los procedimientos que le correspondan, lo que resulta coherente con el aumento en el número recursos disponibles para los obligados que efectuó la ley.

Se ha fallado por parte de nuestros tribunales que «revisada la normativa tributaria que rige el procedimiento de auditoría tributaria, tanto la legal contenida en el artículo 59 y siguientes del Código Tributario; como en la Circular Nº 58 del año 2000, no se ha encontrado norma ni instrucción alguna que posibilite al fiscalizador negarse a recibir la documentación por el hecho de que esta sea voluminosa o no se detalle en la forma que éste pretende»[24].

---

[24]   Segundo Tribunal Tributario y Aduanero Región Metropolitana. 3 de marzo de 2016. RUC 15-9-0000731-8; RIT VD-16-00075-2015. «SENDERO S.A.

12° Plantear, en forma respetuosa y conveniente, sugerencias y quejas sobre las actuaciones del Servicio en que tenga interés o que le afecten.

Este derecho es el mismo que estaba consagrado en el número 10° del artículo 8°, anterior a la reforma de la Ley N° 21.210. Es un derecho que tiene un correlato muy claro en el derecho de petición consagrado en el N° 14 del artículo 19 de la CPR.

13° Tener certeza de que los efectos tributarios de sus actos o contratos son aquellos previstos por la ley, sin perjuicio del ejercicio de las facultades de fiscalización que corresponda de acuerdo con la ley. Al respecto, el Servicio deberá publicar en su sitio web los oficios, resoluciones y circulares, salvo aquellos que sean reservados en conformidad con la ley. Asimismo, el Servicio deberá mantener un registro actualizado de los criterios interpretativos emitidos por el Director en ejercicio de sus facultades interpretativas o por los Directores Regionales en el ejercicio de la facultad establecida en el artículo 6, letra B N° 1, y de la jurisprudencia judicial en materia tributaria.

Uno de los principios declarados por el ejecutivo que inspiraron el proyecto de modernización tributaria es el de «certeza y seguridad jurídica». El mensaje a este respecto indica que la ley debe ser predecible y el contribuyente tener «claridad sobre los hechos gravados, los sujetos, las tasas y las consecuencias legales de no cumplir con sus obligaciones tributarias»[25].

El propósito de la norma es claro, pero deberemos esperar el desarrollo jurisprudencial para determinar qué alcances se le da a este derecho. La autoridad tributaria ha sido reticente a desconocer formalmente los efectos jurídicos de los actos y contratos celebrados; y tradicionalmente ha echado mano a otras herramientas para desconocer el efecto tributario deseado por los contratantes, recurriendo, por ejemplo, al gasto rechazado del artículo 21 de la Ley sobre Impuesto a la Renta. De esta forma, en general, la autoridad no desconoce los efectos civiles de una compraventa, pero no acepta la consecuencia anhelada por el contribuyente en el sentido de que ese gasto en específico pueda ser rebajado en

---

CON SII» (*LTM 16208511*). Considerando 9°.

[25]   Mensaje proyecto de Ley N° 21.210, legislatura 366. 23 de agosto de 2018, p. 8.

la determinación de la renta líquida imponible. Por lo anterior, es importante analizar las modificaciones en conjunto y examinar el desarrollo del concepto «gasto necesario» tras la reforma de la ley. Este estudio, nos alejaría del propósito de este capítulo, por lo que sólo lo dejamos como recomendación para el lector.

14° Que las actuaciones del Servicio no afecten el normal desarrollo de las operaciones o actividades económicas, salvo en los casos previstos por la ley. En el caso que se tomen medidas de esta naturaleza por el Servicio, como la prevista en el artículo 8 ter, el contribuyente tendrá derecho a que se le notifiquen previamente las razones que fundamentaron tales medidas.

Este derecho no se encontraba contemplado con anterioridad en nuestro Código Tributario y fue incorporado en los mismos términos que fue propuesto en el proyecto de ley.

Algunas actuaciones del SII imponen restricciones al normal desenvolvimiento de la empresa. Pensemos, por ejemplo, en la sanción de clausura impuesta de conformidad al número 10 del artículo 97; o fuera del ámbito sancionatorio, una simple fiscalización puede implicar un esfuerzo no menor en recopilación de documentos. Las actuaciones del SII generalmente afectan, en mayor o menor medida, el desenvolvimiento de la empresa. El requisito que subraya la ley es que esta afectación tiene que tener un fundamento en la ley, lo que nos lleva al Título IV sobre medios especiales de fiscalización. Las facultades entregadas por la ley a la autoridad tributaria están expresadas normalmente en términos amplios, por lo que este derecho no debería, al menos en teoría, coartar las facultades del SII para efectuar su labor.

15° El ser notificado de cualquier restricción de informar los actos y modificaciones a que aluden los artículos 68 y 69, u otras acciones que afecten el ciclo de vida del contribuyente, la posibilidad de informar modificaciones de otra índole o realizar cualquier clase de actuaciones ante el Servicio.

Los artículos 68 y 69 del Código Tributario imponen al contribuyente las obligaciones de informar el inicio de actividades, las modificaciones importantes a los datos contenidos en la primera declaración y dar aviso de término de giro. En otras palabras, estas obligaciones dicen relación con el nacimiento, el desarrollo y el fin de la existencia como contribuyente, razón por la cual se llaman «ciclo de vida del contribuyente». Si la ley impone la obligación de dar cuenta al SII de los cambios que dan cuenta estos artículos, la no entrega de esta información puede llevar aparejada sanciones, de conformidad al artículo 97 del Código Tributario.

Por lo anterior, resulta claro que la imposición por parte de la autoridad de alguna restricción a la posibilidad de informar estos cambios, podría hacer que el contribuyente tuviera el fundado temor de estar incurriendo en una infracción.

16º El ser informado de toda clase de anotaciones que le practique el Servicio.

Las anotaciones son observaciones que aparecen en el sistema de información que utilizan los funcionarios del SII y que pueden tener severas consecuencias para el contribuyente, como por ejemplo, impedirle o restringir la autorización de folios para obtener facturas o bien, o negarle la posibilidad de acceder a condonaciones. La imposición de estas anotaciones no es un acto que sea notificado al contribuyente, ya que corresponde a información de carácter interno. No obstante lo anterior, y debido a las negativas consecuencias que pudiera acarrear, se establece el derecho para conocer su contenido. Como esta norma se debe interpretar en forma armónica con otras disposiciones, forzoso es concluir que no basta con una información de carácter formal, sino que debe indicar «con precisión las razones que la motivan» (artículo 8º bis Nº 3 letra a) de modo que el contribuyente pueda conocer su situación tributaria (artículo 8º bis Nº 3 letra d) y que pueda formular alegaciones y acompañar antecedentes con el objeto de solucionar su situación (artículo 8º bis Nº 11). No podría la autoridad negarse a recibir dichos antecedentes y ponderarlos, levantando la anotación si fuere necesario, con el pretexto de que no se está en un procedimiento de fiscalización.

De acuerdo al Artículo quinto transitorio, esta modificación al Código Tributario regirá transcurridos tres meses contados desde la entrada en vigencia de la ley.

17º Llevar a cabo las rectificaciones que sean necesarias, salvo en los casos establecidos en la ley y sin perjuicio de las sanciones que correspondan conforme a la ley.

Como es sabido, se manejan en el lenguaje técnico dos tipos de declaraciones que tienen como objetivo reemplazar la anteriormente presentada. Una es la declaración «modificatoria», que no presenta diferencias de impuestos y la otra es la «rectificatoria», que sí los presenta. Aun cuando la ley no se refiere expresamente a esta diferencia, la existencia de ambos tipos ha sido reconocida por el SII a través de sus Circulares[26].

Surge la duda, por tanto, acerca de si este numeral solo se refiere a las declaraciones «rectificatorias» propiamente tales, dejando de lado las declaraciones «modificatorias», o bien, el concepto es amplio.

En nuestro parecer, no existe motivo alguno para no reconocer como derecho del contribuyente para presentar ambos tipos de declaraciones. Por lo demás, en el uso corriente, la palabra «rectificar» significa sólo «corregir las imperfecciones, errores o defectos de algo ya hecho»[27], esto es, corregir una declaración, cualquiera sea su consecuencia.

Esta disposición nos lleva al artículo 36 bis del Código Tributario, que establece el derecho de los contribuyentes a presentar una nueva declaración antes que exista liquidación o giro del Servicio. La Ley N° 21.210 incorporó un inciso segundo, por el cual los contribuyentes podrán presentar estas declaraciones rectificatorias en los procedimientos administrativos de reposición a que se refiere el artículo 123 bis del Código Tributario. Esta medida permite formalizar una situación que se da en la práctica cuando el contribuyente, estando en la reposición voluntaria, accede a enmendar parte de sus errores para seguir discutiendo otros puntos de su declaración.

18° Que, para todos los efectos legales y cualquiera sea el caso, se respeten los plazos de prescripción o caducidad tributaria establecidos en la ley.

Imposible no relacionar este número 18° con lo establecido en la letra c) del N° 3 del artículo 8° bis, que establece el derecho para todo contribuyente «a que se certifique, previa solicitud, el plazo de prescripción que resulte aplicable». La certificación otorgada, vincula al SII, en

---

[26] Véase en ese sentido, Servicio de Impuestos Internos. Circular N° 34 de 2004; Circular N° 48 de 2004.

[27] Diccionario de la Lengua Española. [en línea]. www.dle.es.

términos tales que no podría con posterioridad a la entrega del certificado, alegar un plazo de prescripción diferente al mencionado. Recordemos que los actos administrativos gozan de «una presunción de legalidad», conforme lo establece el inciso final del artículo 3º de la Ley Nº 19.880. El mismo artículo 3º ya referido indica que «constituyen, también, actos administrativos los dictámenes o declaraciones de juicio, constancia o conocimiento que realicen los órganos de la Administración en el ejercicio de sus competencias», como sería precisamente una certificación en la que la autoridad tributaria le indica al contribuyente cuál es el plazo para la prescripción de la acción fiscalizadora.

19º Que se presuma que el contribuyente actúa de buena fe.

Principio general de Derecho consagrado ampliamente en nuestra legislación, parece no ser casualidad que se encuentre consagrado en último lugar. Esta posición sirve como una guía orientadora para la administración, como norma de clausura, en términos que en caso de dudas, debe la autoridad asumir que el contribuyente actúa de buena fe; y se requieren razones muy fundamentadas para llegar a una conclusión en contrario.

Concepto ampliamente estudiado en materia de Derecho Civil, no ha existido un desarrollo paralelo del concepto en materia tributaria. El concepto de buena fe sólo existía como mención en el artículo 26 del Código Tributario, con efectos específicos. Posteriormente, fue desarrollado a partir del año 2014, con la publicación de la Ley Nº 20.780, a propósito de la norma general antielusión (NGA). El inciso segundo del artículo 4 bis expresa que «la buena fe en materia tributaria supone reconocer los efectos que se desprendan de los actos o negocios jurídicos o de un conjunto o serie de ellos, según la forma en que estos se hayan celebrado por los contribuyentes». Como se puede desprender, la norma no tiene la intención de definir en términos generales la buena fe en materia tributaria, sólo indica lo que lo que este concepto «supone» para efectos de la aplicación de la NGA, estableciendo un deber para la autoridad tributaria.

La jurisprudencia ha tratado el punto a propósito del artículo 26 del Código Tributario, que establece el principio de buena fe. Ha señalado que «en materia impositiva, para que concurra la "buena fe" que es un elemento netamente subjetivo, se debe precisar en primer lugar: en qué

consiste, en qué momento debe existir, si debe o no probar el contribuyente su buena fe, o ésta se presume; interrogantes no menores y que se
siempre se deben plantearse en el escenario jurisprudencial»[28]. Prosigue
el tribunal indicando que «Streeter nos señala que, en nuestra legislación no contiene ninguna definición de la buena fe que sea de general
aplicación, ni tampoco encontramos una definición de ella en las leyes
tributarias. A su vez elabora un concepto describiendo la buena fe, para
estos efectos, como la conciencia que tiene el contribuyente de que su
conducta tributaria se ajusta a Derecho, en la forma que éste ha sido
interpretado por la Dirección [...] (Jorge Streeter, Revista de Derecho
Económico, Facultad de Derecho Universidad de Chile 1967 Nº s. 21
y 22)»[29].

El concepto de buena fe desarrollado por nuestra jurisprudencia, sigue atado por lo tanto al artículo 26 del Código Tributario y resulta de
difícil aplicación a un nivel general. Sigue pendiente, por tanto, la tarea
de delimitar los alcances del principio de buena fe en el ámbito del Código Tributario.

VII. Recurso de resguardo

El legislador incorporó un nuevo recurso de carácter administrativo
para el debido resguardo de los derechos de los contribuyentes. Llama
la atención que la ley empleó una expresión amplia, ya que habla de
un contribuyente que considere vulnerados «sus derechos» y no hace
referencia los derechos reconocidos por el artículo 8º bis. Esta amplitud,
hace pensar que esta acción de resguardo podría ayudar a remediar la
vulneración de prerrogativas contempladas a favor del contribuyente en
otras disposiciones, en especial en materia de fiscalización. Este autor,
sin embargo, cree que este recurso administrativo solo está destinada a
remediar los actos u omisiones que tengan como efecto la vulneración

---

[28] Tribunal Tributario y Aduanero del Biobío. 30 de mayo de 2013. RUC 12-9-
     0000400-K, RIT GR-10-00071-2012. «COMERCIAL CARACOL LIMI-
     TADA CON SII» (*LTM 16512459*). Considerando 15º.
[29] Idem.

de algunos derechos contemplados por la norma, esto porque los incisos siguientes, referidos a los mecanismos de reclamo, sí hacen referencia solo a los derechos consagrados en el artículo 8º bis.

Este recurso se presenta ante el Director Regional en cuya jurisdicción se haya emitido el acto o se haya producido la omisión, o ante el Director Nacional si la actuación es realizada por aquel. El plazo para presentar el recurso es de diez días hábiles, contados desde la ocurrencia del acto u omisión. Debe ser resuelto dentro de quinto día.

De lo decidido por el Director Regional o el Director Nacional, podrá reclamarse ante el Juez Tributario y Aduanero, conforme al procedimiento especial por vulneración de derechos.

Sin perjuicio de lo anterior, el contribuyente puede reclamar directamente utilizando el ya mencionado procedimiento especial en contra de los actos que vulneren los derechos señalados en este artículo. El procedimiento de vulneración de derechos de los artículos 155 y 156 del Código Tributario no sufrió variaciones sustanciales en esta reforma.

1. *Compatibilidad del recurso de resguardo con el recurso de reposición del artículo 123 bis del Código Tributario*

El artículo 123 bis del Código Tributario establece el recurso de reposición administrativa en contra de los actos que son reclamables por la vía del procedimiento general de reclamaciones, esto es, la totalidad o alguna de las partidas o elementos de una liquidación, giro, pago o resolución que incida en el pago de un impuesto o en los elementos que sirvan de base para determinarlo. El nuevo número 7º de la letra A) del artículo 6º del Código Tributario, establece un nuevo recurso jerárquico en contra de la resolución que falla el recurso de reposición administrativa del artículo 123 bis del Código. Este recurso jerárquico es conocido por el mismo Director Nacional del SII[30].

---

[30]   De acuerdo a la disposición tercera transitoria de la Ley Nº 21.210, el recurso jerárquico, es aplicable a los procedimientos administrativos en trámite a la fecha de vigencia de las disposiciones

Pensamos que el nuevo recurso de resguardo administrativo establecido por el artículo 8° bis del Código corresponde a una acción especial, cuyo fundamento es específico y que consiste en la vulneración de los derechos establecidos por el mismo Código a favor de un contribuyente. Por lo tanto, no podría un contribuyente que ha intentado el recurso de resguardo y que tuvo una resolución desfavorable, intentar con posterioridad la reposición administrativa voluntaria, aun cuando se encuentre dentro de plazo. El legislador estableció una salida especial para el contribuyente que no esté conforme con lo resuelto ya sea por el Director Regional o por el Director Nacional, que es el procedimiento por vulneración de derechos.

Por otra parte, nada impide al contribuyente que no opte por el recurso de resguardo interponga un recurso de reposición administrativa. Claramente el fundamento podrá variar, pero nada obstaría a que el obligado alegue a través de esta reposición del artículo 123 bis la vulneración de alguno de los derechos del artículo 8° bis.

Cabe hacer presente, sin embargo, que el recurso de reposición administrativo solo puede atacar actos administrativos terminales; siendo, en este sentido, más acotado que el recurso de resguardo, que no establece tal limitación y que podría dirigirse también en contra de actuaciones de fiscalización.

VIII. Autorización de documentos tributarios

Incorporados por el artículo 2° de la Ley N° 20.494 de 2011, los artículos 8 ter y 8 quáter han intentado con mayor o menor éxito regular una actividad de fiscalización tradicional para el SII, cual es la de autorización de documentos tributarios. Como es sabido, esta es una actuación de tremenda importancia ya que obliga al contribuyente acudir a la autoridad tributaria para obtener la autorización de documentos necesarios para su funcionamiento, como son facturas, notas de crédito y débito.

Cuando un contribuyente presentaba un comportamiento que llamaba la atención de la entidad fiscalizadora, se autorizaba un número reducido de documentos, o sencillamente no se autorizaba, lo cual impedía en la práctica continuar con el funcionamiento del negocio hasta que se regularizara la situación tributaria. Las facultades para efectuar este «bloqueo» tradicionalmente fueron discutidas en los tribunales.

El año 2011 se intentó regular esta situación, estableciendo el derecho del contribuyente que optara por la facturación electrónica a la autorización «en forma inmediata» de los documentos electrónicos necesarios para el desarrollo de su actividad; sin perjuicio del ejercicio de las facultades de fiscalización del SII. Este principio sigue siendo recogido por el legislador de la Ley N° 21.210.

El mensaje del proyecto de ley expresa a este respecto que «se aclaran y especifican las situaciones que conforme al 8 ter del CT permiten el bloqueo de documentos tributarios, puesto que se reconocen las gravosas consecuencias que puede tener dicha medida para el contribuyente, quien debe conocer con precisión y debe ser notificado de la adopción y causales de tales medidas, a fin que pueda proceder a su pronta solución»[31].

Lo que cambia, son las situaciones que autorizan a diferir, revocar o restringir la autorización de documentación tributaria. Hasta antes de la dictación de la Ley N° 21.210, la justificación para esta restricción se refería a la existencia de una «causa grave», sin que se definiera qué significaba dicho concepto. La ley, solo se limitaba a dar ejemplos de los que debía entenderse por tal.

El legislador ha restringido las hipótesis que ameritan estas restricciones, a las siguientes, siempre por resolución fundada y mientras subsista la situación:

a) Cuando el contribuyente se encuentre en la situación a la que se refiere la letra b) del artículo 59 bis del Código Tributario, esto es, cuando incurra reiteradamente en las infracciones establecidas en los números 6, 7 ó 15 del artículo 97.

b) Cuando el contribuyente se encuentre en la situación a la que se refiere la letra c) del artículo 59 bis del Código Tributario, esto es, cuando «con base en los antecedentes en poder del Servicio se determine fundadamente que el contribuyente no mantiene

---

[31]   Mensaje proyecto de Ley N° 21.210, legislatura 366. 23 de agosto de 2018, p. 41.

las instalaciones mínimas necesarias para el desarrollo de la actividad o giro declarado ante el Servicio o que la dirección, correo electrónico, número de rol de avalúo de la propiedad o teléfono declarados para la obtención de rol único tributario, la realización de un inicio de actividades o la información de una modificación, conforme con los artículos 66, 68 y 69, según corresponda, sean declarados fundadamente como falsos o inexistentes».

c) Cuando el contribuyente se encuentre en la situación a la que se refiere la letra d) del artículo 59 bis del Código Tributario, esto es, cuando «el contribuyente esté formalizado o acusado conforme al Código Procesal Penal por delito tributario o sea condenado por este tipo de delitos mientras cumpla su pena».

d) También procede la medida de diferir, revocar o restringir la autorización de documentación tributaria a contribuyentes respecto a los cuales se haya dispuesto un cambio total de sujeto de acuerdo a lo dispuesto en el artículo 3º de la Ley de Impuestos a las Ventas y Servicios.

1. Deber de información sobre estas medidas

El artículo 8 quáter fue completamente sustituido, señalando que el «Servicio publicará y mantendrá actualizada y a disposición del contribuyente en su sitio personal, la información referida a la adopción y vigencia de cualquiera de las medidas a que se refiere el artículo anterior. En caso que el Servicio no publique y mantenga dicha información en estos términos, no procederá que se difiera, revoque o restrinja las autorizaciones establecidas en el artículo precedente».

IX. Vigencia de las modificaciones

De acuerdo a lo dispuesto en el artículo primero transitorio de la Ley Nº 21.210, «las modificaciones establecidas en esta ley que no tengan una fecha especial de vigencia, entrarán en vigencia a contar del primer día del mes siguiente de su publicación en el Diario Oficial». Considerando que su publicación se concretó el día 24 de febrero de 2020, debe considerarse que las modificaciones al Código Tributario acá analizadas entraron en vigencia el día 1º de marzo de 2020. Las situaciones de excepción se han señalado expresamente.

X. Conclusiones

La Ley Nº 21.210 amplió y reforzó los derechos de los contribuyentes. Los amplió por su descripción más detallada y los reforzó estableciendo un catálogo nuevo que no se encontraba considerado en las normas anteriores del Código Tributario.

Esta reformulación implicará desde luego un desafío para la autoridad tributaria, la que deberá, entre otras cosas, fundamentar todas sus actuaciones, entregar información clara, certificar plazos. También existirá un desafío para los tribunales tributarios y las Cortes, para delimitar jurisprudencialmente el alcance y las consecuencias prácticas de cada derecho. En este sentido, se tendrán que estudiar con mayor profundidad conceptos como el de «buena fe», que había tenido un desarrollo más bien limitado a la aplicación del artículo 26 del Código Tributario. Los contribuyentes deberán también informarse adecuadamente de sus derechos y entender sus verdaderos alcances.

En un primer análisis, se puede estimar como positivo el reforzamiento de los derechos de las personas; sin embargo, falta aún el correspondiente desarrollo de la jurisprudencia administrativa y judicial para determinar qué el alcance de estas modificaciones.

Bibliografía

Libros y tesis

FERREIRO LAPATZA, José Juan (1998): «¿Estatuto del contribuyente o estatuto de la administración tributaria?», en El Mismo, *Ensayos sobre Metodología y Técnica en el Derecho Financiero y Tributario* (Marcial Pons, Ediciones Jurídicas y Sociales S.A., Madrid), pp. 195-209.

MIRANDA TUFIÑO, Diana Carolina (2016): «Estudio Comparativo de los derechos de los contribuyentes, en las administraciones tributarias de España, Argentina, México y Ecuador». Tesis para la obtención del título de Magíster en Tributación. Quito, 2016.

Selman Nahum, Arturo (2017): «Inicio del cómputo del plazo de prescripción del artículo 200 del Código Tributario y su aumento producto de la Citación», *Revista de Estudios Tributarios*, N° 18, pp. 205-233.

Valdivia Villagrán, Francisco (2010): «Consagración en el Código Tributario de los derechos de los contribuyentes (Art. 8 bis)», *Revista de Estudios Tributarios*, N° 2, pp. 267-278.

Instrucciones del SII

Circular N° 34, de 2004.
Circular N° 48, de 2004.
Circular N° 49, de 2010.
Circular N° 19, de 2011.
Circular N° 33, de 2015.

Sentencias

Tribunal Tributario y Aduanero de Valparaíso. 12 de julio de 2016. RUC 16-9-0000394-7, RIT VD-14-00058-2016. «CELIS MONTT, RAUL EDUARDO CON SII» (*LTM 16208662*).

Tribunal Tributario y Aduanero de Nuble y Región del Bíobio. 2 de agosto de 2019. RUC 19-9-0000556-6, RIT VD-10-00049-2019. «INVERSIONES C Y C LIMITADA CON SII».

Segundo Tribunal Tributario y Aduanero Región Metropolitana. 3 de marzo de 2016. RUC 15-9-0000731-8, RIT VD-16-00075-2015. «SENDERO S.A. CON SII». (*LTM 16208511*).

Tribunal Tributario y Aduanero Región de Los Ríos. 21 de febrero de 2019. RUC 18-9-001147-0, RIT VD-11-00026-2018. «SUR SANTIAGO LIMITADA CON SII». (*LTM 16192866*).

Tribunal Tributario y Aduanero del Biobío. 30 de mayo de 2013. RUC 12-9-0000400-K, RIT GR-10-00071-2012. «COMERCIAL CARACOL LIMITADA CON SII». (*LTM 16512459*).

SISTEMAS INFORMÁTICOS DE FISCALIZACIÓN TRIBUTARIA Y DERECHO DE DEFENSA

Antonio Faúndez-Ugalde[*]
Rafael Mellado Silva[**]
Mario Pino Moya[***]

I. Introducción

La OCDE (2016) ha sugerido que todas las organizaciones, incluidas las autoridades fiscales, deben enfrentar el desafío de seguir el ritmo de la evolución tecnológica y, en la medida de lo necesario, deben reconsiderar la forma de cambiar los servicios y la distribución para la mejor utilización de esa tecnología[1]. Asimismo, ha recomendado que las administraciones fiscales intensifiquen la cooperación internacional en el acceso a datos masivos sobre usuarios de plataformas en línea[2]. Esta tendencia se refleja en estudios recientes, los que demuestran que la implementación de sistemas informáticos de fiscalización facilita la mejor gestión de riesgos fiscales[3]. Así, 19 de 22 países encuestados en América, Asia Pacífico, Medio Oriente y África, se encuentran utilizando herramientas de *big data* como parte de procesos de auditoría de contribuyentes[4]. En el caso del Reino Unido, el Gobierno está considerando sus aplicaciones para rastrear mejor los ingresos fiscales, mientras que el

---

[*]   Doctor en Derecho, profesor jerarquizado Pontificia Universidad Católica de Valparaíso. Trabajo desarrollado dentro del proyecto de investigación patrocinado por la Vicerrectoría de Investigación y Estudios Avanzados de la Pontificia Universidad Católica de Valparaíso, Código Proyecto: 039.406/2019.

[**]   Magíster en Ingeniería Informática, profesor permanente Pontificia Universidad Católica de Valparaíso.

[***]   Contador auditor, profesor agregado Pontificia Universidad Católica de Valparaíso.

[1]   OCDE (2016).
[2]   OCDE (2018).
[3]   OCDE (2017) p. 19.
[4]   Gillis *et al.* (2015) p. 3.

Gobierno de Australia está llevando a cabo una revisión exhaustiva destinada a potenciar los servicios gubernamentales[5]. Esto demuestra, además, una medida de transparencia global que ha marcado tendencia en el ámbito internacional, especialmente en lo que se refiere al intercambio automático de información de antecedentes de los contribuyentes[6].

La última reforma tributaria que experimentó Chile en el año 2014, innovó con distintas herramientas tecnológicas para los procesos de fiscalización, entre ellas, la aplicación de sistemas informáticos destinados a conectarse directamente con los sistemas de contabilidad de los contribuyentes, normativa que ha sido complementada recientemente en el año 2020. La autoridad fiscal chilena ha informado que desde el año 2017 ha fiscalizado a 119 contribuyentes bajo esta modalidad, conectándose a sus sistemas a distancia para recabar antecedentes, de los cuales 116 casos corresponden a empresas y solo 3 a personas naturales[7].

Sin embargo, estos mecanismos tecnológicos encierran una dificultad mayor frente al derecho de defensa de los contribuyentes, especialmente, al momento de ser utilizados como medios probatorios en el juicio tributario. Así, esta problemática se relaciona, por un lado, con el deber de resguardo de la información que deben cumplir los funcionarios de la administración tributaria y, por otro lado, con la publicidad procesal relativa al derecho de las partes del juicio en conocer, oportunamente, las pruebas o antecedentes que sustentan un acto administrativo que se hace valer o es objetado; en otras palabras, el principio de publicidad implica el acceso de las partes procesales a las pruebas producidas, siendo éste un imperativo necesario para la implementación de la amplia defensa y del contradictorio[8].

Considerando lo anterior, surge la siguiente pregunta: ¿tienen derecho los contribuyentes a conocer las operaciones lógicas o aritméticas que sustentan un sistema informático de fiscalización aplicado por la administración fiscal para determinar diferencias de impuestos? Para responder esta interrogante se analizará en detalle el artículo 60 bis del

---

5   O'Neill (2017) p. 167.
6   Huang (2018) p. 225.
7   Diario Financiero (2020) p. 14.
8   Del Padre (2011) p. 253.

Código Tributario, introducido por la reforma tributaria del año 2014 y complementado por la Ley N° 21.210 sobre modernización de la legislación tributaria publicada en el año 2020. Esto permitirá establecer el alcance de la nueva normativa y los efectos que puede generar en el juicio tributario frente al derecho de defensa de los contribuyentes. Las conclusiones serán desarrolladas al final del texto.

II. Aspectos generales de los sistemas informáticos de fiscalización

En los procesos de fiscalización de las administraciones tributarias es clave contar con sistemas de información que permitan proporcionar los antecedentes necesarios que respalden las declaraciones de impuestos de los contribuyentes. Incluso, las nuevas tecnologías se han integrado en los planes de desarrollo estratégicos de las administraciones tributarias en base a la caracterización del riesgo de incumplimiento de las obligaciones tributarias, como el caso de Chile[9] y México[10]. Sin embargo, la gran cantidad de datos que existen en el espacio digital hace necesario generar mecanismos destinados a optimizar los procesos de búsqueda de información.

El consumidor digital es el gran contribuidor al contenido de la web y de los datos que alimentan la inteligencia de aplicaciones y plataformas[11], conformando la denominada *big data,* esto es, el conjunto de tecnologías que permiten tratar cantidades masivas de datos provenientes de fuentes dispares, con el objetivo de poder otorgarles una utilidad que proporcione valor[12]. De dichas técnicas surgen la *data mining* y la inteligencia artificial, las que han sido incorporadas en las actividades de planificación de auditorías, principalmente para detectar patrones de fraude o de evasión de impuestos[13]. Particularmente, el *data mining* es definida

---

[9]   SII (2018) p. 25.
[10] Mancilla (2010) p. 480.
[11] Katz (2015) p. 14.
[12] Gil (2016) p. 11.
[13] Castellón y Velázquez (2011) p. 82.

como un proceso de exploración y análisis, por medios automáticos, de grandes cantidades de datos para descubrir patrones o reglas significativas[14]. Se identifican tres técnicas de *data mining*[15]: el *Self-Organizing Maps* (SOM), el Gas Neuronal (NG) y Árboles de Clasificación (AC). El SOM se aplica para *clustering* y segmentación, generando grupos con objetos de comportamiento similar entre sí, pero diferentes a los objetos de otro grupo. A diferencia del SOM, en el sistema NG las neuronas se desplazan libremente, permitiendo al algoritmo una mejor capacidad para aproximar la distribución de los datos en el espacio de entrada. El sistema AC es uno de los métodos más utilizado para realizar clasificaciones, en donde el algoritmo forma todos los pares posibles y combinaciones de categorías, agrupando aquellas que se comportan homogéneamente con respecto a la variable respuesta en un grupo, manteniendo separadas las categorías que se comportan de forma heterogénea.

Desde el año 2000 el Servicio de Rentas Internas de los Estados Unidos realizó una reestructuración y modernización de sus divisiones operacionales, mejorando la captura de datos a través de los sistemas de información[16], utilizando, además, técnicas de *data mining* con distintos fines, entre otros, la medición del riesgo de cumplimiento de los contribuyentes, la detección de evasión tributaria, fraude electrónico, fraude por créditos fiscales y lavado de dinero[17]. Para lo anterior, la entidad norteamericana ha desarrollado modelos de regresión logística, árboles de decisión, redes neuronales, algoritmos de *clustering* y técnicas de visualización como *link analysis*, entre otros[18].

En Chile, la primera experiencia en el análisis de datos por parte del SII, se presentó en el año 2007, caracterizando contribuyentes obligados a declarar IVA a través de la aplicación de algoritmos de *clustering*, esto es, una herramienta que extrae patrones de conjunto de datos, particularmente en el análisis de comportamiento humano en comunidades sociales (por ejemplo, civilizaciones, países, cuyas características comu-

---

[14]   BERRY Y LINOFF (2000); SOBROSA Y DA SILVA (2013).
[15]   CASTELLÓN Y VELÁZQUEZ (2011) p. 85.
[16]   NOLAN (2001) p. 1.
[17]   GAO (2014).
[18]   CASTELLÓN Y VELÁZQUEZ (2011) p. 82.

nes son el idioma, raza, aspectos culturales), y dentro de estas, se forman subgrupos, por ejemplo, basados en antecedentes socio-económicos[19]. Posteriormente, siguiendo la tendencia internacional, en el año 2009 el SII desarrolló modelos de riesgos en distintas etapas del ciclo de vida del contribuyente, en los que se aplican técnicas de redes neuronales, árboles de decisión y regresión logística, presentándose, además, la primera experiencia para detectar potenciales usuarios de facturas falsas a través de redes neuronales artificiales y árboles de decisión, utilizando, principalmente, información de su declaración de IVA y Renta en micro y pequeña empresas[20].

Las técnicas anteriores resultan esenciales para los procesos de auditoría tributaria del SII, entendida como un procedimiento destinado a fiscalizar el correcto cumplimiento de las obligaciones tributarias por parte de los contribuyentes[21]. Estos procesos de fiscalización pueden ser de dos tipos, los de carácter masivo y selectivo[22].

En el caso de las fiscalizaciones masivas, se debe observar variables que inciden directamente sobre la capacidad de procesamiento de información por parte de los agentes fiscalizadores, por lo cual el uso de procesos que cuenten con cierto grado de automatización tendrá un efecto positivo en optimizar los recursos y determinar hallazgos según evidencia directa que entregue antecedentes empíricos a los fiscalizadores para observar con detención los resultados segmentados.

De esta forma, lo que se logra en los referidos procesos masivos es disminuir los tiempos de análisis que debería incurrir la entidad fiscalizadora si quisiera evaluar a todos los contribuyentes sujetos a fiscalización, reduciéndolo a una muestra menor que cuenta con características y evidencia necesaria para ser observado por un experto. Lo anterior ha sido posible debido a las mejoras exponenciales en las capacidades de cómputo de los servidores y, además, porque los sistemas de información se implementan actualmente bajo los principios ya conocidos de la

---

[19]   Lückeheide *et al.* (2007) p. 89.
[20]   Castellón y Velázquez (2011) p. 83.
[21]   SII (2000).
[22]   SII (2015).

Ley de Moore[23]. Es importante evidenciar que las limitantes de procesamiento de grandes volúmenes de datos no se deben al lenguaje de programación, sino que a las capacidades de cómputo. Incluso, actualmente se cuenta con lenguajes muy robustos como *cobol*, el que es usado por la banca desde los años 70.

Por otro lado, en cuanto a los procesos selectivos de fiscalización, el uso de tecnologías permite la aplicación de modelos matemáticos avanzados, como también de estadística y aprendizaje automático, todo destinado a detectar hechos ilícitos o casos de alta complejidad, analizando un número de variables mayor que los procesos masivos de fiscalización. En este caso también es importante señalar que un factor relevante dentro del uso de tecnología, es el poder de procesamiento del *hardware*, pero, además, se deben añadir aquellos algoritmos que analizan los patrones y comportamiento de los contribuyentes.

La aplicación de las técnicas anteriores demuestra una preocupación de las entidades fiscalizadoras en actualizar y usar la inteligencia computacional en beneficio de la recaudación fiscal y aseguramiento de los procesos de fiscalización. Además, los mecanismos de auditoría tributaria a través de sistemas electrónicos reducen las interacciones cara a cara entre los contribuyentes y los inspectores, lo que contribuye a la disminución de los costos de cumplimiento tributarios y, eventualmente, permite aumentar los ingresos tributarios para los gobiernos[24].

Hoy podemos apreciar que gran parte de las operaciones se realizan de forma electrónica, en las cuales pueden existir impuestos comprometidos. Aquí resulta clave la automatización de operaciones, especialmente aquellas que involucran recaudación fiscal. Así, por ejemplo, al contar con información automatizada de ventas de productos a clientes finales, se producen dos efectos directos, el primero, un control en tiempo real de las operaciones del contribuyente y, segundo, la entidad fiscalizadora contará con datos históricos y en volúmenes a nivel de *data warehouse*, permitiéndole realizar análisis con distintas técnicas de inteligencia de negocio o *data mining*, reforzando las actividades de fiscalización.

---

[23]   Moore (1995).
[24]   Kochanova *et al.* (2017) p. 3

Finalmente, en atención a la complejidad de los procesos de fiscalización a través de sistemas informáticos, el *software* utilizado no puede ser empaquetado, sino que se debe desarrollar a la medida, ya sea *inhouse* o con un proveedor especializado. Esto permite generar innovación para las administraciones tributarias, ya que existe un alto componente de investigación al ser sistemas complejos que no son desarrollados por la industria privada debido a la actividad económica que cada uno de ellos ejecuta. Es por ello, que cada administración tributaria debe planificar el diseño y ciclo de vida de los sistemas de apoyo a la fiscalización y alinearlo con los conocimientos de los fiscalizadores.

III. Sistemas informáticos de fiscalización y derechos de los contribuyentes

Que la auditoría tributaria se desarrolle por sistemas informáticos no significa que ha cambiado su finalidad; el objetivo es el mismo, lo que cambia es el tipo de procedimiento y, por lo tanto, puede impactar directamente en el costo de cumplimiento para los contribuyentes[25], quienes no solo asumen un costo en bienes de capital, sino que también la inversión en tiempo, esfuerzo y recursos para aprender a utilizar las declaraciones electrónicas de manera adecuada y eficiente[26], generando, incluso, un considerable desperdicio fiscal[27]. De esta manera, los sistemas informáticos de fiscalización conllevan una carga normativa destinada a velar por el respeto de los derechos de los contribuyentes. En tal sentido, la gestión y administración del Estado debe considerar aquellos medios que permitan a los contribuyentes facilitar el cumplimiento de los referidos deberes, evitando, de esa forma, que los actos de la autoridad fiscalizadora se constituyan en arbitrarios o ilegales, afectando derechos de los contribuyentes.

Los derechos de los contribuyentes han sido definidos como las obligaciones o los deberes que debe cumplir el Estado, a través de su

---

[25] FAÚNDEZ-UGALDE *et al.* (2018) p. 115.
[26] YILMAZ Y COOLIDGE (2013).
[27] BANCO MUNDIAL (2016) p. 17.

oficina de administración tributaria, ante las personas contribuyentes en cuanto a las funciones de recaudación, control y educación tributaria[28]. Otros posicionan los derechos fundamentales del contribuyente dentro del doble carácter de las normas constitucionales limitadoras del poder tributario, esto es, al mismo tiempo en que son normas que auxilian la limitación de competencias de la potestad tributaria, son, también, normas definidoras de derechos y garantías fundamentales[29].

Legislaciones como la chilena[30], reconocen un catálogo que declara los derechos del contribuyente, entre los que se encuentran: el derecho a ser informado del inicio de todo acto de fiscalización, el derecho a ser asistido en el ejercicio de sus derechos, el derecho a ser escuchado, el derecho a un trato respetuoso, el derecho a petición, el derecho a la confidencialidad y protección de datos, el derecho a la autocorrección fiscal, el derecho a la presunción de buena fe y el derecho a una administración ágil y eficiente, entre otros. Sin embargo, se sostiene que la circunstancia de que un país no consagre en su legislación un catálogo expreso de derechos de los contribuyentes no significa que éstos queden excluidos de protección frente a los actos de la administración tributaria[31]. Siendo así, tampoco se requiere de una interpretación sistemática de los derechos del contribuyente para determinar su ámbito de aplicación[32].

En esta línea, un estudio realizado para países de Latino América[33], reveló un tratamiento asimétrico de los derechos de los contribuyentes en procesos de auditoría tributaria a través de sistemas electrónicos. De las legislaciones en estudio, ninguna de ellas establece como eximente de responsabilidad la falta de capacidad técnica del contribuyente para implementar los sistemas tecnológicos que requiera la autoridad administrativa; en tal sentido, si bien internet es una herramienta que está al alcance de todos, es necesario que los sistemas de auditorías por medios electrónicos reconozcan los posibles costos de implementación para el

---

28   Romero y Cruz (2016) p. 191.
29   Campos (2010) p. 127.
30   Véase artículo 8 bis del Código Tributario (Decreto Ley N° 830 de 1974).
31   Faúndez-Ugalde et al. (2018) p. 117.
32   Oliver (2015) p. 8.
33   Faúndez-Ugalde et al. (2018).

contribuyente, lo que debe ser analizado en cada caso, en especial frente a la aplicación de eventuales sanciones. El mismo estudio estableció que los países que cuentan con regulación expresa de auditoría tributaria por medios electrónicos, reconocen el derecho de los contribuyentes a ser notificados de la primera gestión de fiscalización, salvo el caso de Brasil. En cuanto al resguardo de la integridad de la información y levantamiento de un acta de los antecedentes a que la autoridad fiscal tuvo acceso, dentro de los países que contempla la auditoría tributaria electrónica, solo Argentina no regula expresamente dichas situaciones. Respecto del derecho del contribuyente a ser notificado del proceso de destrucción de la información copiada por la autoridad administrativa emitiendo la correspondiente acta de destrucción, Chile es el único caso en donde se encuentra regulación expresa. Finalmente, la prohibición de los funcionarios de la autoridad fiscal de divulgar la información a la cual tuvieron acceso es reconocida por todos los países en estudio, por lo que es un criterio unificado a nivel regional.

Si bien normativamente puede estar regulado el deber de los funcionarios de la autoridad fiscal de no divulgar información de los contribuyentes, los sistemas informáticos aplicados en instancia de fiscalización deben operar bajo mecanismos eficientes de resguardo, asegurando la inviolabilidad y confidencialidad de dichos sistemas. Sin embargo, dicha limitante no inhibe a los contribuyentes de informarse de los sistemas informáticos aplicados por la autoridad fiscal en un procedimiento de auditoría tributaria en donde son parte directa interesada. Aquí se presenta el problema a resolver en esta investigación, esto es, ¿pueden los contribuyentes conocer las operaciones lógicas o aritméticas que sustentan un sistema informático de fiscalización aplicado por la administración fiscal para determinar diferencias de impuestos?

Sin duda, esta pretensión del contribuyente puede estar tanto en instancia de auditoría tributaria de la propia administración fiscal, como en instancia jurisdiccional en un juicio tributario, en donde se discute la procedencia del acto administrativo que establece diferencias de impuestos. Particularmente, en este último caso, se presenta el principio de publicidad procesal relativa a las partes del juicio, orientada a que la defensa del contribuyente pueda conocer, oportunamente, las acusaciones o pruebas que se presentan en su contra. Por lo mismo, se sostiene, que este argumento no corresponde propiamente a una exigencia de publicidad del proceso, sino más bien a un requisito de un derecho mucho más elemental: el derecho de defensa o a la bilateralidad de la audiencia[34].

Teniendo presente estos antecedentes, pasemos a analizar la normativa vigente en la legislación chilena sobre los sistemas informáticos de fiscalización y los efectos que pueden derivar en el derecho de defensa de los contribuyentes.

IV. Sistemas informáticos de fiscalización en la legislación tributaria chilena

Como se indicó anteriormente, la primera experiencia en Chile sobre análisis de datos por parte del SII, se presentó en el año 2007, aplicando algoritmos de *clustering* para caracterizar contribuyentes obligados a declarar IVA, desarrollando, posteriormente, modelos de riesgos en distintas etapas del ciclo de vida del contribuyente, a través de técnicas de redes neuronales, árboles de decisión y regresión logística. Sin embargo, estos grandes avances tecnológicos no han ido en sintonía con la legislación tributaria, encontrándonos con una regulación muy frugal.

La Ley N° 20.780, publicada en el Diario Oficial el 29 de septiembre de 2014, introdujo modificaciones al Código Tributario chileno con la finalidad de mejorar la eficiencia de la labor fiscalizadora, incorporando un nuevo artículo 60 bis, en virtud del cual el SII puede examinar la información contable y tributaria de los contribuyentes accediendo o conectándose directamente a los sistemas tecnológicos que sirvan de soporte a dicha información. El inciso primero de dicha disposición indica lo siguiente:

> «En el caso de contribuyentes autorizados a sustituir sus libros de contabilidad y registros auxiliares por hojas sueltas escritas a mano o en otra forma, o por sistemas tecnológicos, de acuerdo al inciso cuarto del artículo 17, y en los casos del inciso final del mismo artículo, el Servicio podrá realizar los exámenes a que se refiere el artículo anterior accediendo o conectándose directamente a los referidos sistemas tecnológicos, incluyendo los que permi-

---

[34]   LETURIA (2018) p. 650.

ten la generación de libros o registros auxiliares impresos en hojas sueltas. Asimismo, el Servicio podrá ejercer esta facultad con el objeto de verificar, para fines exclusivamente tributarios, el correcto funcionamiento de dichos sistemas tecnológicos, a fin de evitar la manipulación o destrucción de datos necesarios para comprobar la correcta determinación de bases imponibles, rebajas, créditos e impuestos. Para el ejercicio de esta facultad, el Servicio deberá notificar al contribuyente, especificando el periodo en el que se llevarán a cabo los respectivos exámenes».

De esta forma, esta nueva facultad posibilita a la administración tributaria revisar la integridad de los sistemas informáticos de los contribuyentes que han sido autorizados a llevar contabilidad de esta manera, para lo cual se deben considerar los siguientes alcances:

1. Notificación del ejercicio de la facultad

La notificación al contribuyente debe ser por alguna de las formas establecidas en el artículo 11 del Código Tributario, esto es, personalmente, por carta certificada, por cédula entregada en el domicilio o por correo electrónico en los casos en que el contribuyente lo haya solicitado previamente. La Resolución Exenta 56 del SII, emitida con fecha 19 de junio de 2017, instruye a los funcionarios del SII, señalar en dicha notificación, de forma clara y expresa, que se está ejerciendo la facultad del artículo 60 bis del Código Tributario; señalar las características del o los perfiles de acceso o privilegio, y la información a la que se debe permitir acceso y el o los funcionarios del SII que podrán acceder; que los perfiles de acceso o privilegio tengan asociado un nombre de usuario y clave inicial que pueda ser modificable por el funcionario una vez activado, o cualquier medio de autenticación equivalente; señalar que el o los perfiles de acceso o privilegios solicitados no deben permitir ingresar, eliminar, ocultar o modificar en forma alguna la información, registros, parámetros, entre otros, del sistema tecnológico o aplicaciones informáticas que sustituyen los libros de contabilidad y sus registros auxiliares; e, indicar el plazo de activación del o los perfiles de acceso o privilegio.

Si bien las exigencias formales de la primera notificación que describe la Resolución Exenta 56 no están expresamente señaladas en el artículo 60 bis, dicha disposición debe ser complementada con el artículo

8 bis del Código Tributario, recientemente modificado por la Ley Nº 21.210 de 2020, que establece el catálogo de derechos de los contribuyentes, entre ellos, el de ser informado sobre el ejercicio de sus derechos, el que se facilite el cumplimiento de sus obligaciones tributarias y a obtener información clara del sentido y alcance de todas las actuaciones en que tenga la calidad de interesado (número 1); se informe la naturaleza y materia a revisar (letra c del número 4); y el derecho a ser informado acerca de los funcionarios del SII bajo cuya responsabilidad se tramitan los procesos en que tenga la condición de interesado (número 6).

2. Documentación a examinar

El SII podrá examinar los datos de los inventarios, balances, libros de contabilidad, libros auxiliares y documentos del contribuyente, así como las aplicaciones, sistemas o programas informáticos que los soportan, accediendo o conectándose directamente a los sistemas tecnológicos que entregan información o les sirven de soporte de la información contable y tributaria de los contribuyentes, incluyendo aquellos sistemas que permitan la generación de libros o registros auxiliares impresos en hojas sueltas.

La Resolución Exenta 56 indica que se entenderá por «documentos del contribuyente» toda aquella documentación sustentatoria de la información contenida en los libros contables y registros auxiliares o adicionales del contribuyente y que conste en los sistemas tecnológicos. Sin embargo, esto debe ser entendido considerando la limitante del inciso final del artículo 60 bis del Código Tributario, introducido por la reciente Ley Nº 21.210 del año 2020, esto es, se debe excluir toda información sujeta a secreto comercial o empresarial, entendiendo, para estos efectos, que dicha información es aquella que no está disponible para el público en general y que es fundamental para la producción, distribución, prestación de servicios o comercialización, siempre que no formen parte de los referidos registros y libros; con todo, en ningún caso el ejercicio de las facultades establecidas en el artículo 60 bis podrá afectar el normal desarrollo de las operaciones del contribuyente. Un ejemplo de esto correspondería a los registros de marcas que tengan una fórmula confidencial, las que perfectamente podrían estas contabilizadas como un intangible; sin embargo, su exhibición puede poner en riesgo el normal desarrollo de las operaciones de los contribuyentes.

3. Perfiles de acceso

De acuerdo con lo instruido en la Resolución Exenta 56, los perfiles de acceso o privilegios deben otorgar a los funcionarios del SII o al sistema o *software* que aplique la misma entidad fiscal, lo siguiente: tener sólo acceso a visualización, extracción e impresión de registros o reportes que se ingresan a los sistemas tecnológicos; permitir sólo extraer de los sistemas tecnológicos informes, bases de datos, parametrizaciones y programaciones; y, realizar todo tipo de validaciones y ejecutar cualquier otra operación lógica o aritmética necesaria para los fines de la revisión.

Este alcance se ajusta a los propósitos del artículo 60 bis del Código Tributario, pero, además, confirma la facultad del SII de aplicar a la información recopilada del contribuyente cualquier operación lógica o aritmética para los fines de la revisión. En otras palabras, se reconoce la posibilidad para el SII de emplear los sistemas informáticos que estime convenientes, pero bajo una técnica que necesariamente debe definir, como, por ejemplo, realizar análisis con distintas técnicas de inteligencia de negocio o *data mining*. En este caso, ¿el contribuyente tendrá derecho a solicitar al SII que informe en detalle el sistema tecnológico utilizado que respaldan los resultados de la fiscalización? Veamos la respuesta más adelante cuando se analice el informe de los resultados que formarán parte del expediente que se abra al efecto.

4. Forma de cumplir con el requerimiento

La Resolución Exenta 56 establece una serie de condiciones para cumplir con el requerimiento de los perfiles de acceso, lo que no significa que el incumplimiento de alguno de ellos pueda derivar en una multa por entrabamiento a la fiscalización. Así, la citada Resolución indica las siguientes condiciones a cumplir por parte del contribuyente: primero, la información se debe encontrar ordenada y se debe entregar al funcionario encargado de la diligencia una minuta explicativa del sistema de archivo a que corresponde dicho ordenamiento, y/o los manuales de las aplicaciones o sistemas informáticos, lenguajes de programación, estructuras de bases de datos, glosarios o nomenclatura utilizada en dichas bases, y cualquier otra instrucción que sea necesaria para acceder a la información y practicar la fiscalización informática.

Segundo, el contribuyente debe disponer de algún encargado, que posea los conocimientos técnicos e informáticos necesarios para absolver las consultas del o los funcionarios actuantes, permitiendo de este modo el acceso a los sistemas y el examen de los antecedentes.

Tercero, en los casos en que resulte procedente, se debe habilitar al interior del recinto donde se encuentran los computadores o sistemas tecnológicos en que se almacenan los antecedentes, un espacio separado con el mobiliario necesario que permita el adecuado examen de los mismos.

Las tres exigencias anteriores deben ser sometidas a la siguiente interrogante: ¿qué ocurre si el contribuyente no cuenta con la capacidad técnica para cumplir con alguna de las condiciones anteriores? Como se indicó anteriormente, este tipo de procedimiento implica para los contribuyentes costos en bienes de capital, inversión en tiempo, esfuerzo y recursos para aprender a utilizar los medios electrónicos de manera adecuada y eficiente[35]. De esta forma, resulta indispensable que el SII pueda constatar, previo al requerimiento, si el contribuyente ha desembolsado costos de implementación para contar con los sistemas y personal técnico capacitado para entregar la información que se pretende requerir, lo que debe ser analizado en cada caso. Por lo demás, el nuevo inciso final del artículo 60 bis del Código Tributario introducido por la Ley N° 21.210 del año 2020, es categórico en señalar que «[e]n ningún caso el ejercicio de las facultades establecidas en este artículo podrá afectar el normal desarrollo de las operaciones del contribuyente». Siendo así, el SII no puede exigir al contribuyente, por ejemplo, que ponga a disposición del funcionario fiscal a un encargado con conocimientos técnicos, si en los hechos nunca lo ha contratado.

---

[35]   Yilmaz y Coolidge (2013).

5. Plazo para ejercer la facultad

La Resolución Exenta 56 indica tres situaciones en las cuales se puede ejercer la facultad analizada, esto es, en un proceso de fiscalización, en el marco del examen, verificación y obtención de información, y, en la verificación del correcto funcionamiento de los sistemas tecnológicos del contribuyente.

En el primer caso, el ejercicio de la facultad en un proceso de fiscalización, dicho proceso se someterá en todo a las normas e instrucciones que regulan los procesos de fiscalización respectivos. En este sentido, tratándose de los procesos de fiscalización llevados adelante en virtud de los plazos dispuestos en el artículo 59 del Código Tributario, tendrán plena aplicación los plazos que prescribe dicha disposición.

En el segundo caso, el ejercicio de la facultad en el marco del examen, verificación y obtención de información, de acuerdo con lo señalado en el artículo 60 del Código Tributario, no existe un plazo para la ejecución de dicho procedimiento, sin perjuicio de los plazos de prescripción del artículo 200 del mismo texto legal.

Finalmente, en el tercer caso, cuando se aplique el inciso primero del artículo 60 bis del Código Tributario, relacionado con la facultad de verificar, para fines exclusivamente tributarios, el correcto funcionamiento de los sistemas tecnológicos, no existe un plazo para ejecutar dicha facultad, sin perjuicio de los plazos de prescripción establecidos por el Código Tributario.

6. Resultado del ejercicio de la facultad del artículo 60 bis

En este punto la Resolución Exenta 56 plantea un procedimiento que merece algunas observaciones considerando el derecho de publicidad que al contribuyente le asiste en este proceso de auditoría a través de sistemas informáticos. La referida Resolución distingue los casos en que se debe o no entregar información de los resultados al contribuyente. Veamos estas situaciones por separado.

a) Situación en que se informan los resultados al contribuyente

La Resolución indica que los resultados de las actividades por la aplicación de la facultad del artículo 60 bis del Código Tributario, según lo señalado por la misma normativa indicada, se notificarán en forma de citación, liquidación, giro o resolución, según proceda. Posteriormente precisa que se debe entregar al contribuyente un «acta informativa», donde conste en forma detallada la información a la que se tuvo acceso, explicitando aquella que fue copiada, así como los sistemas que fueron revisados o fiscalizados tecnológicamente. Sin embargo, la Resolución no hace ninguna referencia a la entrega de información relacionada con la ejecución de operaciones lógicas o aritméticas que fueron necesarias para obtener el resultado. La información sobre los sistemas informáticos aplicados por el SII forma parte de un derecho superior para el contribuyente, esto es, su derecho a defensa, que por lo demás, se encuentra reconocido en el nuevo artículo 8 bis número 4 letra a), introducido por la Ley N° 21.210 de 2020, al señalar lo siguiente:

> «Artículo 8 bis. Sin perjuicio de los derechos garantizados por la Constitución Política de la República y las leyes, constituyen derechos de los contribuyentes, los siguientes: [...] 4°. Que las actuaciones del Servicio, constituyan o no actuaciones o procedimientos de fiscalización: a) Indiquen con precisión las razones que motivan la actuación que corresponda. En efecto, toda actuación del Servicio deberá ser fundada, esto es, expresar los hechos, el derecho y el razonamiento lógico y jurídico para llegar a una conclusión, sea que la respectiva norma legal así lo disponga expresamente o no [...]».

La citada disposición deja claramente establecido el derecho del contribuyente de ser informado de todas las actuaciones del SII, sean o no procedimientos de fiscalización, indicando los razonamientos lógicos y jurídicos para arribar a una conclusión, con independencia si la ley lo indica o no expresamente. Por lo tanto, se debe entregar información de las operaciones lógicas o aritméticas (razonamientos lógicos) que dan sustento al resultado (conclusión) del procesamiento de la información, lo que es propio del derecho de defensa. Si el contribuyente no es informado del sistema informático que aplicó el SII para obtener los resultados ¿cómo podría ejercer una correcta defensa al momento de impugnar el acto administrativo que determina diferencias de impuestos? Esto tiene estrecha relación con el principio de contradictoriedad que rige el procedimiento administrativo de acuerdo con el artículo 10 de la Ley N° 19.880, según el cual el interesado tiene la facultad, en cualquier momento del procedimiento, para formular las alegaciones de hecho y de derecho que estime pertinentes[36]. Siendo así, si el SII aplicó técnicas de inteligencia de negocio o *data mining*, derivando en un resultado de diferencias de impuestos notificado en una citación del artículo 63 del Código Tributario, estará en la obligación de revelar dicho *software* para comprender el razonamiento lógico que sustenta dicho resultado.

Por otro lado, el inciso cuarto del artículo 60 bis del Código Tributario hace presente que el resultado del procesamiento constará en un informe foliado suscrito por los funcionarios que participaron en la acción de fiscalización, el que formará parte del «expediente» que se abra al efecto; y remata el inciso quinto del mismo artículo señalando que el jefe de oficina ordenará identificar a los funcionarios en los respectivos «expedientes», quienes deberán suscribirlos mediante firma e individualizar las «actividades informáticas» realizadas. Esto se vincula con el principio de transparencia que rige el procedimiento administrativo de acuerdo con el artículo 17 letra d) de la Ley N° 19.880, esto es, que el interesado tiene derecho a conocer siempre la información que consta en el procedimiento administrativo, debiendo poder acceder al expediente[37]. Por lo tanto, en el expediente también deben constar los sistemas informáticos aplicados por el SII para obtener los resultados, expediente que debe ser de conocimiento del contribuyente.

La situación es mucho más compleja en los casos en que no exista citación, liquidación, giro o resolución, como se verá a continuación.

b) Situación en que no se informan los resultados al contribuyente

En este caso, la Resolución concluye que no se deberá comunicar al contribuyente los resultados de las actividades realizadas en el marco de la aplicación de la facultad del artículo 60 bis, cuando, primero, se trate sólo del examen o verificación de sus antecedentes, de acuerdo al

---

36   BERMÚDEZ (2014) p. 185.
37   BERMÚDEZ (2014) p. 192.

procedimiento señalado en el artículo 60 del Código Tributario, puesto que ello no corresponde a un proceso de fiscalización; y, segundo, tratándose de un proceso de fiscalización, el o los funcionarios actuantes determinan que no existen observaciones o inconsistencias que puedan dar lugar a una citación, liquidación, giro o resolución.

Si bien se comparte que el resultado de la fiscalización no se informe en los dos casos anteriores, esto no inhibe la facultad del contribuyente de solicitar información sobre las operaciones lógicas o aritméticas realizadas y el resultado que deriva de ellas, de acuerdo con lo indicado en el nuevo artículo 8 bis número 4 letra a) del Código Tributario, citado anteriormente, es decir, independiente del resultado, se trata de una actuación del SII y, por lo tanto, el contribuyente tiene derecho a ser informado. Además, como se indicó anteriormente, de acuerdo con el artículo 17 letra d) de la Ley N° 19.880, el interesado tiene derecho a conocer siempre la información que consta en el procedimiento administrativo.

Con todo, lo anterior está estrechamente relacionado con el derecho del contribuyente establecido en el número 5 del artículo 8 bis, esto es, que el SII no vuelva a iniciar un nuevo procedimiento de fiscalización, ni en el mismo ejercicio ni en los períodos siguientes, respecto de partidas o hechos que ya han sido objeto de un procedimiento de fiscalización. En tal sentido, la única forma de saber si la información entregada al SII fue objeto de un sistema informático de fiscalización, es conociendo, precisamente, dicho sistema.

V. Sistemas informáticos de fiscalización y derecho de defensa en el juicio tributario

Es de la esencia del procedimiento administrativo cumplir una función de garantía de aplicación del ordenamiento jurídico, asegurando a los interesados la existencia de normas de impugnación administrativa[38]. Siendo así, la ley tributaria chilena asegura a los contribuyentes la posibilidad de impugnar, ante los tribunales tributarios y aduaneros,

---

[38]   Bermúdez (2014) p. 190.

todo acto administrativo terminal —como una liquidación o una resolución— que ha determinado diferencias de impuestos o ajustes a las bases tributables producto de una fiscalización a través de sistemas informáticos. En tal sentido, para el ejercicio de su defensa, el contribuyente
necesariamente debe conocer todos los antecedentes que sustentan el
acto administrativo, especialmente, en los casos de fiscalizaciones a través de sistemas informáticos.

Como se indicó en el acápite anterior, al contribuyente le asiste el
derecho de requerir toda la información sobre las operaciones lógicas o
aritméticas desarrolladas por el SII para lograr el resultado de la fiscalización. Sin embargo, dicho procesamiento de información debe formar
parte del acto administrativo citación, liquidación, giro o resolución; lo
contrario, implica que se estará en presencia de un acto falto de fundamento, es decir, que no ha expresado los hechos, el derecho y el razonamiento lógico y jurídico para llegar a una conclusión, tal como lo indica
el nuevo artículo 8 bis, número 4, letra a), del Código Tributario.

En este punto, siguiendo a Bermúdez[39], es importante analizar el
elemento causal o motivos de un acto administrativo, esto es, la razón
que justifica el acto emanado de la administración pública. De esta forma, los motivos del acto administrativo pueden ser de dos tipos: motivos
jurídicos y motivos fácticos.

Los motivos jurídicos corresponden al conjunto de disposiciones legales y reglamentarias, así como los principios generales del derecho
administrativo que aplica a la administración pública al tomar la decisión y que la apoyan. En el caso de la fiscalización a través de sistemas
informáticos, la normativa que funda una liquidación o resolución del
SII será el artículo 60 bis del Código Tributario, disposición que habilita determinar diferencias de impuestos aplicando dichos mecanismos
tecnológicos.

Los motivos fácticos son el conjunto de elementos de hecho que se
ha tenido en cuenta en la resolución. Cabe recordar que el artículo 60
bis del Código Tributario señala en el inciso segundo que una vez que
el funcionario del SII acceda o se conecte a los sistemas tecnológicos

---

[39]   Bermúdez (2014) p. 149.

del contribuyente «[…] podrá examinar la información, realizar validaciones y ejecutar cualquier otra operación lógica o aritmética necesaria para los fines de la fiscalización». Precisamente, realizar validaciones o ejecutar operaciones lógicas o aritméticas son hechos que producirán efectos jurídicos y, con ello, la necesidad de que forman parte de los fundamentos del acto administrativo. Por lo tanto, si el contribuyente no conoce los sistemas informáticos aplicados por la administración fiscal, podría afectar su derecho de defensa.

Por otro lado, en el caso en que el acto administrativo desarrolle efectivamente los fundamentos fácticos sobre los sistemas informáticos aplicados, ¿el contribuyente podrá solicitar su exhibición en el juicio tributario? Nuestra respuesta es afirmativa, sin perjuicio de ejercer dicho derecho en instancia administrativa antes o durante el juicio tributario, facultad que le asiste de acuerdo con lo señalado en el artículo 8 bis número 4 letra a) del Código Tributario, esto es, el derecho a ser informado de toda actuación de la administración fiscal en la cual tenga un interés comprometido.

VI. Conclusiones

La facultad que artículo 60 bis del Código Tributario otorga al SII para emplear sistemas informáticos en procesos de fiscalización, tendrá que ser ejecutada bajo una técnica que necesariamente la autoridad fiscal debe definir, como, por ejemplo, realizar análisis a través de inteligencia de negocio o *data mining*. En este sentido, al contribuyente le asiste el derecho de requerir a la administración fiscal toda información que sustente un acto administrativo que determina diferencias de impuestos a través de dichos sistemas informáticos. Así, el nuevo artículo 8 bis del Código Tributario introducido por la Ley N° 21.210 del año 2020, reconoce el derecho a los contribuyentes de obtener información clara del sentido y alcance de todas las actuaciones administrativas en que tenga la calidad de interesado, de informarse sobre la naturaleza y materia a revisar y el derecho a ser informado acerca de los funcionarios del SII bajo cuya responsabilidad se tramitan los procesos en que tenga la condición de interesado.

En sintonía con lo anterior, el inciso cuarto del artículo 60 bis del Código Tributario hace presente que el resultado del procesamiento que realizará el SII a los sistemas tecnológicos del contribuyente, constará en un informe foliado suscrito por los funcionarios que participaron en la acción de fiscalización, el que formará parte del expediente individualizando a los funcionarios que participaron y las actividades informáticas realizadas. De esta manera, considerando el principio de transparencia que rige el procedimiento administrativo consagrado en el artículo 17 letra d) de la Ley Nº 19.880, el interesado tiene derecho a conocer siempre la información que consta en el procedimiento administrativo. Siendo así, en el expediente también deben constar los sistemas informáticos aplicados por el SII para obtener los resultados, expediente que debe ser de conocimiento del contribuyente.

Finalmente, las validaciones u operaciones lógicas o aritméticas que desarrolle el SII para sustentar un acto administrativo que determine diferencias de impuestos, corresponden a hechos que producirán efectos jurídicos, razón por la cual, es imprescindible de tales motivos fácticos formen parte de los fundamentos de dicho acto de la administración fiscal. Lo contrario implica afectar el derecho de defensa del contribuyente frente a la posibilidad de ejercer una impugnación del referido acto.

Bibliografía

BANCO MUNDIAL (2016): *World development report 2016: Digital dividends*. (Washington D.C., World Bank).

BERMÚDEZ, Jorge (2014): *Derecho administrativo general* (Santiago, Thomson Reuters).

BERRY, Michael y Gordon LINOFF (2000): «Mastering Data Mining: The Art and Science of Customer Relationship Management», *Industrial Management & Data Systems*, 100(5), pp. 245-246, https://doi.org/10.1108/imds.2000.100.5.245.2.

CAMPOS, Octavio (2010): «Direitos fundamentais dos contribuintes: Breves considerações», *Nomos*, 30 (1), pp. 125-160. Disponible en http://bit.ly/2Piw3bX.

CASTELLÓN, Pamela y Juan VELÁZQUEZ (2011): «Caracterización de contribuyentes que presentan facturas falsas al SII mediante técnicas de data mining», *Revista de Ingeniería de Sistemas*, XXV, pp. 77-104.

DEL PADRE, Fabiana (2011): *La prueba en el derecho tributario* (Lima, Ara Editores).

DIARIO FINANCIERO (06/02/2020) p. 14.

Faúndez-Ugalde, Antonio, Rachid Osman-Hein y Mario Pino (2018): «La auditoría tributaria por sistemas electrónicos frente a los derechos de los contribuyentes: un estudio comparado en América Latina», *Revista Chilena de Derecho y Tecnología*, 7(2), pp. 113-135. doi:10.5354/0719-2584.2018.51099.

Gil, Elena (2016): *Big data, privacidad y protección de datos* (Madrid, Boletín Oficial del Estado).

Gillis, Tim, Adrienne McStocker y Alec Percival (2015): «Indirect tax compliance in an era of big data», *Tax Planning International: Indirect Taxes*, 13 (3), pp. 1-6.

GAO, Government Accountability Office - United States (2014): Data Mining: Agencies have taken key steps to protect privacy in selected efforts, but significant Compliance Issues Remain.

Huang, Xiaoqing (2018): «Ensuring taxpayer rights in the era of automatic exchange of information: EU data protection rules and cases», *Intertax*, 46 (3), pp. 225-239. Disponible en http://bit.ly/2PixCXB.

Katz, Raúl (2015): *El ecosistema y la economía digital en América Latina* (Barcelona, Editorial Ariel).

Kochanova, Anna, Zahid Hasnain y Bradley Larson (2017): «Does e-Government improve Government capacity? Evidence from tax compliance costs, tax revenue, and public procurement competitiveness», *The World Bank Economic Review*. DOI: 10.1093/wber/lhx024.

Leturia, Francisco (2018): «La publicidad procesal y el derecho a la información frente a asuntos judiciales. Análisis general realizado desde la doctrina y jurisprudencia Española», *Revista Chilena de Derecho*, 45 (3), pp. 647-673.

Lückeheide, Sandra, Juan Velázquez y Lorena Cerda (2007): «Segmentación de los contribuyentes que declaran IVA aplicando herramientas de clustering», *Revista de Ingeniería de Sistemas*, XXI, pp. 87-110.

Mancilla, María (2010): «Auditoría tributaria de los precios de transferencia de las multinacionales en México», *Cuadernos de Contabilidad*, 11 (29), pp. 473-492. Disponible en http://bit.ly/2PfVoUd.

Moore, Gordon (1995): «Lithography and the future of Moore's law», Proc. SPIE 2439, Integrated Circuit Metrology, Inspection, and Process Control IX. Disponible en https://doi.org/10.1117/12.209195.

Nolan, Deborah (2001): «Los sistemas de información de apoyo a la fiscalización», en Centro Interamericano de Administraciones Tributarias - CIAT (coord.), *La función de fiscalización de la administración tributaria y el control de la evasión* (Santiago, CIAT) pp. 1-8. Disponible en: https://www.ciat.org/Biblioteca/AsambleasGenerales/2001/Espanol/chile35_2001_tema2_3_usa.pdf. Fecha de consulta: 6 de febrero de 2020.

OCDE, Organización para la Cooperación y el Desarrollo Económicos (2016): *Technologies for better tax administration: A practical guide for revenue bodies*. París: OCDE Publishing. DOI: 10.1787/9789264256439-en.

OCDE, Organización para la Cooperación y el Desarrollo Económicos (2017): *Tax administration 2017: Comparative information on OECD and other advanced and emerging economies*. París: OCDE Publishing. DOI: 10.1787/tax_admin-2017-en.

OCDE, Organización para la Cooperación y el Desarrollo Económicos (2018): «Resumen de los desafíos fiscales derivados de la digitalización: Informe provisional 2018». Nota explicativa. Disponible en https://bit.ly/2RG2VgM.

Oliver, Rafael (2015): «The taxpayer's right to electronic communication with the tax authorities», *Revista d'Internet, Dret i Política*, 21, pp. 1-19. DOI: 10.7238/idp.v0i21.2736.

O'Neill, Claire (2017): «Using digital delivery to enhance the integrity of tax systems». En OCDE (compilador), *Tax administration 2017: Comparative information on OECD and other advanced and emerging economies*. París: OCDE Publishing, pp. 163-168. DOI:10.1787/tax_admin-2017-16-en.

Romero, Jessica y Mario Cruz (2016): «Acceso al derecho a la justicia con la implementación del uso de las tecnologías de la información y las comunicaciones (TIC) en la tutela de los derechos del contribuyente», *Ciencia Jurídica*, 5 (10), pp. 189-217. DOI: 10.15174/cj.v5i2.197.

SII, Servicio de Impuestos Internos (2000): «Procedimiento de auditoría», Circular 58 del Servicio de Impuestos Internos, 21 de septiembre de 2000. Disponible en http://bit.ly/2Q9b3K1. Fecha de consulta 6 de febrero de 2020.

SII, Servicio de Impuestos Internos (2015): «Fiscalización». Disponible en http://www.sii.cl/principales_procesos/fiscalizacion.htm. Fecha de consulta: 6 de febrero de 2020.

SII, Servicio de Impuestos Internos de Chile (2018): «Plan estratégico 2018-2022». Disponible en https://bit.ly/2KVOTVY.

Sobrosa, Fabrício y Sady da Silva (2013): «Information architecture analysis using business intelligence tools based on the information needs of executives», *Journal of Information Systems and Technology Management*, 10 (2), http://dx.doi.org/10.4301/S1807-17752013000200004.

Yilmaz, Fatih y Jacqueline Coolidge (2013): «Can e-filing reduce tax compliance costs in developing countries?», *Policy Research Working Paper*, 6.647, pp. 1-57. DOI: 10.1596/1813-9450-6647.

ANÁLISIS DE LAS MODIFICACIONES PROPUESTAS EN EL PROYECTO DE «MODERNIZACIÓN TRIBUTARIA» A LA REGLA INTERPRETATIVA DEL CÓDIGO TRIBUTARIO Y LAS NORMAS ANTIELUSIÓN COMO INTENTO DE PRIVATIZACIÓN DEL DERECHO TRIBUTARIO

FRANCISCO SAFFIE GATICA[*]

Resumen

El análisis que se desarrolla en este capítulo se divide en dos partes. En la primera, se revisa críticamente el intento de reforma del que fueron objeto la regla de interpretación del derecho tributario del artículo 4° del Código Tributario y las reglas de la cláusula general antielusión en el proyecto de ley de modernización tributaria presentado por el Presidente Piñera, que dio origen a la Ley N° 21.210, publicada en el Diario Oficial el 24 de febrero de 2020. En la segunda parte, se comentan algunas reglas especiales antielusión que dicha ley introdujo en la Ley sobre Impuesto a la Renta.

En la primera parte de este capítulo se muestra que los cambios que proponía el proyecto de reforma original no eran «cambios menores» —como se afirmó en el mensaje del Ejecutivo— sino un cambio importante en la política tributaria sobre la concepción del derecho tribu-

---

* Profesor Asistente de Derecho, Universidad Adolfo Ibáñez. Doctor en Derecho, Universidad de Edimburgo; Magíster en Tributación, Universidad de Chile; Licenciado en Ciencias Jurídicas y Sociales, Universidad de Chile. Parte de este análisis se desarrolló durante una estadía postdoctoral como Postdoctoral Global Fellow en la Facultad de Derecho de la New York University. Agradezco los comentarios que me hicieron en la elaboración de este trabajo María Pilar Navarro y Álvaro Magasich.

tario (y en consecuencia, en la concepción de la elusión tributaria). Este intento del Ejecutivo fracasó ya que las normas de la cláusula general antielusión se mantuvieron tal como fueron establecidas por las Leyes N°s 20.780 y 20.899 en el Código Tributario.

En la segunda parte de este capítulo, se revisan y comentan algunas de las reglas especiales antielusión que se modificaron o fueron introducidas por la Ley N° 21.210 en la Ley sobre Impuesto a la Renta.

I. Introducción

El mensaje del proyecto de reforma tributaria —presentado el 23 de agosto de 2018 por el gobierno del Presidente Piñera— establecía cambios relevantes a la regulación de la Cláusula General Antielusión (en adelante, CGA)[1]. Si bien en dicho mensaje se sostuvo que la reforma buscaba «fortalecer la aplicación» de estas normas, un análisis sistemático de los cambios que se propusieron muestra lo contrario. Como se argumentará en la primera parte de este trabajo, el proyecto original de reforma tributaria presentado por el gobierno del Presidente Piñera (sección 1), buscaba hacer difícilmente aplicable en términos prácticos la CGA, puesto que implicaba un vuelco desde una comprensión del derecho tributario como derecho público a una que lo hace parte del derecho privado (sección 2). La propuesta del gobierno tuvo distinta recepción en la Cámara de Diputados y el Senado. Los cambios aceptados por la Cámara de Diputados fueron rechazados en el Senado. Finalmente, la Ley N° 21.210 de reforma tributaria no modificó la CGA. Sin hacer aquí una reconstrucción dogmática detallada de las normas vigentes de la CGA, en este capítulo se respalda la decisión del legislador —de no

---

[1]   El Servicio de Impuestos Internos y parte de la doctrina nacional llaman a este conjunto de normas «Norma General Antielusión». Esa denominación se refiere a un género, pero no a la especie. Las normas generales antielusión pueden ser Cláusulas Generales o Principios Generales. Esta diferencia, que puede parecer una pedantería es relevante para explicar la estructura y operación de las normas generales antielusión. La discusión sobre la función y la estructura de la CGA no son tratados en este trabajo por razones de espacio. En otro artículo abordaré el detalle dogmático de la CGA (la explicación de su función y estructura).

modificar la CGA— dando argumentos en contra de las razones sostenidas por el poder Ejecutivo para modificar estas normas, en especial aquellas razones que dicen relación con la incerteza que genera la CGA (sección 3). Una aclaración metodológica: esta parte del trabajo no es sobre el detalle de la historia de la ley, sino uno que cuestiona normativamente las modificaciones propuestas a la CGA.

Es importante también notar que la negociación política que se desarrolló durante la tramitación del proyecto de ley —en especial por la necesidad del gobierno de contar con los votos de la oposición— dio origen a nuevas reglas especiales antielusión. Esas reglas se analizan en la segunda parte (4) de este trabajo.

1. *El proyecto original y los cambios a la regla de interpretación del Derecho Tributario y la CGA*

En esta sección se describen: (a) la justificación que se dio en el proyecto de ley para modificar: (i) la regla de interpretación del derecho tributario, en el inciso segundo del artículo 4° del Código Tributario; y (ii) la CGA; y, (b) el detalle de las modificaciones que se propusieron en cada una de esas materias.

a) La justificación

El mensaje que acompañó al proyecto de reforma tributaria presentado por el Presidente de la República en agosto de 2018[2], justificó las modificaciones que se propusieron a la CGA en dos razones: la certeza (y seguridad) jurídica y los problemas de aplicación de la CGA.

Pero como sabemos, para lograr justificar se deben analizar las razones que se dan. En este caso, las razones no son las correctas. Las razones que se argumentaron en el mensaje del referido proyecto son espurias porque de ser correctas, se aplican a cualquier caso en que exis-

---

[2]   Mensaje de S.E. el Presidente de la República con el que inicia el proyecto de ley que moderniza la legislación tributaria, Mensaje N° 106-366 de 23 de agosto de 2018.

ta adjudicación (la aplicación de una norma general a un caso particular). E incluso son incoherentes: ¿cómo puede ser incierto algo que supuestamente no se puede aplicar? Lo cierto es que no hay incerteza precisamente porque sería inaplicable. La supuesta falta de certeza y los posibles problemas de aplicación, en realidad, se usaron para buscar una modificación importante en la política tributaria: una que modifica la concepción del derecho tributario como derecho público para pasar a una que lo entiende como derecho privado[3].

El proyecto de ley de «modernización tributaria» establecía entre sus principios generales, el de «certeza y seguridad jurídica». Ese principio se entendía como una exigencia al legislador. La idea fue que «la ley sea predecible y el contribuyente tenga claridad sobre los hechos gravados, los sujetos, las tasas y las consecuencias legales de no cumplir con sus obligaciones tributarias»[4]. Siguiendo a la OCDE[5] el proyecto agregaba «las principales causas de incertidumbre tributaria provienen de prácticas administrativas difíciles de predecir, inconsistencias en la interpretación y aplicación de las normas por parte de la autoridad tributaria, y problemas en los mecanismos de resolución de disputas». A esto se agregaba: «[e]l contribuyente debe poder tomar sus decisiones teniendo claros los efectos y consecuencias tributarias de las mismas. En efecto, resulta esencial que nuestro ordenamiento jurídico establezca normas que sancionen de manera severa la evasión, que permitan rectificar los actos jurídicos y contratos efectuados bajo elusión; que establezca posibilidades de tasación de [la] base imponible; que señale gastos que no son aceptados por el legislador»[6].

Respecto de la seguridad jurídica se recalcó la importancia del principio de legalidad en materia tributaria para limitar la potestad del Estado frente a los derechos de los particulares. «Las autoridades administrativas no pueden en consecuencia, establecer hechos gravados que no se encuentren consagrados en la ley, tampoco pueden llevar [a]

---

3   Volveré sobre esto más adelante en este trabajo.
4   Mensaje, p. 8. Véase también el texto bajo el título «Normas que introducen seguridad jurídica», p. 24.
5   Update on Tax Certainty, julio 2018.
6   Mensaje, pp. 8-9.

establecer de manera analógica impuestos»[7]. A juicio del Ejecutivo, este principio se expresa de dos maneras a nivel constitucional: (1) respecto de las facultades o atribuciones de los órganos del Estado (artículos 6 y 7 de la Constitución); y, (2) el principio de reserva legal (artículos 60, 63 N° 14 y 65 inciso cuarto N° 1 de la Constitución).

De esta manera la certeza y la seguridad jurídica se entienden como exigencias a la regulación para efectos de que los particulares puedan actuar con capacidad para anticipar la conducta de la administración.

Lo anterior se refleja en la forma de comprender el principio de legalidad tributaria y sus implicancias. Entre esas implicancias se señalaron que:

1. es «garantía de igualdad»[8];

2. implica que el derecho tributario, como un todo, debe interpretarse conforme al «principio de especialidad». «[E]l sistema de interpretación de la ley tributaria debe ser acorde con las normas generales del derecho común, —por de pronto con las normas interpretativas del Código Civil— sin espacio a una interpretación ajena, desvinculada de nuestros principios generales en materia de derecho, salvo claro está en aquellos casos en que el legislador tributario ha establecido normas especiales y específicas, o definiciones que son aplicables exclusivamente en materia tributaria. [...] Es trabajo del legislador el perfeccionar las normas allí donde sea necesario, sin que por la vía de la interpretación se permita entrar a establecer hechos gravados donde la ley no lo ha hecho»[9];

3. «genera una administración tributaria que [...] aplica las normas sobre tributos y beneficios en su verdadero sentido y alcance, sin espacio para la integración analógica que termina transformando a quienes deben fiscalizar la aplicación de la ley en verdaderos legisladores particulares»[10];

---

7   Mensaje, p. 24.
8   Mensaje, p. 26
9   Ibid.
10   Ibid.

4. «impone una exigencia al legislador en cuanto al nivel de den-
sidad y especificidad en sus regulaciones tal que, en caso de ser
menester la colaboración reglamentaria, la misma se limite a aplicar reglas predefinidas por el legislador, sin ejercicio de la discrecionalidad y permitiendo, de ser necesario, el control judicial de
dichas decisiones»[11];

5. se impone a los contribuyentes «de manera tal que los ciudadanos deben observar en base al referido principio la obligación
irrestricta de pagar y contribuir con sus tributos de acuerdo a su
capacidad tributaria, sin que sea admisible ni lícito dejar de cumplir con las obligaciones establecidas por el legislador, tanto en la
forma como en el espíritu de las normas»[12]; y,

6. generaría «mayor eficiencia recaudatoria»[13].

i) La interpretación del derecho tributario

El mensaje del proyecto de ley incluía como «adecuación» en «materia de seguridad jurídica»[14], una nueva norma sobre la interpretación
del derecho tributario. El mensaje fue explícito en sostener que consideraba un «problema recurrente» en el derecho tributario la forma en que
el Servicio de Impuestos Internos ha interpretado las normas jurídicas
aplicables en esta área del derecho. A juicio del Ejecutivo, el problema
sería «la opinión del órgano administrativo relativa a que el derecho
tributario debe ser interpretado en oportunidades con prescindencia de
las normas de derecho común, superponiéndose en determinados casos
a la normativa general establecida en otros cuerpos legales, con miras
a recalificar ciertos actos o bien buscar la real intención de las partes al
celebrar un acto jurídico en particular, aun cuando dicho acto, sus elementos y sus efectos se encuentren expresamente regulados en la ley»[15].

---

[11]   Mensaje, p. 27.
[12]   Ibid.
[13]   Mensaje, p. 27.
[14]   Mensaje, p. 31.
[15]   Mensaje, pp. 31-32. Más adelante en este trabajo vuelvo de manera crítica sobre
      este punto.

En un párrafo que es difícil de comprender porque parece contradictorio con lo recién descrito, el mensaje señaló: «estimamos relevante aclarar que el derecho tributario debe interactuar con el resto de las ramas del derecho, bajo un principio de supremacía legal ordinario establecido en la Constitución Política de la República, debiendo coexistir y ser parte del ordenamiento jurídico general, en una coincidencia interpretativa de los actos jurídicos conforme a su regulación ordinaria, no obstante las facultades particulares de recalificación que tenga el Servicio y que se regulan expresamente a través de la NGA»[16].

El proyecto además proponía llevar adelante una definición de la «economía de opción» que va en contra de la definición expresa de la «legítima opción de conductas contemplada en la legislación tributaria», según las normas vigentes del Código Tributario. De esta manera, y quiero recalcar, contra del texto expreso de la legislación vigente, el mensaje agregó una definición de la «economía de opción» (que en realidad debe entenderse como una propuesta de modificación y no como una referencia a la legislación vigente, como hacía el proyecto) que buscó asegurar que la interpretación del derecho tributario como un todo debe considerarse bajo el principio de especialidad, dando espacio para hacer «válida[s] las legítimas conductas y opciones contempladas en *la ley general —no exclusivamente tributaria—*, siempre y cuando se respete la naturaleza jurídica de la normativa que corresponda, lo cual debe ser interpretado conforme a los principios interpretativos generales de derecho respecto de la regulación particular de la normativa aplicable»[17].

Siguiendo los términos del Ejecutivo, para enmendar este «error» del Servicio de Impuestos Internos, se propuso agregar un inciso segundo al artículo 4º del Código Tributario, en que se regularía expresamente la interpretación del derecho tributario bajo el principio de especialidad. Vale decir, a juicio del Ejecutivo de turno, el derecho tributario es de carácter especial frente al derecho civil —que sería de carácter «general»—.

---

[16]   Mensaje, p. 32.
[17]   Ibid. El destacado es agregado.

ii) Justificación para modificar la cláusula general antielusión

El mensaje reconoció que la CGA es un «avance»[18]. Lo que se destaca como tal es, principalmente, su «efecto disuasivo»[19] respecto de actos que impliquen «defraudar la finalidad de la normativa tributaria, o simular actos o contratos, o a realizar tales actos, contratos o planificaciones *sin causa u objeto alguno*»[20]. Este último destacado agregado es importante porque las normas vigentes de la CGA en ningún caso exigen que las operaciones que el SII rectifique por considerarlas elusivas adolezcan de causa u objeto.

Los «ajustes» que se proponían buscaban, a juicio del Ejecutivo, dos objetivos: (i) dar mayor certeza a los contribuyentes «en orden a qué pueden y qué no pueden hacer»[21]; y (ii), hacer que la CGA sea una «herramienta que, de modo eficiente, el Servicio [de Impuestos Internos] pueda aplicar en la práctica»[22].

Según lo señalado por el Ejecutivo las modificaciones que se proponían podían entenderse como «ajustes» que «podrían perfectamente ser materia de ley interpretativa»[23]. Vale decir, se trataría de clarificaciones a los conceptos y función de la CGA ya vigente. Dos son las razones que se dieron para no hacerlo: (i) una de técnica legislativa, esto es, «para que las normas estuvieran en la misma ley y no en otra»; y, (ii) que no se entendiera que la vigencia fuese la de las normas de 2015 (la norma interpretativa se entiende que siempre fue parte de la ley que interpreta).

Se trataría, en consecuencia, de «adecuaciones menores» para hacer «aplicable» la CGA. El diagnóstico, entonces, fue que la CGA genera incerteza y que no se puede aplicar en la práctica.

---

[18]   Mensaje, p. 33.
[19]   Ibid.
[20]   Ibid. El destacado es agregado.
[21]   Mensaje, p. 33.
[22]   Ibid.
[23]   Ibid.

b) Los cambios que se propusieron

Las reformas propuestas a la CGA analizadas una a una, de manera aislada y sólo atendiendo a su número o a la cantidad de palabras, efectivamente parecen —siguiendo el lenguaje del proyecto de ley— representar «adecuaciones menores que permiten que las normas se comprendan con mayor facilidad, dado que se aclara su redacción»[24]. De hecho, las reformas que se propusieron a la CGA aparecieron bajo el título «Adecuaciones particulares en materia de seguridad jurídica»[25]. Pero como bien dijo Von Kirchmann «tres palabras rectificadoras del legislador convierten bibliotecas enteras en basura»[26]. Con esto quiero decir que esos cambios menores, en realidad y como se verá más adelante, implicaban una comprensión completamente distinta del derecho tributario y, en consecuencia, de la función de la CGA. La interpretación de la ley y sus efectos, como paradojalmente muestran estos cambios «menores», no se basta con la comprensión de dos o tres palabras sino requiere de una comprensión institucional, esto es, entender la forma en que se busca que la institución funcione (antes o después de los cambios).

El mensaje señalaba: «se introducen adecuaciones en las normas interpretativas, en materia de Norma General Antielusión haciendo precisiones menores pero que contribuyen a fortalecer el principio de legalidad tributaria; se consagra el silencio positivo en los actos y procesos del Servicio; se hacen aplicables recursos de la Administración del Estado; se simplifican las normas en materia probatoria; se redefinen las normas en materia de gastos deducibles para efectos tributarios»[27].

Como decía antes, los cambios propuestos que aquí interesan son dos: (a) el cambio a la norma de interpretación en materia tributaria; y, (b) los cambios propuestos a la CGA.

Una nota previa: para mantener la metodología interpretativa he decidido transcribir las normas jurídicas relevantes mostrando como habrían quedado redactadas en caso de haber sido aprobadas por el le-

---

[24] Mensaje, pp. 27-28.
[25] Mensaje, p. 31.
[26] Von Kirchmann (1983) p. 29.
[27] Mensaje, pp. 9-10.

gislador[28]. De esta manera puedo hacer más claro el punto principal de este capítulo, vale decir, que el proyecto buscaba un cambio radical de la concepción del derecho tributario. En lo que siguen se presenta el texto vigente en comparado con el texto que proponía el Ejecutivo:

i) Cambios a la norma de interpretación del derecho tributario

De esta manera, se propuso la siguiente regla interpretativa para ser incorporada como un nuevo inciso segundo del artículo 4º del Código Tributario:

Artículo original	Artículo propuesto
Las normas de este Código sólo rigen para la aplicación o interpretación del mismo y de las demás disposiciones legales relativas a las materias de tributación fiscal interna a que se refiere el artículo 1º y de ellas no se podrán inferir, salvo disposición expresa en contrario, consecuencias para la aplicación, interpretación o validez de otros actos, contratos o leyes.	Las normas de este Código sólo rigen para la aplicación o interpretación del mismo y de las demás disposiciones legales relativas a las materias de tributación fiscal interna a que se refiere el artículo 1º, y de ellas no se podrán inferir, salvo disposición expresa en contrario, consecuencias para la aplicación, interpretación o validez de otros actos, contratos o leyes. Sin perjuicio de lo anterior, la interpretación y aplicación de las disposiciones tributarias, de los actos jurídicos y de los contratos, deberá considerar las normas de derecho común. En consecuencia, el intérprete debe considerar las normas y criterios interpretativos recogidos por el ordenamiento jurídico común, entre los que se cuentan los principios generales del derecho.

ii) Cambios a las normas de la CGA

En el caso de la CGA, se propusieron cambios a los artículos 4º bis, 4º ter, 4º quáter, 4° quinquies[29], 26 bis y 100 bis. Esos cambios buscaban mantener la estructura de la CGA vigente y exigir como condición para la recalificación administrativa la calificación previa de una operación como elusión (bajo los dos supuestos legales, esto es, abuso de las for-

---

[28]   En otras palabras, no tiene sentido hacer un análisis aislado de los cambios propuestos puesto pierden sentido cuando no son analizados como un todo.

[29]   Se excluye del análisis en este trabajo la modificación propuesta a este artículo porque era irrelevante desde un punto de vista sustantivo. El cambio consistía en agregar en el inciso final de ese artículo, «o contratos» después de «actos jurídicos».

mas jurídicas y simulación), siguiendo el procedimiento establecido en la ley[30]. Efectivamente estos elementos «estructurales» no se modificaban. Sin embargo, los cambios menores eran sustantivos. Aquí aparece la importancia de la descripción de VON KIRCHMAN.

Llaman la atención en este sentido, la idea de incorporar una norma distinta respecto de la aplicación de las normas especiales antielusión y su relación con la CGA (a); «el ajuste» respecto de la definición de abuso de las formas jurídicas (b); «ajuste» respecto del «alcance y ámbito de aplicación» de la economía de opción (c); «ajuste» en la definición de simulación tributaria (d); y «modernización» de la consulta sobre operaciones susceptibles de calificarse como elusión, según el artículo 26 bis del Código Tributario[31].

Artículo 4° bis.

Artículo original	Artículo propuesto
Las obligaciones tributarias establecidas en las leyes que fijen los hechos imponibles, nacerán y se harán exigibles con arreglo a la naturaleza jurídica de los hechos, actos o negocios realizados, cualquiera que sea la forma o denominación que los interesados le hubieran dado, y prescindiendo de los vicios o defectos que pudieran afectarles.	Las obligaciones tributarias establecidas en las leyes que fijen los hechos gravados, nacerán y se harán exigibles con arreglo a la naturaleza jurídica y económica de los actos jurídicos o contratos realizados, cualquiera que sea la forma o denominación que los interesados le hubieran dado, y prescindiendo de los vicios o defectos que pudieran afectarles. En consecuencia, el Servicio sólo podrá desconocer la forma de los actos jurídicos o contratos celebrados por los interesados y los efectos de estos para fines tributarios en el caso de elusión y promoviendo previamente el procedimiento establecido en los artículos 4 quinquies y 160 bis.
El Servicio deberá reconocer la buena fe de los contribuyentes. La buena fe en materia tributaria supone reconocer los efectos que se desprendan de los actos o negocios jurídicos o de un conjunto o serie de ellos, según la forma en que estos se hayan celebrado por los contribuyentes.	El Servicio deberá reconocer la buena fe de los contribuyentes. La buena fe en materia tributaria supone reconocer los efectos que se desprendan de los actos jurídicos o contratos o de un conjunto o serie de ellos, según la forma en que estos se hayan celebrado por los contribuyentes.

---

[30] Procedimiento que vale la pena mencionar, aunque sea al pasar, que es anómalo en comparación al que existe en la mayoría de las legislaciones porque la aplicación de la CGA es hecha por los Tribunales Tributarios y Aduaneros. En cambio en el derecho comparado, como debería ser natural entendiendo la función de una CGA, la aplicación administrativa es susceptible de revisión judicial.

[31] Ibid, pp. 35-38.

Artículo original	Artículo propuesto
No hay buena fe si mediante dichos actos o negocios jurídicos o conjunto o serie de ellos, se eluden los hechos imponibles establecidos en las disposiciones legales tributarias correspondientes. Se entenderá que existe elusión de los hechos imponibles en los casos de abuso o simulación establecidos en los artículos 4° ter y 4° quáter, respectivamente.	No hay buena fe si mediante dichos actos jurídicos o contratos o conjunto o serie de ellos, se eluden los hechos gravados establecidos en las disposiciones legales correspondientes.
En los casos en que sea aplicable una norma especial para evitar la elusión, las consecuencias jurídicas se regirán por dicha disposición y no por los artículos 4° ter y 4° quáter.	Se entenderá que existe elusión de los hechos gravados exclusivamente en los casos de abuso o simulación establecidos en los artículos 4 ter y 4 quáter, respectivamente. Determinada la existencia de elusión, se exigirá la obligación tributaria que emana de los hechos gravados eludidos establecidos en la ley.
Corresponderá al Servicio probar la existencia de abuso o simulación en los términos de los artículos 4° ter y 4° quáter, respectivamente. Para la determinación del abuso o la simulación deberán seguirse los procedimientos establecidos en los artículos 4° quinquies y 160 bis.	Corresponderá al Servicio probar la existencia de elusión. Para la determinación de la existencia de elusión deberán seguirse los procedimientos establecidos en los artículos 4° quinquies y 160 bis.
	Salvo que un caso se encuentre cubierto por el ámbito de aplicación de una norma especial antielusión, la existencia de abuso o simulación y sus consecuencias jurídicas se regirán por lo dispuesto en los artículos 4° ter y 4° quáter. Para estos efectos, se entenderán normas especiales antielusión aquellas que permitan tasar la base imponible o el precio o valor, establecer sistemas de tributación en base a renta presunta, establecer normas especiales para rebajar gastos y, en general, las que facultan al Servicio para aplicar normas especiales de tributación. No obstante lo anterior, los artículos 4° ter y 4° quáter serán aplicables a las reorganizaciones empresariales descritas en el artículo 64 letra D. Una vez que el Servicio haya citado, o bien girado o liquidado un impuesto aplicando una norma especial antielusión, precluirá para el Servicio la facultad de aplicar los artículos 4° ter y 4° quáter sobre los mismos actos jurídicos o contratos, salvo que los elementos sustantivos de esos actos o contratos se vean alterados de manera significativa y tales modificaciones sean constitutivas de elusión. En caso que el Servicio cite al contribuyente en los términos del inciso tercero del artículo 4° quinquies, precluirá la facultad de aplicar lo dispuesto en una norma especial antielusión respecto de los mismos actos jurídicos o contratos. Lo dispuesto en los artículos 4° bis a 4° quinquies no será aplicable respecto del interesado y para la consulta planteada, en caso que el Servicio se pronuncie sobre una consulta en el marco de lo dispuesto en el artículo 6°, inciso segundo, Letra A, número 2 o en el caso que de manera directa o bien al operar el silencio positivo se descarte la existencia de elusión conforme al artículo 26 bis.

Artículo 4° ter.

Por razones de espacio y claridad en la exposición, los cambios propuestos a este artículo, tanto en el proyecto de ley como en la Cámara de Diputados, se comparan con el artículo original más adelante.

Artículo 4° quáter.

Artículo original	Artículo propuesto
Habrá también elusión en los actos o negocios en los que exista simulación. En estos casos, los impuestos se aplicarán a los hechos efectivamente realizados por las partes, con independencia de los actos o negocios simulados. Se entenderá que existe simulación, para efectos tributarios, cuando los actos y negocios jurídicos de que se trate disimulen la configuración del hecho gravado del impuesto o la naturaleza de los elementos constitutivos de la obligación tributaria, o su verdadero monto o data de nacimiento.	Habrá también elusión de los hechos gravados contenidos en las leyes tributarias en los actos o jurídicos o contratos en los que exista simulación absoluta o relativa, excepto en los casos de simulación expresamente tipificados como delito conforme a lo dispuesto en los números 4, 8, 9, 23, 24 y 25 del artículo 97, artículo 64 de la Ley sobre Impuesto de Herencias, Asignaciones y Donaciones, y artículo 470 número 8 del Código Penal. En estos casos, los impuestos se aplicarán a los hechos efectivamente realizados por las partes, con independencia de los actos o negocios simulados. Se entenderá que existe simulación, para efectos tributarios, cuando los actos jurídicos o contratos de que se trate disimulen la configuración del hecho gravado del impuesto o la naturaleza de los elementos constitutivos de la obligación tributaria, o su verdadero monto o fecha de nacimiento.

Artículo 26 bis.

Al igual que lo dicho antes para el artículo 4° ter, por razones de espacio y claridad en la exposición, los cambios propuestos a este artículo, tanto en el proyecto de ley como en la Cámara de Diputados, se comparan con el artículo original más adelante.

Artículo 100 bis.

Artículo original	Artículo propuesto
La persona natural o jurídica respecto de quien se acredite haber diseñado o planificado los actos, contratos o negocios constitutivos de abuso o simulación, según lo dispuesto en los artículos 4° ter, 4° quáter, 4° quinquies y 160 bis de este Código, será sancionado con multa de hasta el 100% de todos los impuestos que deberían haberse enterado en arcas fiscales, de no mediar dichas conductas indebidas, y que se determinen al contribuyente. Con todo, dicha multa no podrá superar las 100 unidades tributarias anuales.	Con excepción del contribuyente, que se regirá por lo dispuesto en los artículos 4° bis y siguientes, la persona natural o jurídica respecto de quien se acredite haber diseñado o planificado los actos, contratos o negocios constitutivos de abuso o simulación, según lo dispuesto en los artículos 4° ter, 4° quáter, 4° quinquies y 160 bis de este Código, será sancionado con multa de hasta el 100% de todos los impuestos que deberían haberse enterado en arcas fiscales, de no mediar dichas conductas indebidas, y que se determinen al contribuyente. Con todo, dicha multa no podrá superar las 100 unidades tributarias anuales, salvo que exista reiteración respecto del

Artículo original	Artículo propuesto
	mismo diseño o planificación, en cuyo caso la multa no podrá superar las 250 UTA, considerando el número de casos, cuantía de todos los impuestos eludidos y las circunstancias modificatorias de responsabilidad descritas en los artículos 110, 111 y 112.
Para estos efectos, en caso que la infracción haya sido cometida por una persona jurídica, la sanción señalada será aplicada a sus directores o representantes legales si hubieren infringido sus deberes de dirección y supervisión.	Para estos efectos, en caso que la infracción haya sido cometida por una persona jurídica, la sanción señalada será aplicada a sus directores o representantes legales si hubieren infringido sus deberes de dirección y supervisión.
Para efectos de lo dispuesto en el presente artículo, el Servicio sólo podrá aplicar la multa a que se refieren los incisos precedentes cuando, en el caso de haberse solicitado la declaración de abuso o simulación en los términos que señala el artículo 160 bis, ella se encuentre resuelta por sentencia firme y ejecutoriada. La prescripción de la acción para perseguir esta sanción pecuniaria será de seis años contados desde el vencimiento del plazo para declarar y pagar los impuestos eludidos y se suspenderá desde la fecha en que se solicite la aplicación de sanción pecuniaria a los responsables del diseño o planificación de los actos, contratos o negocios susceptibles de constituir abuso o simulación, según lo establecido en el inciso segundo del artículo 160 bis, hasta la notificación de la sentencia firme y ejecutoriada que la resuelva.	Para efectos de lo dispuesto en el presente artículo, el Servicio sólo podrá aplicar la multa a que se refieren los incisos precedentes cuando, en el caso de haberse solicitado la declaración de abuso o simulación en los términos que señala el artículo 160 bis, ella se encuentre resuelta por sentencia firme y ejecutoriada. La prescripción de la acción para perseguir esta sanción pecuniaria será de seis años contados desde el vencimiento del plazo para declarar y pagar los impuestos eludidos y se suspenderá desde la fecha en que se solicite la aplicación de sanción pecuniaria a los responsables del diseño o planificación de los actos, contratos o negocios susceptibles de constituir abuso o simulación, según lo establecido en el inciso segundo del artículo 160 bis, hasta la notificación de la sentencia firme y ejecutoriada que la resuelva.

2. El problema del proyecto original

El principal problema del proyecto original no estaba en lo que se proponía, sino *en lo que no se hacía explícito*. Es claro que querer llevar adelante una determinada política tributaria no es el problema (por muy desigual o regresiva que sea). Lo que es lo mismo que sostener que no puede haber un problema en el desacuerdo político *per se*. De hecho, la democracia consiste en establecer los procedimientos para expresar de manera pacífica distintas visiones del mundo y lograr tomar decisiones para la acción colectiva. Lo complejo, no sólo como calidad de la legislación sino más importante para la calidad de la política, está en usar la técnica legislativa para esconder la ideología. Vale decir, cuando la ley se entiende como expresión de la voluntad de una facción y no como expresión de la voluntad general. Una forma de lograr eso es no hacer explícito el objetivo buscado con un proyecto de ley. En este sentido, el problema de la reforma tributaria del Presidente Piñera en esta materia (en particular, y en general en el resto de las propuestas, en especial en el impuesto a la renta) estaba en que no se trataba de «adecuaciones menores» sino de un cambio de perspectiva en el derecho tributario como un todo respaldado por una definición con rango de ley (no una simple opinión de cómo debe entenderse la relación entre el derecho tributario y el derecho privado), con consecuencias importantes para la comprensión de la elusión tributaria. Esa decisión legal implicaba, en los hechos, la derogación de la CGA por la imposibilidad de hacerla aplicable a un caso concreto ya que sería muy difícil calificar una situación como abuso de las formas jurídicas y simulación.

Evitar discutir abiertamente de las justificaciones de una propuesta de política pública tiene consecuencias nefastas, porque una de las funciones esenciales del derecho es decidir con autoridad ahí donde puede haber más de una respuesta moral o política sobre cómo es correcto actuar. En este sentido, como dijo Honoré[32], «el derecho es parte de la moral de cualquier sociedad compleja». El mismo Honoré ejemplificaba la importancia de esta función del derecho (su determinación autoritativa) con el derecho tributario. Tratándose de decisiones tan complejas como la determinación de «las obligaciones que los miembros de una comunidad deben a su comunidad»[33], el derecho juega un rol fundamental. En otras palabras, sin derecho tributario, la obligación moral de pagar impuestos no está determinada; se trata de una obligación que no puede ser dejada a cada individuo porque no sólo importa cuánto se recauda, sino también cómo se distribuyen esas obligaciones. Sin derecho tributario, nadie tiene una obligación de pagar una determinada suma de dinero al fisco. Entender que la contribución es puramente moral y por ende voluntaria, es equivalente a que se actúa por generosidad, no conforme a una obligación legal (un deber). He ahí la importancia de esta discusión.

En este mismo sentido, la regulación de la CGA en la reforma de las Leyes Nos 20.780 y 20.899 vino a resolver un conflicto moral: si estaba o no permitido eludir las obligaciones tributarias. La opción por la que

---

[32]   Honoré (1993) p. 3. La traducción es mía.
[33]   Honoré (1993) p. 5. La traducción es mía.

se decidió el legislador en aquella reforma fue por calificar —en ciertos supuestos (de abuso de las formas y simulación)— esas conductas como ilegales.

La decisión de política tributaria del proyecto de reforma tributaria presentada por el Presidente Piñera en marzo de 2018, era una que en realidad implicaba entender el derecho tributario subordinado al derecho privado. Vale decir, hacía primar los intereses personales por sobre las decisiones colectivas sobre la distribución de la carga tributaria. En otras palabras, eliminaba del derecho tributario la lógica del derecho público, esto es, la del Estado intermediando en la regulación de las relaciones entre privados.

La decisión anterior es evidente en los intentos de modificar los artículos 4°, 4° bis, 4° ter y 4° quáter del Código Tributario.

En el caso del inciso segundo del artículo 4° lo que parece una trivialidad —la explicitación del principio de especialidad— es todo menos eso[34]. Lo que parece estar diciéndose es que a la interpretación de la ley tributaria se aplican las normas aplicables en general a toda interpretación, salvo cuando haya reglas especiales del derecho tributario. Lo que es una obviedad. Pero en realidad se está diciendo mucho más. En principio, si hay una regulación especial que tiene un sentido que se separa de «el derecho común», lo que se sigue de la obviedad contenida en la afirmación citada del mensaje es que dicha regulación especial debe ser aplicada con los criterios propios de ella, no conforme a los criterios del derecho común. Y en principio, esos criterios especiales han de gobernar la aplicación de toda esa regulación especial, precisamente porque es especial. Pero recuérdese que el proyecto del gobierno iba más allá porque en el mensaje se señalaba como nuevo inciso segundo:

«Sin perjuicio de lo anterior, la interpretación y aplicación de las disposiciones tributarias, de los actos jurídicos y de los contratos, deberá considerar las normas de derecho común. En consecuencia, el intérprete debe conside-

---

[34] En lo que sigue de esta sección, reproduzco algunas ideas publicadas previamente en ATRIA y SAFFIE «Sobre como esconder la ideología en un proyecto de ley I: el derecho tributario y el derecho civil» en https://www.eldesconcierto.cl/2019/03/14/sobre-como-esconder-la-ideologia-en-un-proyecto-de-ley-i-el-derecho-tributario-y-el-derecho-civil/, publicado el 14 de marzo de 2019.

rar las normas y criterios interpretativos recogidos por el ordenamiento jurídico común, entre los que se cuentan los principios generales del derecho».

Esta definición legal significaba que no hay principios o criterios generales del derecho tributario como rama especial del derecho, no hay principios generales o criterios propios del derecho tributario. Lo que hay es, por un lado, «normativa que regula de manera específica» la interpretación tributaria y por otro los criterios del derecho común. Por eso se consideraba un error la forma de interpretar el derecho tributario que adopta el Servicio de Impuestos Internos.

Esto es bien absurdo. Como ejemplificamos con Fernando Atria[35], no cabe duda, por ejemplo, de que el derecho del trabajo tiene una cierta lógica protectora del trabajador que se diferencia de la igualdad de las partes en materia civil. ¿No es razonable entender que, en general, la interpretación de la ley laboral tiene que estar sujeta a un principio propio, que tome en cuenta esta particularidad de esa rama del derecho? ¿Es que a pesar de tener el derecho del trabajo un sentido protector que no está en el derecho civil tendremos que decir que el «principio de especialidad» obliga a que todas las reglas del derecho del trabajo que no estén sujetas a normas interpretativas «especiales y específicas» para esos casos deben interpretarse conforme a los criterios del Código Civil? La respuesta a esto es obvia (y la conocen y reconocen todos los abogados que saben de derecho laboral). Lo mismo debe decirse del derecho tributario.

¿Qué importa, más allá de la manera en que hablan los abogados, que aceptemos o no la existencia de principios generales de interpretación que valen en áreas especiales, como el derecho del trabajo o el derecho tributario?

a) Lo que se esconde detrás de esas trivialidades

Cuando el Mensaje habla del derecho «común» o civil no se refiere a todo el derecho civil. Se refiere en particular a la lógica civil de los

---

[35] Ibid.

contratos. Piénsese en un contrato cualquiera: A quiere, por ejemplo, una cosa que tiene B y está dispuesto a pagar un precio por ella. ¿Qué contrato celebrarán? La respuesta es: el que más le convenga. En principio, uno pensaría que celebrarán un contrato de compraventa, en que A se obliga a pagar una cantidad de dinero y B a entregar la cosa. Pero si resulta que A tiene una cosa que B quiere, podrían celebrar un contrato de permuta, en que se intercambia una cosa (no dinero) por otra. O quizás les conviene celebrar un contrato de arriendo con opción de compra, etc. La cuestión aquí es la siguiente: en el derecho civil, las formas contractuales existen para facilitarle a las partes la realización de sus intercambios, y ellas elegirán la que más les convenga. Si después surge un conflicto entre las partes, la solución será la que corresponda a la forma elegida por las partes (y entonces serán las reglas de la compraventa, de la permuta, del arriendo o de la opción de compra las que en su caso se apliquen al caso). Esto es lo que en derecho civil (el «derecho común») se llama «autonomía de la voluntad».

El derecho tributario es distinto. Aquí la idea es que todos tenemos ciertas obligaciones orientadas a financiar las actividades del Estado. Un derecho tributario democrático descansa en la idea de reciprocidad, que significa que todos hemos de contribuir de acuerdo con nuestra capacidad contributiva. Diversos impuestos, por cierto, identifican de distintas maneras la «capacidad contributiva». Así, por ejemplo, el impuesto a la renta mide la capacidad contributiva por referencia a la renta generada (entonces los que generan más renta han de contribuir más); el IVA la mide por referencia al consumo de cada uno (entonces cada uno contribuye un porcentaje de lo que consume), etc. No es que estas diversas formas de identificar la capacidad contributiva sean iguales, y por cierto mucho puede decirse respecto de la mayor o menor justicia tributaria de cada una de ellas; pero cuando hacemos eso lo que hacemos es precisamente discutir cómo identificar mejor la capacidad contributiva. Por eso el derecho tributario es una parte fundamental de lo que podría llamarse las condiciones básicas de reciprocidad social, porque la contribución de acuerdo con la capacidad contributiva es la contrapartida de la desigualdad.

Volvamos ahora a nuestro contrato entre A y B. Veíamos que en el derecho civil la elección entre una forma y otra importa solo a las partes, y que entonces la forma que ellas eligen es la que debe gobernar la interpretación de su relación. Pero desde la óptica tributaria las cosas cambian. En efecto, si se crea un impuesto que grava la realización de ciertos contratos —porque ellos dan cuenta de una cierta capacidad contributiva—, las partes buscarán celebrar la misma transacción, pero dándole una forma jurídica que escape a la caracterización legal. Así, por ejemplo, imaginemos el caso de una madre o un padre de alto patrimonio preocupado por el impuesto a las herencias que sus hijos deberán pagar a su muerte. Ese es un impuesto que se devenga (=surge) cuando se adquiere algo por herencia. Si antes de la muerte de su padre o madre el hijo en cuestión ya se ha hecho dueño de la cosa, el impuesto no se devenga, porque la cosa no es, en rigor, una herencia. El padre o madre podría, entonces, regalar las cosas a sus hijos, en lo que jurídicamente hablando sería una donación. Pero esta manera de eludir el pago del impuesto a la herencia es demasiado obvia, por lo que la ley dispone que las donaciones hechas en vida a los que serán herederos deben pagar el impuesto. No puede ser donación, entonces. ¿Qué tal la compraventa? ¿Qué tal si el padre o madre aparece vendiendo la cosa a su hijo al precio de mercado? Pero entonces lo recibido como precio podría estar afecto al impuesto a la renta. ¿La solución será entonces pactar un precio irrisoriamente bajo? No, porque se exponen a que el Servicio de Impuestos Internos revise el precio para fines tributarios y lo ajuste al precio de mercado. La solución que han encontrado los abogados es que celebre un contrato de renta vitalicia. En virtud de este contrato, A transfiere a B un conjunto de bienes y B se obliga a pagar a A una suma mensual por el resto de la vida de A. Si la renta pactada es baja, se evitarán todos los impuestos que habrían pagado por la donación o la compraventa, porque la renta vitalicia no es un hecho gravado. Y el resultado es el siguiente: usando una opción lícita que da el derecho civil, se deja sin efecto el derecho tributario. «Se deja sin efecto» porque en derecho civil, cuya óptica es facilitar los intercambios de las partes, la opción entre donación, compraventa o renta vitalicia es jurídicamente indiferente. Pero desde el punto de vista del derecho tributario, si la opción entre formas gravadas y formas no gravadas es también jurídicamente indiferente, y si las partes pueden elegir la forma a utilizar con la libertad que corresponde a la lógica del derecho civil, la conclusión es que el pago de impuestos es voluntario.

Nótese entonces como a diferencia del derecho civil, en que las partes pueden elegir celebrar un contrato de donación, de compraventa o de renta vitalicia según les convenga porque solo a ellos les interesa, en el derecho tributario nos interesa a todos que las partes no se aprovechen de las formas para eludir el pago de los impuestos que deben pagar.

Por esto el derecho tributario no opera con la lógica del derecho civil. Esto, desde luego, no quiere decir que al derecho tributario no sea aplicable ninguna regla del Código Civil. Lo que quiere decir es que la forma jurídica tiene una relevancia distinta en el derecho civil y en el derecho tributario: en el derecho civil, la forma existe solo para facilitar a las partes realizar sus intercambios; en el derecho tributario, la forma se usa para identificar la capacidad contributiva. Por eso en el derecho tributario, pero no en el derecho civil, las partes tendrán habitualmente una razón para evitar las formas gravadas con impuestos y usar en vez formas no gravadas. Interpretar la ley tributaria como si fuera derecho civil es ignorar esta fundamental diferencia.

En definitiva, el derecho privado se encarga de la protección de los intereses personales[36]. A pesar de las discusiones que se puedan presentar a nivel de la filosofía del derecho privado, en especial en lo que dice relación a la posibilidad de encontrar un fundamento común a todas las instituciones de derecho privado, es poco conflictivo señalar que el derecho privado se encarga de la protección de intereses personales. En el derecho privado no hay intereses de personas distintas de aquellas que se encuentran en dicha relación contractual. En otras palabras, no se requiere la mediación del Estado para resguardar intereses públicos[37]. No es un simple ajuste para corregir un error del Servicio de Impuestos

---

[36]   Al hacer referencia a los intereses personales que se institucionalizan en el derecho privado estoy siguiendo a GARDNER (2018).

[37]   Muchas de las confusiones teóricas a este respecto tienen su origen en la estructura de la relación jurídica tributaria, en que tradicionalmente se reconocer que el Estado es acreedor y el contribuyente, deudor. Esta discusión, sin embargo, también deberá ser tratada en un trabajo especial.

Internos, entonces, decir que el derecho tributario debe ser interpretado conforme a la lógica, los principios y los criterios del derecho civil.

Después de esta explicación los cambios propuestos a la CGA deben tener una interpretación distinta de la expresada en el mensaje y se hace evidente lo que buscaban. Los cambios que se proponían al artículo 4° bis limitaban las facultades de fiscalización del Servicio de Impuestos Internos. Se recalcaba que la calificación de elusión debe seguir el procedimiento especial, el efecto de la buena fe quedaría condicionado a la buena fe civil (por la exigencia de interpretación conforme al derecho civil establecida en el propuesto inciso segundo del artículo 4° y la eliminación en el inciso tercero del artículo 4° bis a las disposiciones legales «*tributarias*») y finalmente se buscó hacer una reinterpretación de la relación entre las normas especiales antielusión y la CGA (en el propuesto nuevo inciso final del artículo 4° bis). Esta última modificación buscaba eliminar la posibilidad de aplicar la CGA a las normas especiales antielusión. Para muchos las normas especiales antielusión están fuera del ámbito de validez material de la CGA. Esto es un error. Lo que las normas de la CGA regulan es la relación entre ambos tipos de normas para evitar un conflicto que se presentaba en el derecho comparado. Un problema recurrente en el derecho comparado consiste en determinar qué norma aplicar en caso que en un caso particular se pueda aplicar tanto la CGA como una norma especial antielusión. Podría ser el caso que la aplicación de la CGA sea más benigna para el contribuyente que una norma especial, por ejemplo. La regla chilena sobre la materia busca resolver ese conflicto señalando que siempre priman las consecuencias de la norma especial pero se puede aplicar la CGA. De esta manera, por ejemplo, pueden aplicarse las normas sobre abuso de las formas jurídicas o simulación a un retiro encubierto, pero en ese caso se aplican las consecuencias del artículo 21 de la LIR y no el hecho gravado general. Por el contrario, según la modificación propuesta podría haber sido posible, por ejemplo, eludir (por abuso o simulación) las normas especiales tales como la de precios de transferencia o las de exceso de endeudamiento.

Todo lo anterior hubiese tenido consecuencias importantes en la definición de abuso de las formas jurídicas. La reforma que se propuso al artículo 4° ter agregaba la exigencia de que los actos o negocios debían calificarse como «notoriamente artificiosos para la consecución del resultado obtenido», entendidos como «aquél acto jurídico o contrato que, careciendo de una causa o de causa lícita contraviene la finalidad de la ley». De esta manera, se buscó hacer coherente la supremacía del derecho civil por sobre el tributario. Nótese lo relevante de este cambio: *la calificación de elusión dependería de la nulidad civil.* De haberse aprobado esta modificación, hubiese sido imposible rectificar cualquier acto que fuese válido desde el punto de vista del derecho civil. ¿Qué es la elusión sino utilizar el derecho civil para dejar sin aplicación los hechos gravados del derecho tributario? En otras palabras, la elusión es precisamente utilizar el derecho civil para mediante actos legales (no anulables) lograr evitar la generación de una obligación tributaria.

De manera coherente para el propósito que aquí se cuestiona, se buscó modificar el inciso segundo del artículo 4° ter para eliminar toda referencia al derecho tributario («legislación tributaria» y «ley tributaria») y reemplazarla por referencias al «ordenamiento jurídico» en general («ordenamiento jurídico» y «actos jurídicos o contratos realizados de acuerdo con el ordenamiento jurídico», respectivamente). Así, demostrar la elusión sería imposible: todo acto jurídico que implique una consecuencia calificable como abuso de las formas jurídicas en materia tributaria podría evitar dicha calificación mientras fuese válido de acuerdo con el derecho civil. El proyecto, entonces, a pesar de lo declarado en el mensaje, eliminaba de hecho la elusión como una categoría de ilegalidad tributaria.

Finalmente, las modificaciones que se propusieron al artículo 4° quáter tenían el mismo objetivo de privatizar el derecho tributario. Al hacer referencia a las categorías del derecho civil para definir la simulación se buscó derogar la definición de simulación propia del derecho tributario. Además, se buscó eliminar la posibilidad de considerar que la simulación para efectos del derecho penal sea distinta de la simulación para efectos de la calificación de elusión. Todos los casos de simulación penal no podrían calificarse de simulación elusiva porque así se propuso expresamente.

El principal problema de la modernización tributaria en relación con la CGA estaba en que, al modificar en la forma propuesta, se modificaba la comprensión del derecho tributario; de una comprensión que entiende el derecho tributario como parte del derecho público a una que lo entendía como parte del derecho privado[38].

En cuanto a las modificaciones que se propusieron al artículo 26 bis. En primer lugar, se buscó ampliar el ámbito de aplicación de la consulta sobre la susceptibilidad de una operación de ser calificada como elusiva según los artículos 4º bis, 4º ter y 4º quáter, para incluir normas especiales antielusión. Además, se propusieron reformas al procedimiento de aplicación, principalmente para delimitar los plazos (5 días) en que el Servicio de Impuestos Internos podría requerir información adicional del contribuyente y rebajar el plazo para responder la consulta (de 90 días —con un máximo de 120 días en caso de ampliación por resolución fundada hecha por el Servicio de Impuestos Internos— a 40 días con un plazo máximo de 60 días en caso que se trate de operaciones que involucren otras jurisdicciones). Finalmente, se propuso un cambio relevante al modificar el efecto del silencio administrativo. En la regla original expirado el plazo sin respuesta por parte del Servicio de Impuestos Internos se entendía que la consulta se tenía por no presentada; el proyecto propuso *negar* la aplicación de la CGA ni las normas especiales antielusión al caso consultado. Se trata de un supuesto que podría calificarse como silencio positivo, dependiendo de si quien realiza la consulta pregunta por la no aplicación de las reglas (generales o especiales) antielusión a un caso particular.

b) Cambios al artículo 26 bis

Los cambios propuestos al 26 bis van en la línea comentada de disminuir (equilibrar frente a los contribuyentes, sostendrán algunos) las facultades de fiscalización del Servicio de Impuestos Internos. Se discu-

---

[38] Esta diferencia se observa en la forma en que se enseña el derecho tributario en Chile. Una escuela, la de la Pontificia Universidad Católica de Chile, entiende que el derecho tributario es parte del derecho comercial; otra, entiende que es parte del derecho público. Así queda reflejado en los diseños curriculares de la carrera, en la Universidad Católica, el derecho tributario es parte del «departamento de derecho económico, comercial y tributario» y en la malla académica es de la rama de derecho comercial.

tió sobre si los plazos son excesivamente reducidos para la administración, como se verá más adelante. Lo que resulta sin duda cuestionable es la inclusión del «silencio positivo» como consecuencia de la falta de contestación del Servicio de Impuestos Internos dentro de plazo. El ejecutivo fundó su propuesta recurriendo a la regla general la Ley de Bases de los Procedimientos Administrativos (artículo 64 de la Ley 19.880). La pregunta en ese caso es, de nuevo, una que afecta la comprensión del derecho tributario y la elusión: ¿por qué no aplicar la regla general del silencio negativo del artículo 65 de la misma Ley 19.880 cuando se trata de la afectación del patrimonio fiscal? La respuesta parece evidente: porque el proyecto de ley entendía que la autonomía de la voluntad protege a los actos de los contribuyentes. Vale decir, el acto produce los efectos buscados por el contribuyente, a menos de una respuesta expresa de la administración calificando dicha conducta como elusiva.

Pero además de lo anterior, parece ser una peor decisión si se considera que la regla original ante el silencio de la administración (esto es, tener por no presentada para todos los efectos legales la consulta) era neutra. Vale decir, el silencio de la administración no implicaba una negativa por parte de la administración o una calificación como elusiva de la operación consultada. La razón para esto era muy sencilla: establecer una regla de silencio positivo es excesiva porque, además del posible daño al patrimonio fiscal, el Servicio de Impuestos Internos no puede —por diseño— aplicar directamente la CGA. El «silencio positivo» sólo tendría sentido si el Servicio de Impuestos tuviese la potestad de aplicar directamente la CGA a un caso particular.

c) Cambios al artículo 100 bis

Los cambios que se propusieron al artículo 100 bis decían relación con la aclaración del ámbito de validez personal de la regla y con una nueva regla sobre aumento de la multa en caso de reiteración.

La primera modificación suponía excluir de la aplicación de la multa a la contribuyente, puesto que a ésta sólo se aplicarían las reglas de la CGA.

La segunda modificación supone aumentar el tope del monto de la multa de 100 Unidades Tributarias Anuales (UTA) a 250 UTA, en caso de reiteración. Por reiteración se entiende respecto del diseño o planificación calificado como elusivo, y debería considerar la cuantía de todos los impuestos eludidos y las circunstancias modificatorias de responsabilidad de los artículos 110, 111 y 112 del Código Tributario.

3. La tramitación legislativa

En esta sección se analiza —en lo que es relevante para este trabajo— el trámite que tuvo el proyecto de ley en la Cámara de Diputados y en el Senado.

a) El trámite en la Cámara de Diputados

Más allá de las discusiones políticas que planteó el proceso legislativo en la Cámara de Diputados, el proyecto de reforma tributaria en lo que concierne a la CGA sólo fue aceptado parcialmente. La única modificación que se aprobó en esta parte del trámite legislativo fue al artículo 4° ter, en particular, a la definición de abuso. Además, se aceptó modificar los artículos 26 bis y 100 bis. El primero se modificó con cambios introducidos por los Diputados; el segundo se modificó sin cambios a la propuesta del Ejecutivo.

Artículo 4° ter.

Artículo original	Proyecto de ley	Aprobación en la Cámara de Diputados
Los hechos imponibles contenidos en las leyes tributarias no podrán ser eludidos mediante el abuso de las formas jurídicas. Se entenderá que existe abuso en materia tributaria cuando se evite total o parcialmente la realización del hecho gravado, o se disminuya la base imponible o la obligación tributaria, o se postergue o difiera el nacimiento de dicha obligación, mediante actos o negocios que, individualmente considerados o en su conjunto, no produzcan resultados o efectos jurídicos o económicos relevantes para el contribuyente o un tercero, que	Los hechos gravados contenidos en las leyes tributarias no podrán ser eludidos mediante el abuso de las formas jurídicas. Se entenderá que existe abuso en materia tributaria cuando se evite la realización del hecho gravado, o se disminuya la base imponible, o se postergue o difiera el nacimiento de la obligación tributaria, mediante actos jurídicos o contratos que, individualmente considerados o en su conjunto, sean notoriamente artificiosos para la consecución del resultado obtenido y no produzcan resultados o efectos jurídicos o económicos para el	Se entenderá que existe abuso en materia tributaria cuando se evite la realización del hecho gravado o el nacimiento de la obligación tributaria, o se disminuya la base imponible, o se postergue o difiera el nacimiento de dicha obligación, mediante hechos, actos o contratos que, individualmente considerados, o en su conjunto, sean notoriamente artificiosos. Para estos efectos, son notoriamente artificiosos aquellos actos jurídicamente impropios, anómalos o no pertinentes para la consecución del objetivo obtenido, o bien que contravengan la finalidad de la

Artículo original	Proyecto de ley	Aprobación en la Cámara de Diputados
sean distintos de los meramente tributarios a que se refiere este inciso.	contribuyente o un tercero, distintos de los meramente tributarios a que se refiere este inciso. Para estos efectos se entiende que es artificioso aquel acto jurídico o contrato que, careciendo de una causa o de causa ilícita contraviene la finalidad de la ley.	ley que contempla el hecho gravado o la obligación tributaria, y en ambos casos, en la medida que tales actos produzcan efectos meramente tributarios, carentes de efectos jurídicos o económicos para el contribuyente o para terceros, que sean propios de dicha clase de actos conforme al ordenamiento jurídico.
Es legítima la razonable opción de conductas y alternativas contempladas en la legislación tributaria. En consecuencia, no constituirá abuso la sola circunstancia que el mismo resultado económico o jurídico se pueda obtener con otro u otros actos jurídicos que derivarían en una mayor carga tributaria; o que el acto jurídico escogido, o conjunto de ellos, no genere efecto tributario alguno, o bien los genere de manera reducida o diferida en el tiempo o en menor cuantía, siempre que estos efectos sean consecuencia de la ley tributaria.	Es legítima la elección entre diversas conductas y alternativas contempladas en el ordenamiento jurídico. En consecuencia, no constituirá abuso la sola circunstancia que el mismo resultado económico o jurídico se pueda obtener con otro u otros actos jurídicos o contratos que derivarían en una mayor carga tributaria; o que el acto jurídico o contrato escogido, o conjunto de ellos, no genere efecto tributario alguno, o bien los genere de manera reducida o diferida en el tiempo o en menor cuantía, siempre que estos efectos sean consecuencia de la los actos jurídicos o contratos realizados de acuerdo con el ordenamiento jurídico.	No constituirá abuso la sola circunstancia de que el mismo resultado económico o jurídico se pueda obtener con otro u otros actos jurídicos o contratos que derivarían en una mayor carga tributaria; o que el acto jurídico o contrato escogido, o conjunto de ellos, no genere efecto tributario alguno, o bien los genere de manera reducida o diferida en el tiempo o en menor cuantía, siempre que estos efectos sean consecuencia de los actos y contratos realizados en conformidad al ordenamiento jurídico, y no se configure elusión en los términos del inciso precedente.
En caso de abuso se exigirá la obligación tributaria que emana de los hechos imponibles establecidos en la ley.		

Lo que se criticó en la sección anterior de este capítulo, en referencia a los cambios que se propusieron a la CGA, en nada cambia en relación con el texto que aprobó la Cámara de Diputados como reforma al artículo 4° ter. Por el contrario, todo empeoraba porque hacía incoherente la legislación. Si la decisión implícita del proyecto de ley del Ejecutivo era hacer inaplicable y eliminar de facto la posibilidad de aplicar la CGA a un caso particular, de manera coherente con las definiciones adoptadas en los artículos 4° y 4° bis que se propusieron, la redacción que proponía la Cámara de Diputados era de una clara incoherencia interna y sistemática. La incoherencia interna se observa en las definiciones. El texto propuesto parecía adoptar una definición de derecho público al eliminar las referencias a la falta de causa o causa ilícita, pero al mismo tiempo, mantenía las referencias a los efectos «propios de dicha clase de actos conforme al ordenamiento jurídico» eliminando las referencias a la legislación tributaria (en ambos incisos del artículo 4° ter). La incoherencia sistemática se prueba porque al mismo tiempo que se aprobó este cambio, no se incorporaron los cambios a las demás reglas relevantes del Código Tributario. De hecho, se suma a lo anterior que, al eliminar el inciso final del artículo original, el abuso de las formas jurídicas quedaba sin consecuencia jurídica[39]. Esto se producía por tres razones: el rechazo de las reformas propuestas por el Ejecutivo al artículo 4° bis (1) y al artículo 4° ter (2), y las deficiencias del texto aprobado en la Cámara de Diputados (3).

Artículo 26 bis

Artículo original	Artículo propuesto	Aprobación en la Cámara de Diputados
Los contribuyentes u obligados al pago de impuestos, que tuvieren interés personal y directo, podrán formular consultas sobre la aplicación de los artículos 4° bis, 4° ter y 4° quáter a los actos, contratos, negocios o actividades económicas que, para tales fines, pongan en conocimiento del Servicio. Asimismo, toda persona podrá formular consultas con el objeto de obtener respuestas de carácter general, no vinculantes, en relación con el caso planteado, las cuales no quedarán sujetas a las disposiciones del presente artículo. El Servicio publicará en su sitio de internet las respuestas respectivas.	Los contribuyentes u obligados al pago de impuestos, que tuvieren interés personal y directo, podrán formular consultas sobre la aplicación de los artículos 4° bis, 4° ter y 4° quáter o de otras normas especiales antielusivas a los actos, contratos, negocios o actividades económicas que, para tales fines, pongan en conocimiento del Servicio. Dentro de quinto día contado desde su presentación, el Servicio podrá requerir al contribuyente que complete su consulta cuando sólo contenga datos referenciales, circunstancias hipotéticas o, en general, antecedentes vagos que impidan responder con efecto vinculante. En caso que, transcurrido quinto día desde que sea notificado el requerimiento, el contribuyente no cumpla o cumpla sólo parcialmente, el Servicio declarará inadmisible la consulta mediante resolución fundada. Para los efectos anteriores, junto con la presentación de la consulta, el contribuyente deberá informar una cuenta de correo electrónico habilitada	Los contribuyentes u obligados al pago de impuestos, que tuvieren interés personal y directo, podrán formular consultas sobre la aplicación de los artículos 4° bis, 4° ter y 4° quáter o de otras normas especiales antielusivas a los actos, contratos, negocios o actividades económicas que, para tales fines, pongan en conocimiento del Servicio. Dentro de decimoquinto día contado desde su presentación, el Servicio podrá requerir al contribuyente que complete su consulta cuando sólo contenga datos referenciales, circunstancias hipotéticas o, en general, antecedentes vagos que impidan responder con efecto vinculante. En caso de que, transcurrido el decimoquinto día desde que sea notificado el requerimiento, el contribuyente no cumpla o cumpla sólo parcialmente, el Servicio declarará inadmisible la consulta mediante resolución fundada. Para los efectos anteriores, junto con la presentación de la consulta, el contribuyente deberá informar una cuenta de correo

---

[39]   Agradezco a María Pilar Navarro por hacerme ver este punto.

Artículo original	Artículo propuesto	Aprobación en la Cámara de Diputados
	donde efectuar las notificaciones y solicitar antecedentes. El Servicio habilitará un expediente electrónico para tramitar la consulta. Asimismo, toda persona podrá formular consultas con el objeto de obtener respuestas de carácter general, no vinculantes, en relación con el caso planteado, las cuales no quedarán sujetas a las disposiciones del presente artículo. El Servicio publicará en su sitio de internet las respuestas a las consultas que se formulen conforme a este artículo.	electrónico habilitada donde efectuar las notificaciones y solicitar antecedentes. El Servicio habilitará un expediente electrónico para tramitar la consulta. Asimismo, toda persona podrá formular consultas con el objeto de obtener respuestas de carácter general, no vinculantes, en relación con el caso planteado, las cuales no quedarán sujetas a las disposiciones del presente artículo. El Servicio publicará en su sitio de internet las respuestas a las consultas que se formulen conforme a este artículo.
El Servicio regulará mediante resolución la forma en que se deberá presentar la consulta a que se refiere este artículo, así como los requisitos que ésta deberá cumplir. El plazo para contestar la consulta será de noventa días, contados desde la recepción de todos los antecedentes necesarios para su adecuada resolución. El Servicio podrá requerir informes o dictámenes de otros organismos, o solicitar del contribuyente el aporte de nuevos antecedentes para la resolución de la consulta.	El Servicio regulará mediante resolución la forma en que se deberá presentar la consulta a que se refiere este artículo, así como los requisitos que ésta deberá cumplir. El plazo para contestar la consulta será de cuarenta días, contados desde la recepción de todos los antecedentes necesarios para su adecuada resolución. El Servicio podrá requerir informes o dictámenes de otros organismos, o solicitar del contribuyente el aporte de nuevos antecedentes para la resolución de la consulta. Sin perjuicio de lo anterior, en caso que, junto con aportar nuevos antecedentes, el contribuyente varíe sustancialmente su consulta o los antecedentes en que se funda, se suspenderá el plazo para contestar siempre que se dicte resolución fundada al efecto, notificada dentro de quinto día desde la presentación de los nuevos antecedentes. El plazo para contestar la consulta se reanudará una vez acompañados los nuevos antecedentes.	El Servicio regulará mediante resolución la forma en que se deberá presentar la consulta a que se refiere este artículo, así como los requisitos que ésta deberá cumplir. El plazo para contestar la consulta será de cuarenta días, contados desde la recepción de todos los antecedentes necesarios para su adecuada resolución. El Servicio podrá requerir informes o dictámenes de otros organismos, o solicitar del contribuyente el aporte de nuevos antecedentes para la resolución de la consulta. Sin perjuicio de lo anterior, en caso que, junto con aportar nuevos antecedentes, el contribuyente varíe sustancialmente su consulta o los antecedentes en que se funda, se suspenderá el plazo para contestar siempre que se dicte resolución fundada al efecto, notificada dentro de quinto día desde la presentación de los nuevos antecedentes. El plazo para contestar la consulta se reanudará una vez acompañados los nuevos antecedentes. Iniciado un procedimiento de fiscalización y notificado el requerimiento de antecedentes conforme el artículo 59, el contribuyente requerido o quienes tengan interés en las materias objeto de revisión, sólo podrán efectuar la consulta a que alude el presente artículo antes que venza el plazo para dar respuesta al

Artículo original	Artículo propuesto	Aprobación en la Cámara de Diputados
		requerimiento indicado. La consulta efectuada en el marco del procedimiento de fiscalización suspenderá la prescripción y los plazos de caducidad a que alude el artículo 59 hasta la notificación de la respuesta respectiva.
El Servicio, mediante resolución fundada, podrá ampliar el plazo de respuesta hasta por treinta días.	No obstante, el plazo para contestar la consulta será de sesenta días en caso que se trate de un acto, contrato, negocio o actividades económicas que involucren otra jurisdicción o territorio, o si un contribuyente ha sido notificado de una fiscalización por el Servicio en relación con el acto, contrato, negocio o actividad económica objeto de la consulta.	No obstante, el plazo para contestar la consulta será de sesenta días en caso que se trate de un acto, contrato, negocio o actividades económicas que involucren otra jurisdicción o territorio, o si un contribuyente ha sido notificado de una fiscalización por el Servicio en relación con el acto, contrato, negocio o actividad económica objeto de la consulta.
Expirado el plazo para contestar sin que el Servicio haya emitido respuesta, la consulta se tendrá por no presentada para todos los efectos legales.	Expirado el plazo para contestar sin que el Servicio haya emitido respuesta, se entenderá que no son aplicables al caso consultado los artículos 4° bis, 4° ter y 4° quáter ni las normas especiales antielusivas.	Expirado el plazo para contestar sin que el Servicio haya emitido respuesta, la consulta se tendrá por presentada para todos los efectos legales, a menos que dentro de los diez días previos al vencimiento del plazo, el contribuyente notifique, mediante correo electrónico, al superior jerárquico que corresponda sobre la proximidad de su vencimiento. En este caso, el Servicio deberá resolver la consulta dentro de los treinta días siguientes al vencimiento del plazo original. Vencido este plazo, sin que el Servicio conteste, se entenderá que no son aplicables al caso consultado los artículos 4° bis, 4° ter y 4° quáter, ni las normas especiales antielusivas. El Servicio informará en su sitio web y en un lugar visible de la unidad que reciba las consultas de este artículo, el correo electrónico del superior jerárquico a cargo de recibir las comunicaciones de que trata el inciso anterior a fin de que adopte las medidas pertinentes.
La respuesta tendrá efecto vinculante para el Servicio únicamente con relación al consultante y el caso planteado, y deberá señalar expresamente si los actos, contratos,	La respuesta tendrá efecto vinculante para el Servicio únicamente con relación al consultante y el caso planteado, debiendo señalar expresa y fundadamente de qué manera	La respuesta tendrá efecto vinculante para el Servicio únicamente con relación al consultante y el caso planteado, y debiendo señalar expresa y fundadamente de qué manera

Artículo original	Artículo propuesto	Aprobación en la Cámara de Diputados
negocios o actividades económicas sobre las que se formuló la consulta, son o no susceptibles de ser calificadas como abuso o simulación conforme a los artículos 4° bis, 4° ter y 4° quáter. La respuesta no obligará al Servicio cuando varíen los antecedentes de hecho o de derecho en que se fundó.	los actos, contratos, negocios o actividades económicas sobre las que se formuló la consulta, son o no susceptibles de ser calificadas como abuso o simulación conforme a los artículos 4° bis, 4° ter y 4° quáter o si están cubiertos por alguna norma especial antielusiva. La respuesta no obligará al Servicio si se produce una variación sustantiva de los antecedentes de hecho o de derecho en que se fundó la consulta, en cuyo caso podrá girar o liquidar los impuestos que se devenguen en periodos posteriores, si procedieren, señalando de manera fundada las razones por las cuales se estima se ha producido la variación sustantiva a que alude el presente inciso. Sin perjuicio que tanto la consulta como la respuesta tendrán el carácter de reservadas, el Servicio deberá publicar en su sitio web un resumen con los puntos esenciales de la respuesta y los antecedentes generales que permitan su adecuado entendimiento, guardando reserva de la identidad del consultante y de antecedentes específicos que aporte tales como contratos, información financiera y estructuras corporativas.	los actos, contratos, negocios o actividades económicas sobre las que se formuló la consulta, son o no susceptibles de ser calificadas como abuso o simulación conforme a los artículos 4° bis, 4° ter y 4° quáter o si están cubiertos por alguna norma especial antielusiva. La respuesta no obligará al Servicio si se produce una variación sustantiva de los antecedentes de hecho o de derecho en que se fundó la consulta, en cuyo caso podrá girar o liquidar los impuestos que se devenguen en periodos posteriores, si procedieren, señalando de manera fundada las razones por las cuales se estima se ha producido la variación sustantiva a que alude el presente inciso. Sin perjuicio que tanto la consulta como la respuesta tendrán el carácter de reservadas, el Servicio deberá publicar en su sitio web un extracto con los puntos esenciales de la respuesta y los antecedentes generales que permitan su adecuado entendimiento, guardando reserva de la identidad del consultante y de antecedentes específicos que aporte tales como contratos, información financiera y estructuras corporativas.

Los cambios aprobados por la Cámara de Diputados al artículo 26 bis muestran la forma en que en Chile se han negociado algunas reformas entre posiciones políticas opuestas. Esa forma de llegar a acuerdos termina plasmada en una legislación que parece dar cabida a las posiciones enfrentadas, lo que complejiza la redacción de las reglas. En este caso, el artículo 26 bis terminó aceptando los cambios estructurales propuestos por el gobierno (inclusión de las normas especiales antielusión, disminución de los plazos, «silencio positivo») pero atenuados. Así, se incluyó la posibilidad de consultar sobre la aplicación de normas especiales antielusión, el plazo para pedir nuevos antecedentes pasó de 5 a 15 días y se incluyó el «silencio positivo» pero con una exigencia para el contribuyente: avisar al Servicio de Impuestos Internos de la cercanía del término del plazo para contestar (aviso de 10 días previos al vencimiento del plazo), caso en el cual el plazo de la administración para contestar se extiende por 30 días contados desde la fecha original de vencimiento.

b) El trámite en el Senado

La discusión en el Senado se desarrolló en menor tiempo que en la Cámara de Diputados. Las consideraciones económicas y políticas del momento (el Oficio que contenía el texto aprobado por la Cámara de Diputados fue enviado el 22 de agosto de 2019, poco antes del «estallido social» de 18 de octubre) acarrearon un trámite más apurado. Lo anterior implicó llegar a acuerdos políticos que significaron cambios mayores en el diseño del impuesto a la renta. En cuanto a la CGA, los votos de la oposición que necesitaba el Ejecutivo para aprobar el proyecto completo implicaron no modificar las normas vigentes. De esta manera, el Senado rechazó la modificación aprobada en el primer trámite constitucional del proceso de formación de ley aplicable en materia de tributos al artículo 4° ter. Así, la regulación de la CGA se mantuvo como originalmente se incorporó al Código Tributario y el artículo 4° tampoco fue modificado.

Un problema que quedó pendiente después de la aprobación de la reforma tributaria es la discusión que generará la aplicación del nuevo artículo 8° bis del Código Tributario. En ese artículo se establecen los derechos de los contribuyentes. En el numeral 19 de este nuevo artículo se reconoce como derecho del contribuyente «que se presuma que el contribuyente actúa de buena fe». Si esto se trata de un derecho de los contribuyentes, quiere decir que existe un deber de la administración. ¿Cuál es el contenido de ese deber? Parecía que de haberse aceptados *todos* los cambios propuestos por el Ejecutivo a la norma de interpretación del artículo 4° del Código Tributario y la CGA, pero en especial el primero, este derecho de los contribuyentes a que se presuma la buena fe era una extensión del artículo 707 del Código Civil. Lo que hubiese implicado que en materia tributaria se aplicaría la buena fe *subjetiva* y debería probarse la mala fe. Esto además, de manera coherente con las modificaciones que se propusieron en el proyecto de ley enviado por el Ejecutivo a la CGA, hubiese implicado que la elusión es en realidad un derecho de los contribuyentes amparado por la buena fe. Todo esto tiene consecuencias ahora porque, a mi juicio, esta regla es incoherente con la definición objetiva de buena fe que establece el artículo 4° bis que quedó vigente. Una posible forma de resolver esta antinomia será con el criterio de especialidad para hacer primar la definición del artículo 4° bis del Código Tributario.

En el Senado se mantuvieron los cambios aprobados por los Diputados al artículo 26 bis, con una modificación respecto del plazo del Servicio de Impuestos Internos para contestar, que volvió a ser de 90 días. Esto significó derogar el inciso introducido por los Diputados que se refería a la extensión del plazo si se solicitan nuevos antecedentes.

Los cambios al artículo 100 bis se mantuvieron tal como fueron presentados en el proyecto y aprobados en la Cámara de Diputados.

Artículo 26 bis aprobado en el Senado:

«Los contribuyentes u obligados al pago de impuestos, que tuvieren interés personal y directo, podrán formular consultas sobre la aplicación de los artículos 4° bis, 4° ter y 4° quáter o de otras normas especiales antielusivas a los actos, contratos, negocios o actividades económicas que, para tales fines, pongan en conocimiento del Servicio. Dentro de decimoquinto día contado desde su presentación, el Servicio podrá requerir al contribuyente que complete su consulta cuando sólo contenga datos referenciales, circunstancias hipotéticas o, en general, antecedentes vagos que impidan responder con efecto vinculante. En caso de que, transcurrido el decimoquinto día desde que sea notificado el requerimiento, el contribuyente no cumpla o cumpla sólo parcialmente, el Servicio declarará inadmisible la consulta mediante resolución fundada. Para los efectos anteriores, junto con la presentación de la consulta, el contribuyente deberá informar una cuenta de correo electrónico habilitada donde efectuar las notificaciones y solicitar antecedentes. El Servicio habilitará un expediente electrónico para tramitar la consulta. Asimismo, toda persona podrá formular consultas con el objeto de obtener respuestas de carácter general, no vinculantes, en relación con el caso planteado, las cuales no quedarán sujetas a las disposiciones del presente artículo. El Servicio publicará en su sitio de internet las respuestas a las consultas que se formulen conforme a este artículo.

El Servicio regulará mediante resolución la forma en que se deberá presentar la consulta a que se refiere este artículo, así como los requisitos que ésta deberá cumplir. El plazo para contestar la consulta será de noventa días, contados desde la recepción de todos los antecedentes necesarios para su adecuada resolución. El Servicio podrá requerir informes o dictámenes de otros organismos, o solicitar del contribuyente el aporte de nuevos antecedentes para la resolución de la consulta. Sin perjuicio de lo anterior, en caso que, junto con aportar nuevos antecedentes, el contribuyente varíe sustancialmente su consulta o los antecedentes en que se funda, se suspenderá el plazo para contestar siempre que se dicte resolución fundada al efecto, notificada dentro de quinto día desde la presentación de los nuevos antecedentes. El plazo para contestar la consulta se reanudará una vez acompañados los nuevos antecedentes.

Iniciado un procedimiento de fiscalización y notificado el requerimiento de antecedentes conforme el artículo 59, el contribuyente requerido o quienes tengan interés en las materias objeto de revisión, sólo podrán efectuar la consulta a que alude el presente artículo antes que venza el plazo para dar respuesta al requerimiento indicado. La consulta efectuada en el marco del procedimiento de fiscalización suspenderá la prescripción y los plazos de caducidad a que alude el artículo 59 hasta la notificación de la respuesta respectiva.

Expirado el plazo para contestar sin que el Servicio haya emitido respuesta, la consulta se tendrá por no presentada para todos los efectos legales, a menos que dentro de los diez días previos al vencimiento del plazo, el contribuyente notifique, mediante correo electrónico, al superior jerárquico que corresponda sobre la proximidad de su vencimiento. En este caso, el Servicio deberá resolver la consulta dentro de los treinta días siguientes al vencimiento del plazo original. Vencido este plazo, sin que el Servicio conteste, se entenderá que no son aplicables al caso consultado los artículos 4° bis, 4° ter y 4° quáter, ni las normas especiales antielusivas.

El Servicio informará en su sitio web y en un lugar visible de la unidad que reciba las consultas de este artículo, el correo electrónico del superior jerárquico a cargo de recibir las comunicaciones de que trata el inciso anterior a fin de que adopte las medidas pertinentes.

La respuesta tendrá efecto vinculante para el Servicio únicamente con relación al consultante y el caso planteado, y debiendo señalar expresa y fundadamente de qué manera los actos, contratos, negocios o actividades económicas sobre las que se formuló la consulta, son o no susceptibles de ser calificadas como abuso o simulación conforme a los artículos 4° bis, 4° ter y 4° quáter o si están cubiertos por alguna norma especial antielusiva. La respuesta no obligará al Servicio si se produce una variación sustantiva de los antecedentes de hecho o de derecho en que se fundó la consulta, en cuyo caso podrá girar o liquidar los impuestos que se devenguen en periodos posteriores, si procedieren, señalando de manera fundada las razones por las cuales se estima se ha producido la variación sustantiva a que alude el presente inciso.

Sin perjuicio que tanto la consulta como la respuesta tendrán el carácter de reservadas, el Servicio deberá publicar en su sitio web un extracto con los puntos esenciales de la respuesta y los antecedentes generales que permitan su adecuado entendimiento, guardando reserva de la identidad del consultante y de antecedentes específicos que aporte tales como contratos, información financiera y estructuras corporativas».

4. Análisis de algunas reglas especiales antielusión

Tal como decía más arriba, la tramitación del proyecto de ley que llevó a la reforma tributaria de la Ley N° 21.210 no fue sencilla. Contrario a lo que buscó el Ejecutivo, el proceso duró más de un año y se cambiaron varios aspectos del proyecto original. Si bien el Gobierno del Presidente Piñera logró llevar a cabo varios de sus objetivos en esta reforma, el proceso fue desgastante. Para obtener los votos de la oposición, necesarios para aprobar el proyecto, fue necesario renunciar a modificar algunos aspectos de la Ley sobre Impuesto a la Renta («LIR»), la norma de interpretación que se intentó introducir en el inciso segundo del artículo 4° del Código Tributario y la CGA. A todo se agregó la incorporación de reglas especiales antielusión que no estaban contempladas en el proyecto original. En esta sección se analizan algunas de las normas especiales antielusión contenidas en la Ley N° 21.210, en especial aquellas que modificaron o se incorporaron a la LIR.

a) Reglas especiales de información

Entre las reglas que fueron modificadas se encuentra aquella que establecía obligaciones de «información sobre determinadas inversiones». La regla, que fue introducida por primera vez en la LIR mediante la reforma tributaria de las Leyes N°s 20.780 y 20.899, estaba contenida en el artículo 14, E). Ahí se establecían *deberes* de información respecto de las inversiones en el extranjero, las inversiones en Chile y otras reglas especiales. Estas reglas se introdujeron como medida especial para evitar que las inversiones en el extranjero o las inversiones en Chile mediante el uso de personas jurídicas tuvieran como finalidad la elusión del impuesto global complementario o adicional[40]. En ese momento se consideró que una forma de eludir el impuesto global complementario se

---

[40]   Estas reglas fueron incorporadas en el Senado durante la tramitación de la reforma que llevó a la Ley N° 20.780.

producía en las inversiones realizadas por personas jurídicas domiciliadas o residentes en Chile en el extranjero. En esos casos, las personas naturales dueños de esas personas jurídicas (como accionistas o socios o de
alguna otra forma correspondiente a la naturaleza jurídica de la persona
jurídica) no pagan sus impuestos personales en Chile sino hasta que las
inversiones volvían a Chile y luego eran retiradas desde esas personas
jurídicas. En otras palabras, no había hecho gravado con el impuesto
global complementario. Esa consecuencia no era elusión, sino producto
del sistema completamente integrado a la renta. Por eso, en lugar de
establecer un nuevo hecho gravado (a la inversión) se establecieron estas
obligaciones de información para los contribuyentes de las letras A) o
B) del artículo 14 de la LIR vigente en esa fecha (i.e. contribuyentes
sujetos al régimen de primera categoría con imputación total de crédito en los impuestos finales —sistema completamente integrado— y
contribuyentes sujetos al régimen de primera categoría con deducción
parcial de crédito en los impuestos finales —sistema semi-integrado—)
y reglas especiales de información para los *trusts* cuyos constituyentes o
settlors fuesen domiciliados o residentes en Chile.

Una de las principales características de esta regla fue que estableció
obligaciones para los contribuyentes. Esas obligaciones dependían del tipo
de inversión y en caso de incumplimiento se establecían sanciones (la
posibilidad de aplicar el artículo 21 de la LIR; la aplicación del artículo
97 N° 4 del Código Tributario por la entrega maliciosa de información
incompleta o falsa; y, una multa de 10 UTA incrementada en 1 UTA por
cada mes de atraso hasta llegar al tope de 100 UTA). Además, en el caso
de las inversiones en Chile a través de entidades que fuesen utilizadas
para recibir mayoritariamente inversiones pasivas (definición según lo
establecido en el artículo 41 G de la LIR) existía una remisión a la CGA
que condicionaba el uso de las sociedades como «escudos tributarios».
Vale decir, las sociedades con inversiones pasivas cuyo fin fuese sólo
controlar la tributación de las personas naturales, difiriendo el pago del
impuesto global complementario o adicional, se consideraban elusivas.

Estas obligaciones de información fueron modificadas en la reforma
tributaria de la Ley N° 21.210. Con la reforma del artículo 14 de la LIR
se derogó la letra E) que establecía el deber de informar antes señalado.
Un texto similar pero muy distinto en cuanto al carácter deóntico de la

información que deben entregar los contribuyentes y de las consecuencias en caso de incumplimiento se incorporó en la LIR como nuevo artículo 33 bis.

El principal cambio que establece el nuevo artículo 33 bis está en que ya no establece un *deber* de los contribuyentes sino una *potestad* de la administración tributaria[41]. Vale decir, los contribuyentes no están obligados a presentar esta información sino hasta que el Servicio de Impuestos Internos se los exige. Eso conlleva la eliminación de las sanciones y multas, que se cambiaron por la aplicación del artículo 97 N° 1 del Código Tributario. Además, y lo que parece más relevante, se eliminó la posibilidad de calificar, por una regla especial[42], como elusivas el uso de entidades pasivas cuyo fin sea diferir el pago de impuestos personales. En otras palabras, se podría decir que se eliminó una norma especial antielusión y se cambió por la posibilidad de requerir información a los contribuyentes; una potestad que siempre ha tenido la administración tributaria.

Las diferencias entre el antiguo artículo 14 E) de la LIR y el nuevo artículo 33 bis, se pueden contrastar en el texto que sigue:

Artículo 14 E)	Nuevo artículo 33 bis
E) Información sobre determinadas inversiones.	Junto con sus declaraciones, los contribuyentes deberán acompañar o poner a disposición del Servicio, en virtud de las disposiciones legales o administrativas que
1.- Los contribuyentes acogidos a las disposiciones de las letras A) o B) del presente artículo deberán aplicar, respecto de las inversiones que hayan efectuado, las siguientes reglas:	correspondan, documentos y antecedentes, conforme a las siguientes reglas:

---

[41]   Las diferencias entre un deber y una potestad son importantes. El carácter deóntico de ambas posiciones jurídicas es distinto y, en consecuencia, también distinta sus correlativos. En el primer caso la administración tiene un derecho; en el segundo, ante el ejercicio de la potestad, el contribuyente una sujeción. Pero antes del ejercicio de la potestad, el contribuyente está en posición de libertad. Para una revisión de las posiciones jurídicas y sus correlativos, véase HOHFELD (1991).

[42]   Todavía cabe la posibilidad de que un caso particular en que ocurra esta situación sea calificado como elusivo por aplicación de la CGA (como abuso de las formas jurídicas o simulación).

Artículo 14 E)	Nuevo artículo 33 bis
a) Inversiones en el extranjero: deberán informar al Servicio hasta el 30 de junio de cada año comercial, mediante la presentación de una declaración en la forma que este fije mediante resolución, las inversiones realizadas en el extranjero durante el año comercial anterior, con indicación del monto y tipo de inversión, del país o territorio en que se encuentre, en el caso de tratarse de acciones, cuotas o derechos, el porcentaje de participación en el capital que se presentan de la sociedad o entidad constituida en el extranjero, el destino de los fondos invertidos, así como cualquier otra información adicional que dicho Servicio requiera respecto de tales inversiones. En caso de no presentarse esta declaración, se presumirá, salvo prueba en contrario, que tales inversiones en el extranjero constituyen retiros de especies o cantidades representativas de desembolsos de dinero que no deben imputarse al valor o costo de los bienes del activo, ello para los efectos de aplicar la tributación que corresponda de acuerdo al artículo 21, sin que proceda su deducción en la determinación de la renta líquida imponible de primera categoría. Cuando las inversiones a que se refiere esta letra se hayan efectuado directa o indirectamente en países o territorios que se consideren como con un territorio o jurisdicción que tiene un régimen fiscal preferencial conforme a lo dispuesto en el artículo 41 H, además de la presentación de la declaración referida, deberán informar anualmente, en el plazo señalado, el estado de dichas inversiones, con indicación de sus aumentos o disminuciones, el destino que las entidades receptoras han dado a los fondos respectivos, así como cualquier otra información que requiera el Servicio sobre tales inversiones, en la oportunidad y forma que establezca mediante resolución. En caso de no presentarse esta declaración, se presumirá, salvo prueba en contrario, que tales inversiones en el extranjero constituyen retiros de especies o cantidades representativas de desembolsos de dinero de la misma forma ya señalada y con los mismos efectos, para los fines de aplicar lo dispuesto en el artículo 21. Para los efectos de aplicar lo dispuesto precedentemente, el Servicio deberá citar previamente al contribuyente conforme al artículo 63 del Código Tributario, quien podrá desvirtuar la presunción acreditando fehacientemente que se han declarado y pagado los impuestos que correspondan sobre el total de las rentas provenientes de dichas inversiones o que tales inversiones no han producido rentas que deban gravarse en el país. En todo caso, el contribuyente podrá acreditar que las inversiones realizadas con sumas que corresponden a su capital o a ingresos no constitutivos de renta, presumiéndose, salvo prueba en contrario, que cuando el capital propio tributario del contribuyente excede de la suma de su capital y de los referidos ingresos no constitutivos de renta, tales inversiones se	1. Normas generales para la entrega de información. El Servicio, mediante resolución fundada, podrá requerir a los contribuyentes informes o declaraciones juradas sobre materias específicas e información acotada propia del contribuyente o de terceros. Para el debido cumplimiento de las obligaciones tributarias, estarán obligados a entregar información para la individualización de terceros y los montos o rentas distribuidos, los contribuyentes que distribuyan rentas o beneficios de cualquier naturaleza y, en general, aquellos que paguen rentas o cantidades por cuenta de terceros, salvo los casos exceptuados por la ley. El Servicio podrá liberar de estas obligaciones a determinadas personas o grupos de personas en razón de su escaso movimiento operacional o nivel de conocimiento de las obligaciones tributarias, cuando exista causa justificada y sea posible validar el correcto cumplimiento tributario. Para la entrega de información conforme con este inciso, el Servicio deberá emitir resoluciones indicando en forma precisa las obligaciones y fechas en que serán requeridos los informes o declaraciones juradas. Estas resoluciones deberán dictarse con, a lo menos, cuatro meses de anticipación al término del año o periodo respecto del cual se requerirá la información. Dicho plazo podrá ser inferior en caso que exista una disposición legal que así lo determine o si lo determina fundadamente el Director por razones de buen servicio. Cuando se determine en un proceso de fiscalización, o a petición voluntaria del contribuyente, que los créditos, beneficios, rebajas o retenciones informadas por terceros excede del monto establecido en la ley, el contribuyente deberá reintegrar la diferencia que corresponda. En esos casos no será necesario rectificar las declaraciones presentadas por terceros. 2. Normas especiales para la entrega de información. Conforme las reglas del número 1 anterior, y hasta la fecha de presentación de la respectiva declaración de impuestos, el Servicio podrá requerir información sobre operaciones, transacciones o reorganizaciones que: a) Se realicen en el extranjero y carezcan de regulación legal en Chile. b) Se realicen o celebren con personas o entidades situadas en un territorio o jurisdicción a los que se refiere el artículo 41 H de la ley sobre impuesto a la renta.

Artículo 14 E)	Nuevo artículo 33 bis
han efectuado, en el exceso, con cantidades que no han cumplido totalmente con los impuestos de la presente ley, procediendo entonces la aplicación de lo dispuesto en el referido artículo 21. La entrega maliciosa de información incompleta o falsa en las declaraciones que establece esta letra, se sancionará en la forma prevista en el primer párrafo, del número 4 del artículo 97 del Código Tributario.	La falta de entrega de la información indicada en las letras a) y b) precedente, o la omisión de datos relevantes relacionados a ellas, se sancionará de acuerdo a lo dispuesto en el artículo 97 número 1 del Código Tributario.
	3. Contribuyentes que llevan contabilidad.
b) Inversiones en Chile: las empresas, entidades o sociedades domiciliadas, residentes, establecidas o constituidas en Chile que obtengan rentas pasivas de acuerdo a los criterios que establece el artículo 41 G, no podrán ser utilizadas en forma abusiva para diferir o disminuir la tributación de los impuestos finales de sus propietarios, socios o accionistas. De acuerdo a lo anterior, cuando se haya determinado la existencia de abuso o simulación conforme a lo dispuesto en los artículos 4 bis y siguientes del Código Tributario, se aplicará respecto del monto de tales inversiones la tributación dispuesta en el artículo 21, sin perjuicio de la aplicación de los impuestos que correspondan a los beneficiarios de las rentas o cantidades respectivas y las sanciones que procedieren. En todo caso, el contribuyente podrá acreditar que las inversiones fueron realizadas con sumas que corresponden a su capital o a ingresos no constitutivos de renta, presumiéndose, salvo prueba en contrario, que cuando el capital propio tributario del contribuyente excede de la suma de su capital y de los referidos ingresos no constitutivos de renta, tales inversiones se han efectuado, en el exceso, con cantidades que no han cumplido totalmente con los impuestos de la presente ley, procediendo entonces la aplicación de lo dispuesto en el referido artículo 21. No obstante lo anterior, cuando se determine que los actos, contratos y operaciones respectivos se han llevado a cabo maliciosamente con la finalidad de evitar, disminuir o postergar la aplicación de los impuestos global complementario o adicional, ello será sancionado conforme a lo dispuesto en el primer párrafo, del número 4 del artículo 97 del Código Tributario.	Mediante resolución fundada, el Servicio podrá exigir que los contribuyentes sujetos a la obligación de llevar contabilidad comuniquen, junto con sus declaraciones, información relativa a los balances e inventarios, los que se mantendrán a disposición del Servicio con la firma del representante y contador.

El Servicio podrá exigir la presentación de otros documentos tales como información contable, detalle de la cuenta de pérdidas y ganancias, y demás antecedentes que justifiquen el monto de las obligaciones tributarias y de las partidas anotadas en la contabilidad.

El contribuyente podrá cumplir con estas obligaciones acreditando que lleva un sistema autorizado por el Director Regional. |
| 2.- Reglas especiales.

Los contribuyentes o entidades domiciliadas, residentes, establecidas o constituidas en el país, sean o no sujetos del impuesto a la renta, que tengan o adquieran en un año calendario cualquiera la calidad de constituyente o settlor, beneficiario, trustee o administrador de un trust creado conforme a disposiciones de derecho extranjero, deberán informar anualmente al Servicio, mediante la presentación de una declaración en la forma y plazo que este fije mediante resolución, los siguientes antecedentes: | |

Artículo 14 E)	Nuevo artículo 33 bis
a) Nombre o denominación del trust, fecha de creación, país de origen, entendiéndose por tal el país cuya legislación rige los efectos de las disposiciones del trust; país de residencia para efectos tributarios; número de identificación tributaria utilizado en el extranjero en los actos ejecutados en relación con los bienes del trust, indicando el país que otorgó dicho número; número de identificación para fines tributarios del trust; y, patrimonio del trust.	
b) Nombre, razón social o denominación del constituyente o settlor, del trustee, de los administradores y de los beneficiarios del mismo, sus respectivos domicilios, países de residencia para efectos tributarios; número de identificación para los mismos fines, indicando el país que otorgó dicho número.	
c) Si la obtención de beneficios por parte de él o los beneficiarios del trust está sujeta a la voluntad del trustee, otra condición, un plazo o modalidad. Además, deberá informarse si existen clases o tipos distintos de beneficiarios. Cuando una determinada clase de beneficiarios pudiere incluir a personas que no sean conocidas o no hayan sido determinadas al tiempo de la declaración, por no haber nacido o porque la referida clase permite que nuevas personas o entidades se incorporen a ella, deberá indicarse dicha circunstancia en la declaración. Cuando los bienes del trust deban o puedan aplicarse a un fin determinado, deberá informarse detalladamente dicho fin.	
Cuando fuere el caso, deberá informarse el cambio del trustee o administrador del trust, de sus funciones como tal, o la revocación del trust. Además, deberá informarse el carácter revocable o irrevocable del trust, con la indicación de las causales de revocación. Sólo estarán obligados a la entrega de la información de que se trate aquellos beneficiarios que se encuentren ejerciendo su calidad de tales conforme a los términos del trust o acuerdo y quienes hayan tomado conocimiento de dicha calidad, aun cuando no se encuentren gozando de los beneficios por no haberse cumplido el plazo, condición o modalidad fijado en el acto o contrato.	
Cuando la información proporcionada en la declaración respectiva haya variado, las personas o entidades obligadas deberán presentar, en la forma que fije el Servicio mediante resolución, una nueva declaración detallando los nuevos antecedentes, ello hasta el 30 de junio del año siguiente a aquel en que los antecedentes proporcionados en la declaración previa hayan cambiado.	
Para los fines de este número, el término «trust» se refiere a las relaciones jurídicas creadas de acuerdo a normas de derecho extranjero, sea por acto entre vivos o por causa de muerte, por una persona en calidad de	

Artículo 14 E)	Nuevo artículo 33 bis
constituyente o settlor, mediante la trasmisión o transferencia de bienes, los cuales quedan bajo el control de un trustee o administrador, en interés de uno o más beneficiarios o con un fin determinado.	

constituyente o settlor, mediante la trasmisión o transferencia de bienes, los cuales quedan bajo el control de un trustee o administrador, en interés de uno o más beneficiarios o con un fin determinado.

Se entenderá también por trust para estos fines, el conjunto de relaciones jurídicas que, independientemente de su denominación, cumplan con las siguientes características: i) Los bienes del trust constituyen un fondo separado y no forman parte del patrimonio personal del trustee o administrador; ii) El título sobre los bienes del trust se establece en nombre del trustee, del administrador o de otra persona por cuenta del trustee o administrador; iii) El trustee o administrador tiene la facultad y la obligación, de las que debe rendir cuenta, de administrar, gestionar o disponer de los bienes según las condiciones del trust y las obligaciones particulares que la ley extranjera le imponga. El hecho de que el constituyente o settlor conserve ciertas prerrogativas o que el trustee posea ciertos derechos como beneficiario no es incompatible necesariamente con la existencia de un trust.

El término trust también incluirá cualquier relación jurídica creada de acuerdo a normas de derecho extranjero, en la que una persona en calidad de constituyente, transmita o transfiera el dominio de bienes, los cuales quedan bajo el control de una o más personas o trustees, para el beneficio de una o más personas o entidades o con un fin determinado, y que constituyen un fondo separado y no forman parte del patrimonio personal del trustee o administrador.

En caso de no presentarse la referida declaración por parte del constituyente del trust, se presumirá, salvo prueba en contrario, que la constitución del trust constituye abuso o simulación conforme a lo dispuesto en los artículos 4 bis y siguientes del Código Tributario, aplicándose la tributación que corresponda de acuerdo a la calidad de los intervinientes y la naturaleza jurídica de las operaciones. La entrega maliciosa de información incompleta o falsa en las declaraciones que establece esta letra, se sancionará en la forma prevista en el primer párrafo del número 4 del artículo 97, del Código Tributario.

3.- Sanciones. El retardo u omisión en la presentación de las declaraciones que establece esta letra, o la presentación de declaraciones incompletas o con antecedentes erróneos, además de los efectos jurídicos a que se refieren los números precedentes, será sancionada con multa de diez unidades tributarias anuales, incrementada con una unidad tributaria anual adicional por cada mes de retraso, con tope de cien unidades tributarias anuales. La referida multa se aplicará conforme al procedimiento establecido en el artículo 161 del Código Tributario.

b) La modificación a la letra b) del número 1) del inciso cuarto del artículo 59, de la LIR

Este artículo se incorporaron los siguientes tres nuevos párrafos:

«Para la procedencia de la tasa de 4% conforme con el párrafo anterior, el crédito no deberá ser otorgado mediante cualquier tipo de acuerdo estructurado de forma tal que la institución bancaria o financiera extranjera o internacional que reciba los intereses, los transfiera a otra persona o entidad que sea domiciliada o residente en el extranjero, y que no tendría derecho a la tasa reducida si hubiera recibido directamente los intereses del deudor. Adicionalmente, para la procedencia de la tasa de 4%, la institución bancaria o financiera deberá entregar al pagador de los intereses una declaración en la que deje constancia que no ha celebrado un acuerdo estructurado en los términos señalados.

Para efectos de lo dispuesto en este numeral, se entenderá por institución financiera extranjera o internacional, aquella entidad domiciliada, residente o constituida en el extranjero que tenga por objeto principal el otorgamiento de créditos, financiamiento u otras operaciones con esos fines, siempre que sus ingresos provengan mayoritariamente de su objeto principal, que sus operaciones de financiamiento sean realizadas en forma periódica, y que dicha entidad financiera cuente con un capital pagado y reservas igual o superior a la mitad del mínimo que se exija para la constitución de los bancos extranjeros en Chile, por la Ley General de Bancos, contenida en el decreto con fuerza de ley N° 3 de 1997, del Ministerio de Hacienda. Mediante resolución el Servicio de Impuestos Internos establecerá un registro voluntario de inscripción de instituciones financieras extranjeras o internacionales, y el respectivo procedimiento de inscripción, para efectos de que una entidad financiera pueda verificar el cumplimiento de estos requisitos en caso de así requerirlo.

El pagador del interés informará al Servicio de Impuestos Internos en el plazo que éste determine, las condiciones de la operación».

De esta manera se hacen más estrictos los requisitos para la aplicación de la tasa preferencial del impuesto adicional de 4% establecida en este artículo.

c) Nuevo artículo 110 de la LIR. Limitación al contrato de *market maker*

Una de las cuestiones que se discutió a propósito del momento político en que se tramitó la reforma tributaria que aquí se analiza, fue la limitación a los beneficios tributarios que recibían o reciben las rentas del capital. Especialmente cuestionado fue el tratamiento de la ganancia de capital en la enajenación de acciones con presencia bursátil establecido en los artículos 104 y siguientes de la LIR. Un caso que generó discusión fue el de la venta de acciones de SQM por parte de Nutrien. En ese caso se logró tener presencia bursátil mediante un contrato de *market maker*. Cabía la duda de si el requisito relacionado con la presencia bursátil para obtener el beneficio tributario tenía sustancia (esto es, buscar dar profundidad al mercado de capitales) o si simplemente se trataba de un requisito formal (tener presencia bursátil, sin que sea relevante la forma en que se conseguía desde el punto de vista tributario). La lectora o el lector de este trabajo recordará lo señalado antes respecto de la CGA: para algunos se aplicaba a este caso porque no se habría logrado el propósito buscado por la ley; para otros, en especial para quienes defendían las ideas propuestas en el proyecto de ley por el Ejecutivo, este tipo de casos no puede cuestionarse mientras el contrato de *market maker* cumpla con los requisitos de validez civil (en especial tener causa o que la causa sea lícita).

Una solución intermedia es la que se logró plasmar finalmente en la Ley N° 21.210. Siguiendo una técnica legislativa que puede ser cuestionada en cuanto a su eficacia, se decidió establecer una norma especial antielusión en este caso. Esa nueva norma limita los beneficios tributarios que se pueden obtener mediante un contrato de *market maker* a un límite temporal. La regla agregada a la LIR en un nuevo artículo 110, es la siguiente:

«Artículo 110.- Para efectos de lo dispuesto en esta ley, constituirán valores con presencia bursátil los que se determinen en conformidad a la ley N° 18.045 de Mercado de Valores.

Sin perjuicio de lo anterior, si la presencia bursátil está dada exclusivamente en virtud de un contrato que asegure la existencia diaria de ofertas de compra y venta de los valores de acuerdo al párrafo tercero de la letra g) del artículo 4 bis de la ley N° 18.045, el tratamiento del mayor valor como un ingreso no constitutivo de renta según las reglas de este Título VI aplicará sólo por el plazo de un año contado desde la primera oferta pública de valores que se realice luego de inscrito el emisor o depositado el reglamento en el correspondiente registro de la Comisión para el Mercado Financiero, según corresponda».

d) Reglas especiales en artículos transitorios

Los artículos trigésimonoveno y cuadragésimo sexto transitorios de la Ley N° 21.210 pueden entenderse como normas especiales antielusión de control. La primera de estas reglas se diseñó para mantener un control de las rentas sujetas a tributación en la transición entre el antiguo sistema de impuesto a la renta establecido en el artículo 14 por la reforma tributaria de las Leyes N°s 20.780 y 20.899, y las nuevas reglas del artículo 14 establecidas por la Ley N° 21.210. En ese sentido no presentan mayor novedad.

La regla especial antielusión del artículo cuadragésimo sexto transitorio de la Ley N° 21.210, es una medida que busca limitar el abuso de los fondos de inversión privados como mecanismo para disminuir los impuestos a la renta. Esta regla busca reforzar las nuevas exigencias en cuanto al número de participantes y las nuevas normas de relación aplicables a los fondos de inversión privados según el artículo 92 de la Ley N° 20.712, modificado por el artículo décimo octavo de la Ley N° 21.210. El artículo establece lo siguiente:

«Artículo cuadragésimo sexto transitorio.- Si transcurrido el plazo de un año desde la entrada en vigencia de esta ley, un fondo de inversión privado no cumple con lo establecido en el artículo 92 de la ley N° 20.712, según su texto modificado mediante el artículo decimoctavo de la presente ley, el fondo de inversión privado será considerado sociedad anónima y sus aportantes accionistas de la misma para los efectos de la Ley sobre Impuesto a la Renta, respecto de los beneficios y utilidades que obtengan a contar del ejercicio comercial en que se hubiera producido dicho incumplimiento. Para estos efectos, el plazo de un año señalado anteriormente se aplicará en reemplazo del plazo de seis meses establecido en el inciso segundo del artículo 92 de la ley N° 20.712.

Sin perjuicio de lo anterior, el nuevo límite establecido en el referido artículo 92 no se aplicará respecto de aquellos fondos de inversión privados que, a la fecha de publicación de esta ley, hayan recibido aportes por parte de la Corporación de Fomento de la Producción, en la medida que esa inversión se haya realizado de conformidad a las políticas de inversión definidas por dicha Corporación».

Bibliografía

Atria Fernando y Saffie, Francisco (2019): «Sobre como esconder la ideología en un proyecto de ley I: el derecho tributario y el derecho civil». Disponible en https://www.eldesconcierto.cl/2019/03/14/sobre-como-esconder-la-ideologia-en-un-proyecto-de-ley-i-el-derecho-tributario-y-el-derecho-civil/. Fecha de consulta: 18 de marzo de 2020.

Gardner, John (2018): *From Personal Life to Private Law* (Oxford, Oxford University Press).

Hohfeld, W. N. (1991): *Conceptos Jurídicos Fundamentales* (México, Fontamara).

Honoré, Tony (1993): «The dependence of morality on law», *Oxford Journal of Legal Studies*, Vol. 13, No. 1, pp. 1-17.

IMF/OECD Report for the G20 Finance Ministers and Central Bank Governors (2018): *Update on Tax Certainty* (International Monetary Fund & OECD).

Mensaje del proyecto de la Ley Nº 21.210.

Von Kirchmann, Julius Hermann (1983): *La Jurisprudencia no es Ciencia* (trad. Antonio Truyol Serra, Madrid, Centro de Estudios Constitucionales).

Segunda Parte
IMPUESTO A LA RENTA

GASTOS NECESARIOS PARA PRODUCIR LA RENTA. UNA REVISIÓN A LAS MODIFICACIONES INTRODUCIDAS POR LA LEY N° 21.210

Patricia Andrea Toledo Zúñiga[*]

Resumen

En la delimitación del concepto «gasto necesario para producir la renta» se deben conciliar dos intereses distintos. Por una parte, el contribuyente espera que todos los desembolsos en que tuvo que incurrir para producir una renta empresarial sean considerados gastos necesarios para producir la renta. Por otra parte, el interés fiscal es limitar que desembolsos ajenos a la actividad empresarial sean contabilizados como gastos necesarios para producir la renta. El objetivo de este trabajo es analizar las modificaciones introducidas en la materia, por la Ley N° 21.210, de 24 de febrero de 2020, que moderniza la legislación tributaria.

Para ello, este trabajo consta de tres partes. Primero, se destaca la relevancia de los gastos necesarios para producir la renta en la determinación de la renta líquida imponible. Segundo, se analizan las modificaciones introducidas por la mencionada Ley N° 21.210 a la regulación genérica de los gastos necesarios para producir la renta. Tercero, se revisan las modificaciones introducidas por la misma ley, a la regulación específica de los gastos necesarios para producir la renta. Finalmente, se presentan las conclusiones.

[*]   Doctora en Derecho por la Universidad Pompeu Fabra, Barcelona. Profesora Auxiliar del Instituto de Derecho Público en la Facultad de Ciencias Jurídicas y Sociales de la Universidad Austral de Chile. Correo electrónico: patricia.toledo@uach.cl.

I. Gastos necesarios para producir la renta en la determinación de la renta líquida imponible

Con fecha 23 de agosto de 2018, el gobierno del Presidente Piñera remitió al Congreso Nacional el Proyecto de Ley que moderniza la legislación tributaria. La idea matriz de esta iniciativa fue «avanzar hacia un sistema tributario más moderno, más simple y más equitativo, que promueva la innovación y el emprendimiento, con un marco legal más preciso, que se proyecte en el tiempo, cimentado en base al principio de legalidad tributaria, y que permita al Estado contar con los recursos suficientes para financiar responsablemente sus funciones»[1].

Los principios fundamentales en los se inspiró el mencionado proyecto de ley son los siguientes: equidad y justicia en la distribución de los tributos; simplicidad de las normas y procesos tributarios; certeza y seguridad jurídica; competitividad; estabilidad; suficiencia a fin de hacer frente a los gastos del Estado. En el contexto de las medidas tendientes a concretar el principio de certeza y seguridad jurídica se menciona expresamente la necesidad de redefinir las normas en materia de gastos deducibles para efectos tributarios[2].

Después de 18 meses de tramitación, el mencionado proyecto de ley fue aprobado. Con fecha 24 de febrero de 2020, se publicó en el Diario Oficial la Ley N° 21.210, que moderniza la legislación tributaria. La ley está conformada por 34 artículos permanentes y 47 artículos transitorios. Dentro de las disposiciones que modifican las normas en materia de gastos deducibles se encuentra el artículo 2 numeral 13 de la Ley N° 21.210, que dispone modificar el artículo 31 de la Ley sobre Impuesto a la Renta, en adelante LIR[3].

El artículo 31 de la LIR se ocupa de regular los denominados «gastos necesarios para producir la renta». Esta disposición se enmarca dentro de las reglas establecidas por la ley para determinar la base imponible del Impuesto de Primera Categoría —en adelante IDPC— para con-

---

[1] Comisión de Hacienda de la Cámara de Diputados (2018) p. 1.
[2] Presidente de la República de Chile (2018) p. 9.
[3] Biblioteca del Congreso Nacional (2020) pp. 45-48.

tribuyentes que deben declarar este impuesto de acuerdo con un sistema de renta efectiva.

La base imponible del IDPC es la renta. De acuerdo con el artículo 2 N° 1 de la LIR, se entiende por renta «los ingresos que constituyan utilidades o beneficios que rinda una cosa o actividad y todos los beneficios, utilidades e incrementos de patrimonio que se perciban o devenguen, cualquiera que sea su naturaleza, origen o denominación». Por tanto, para determinar la base imponible de un contribuyente del IDPC, que declare este impuesto de acuerdo con un sistema de renta efectiva, no se deben considerar solo los ingresos brutos de este contribuyente, sino que se deben descontar los costos y gastos relacionados con la actividad gravada[4]. Como expresa VERGARA QUEZADA, esta es la regla de consenso en derecho comparado porque «las diferentes legislaciones reconocen la deducibilidad de los desembolsos relacionados con la actividad gravada»[5].

La operación para determinar la base imponible del IDPC de un contribuyente que declare este impuesto de acuerdo con un sistema de renta efectiva está regulada en los artículos 29 a 33 de la LIR. Básicamente, puede resumirse en los siguientes cuatro pasos: (i) Primero, de acuerdo con el artículo 29 de la LIR, deben sumarse los «ingresos brutos», es decir, todos los ingresos derivados de la explotación de bienes y actividades incluidas en la primera categoría. Deben exceptuarse los ingresos calificados como «ingresos no constitutivos de renta» de acuerdo con el art. 17 de la LIR. (ii) Segundo, de acuerdo con el artículo 30 de la LIR, deben restarse los «costos directos». Tratándose de bienes producidos o elaborados por el contribuyente, se entiende por costo directo el valor de la materia prima y el valor de la mano de obra directa. El resultado obtenido después de haber realizado estos dos primeros pasos,

---

[4] Una excepción a esta regla la constituye el régimen de tributación de renta efectiva según contrato, establecido en el art. 20 N° 1 letra b) de la LIR. En este artículo se dispone lo siguiente: «En el caso de contribuyentes que no declaren su renta efectiva según contabilidad completa, y den en arrendamiento, subarrendamiento, usufructo u otra forma de cesión o uso temporal, bienes raíces, se gravará la renta efectiva de dichos bienes, acreditada mediante el respectivo contrato, sin deducción alguna».

[5] VERGARA (2019) p. 125.

se denomina «renta bruta». (iii) Tercero, de acuerdo con el artículo 31 de la LIR, deben restarse los «gastos necesarios para producir la renta», que no hayan sido rebajados como costo directo. (iv) Cuarto, deben realizarse «ajustes a la contabilidad», agregando algunas partidas y deduciendo otras, expresamente establecidas en los artículos 32 y 33 de la LIR. El resultado obtenido se denomina «renta líquida imponible» y es la base imponible del IDPC.

Como consecuencia lógica de la operación descrita en el párrafo anterior, mientras más alto sea el monto de los gastos necesarios para producir la renta, menor será la base imponible del IDPC y menor será el impuesto que el contribuyente debe declarar y enterar en arcas fiscales. Aquí radica la importancia de delimitar con claridad cuáles de todos los desembolsos en lo que, efectivamente, ha incurrido el contribuyente pueden ser considerados gastos necesarios para producir la renta.

Para que un desembolso pueda ser considerado gasto necesario para producir la renta debe estar relacionado con la renta producida. Sin embargo, esta relación no es directa como la que existe entre el costo de la materia prima y la renta producida, sino que se trata de una relación indirecta.

En la delimitación del concepto «gasto necesario para producir la renta» se deben conciliar dos intereses distintos. Por una parte, el contribuyente espera que todos los desembolsos en que tuvo que incurrir para producir una renta empresarial sean considerados gastos necesarios para producir la renta. Por otra parte, el interés fiscal es limitar que desembolsos ajenos a la actividad empresarial sean contabilizados como gastos necesarios para producir la renta; por esto, como destaca Gallardo Burgos, «los gastos tributarios que disminuyen la base imponible de un contribuyente, siempre han sido un foco de fiscalización relevante para el Servicio de Impuestos Internos»[6].

---

[6]   Gallardo (2017) p. 75.

II. De la regulación genérica de los «gastos necesarios para producir la renta»

El artículo 31 de la LIR se ocupa de regular los denominados «gastos necesarios para producir la renta». El artículo 2 numeral 13 de la Ley N° 21.210, que moderniza la legislación tributaria, estableció modificaciones a esta disposición normativa.

Por regla general, de acuerdo con el artículo octavo transitorio de la Ley N° 21.210, estas modificaciones entraron en vigencia a contar del 1 de enero de 2020. La excepción a esta regla, de acuerdo con el artículo vigésimo séptimo transitorio de la misma ley, la constituye la eliminación de devolución de pagos provisionales por utilidades absorbidas, que se analiza en la sección siguiente de este trabajo.

Desde un punto de vista estructural no existen modificaciones. El artículo 31 de la LIR, antes y después de la Ley N° 21.210, consta de cuatro incisos. En cuanto a la técnica de regulación, también es posible establecer que no existen modificaciones. En efecto, en el artículo 31 de la LIR, antes y después de la Ley N° 21.210, es posible distinguir dos formas de regulación: una regulación genérica y una regulación específica.

La regulación genérica está en el artículo 31 inciso 1° de la LIR, que establece requisitos generales para que un desembolso sea considerado gasto necesario para producir la renta, mencionando expresamente gastos que, por regla general, no deben ser deducidos para efectos de la determinación de la renta líquida imponible.

La regulación específica está en el artículo 31 incisos 2°, 3° y 4° de la LIR. El artículo 31 inciso 2° de la LIR establece requisitos adicionales para acreditar los gastos incurridos en el extranjero. El artículo 31 inciso 3° de la LIR establece requisitos adicionales para la deducción como gasto de aquellas cantidades a que se refiere el artículo 59 de la LIR, cuando se realiza por actos o contratos entre partes relacionadas en los términos del artículo 41 E de la LIR. Finalmente, el artículo 31 inciso 4° de la LIR contiene una enumeración de diversos tipos de desembolsos con regulación específica, por lo que se han denominado «gastos especiales».

Ahora bien, las modificaciones introducidas por el artículo 2 numeral 13 de la Ley Nº 21.210 tienen incidencia tanto en el contenido de la regulación genérica como en el contenido de la regulación específica de los gastos necesarios para producir la renta. El objetivo de esta sección es realizar una revisión al contenido de los cambios introducidos en la regulación genérica de los gastos necesarios para producir la renta.

La Ley Nº 21.210 modifica la regulación genérica de los gastos necesarios para producir la renta modificando el artículo 31 inciso 1º de la LIR en dos sentidos: Primero, incorpora una definición de lo que debe entenderse por «gasto necesario para producir la renta». Segundo, modifica la forma en que el Director puede autorizar la deducción de los gastos en vehículos cuando no sean del giro habitual y elimina la mención expresa a los gastos de supermercado y comercios similares. A continuación, se analizarán estas dos modificaciones.

1. Modificaciones en los requisitos generales para que un desembolso sea considerado «gasto necesario para producir la renta»

Hasta antes de la modificación introducida por la Ley Nº 21.210, el artículo 31 inciso 1º de la LIR en su primera parte disponía lo siguiente: «La renta líquida de las personas referidas en el artículo anterior se determinará deduciendo de la renta bruta todos los gastos necesarios para producirla que no hayan sido rebajados en virtud del artículo 30, pagados o adeudados, durante el ejercicio comercial correspondiente, siempre que se acrediten o justifiquen en forma fehaciente ante el Servicio».

De la disposición transcrita es posible establecer que, en la operación para determinar la base imponible del IDPC de un contribuyente que declare este impuesto de acuerdo con un sistema de renta efectiva, los requisitos para que un desembolso pudiera ser deducido de la renta bruta eran los siguientes: (i) que sea necesario para producir la renta; (ii) que no se haya deducido como costo directo; (iii) que se encuentre pagado o adeudado; (iv) que el desembolso se realice durante el ejercicio comercial correspondiente; v) que se acredite fehacientemente ante el Servicio de Impuestos Internos.

Con la modificación introducida por la Ley N° 21.210, el artículo 31 inciso 1° de la LIR en su primera parte dispone lo siguiente: «La renta líquida de las personas referidas en el artículo anterior se determinará deduciendo de la renta bruta todos los gastos necesarios para producirla, entendiendo por tales aquellos que tengan una aptitud de generar renta, en el mismo o futuros ejercicios y se encuentren asociados al interés, desarrollo o mantención del giro del negocio, que no hayan sido rebajados en virtud del artículo 30°, pagados o adeudados, durante el ejercicio comercial correspondiente, siempre que se acrediten o justifiquen en forma fehaciente ante el Servicio».

Con la modificación introducida por la Ley N° 21.210 en la disposición transcrita, es posible establecer que, en la operación para determinar la base imponible del IDPC de un contribuyente que declare este impuesto de acuerdo con un sistema de renta efectiva, los requisitos para que un desembolso pueda ser deducido de la renta bruta son los siguientes: (i) que sea necesario para producir la renta; (ii) que no se haya deducido como costo directo; (iii) que se encuentre pagado o adeudado; (iv) que el desembolso se realice durante el ejercicio comercial correspondiente; (v) que se acredite fehacientemente ante el Servicio de Impuestos Internos.

Nótese que, antes y después de la Ley N° 21.210, los requisitos para que un desembolso pueda ser deducido de la renta bruta son los mismos. La importancia de la modificación se produce porque en el texto actual se incluye una definición legal acerca de qué debe entenderse por «gasto necesario». A continuación, se analizarán los requisitos exigidos:

En cuanto al requisito de que el desembolso sea necesario para producir la renta, ante una ausencia de definición legal de lo que debía entenderse por «necesario», la jurisprudencia administrativa y judicial ha recurrido frecuentemente a la definición del término en el Diccionario de la lengua española. Dentro de las acepciones del término «necesario» se encuentran las siguientes: «1. Que hace falta indispensablemente para algo. 2. Que forzosa o inevitablemente ha de ser o suceder. 3. Que se hace y ejecuta obligado por otra cosa, como opuesto a voluntario y espontáneo»[7].

---

[7]   Real Academia Española (2019).

A modo de ilustración de lo afirmado en el párrafo anterior, el Servicio de Impuestos Internos ha expresado lo siguiente: «En lo concerniente a la necesidad del gasto, este Servicio ha señalado reiteradamente que dicha exigencia dice relación con aquellos desembolsos de carácter inevitable u obligatorio en relación con el giro del negocio, considerando tanto la naturaleza, como el monto del gasto, es decir, hasta qué cantidad el gasto ha sido necesario para producir la renta afecta a IDPC. Dichos desembolsos deben reunir la doble condición de ser comunes, habituales y regulares por una parte; y por otra, inevitables, obligatorios, imprescindibles o indispensables para producir la renta afecta a IDPC»[8].

Asimismo, la Excelentísima Corte Suprema ha declarado lo siguiente: «Que si bien el concepto de gasto necesario no ha sido definido por la Ley de la Renta, esta Corte ha concluido, a partir de la lectura de la norma transcrita, que sin duda se refiere a aquellos gastos que se relacionan directamente con el ejercicio o giro del contribuyente, que sean necesarios para producir la renta y que tengan el carácter de inevitables y obligatorios. Esta última característica se desprende de la significación gramatical del vocablo "necesarios", esto es, aquellos desembolsos en que inevitablemente ha debido incurrir el contribuyente para generar la renta líquida imponible que se pretende determinar»[9].

Al margen de las críticas que se pueden emitir respecto de la práctica de interpretar términos jurídicos recurriendo al Diccionario de la lengua española, conviene reiterar la idea de que, evidentemente, para que un desembolso pueda ser considerado gasto necesario para producir la renta debe estar relacionado con la renta producida. Sin embargo, esta relación no es directa como la que existe entre el costo de la materia prima y la renta producida, sino que se trata de una relación indirecta. Piénsese, por ejemplo, en los desembolsos efectuados para cubrir gastos generales de la empresa, tales como, material de oficina o gastos de publicidad.

---

[8]   Servicio de Impuestos Internos (2017). Oficio N° 888/2017. En el mismo sentido, ver los siguientes Oficios del Servicios de Impuestos Internos: Oficio N° 2.566/2000; Oficio N° 1.015/2003; Oficio N° 6.346/2003; Oficio N° 1.118/2004; Oficio N° 3.853/2005; Oficio N° 1.373/2009 y Oficio N° 336/ 2010.

[9]   Corte Suprema de Justicia de Chile. 10 de noviembre de 2014, Rol N° 8421-2013, Considerando 5°. Disponible en http://basejurisprudencial.poderjudicial.cl/. Fecha de consulta: 9 de marzo de 2020.

Claramente, no tienen una relación directa con un determinado ingreso percibido, pero se requieren para el funcionamiento de la actividad empresarial. En la práctica, los estrictos criterios de la jurisprudencia administrativa y judicial generaron que muchos desembolsos efectuados en interés de la empresa no pudiesen ser deducidos como gastos necesarios para producir la renta.

Al respecto, resulta ilustrativa la completa enumeración que realiza Vergara Quezada, quien expresa: «desde que se estableció el impuesto a la renta en 1924, la administración sistemáticamente recurrió a toda clase de interpretaciones formalistas y tecnicismos para rechazar gastos, como es el caso de gratificaciones pagadas a los trabajadores, reparación de oficinas dañadas por terremotos, gastos de organización y puesta en marcha de las empresas, remuneraciones de los gerentes, seguros tomados por riesgos sobre las maquinarias de una empresa, dietas de los directores de las empresas fijadas por sesión asistida, dietas de los directores fijadas sobre el resultado de la empresa, impuestos pagados a otros estados por las rentas obtenidas en el extranjero por empresas nacionales, los seguros tomados por el riesgo de los edificios de las empresas, gastos de predios forestales porque producirán sus rentas en un largo plazo, consumo de materiales y herramientas porque se registraban por año y no de forma diaria, etcétera»[10].

Los desembolsos que no cumplen con los requisitos para ser considerados «gastos necesarios para producir la renta» se denominan «gastos rechazados» y deben agregarse a la renta líquida, de acuerdo con el artículo 31 inciso 1º de la LIR. El tratamiento tributario de los gastos rechazados está regulado en el artículo 21 de la LIR.

Originalmente, el artículo 21 de la LIR disponía un tratamiento tributario distinto para los gastos rechazados, dependiendo de la estructura o forma jurídica del contribuyente. Tratándose de una sociedad anónima, los gastos rechazados tributaban con un impuesto único con tasa del 35%. Tratándose de una sociedad de personas, por regla general, los gastos rechazados se presumían retirados y, por tanto, se incorporaban dentro de la base imponible del impuesto final del socio o propietario,

---

[10]   Vergara (2019) p. 145.

tributando con el impuesto global complementario o impuesto adicional correspondiente.

Posteriormente, el artículo 21 de la LIR fue modificado por la Ley N° 20.630, de 27 de septiembre de 2012, que perfecciona la legislación tributaria y financia la reforma educacional[11]. De acuerdo con esta ley, a partir del 1 de enero de 2013, se equiparó la tributación de los gastos rechazados sin distinguir la estructura societaria ni el tipo de contribuyente. Desde la mencionada Ley N° 20.630, el artículo 21 de la LIR dispone un tratamiento tributario distinto para los gastos rechazados, dependiendo del beneficiario del desembolso.

Tratándose de gastos rechazados que benefician a la empresa, tributaban con un impuesto único con tasa del 35%. Tratándose de gastos rechazados que benefician a los socios o propietarios o accionistas de la empresa, tributan con el impuesto global complementario o impuesto adicional correspondiente, incrementando su importe en un monto equivalente al 10% sobre el monto del desembolso. Tratándose de gastos rechazados expresamente mencionados en el artículo 21 inciso 2° de la LIR, deben agregarse a la renta líquida para efectos de la determinación de la base imponible del IDPC, pero quedan liberadas de la tributación con el impuesto único y de los impuestos finales.

Finalmente, la tasa del impuesto único del artículo 21 de la LIR fue modificada por la Ley N° 20.780, de 29 de septiembre de 2014, reforma tributaria que modifica el sistema de tributación de la renta e introduce diversos ajustes en el sistema tributario[12]. De acuerdo con esta ley, a partir del 1 de enero de 2017, los gastos rechazados que benefician a la empresa, tributan con un impuesto único con tasa del 40%.

El riguroso tratamiento tributario dado por el legislador a los gastos rechazados, unido al estricto criterio de la jurisprudencia administrativa y judicial sobre la materia, hizo evidente la urgencia de una labor legislativa que aclarara el concepto «gasto necesario para producir la renta». De esta tarea se ocupó la Ley N° 21.210.

---

[11] Ver Servicio de Impuestos Internos (2013): «Circular N° 45, de 23 de septiembre de 2013».

[12] Ver Servicio de Impuestos Internos (2015): «Circular N° 71, de 23 de julio de 2015».

El Mensaje con el que se inició la tramitación del proyecto de ley que moderniza la legislación tributaria intentó flexibilizar el criterio para establecer cuándo un desembolso puede ser entendido como «gasto necesario para producir una renta» por medio de la enumeración de seis requisitos.

Así, originalmente, se proponía reemplazar el texto de la primera parte del artículo 31 inciso 1º de la LIR por el siguiente: «La renta líquida de las personas referidas en el artículo anterior se determinará deduciendo de la renta bruta todos los gastos que cumplan las siguientes condiciones: (a) que se encuentren vinculados directa o indirectamente al desarrollo del giro, entendiendo por tal el que se realiza para el desarrollo de las operaciones o negocios de la empresa o el que se efectúa en el interés de la misma; incluyendo gastos ordinarios, extraordinarios, habituales, excepcionales, voluntarios u obligatorios; (b) que sean razonables en cuanto a su monto, atendidas las circunstancias particulares del caso; (c) que no hayan sido rebajados en virtud del artículo 30; (d) que se encuentren pagados o adeudados durante el ejercicio comercial correspondiente; (e) que tengan una causa lícita y no tengan su origen en comportamientos dolosos; y (f) que se acrediten o justifiquen en forma fehaciente ante el Servicio, en caso de fiscalización, a través de los medios de prueba que corresponda conforme a la naturaleza de los respectivos desembolsos»[13].

Con fecha 3 de julio de 2019, el Presidente de la República remitió a la Cámara de Diputador el Oficio Nº 105-367 por medio del cual formuló indicaciones al proyecto de ley que moderniza la legislación tributaria. Dentro de las numerosas indicaciones realizadas, se modifica la propuesta original y se intenta flexibilizar el criterio para establecer cuándo un desembolso puede ser entendido como «gasto necesario para producir una renta» por medio de la incorporación de una definición.

El Ejecutivo argumentó que la motivación para presentar la indicación en esta materia fue precisar que «un desembolso será deducible en la medida que tenga aptitud de generar un ingreso asociado inmediatamente o a futuro, tenga relación con la mantención, desarrollo o inte-

---

[13]   Presidente de la República de Chile (2018) p. 138.

rés del negocio y cumpla con los restantes requisitos del artículo 31»[14]. Además, haciéndose cargo de las observaciones que les fueron expresadas en la misma Comisión, con la nueva redacción se intentó aclarar que no son deducibles los desembolsos que se realizan en interés de los propietarios de la empresa ni tampoco aquellos que no están vinculados con el giro de la misma.

Así, se propuso reemplazar el texto de la primera parte del artículo 31 inciso 1º de la LIR por el siguiente: «La renta líquida de las personas referidas en el artículo anterior se determinará deduciendo de la renta bruta todos los gastos necesarios para producirla, entendiendo por tales aquellos que tengan aptitud de generar renta, en el mismo o futuros ejercicios y se encuentren asociados al interés, desarrollo o mantención del giro del negocio, que no hayan sido rebajados en virtud del artículo 30º, pagados o adeudados, durante el ejercicio comercial correspondiente, siempre que se acrediten o justifiquen en forma fehaciente ante el Servicio»[15]. Como podrá concluirse al comparar este texto con el transcrito al inicio de esta sección, este texto propuesto fue el que, en definitiva, se aprobó y se transformó en ley.

De este modo, se introdujo en nuestro ordenamiento jurídico tributario una definición legal de «gastos necesarios para producir la renta». Por tanto, debemos entender que un desembolso es necesario para producir la renta cuando cumple dos requisitos copulativos: tiene aptitud de generar renta en el mismo o futuros ejercicios y se encuentra asociado al interés, desarrollo o mantención del giro del negocio.

La sola introducción de esta definición legal implica disminuir el ámbito de discrecionalidad de la autoridad administrativa y de la autoridad judicial en la materia. En este sentido es posible establecer que, con la Ley Nº 21.210, se avanza en certeza jurídica para el contribuyente.

---

[14]   Comisión de Hacienda de la Cámara de Diputados (2019) «Sesión especial 115ª» p. 4.

[15]   Presidente de la República de Chile (2019) p. 39.
        Mensaje de S.E. el Presidente de la República con el que inicia el proyecto de ley que moderniza la legislación tributaria. Disponible en https://www.camara.cl/pley/pdfpley.aspx?prmID=12355&prmTIPO=INICIATIVA. Fecha de consulta: 9 de marzo de 2020.

Hasta ahora, siguiendo el criterio de la jurisprudencia administrativa y judicial de que la necesidad del gasto implica que sea indispensable u obligatorio para generar una renta, se generaban dudas respecto de si el gasto y la renta debían generarse ambos en el mismo ejercicio. La definición legal introducida aclara que un desembolso puede ser considerado gasto necesario para producir la renta aun cuando genere renta en ejercicios futuros. En este sentido es posible establecer que, con la Ley N° 21.210, se amplían las posibilidades de que un desembolso sea considerado gasto necesario para producir la renta.

En cuanto a la exigencia de que para un desembolso sea considerado gasto necesario para producir la renta se requiere que esté asociado al interés, desarrollo o mantención del giro del negocio se pueden establecer tres observaciones. Primero, que la mención del «giro del negocio» permite descartar como necesarios todos aquellos desembolsos que se realizan en interés de los socios, propietarios o accionistas de la empresa. Segundo, la mención de las actividades «interés, desarrollo o mantención del giro» parece descartar como necesarios aquellos desembolsos realizados para poner término al giro de la empresa y esto, no parece razonable. Tercero, parece razonable concluir que se debe tratar del giro actual del negocio, aunque la renta se pueda producir en ejercicios futuros.

La definición legal introducida define «gasto necesario para producir la renta» introduciendo un concepto indeterminado y, por lo mismo, nuestra tarea desde la dogmática tributaria en general será avanzar en la concretización del significado de la expresión «aptitud de generar renta», a partir de casos paradigmáticos. En esta tarea debemos conciliar los legítimos intereses de los contribuyentes con los legítimos intereses recaudatorios del fisco.

Continuando con el análisis de los requisitos para que un desembolso pueda ser deducido de la renta bruta, en cuanto al requisito de que el desembolso no haya sido deducido como costo directo es posible establecer que, si bien se trata de una mención expresa de la disposición en análisis, al considerar las reglas de determinación de la base imponible del IDPC esta mención puede resultar una obviedad. Por ello, incluso se ha afirmado que no debe ser considerado un auténtico requisito. A modo de ilustración, se ha expresado: «Descartamos la referencia legal a que es gasto, aquel que no haya sido deducido conforme al artículo 30, pues este numeral trata de los costos y resulta obvio y evidente que aquel desembolso que pueda ser calificado como "costo" no podrá ser deducido como "gasto", por lo cual realizar esta referencia legal como si fuese un requisito, como por lo demás lo hace comúnmente el SII, es un contrasentido y resulta de todo punto de vista repetitivo e innecesario»[16]. En todo caso, lo importante es impedir que un mismo desembolso sea incluido como «costo» y como «gasto» en un mismo ejercicio, al momento de determinar la base imponible del IDPC.

En cuanto al requisito de que el desembolso se encuentre pagado o adeudado, la exigencia consiste en que el gasto sea real y efectivo, descartando las meras estimaciones o provisiones del contribuyente. Para este efecto, se requiere que el desembolso se encuentre devengado, con independencia de su exigibilidad.

El requisito de que el desembolso se realice durante el ejercicio comercial correspondiente está en directa relación con el requisito anterior, esto es, que el desembolso se encuentre devengado dentro del ejercicio comercial correspondiente.

Hasta antes de la modificación introducida por la Ley N° 21.210, como mencionamos anteriormente, siguiendo el criterio de la jurisprudencia administrativa y judicial de que la necesidad del gasto implica que sea indispensable u obligatorio para generar una renta, se generaban dudas respecto de si el gasto y la renta debían generarse ambos en el mismo ejercicio. Hoy, es posible afirmar con certeza que esta exigencia no es procedente porque el legislador se encargó de aclarar expresamente que el gasto necesario para producir renta debe tener aptitud de generar renta en el mismo o futuros ejercicios.

El requisito de que el desembolso se acredite fehacientemente ante el Servicio implica que el contribuyente debe probar la efectividad del gasto, cuestión que está en plena concordancia con la regla general sobre la prueba en materia tributaria, establecida en el artículo 21 del Código Tributario. De la jurisprudencia administrativa citada, consta que el

---

[16]   Thomson Reuters. Diplomado de Gestión Tributaria (2017) p. 91.

criterio del Servicio de Impuestos Internos es que el contribuyente debe acreditar la naturaleza, necesidad, efectividad y monto de los desembolsos. Es esperable que la flexibilización del criterio para calificar la «necesidad» de un desembolso se refleje en aliviar la carga probatoria del contribuyente.

2. Modificaciones en gastos mencionados expresamente que, por regla general, no deben ser deducidos para efectos de determinar la renta líquida imponible

Como se ha establecido anteriormente, la Ley N° 21.210 modifica la regulación genérica de los gastos necesarios para producir la renta modificando el artículo 31 inciso 1° de la LIR en dos sentidos. Primero, incorpora una definición de lo que debe entenderse por «gasto necesario para producir la renta». Segundo, modifica la forma en que el Director puede autorizar la deducción de los gastos en vehículos cuando no sean del giro habitual y elimina la mención expresa a los gastos de supermercado y comercios similares.

El artículo 31 inciso 1° de la LIR menciona expresamente los gastos de automóviles, station wagons y similares, disponiendo que, por regla general, no procede la deducción de gastos incurridos en la adquisición y arrendamiento de automóviles, station wagons y similares, cuando no sea este el giro habitual de la empresa, y en combustibles, lubricantes, reparaciones, seguros y, en general, todos los gastos para su mantención y funcionamiento[17].

Excepcionalmente, el legislador autoriza la deducción de los gastos mencionados en el párrafo anterior. Originalmente, la procedencia de su deducción quedaba supeditada a que el Director del Servicio de Impuestos Internos los calificara previamente de necesarios, a su juicio exclusivo. La Ley N° 21.210 modificó esta materia y, actualmente, el artículo 31 inciso 1° de la LIR dispone que «procederá la deducción de los gastos respecto de los vehículos señalados, cuando el Director, mediante resolución fundada, lo establezca por cumplirse los requisitos estable-

---

17   Servicio de Impuestos Internos (2018): «Circular N° 5, de 18 de enero de 2018».

cidos en la primera parte de este inciso». Al exigir la dictación de una resolución fundada, el legislador intenta fijar un criterio más objetivo y avanzar en otorgar más certeza jurídica al contribuyente.

En cuanto a los gastos de supermercado y comercio similares, cabe recordar que su mención expresa en el artículo 31 inciso 1º de la LIR fue incorporada por la Ley Nº 20.780, de 29 de septiembre de 2014, reforma tributaria que modifica el sistema de tributación a la renta e introduce diversos ajustes en el sistema tributario. Se trata de una disposición que entró en vigencia el 1 de enero de 2015 y que, por regla general, establecía que no procede la deducción de gastos incurridos en supermercados y comercios similares cuando no corresponda a bienes necesarios para el desarrollo del giro habitual del contribuyente. Excepcionalmente, se autorizaba la deducción de tales gastos, supeditados al cumplimiento de los siguientes requisitos:

i) Tratándose de gastos de supermercado y comercios similares cuya cuantía no exceda de 5 unidades tributarias anuales durante el ejercicio respectivo, se permitía la deducción siempre que se trate de desembolsos que cumplan con los requisitos generales para que un desembolso pueda ser deducido de la renta bruta.

ii) Tratándose de gastos de supermercado y comercios similares cuya cuantía exceda de 5 unidades tributarias anuales durante el ejercicio respectivo, se permitía la deducción siempre que se trate de desembolsos que cumplan con los requisitos generales para que un desembolso puede ser deducido de la renta bruta y, además, que antes de presentar la declaración anual de impuesto a la renta, se informe al Servicio de Impuestos Internos, en la forma establecida mediante una resolución, el monto en que se ha incurrido en los referidos gastos, así como el nombre y número de rol único tributario de él o los proveedores.

La resolución mencionada corresponde a la Resolución Exenta Nº 123, de 31 de diciembre de 2015, que establece que el modo de informar los gastos incurrido en supermercados y comercios similares es mediante la declaración de los códigos 761 y 762 del formulario Nº 29, sobre declaración y pago simultáneo mensual, en todos los meses del año calendario anterior a la presentación de la declaración de Impuesto a la Renta, en que se haya incurrido en los referidos gastos[18].

Con la Ley N° 21.210, al eliminarse la mención expresa de los gastos incurridos en supermercados y comercios similares, su tratamiento pasa a estar regido por los requisitos generales de los gastos necesarios para producir la renta, sin requisitos adicionales de cuantía ni informes al Servicio de Impuestos Internos.

III. De la regulación específica de los «gastos necesarios para producir la renta»

Como se ha establecido anteriormente, una de las técnicas que utiliza el artículo 31 de la LIR para determinar cuáles desembolsos pueden ser considerados «gastos necesarios para producir la renta» es la regulación específica. Esta técnica de regulación, antes y después de la Ley N° 21.210, se encuentra en el artículo 31 incisos 2°, 3° y 4° de la LIR.

La Ley N° 21.210 modifica la regulación específica de los gastos necesarios para producir la renta modificando el artículo 31 inciso 4° de la LIR en tres sentidos: Primero, modifica el encabezado de los denominados gastos especiales. Segundo, modifica la regulación de los gastos especiales regulados en el artículo 31 inciso 4° números 1, 3, 4, 5 bis, 6 y 7 de la LIR. Tercero, establece dos gastos especiales nuevos incorporando los números 13 y 14 en el artículo 31 inciso 4° de la LIR. A continuación, se revisarán estas tres modificaciones.

1. *Modificaciones en el encabezado de los denominados «gastos especiales»*

Hasta antes de la modificación introducida por la Ley N° 21.210, el artículo 31 inciso 4° de la LIR en su encabezado disponía lo siguiente: «Especialmente procederá la deducción de los siguientes gastos, en cuanto se relacionen con el giro del negocio:»

---

[18]   Servicio de Impuestos Internos (2015). «Resolución Exenta N° 123».

La modificación del encabezado de los denominados gastos especiales tiene por objetivo establecer que para que un desembolso enumerado en el artículo 31 inciso 4º de la LIR se pueda deducir como gasto necesario para producir la renta se debe cumplir con dos tipos de requisitos: los requisitos generales para que un desembolso sea considerado gasto necesario para producir la renta, establecidos en el artículo 31 inciso 1º de la LIR, y los requisitos específicos que le sean aplicables, establecidos dentro de los catorce numerales del artículo 31 inciso 4º de la LIR.

Así, con la modificación introducida por la Ley Nº 21.210, el artículo 31 inciso 4º de la LIR en su encabezado dispone lo siguiente: «Procederá la deducción de los siguientes gastos especiales, siempre que, además de los requisitos que para cada caso se señalen, cumplan los requisitos generales de los gastos a que se refiere el inciso primero, en la medida que a estos últimos les sean aplicables estos requisitos generales conforme a la naturaleza del gasto respectivo:»

Cabe recordar que los requisitos generales para que un desembolso pueda ser deducido de la renta bruta son los siguientes: (i) que sea necesario para producir la renta; (ii) que no se haya deducido como costo directo; (iii) que se encuentre pagado o adeudado; (iv) que el desembolso se realice durante el ejercicio comercial correspondiente; v) que se acredite fehacientemente ante el Servicio de Impuestos Internos.

Nótese que la parte final de la disposición transcrita establece una condición para que la regulación genérica de los gastos necesarios para producir la renta sea aplicable a los denominados gastos especiales. Esta condición consiste en que los requisitos generales sean aplicables atendiendo a la naturaleza del gasto especial. Por tanto, será necesario determinar los casos en que corresponda aplicar la condición establecida por el legislador.

La modificación más relevante en el encabezado de los denominados gastos especiales está relacionada con la mención expresa del «giro del negocio». En efecto, originalmente, para que los denominados gastos especiales pudieran ser deducidos se exigía expresamente que fuesen desembolsos relacionados con el giro del negocio. Esta exigencia cumplía la función de limitar la procedencia de estas deducciones. Con el texto actual, esta mención expresa no existe y solo resulta aplicable indirectamente, en aquellos casos en que, atendida la naturaleza del gasto especial, sean aplicables los requisitos generales de los gastos necesarios para producir la renta. Esta modificación es relevante porque puede fomentar que desembolsos ajenos a la actividad empresarial sean contabilizados como gastos necesarios para producir la renta.

2. Modificaciones en los gastos especiales regulados en el artículo 31 inciso 4º números 1, 3, 4, 5 bis, 6 y 7 de la LIR

La modificación introducida con la Ley Nº 21.210 a los gastos especiales regulados en el artículo 31 inciso 4º números 1, 3, 4, 5 bis, 6 y 7 de la LIR afecta a los siguientes tipos de desembolsos:

i) Intereses pagados o devengados sobre las cantidades adeudadas, establecidos en el artículo 31 inciso 4º número 1 de la LIR. Específicamente, se elimina la restricción de que, para deducir intereses y reajustes pagados o adeudados, respecto de créditos o préstamos empleados directa o indirectamente en la adquisición, mantención y/o explotación de bienes, se exigía que produjeran rentas gravadas en la primera categoría.

ii) Pérdidas sufridas por el negocio o empresa, establecidos en el artículo 31 inciso 4º número 3 de la LIR. Específicamente, se incentiva la donación de ciertos bienes de uso o consumo cuya comercialización se ha vuelto inviable y la donación de ciertos productos farmacéuticos estableciéndose que la destrucción voluntaria de estos productos (que pudieron ser entregados gratuitamente) no se aceptará como gasto y que se gravarán con el impuesto único del artículo 21 inciso 1º de la LIR.

Con fecha 7 de noviembre de 2019, entre el Ministerio de Hacienda y la Comisión de Hacienda del Senado, se acordó el denominado «Marco de Entendimiento para una reforma tributaria que fomente el emprendimiento y permita financiar una nueva agenda social, con foco en las Pymes y los adultos mayores»[19]. Como consecuencia de una de las medidas acordadas para obtener una mayor recaudación progresiva, se modificó este artículo

---

[19] Diario Financiero (2019).

31 inciso 4º Nº 3 de la LIR para establecer la eliminación de la devolución de pagos provisionales por utilidades absorbidas —en adelante PPUA— por retiros de utilidades o dividendos recibidos por empresas que registran pérdidas tributarias.

Al respecto, cabe recordar que el PPUA es el IDPC pagado que afectó a las utilidades que resultan absorbidas por pérdidas tributarias y que constituyen un crédito para su titular. Con la entrada en vigencia de la Ley Nº 20.780 en esta materia, «a partir del 1 de enero de 2017, la única forma de obtener la devolución del IDPC a causa de la generación de pérdida tributarias es a través de la percepción de retiros o dividendos afectos a los impuestos Global Complementario o Adicional en el mismo ejercicio, dado que se eliminó la posibilidad de imputar las pérdidas tributarias del ejercicio a utilidades acumuladas en ejercicios anteriores»[20].

Los requisitos para poder solicitar la devolución del PPUA son los siguientes: (i) La empresa debe obtener una pérdida tributaria al término del ejercicio; (ii) esta empresa debe participar en otras sociedades, ya sea como propietaria, comunera, socia o accionista; (iii) esta empresa debe percibir retiros o dividendos afectos a los impuestos finales en el ejercicio; (iv) dichos retiros o dividendos percibidos deben tener derecho a crédito por IDPC en el ejercicio; (v) el IDPC que afectó a las rentas que se perciben como retiro o dividendo debe estar pagado.

Con la modificación de la Ley Nº 21.210, el artículo 31 inciso 4º número 3 de la LIR eliminación de la devolución de PPUA disponiendo expresamente: «Las rentas o cantidades que se perciban a título de retiros o dividendos provenientes de otras empresas no se imputarán a las pérdidas de la empresa receptora».

De conformidad con el artículo vigésimo séptimo transitorio de la Ley Nº 21.210, la eliminación de devolución de los PPUA por retiros o dividendos de otras empresas se producirá en forma gradual, desde el año comercial 2020 hasta el año comercial 2024. De este modo, las pérdidas de una empresa se imputarán a las

---

[20]   Centro de Estudios Tributarios (2016) p. 8.

rentas o cantidades que perciban, a título de retiros o dividendos afectos a impuestos finales, de otras empresas o sociedades, según los siguientes montos: año comercial 2020, un 90% de las rentas o cantidades que se perciban a título de retiros o dividendos de otras empresas o un 90% de la pérdida, la cantidad que sea menor; año comercial 2021, el porcentaje se reduce a un 80%; año comercial 2022, el porcentaje se reduce a un 70%; año comercial 2023, el porcentaje se reduce a un 50%; a contar del año comercial 2024, el porcentaje se reduce a 0%, entrando en régimen plenamente esta modificación.

iii) Créditos incobrables castigados durante el año, siempre que hayan sido contabilizados oportunamente y se hayan agotado prudencialmente los medios de cobro, establecidos en el artículo 31 inciso 4º número 4 de la LIR. Específicamente, se facilita el procedimiento para declarar un crédito como incobrable disponiendo que se considerará incobrable el crédito que se encuentre impago por más de 365 días contados desde su vencimiento, siempre que el crédito exista entre contribuyentes no relacionados.

iv) Depreciación súper acelerada de bienes del activo inmovilizado, establecidos en el artículo 31 inciso 4º número 5 bis de la LIR. Específicamente, se establece el régimen de depreciación súper acelerada para bienes del activo inmovilizado para contribuyentes con un promedio anual de ingresos del giro igual o inferior a 100.000 unidades de fomento. Este régimen de depreciación consiste en depreciar los bienes del activo inmovilizado considerando como vida útil del bien el equivalente a un décimo de la vida útil fijada por la Dirección o Dirección Regional del Servicio de Impuestos Internos. Al respecto es relevante considerar que los contribuyentes con un promedio anual de ingresos del giro igual o inferior a 75.000 unidades de fomento que tributen de acuerdo con el Régimen Pro Pyme tienen establecido un régimen de depreciación instantánea. Por lo tanto, el ámbito de aplicación de esta disposición tiene relevancia para contribuyentes con un promedio anual de ingresos del giro superior a 75.000 unidades de fomento e igual o inferior a 100.000 unidades de fomento y, además, para todas aquellas empresas que teniendo un promedio anual de ingresos del giro igual o inferior a 75.000 unidades de fomento no estén adscritas al Régimen Pro Pyme.

v) Sueldos, salarios y otras remuneraciones, pagados o adeudados por la prestación de servicios personales, establecidos en el artículo 31 inciso 4º número 6 de la LIR. Específicamente, se flexibilizan los requisitos exigidos para que las asignaciones de movilización, alimentación, viático, gastos de representación, participaciones, gratificaciones legales y contractuales e indemnizaciones, puedan ser descontadas como gasto necesario para producir la renta. Tratándose de pagos obligatorios por tales conceptos, el requisito exigido es que guarden relación directa con la naturaleza de la actividad de los trabajadores de la empresa. Tratándose de pagos voluntarios por tales conceptos, el requisito exigido es que la empresa los pague o abone en cuenta y, además, que se retengan o paguen los impuestos que sean aplicables. Nótese que este último requisito es condicional porque solo es procedente en el evento de que exista la obligación de retener o pagar el impuesto; por tanto, si ello no es procedente, el requisito no concurre.

Comparado con la regulación anterior, destaca la incorporación de las indemnizaciones voluntarias como una asignación que puede ser considerada gasto necesario para producir la renta. Además, se elimina el requisito de universalidad en el pago de participaciones y gratificaciones voluntarias, esto es, ya no se exige que «sean repartidas a cada trabajador en proporción a los sueldos y salarios pagados durante el ejercicio, así como en relación a la antigüedad, cargas de familia u otras normas de carácter general y uniforme aplicables a todos los trabajadores de la empresa».

Por otra parte, se flexibilizan los requisitos para que el denominado «sueldo patronal» pueda ser descontado como gasto necesario para producir la renta. Con la regulación anterior, el sueldo patronal de las sociedades de personas podía ser considerado como gasto necesario para producir la renta hasta un tope, equivalente al monto afecto a cotizaciones previsionales obligatorias, y en la medida que el trabajo fuese efectivo y permanente. Con la regulación actual, se cambia el tope cuantitativo por el criterio cualitativo «remuneración razonablemente proporcionada»; además, se sigue exigiendo que el trabajo sea efectivo, pero se elimina el requisito de que se trate de una actividad permanente. Se establece que, en todo caso, estas remuneraciones se considerarán rentas del artículo 42 número 1 de la LIR, debiendo tributar con el Impuesto Único de Segunda Categoría.

Además, se menciona expresamente que se aceptará como gasto las remuneraciones pagadas al cónyuge o conviviente civil del propietario o a sus hijos, en la medida que se trate de una remuneración razonablemente proporcionada y que efectivamente trabajen en el negocio o empresa.

vi) Donaciones efectuadas cuyo único fin sea la realización de programas de instrucción básica o media gratuitas, técnica, profesional o universitaria en el país, establecidos en el artículo 31 inciso 4º número 7 de la LIR. Específicamente, se flexibilizan los requisitos para que estos desembolsos puedan ser descontados como gasto necesario para producir la renta estableciendo expresamente que, para este efecto, los programas de instrucción pueden ser realizados directamente por la institución donataria o por medio de otras entidades. Al respecto, el entonces Ministro de Hacienda explicó que la motivación de esta modificación es permitir la deducción de estas donaciones aun cuando los programas de instrucción fuesen realizados por instituciones con mayor *expertise* que la institución donataria[21].

3. Incorporación de dos gastos especiales nuevos en el artículo 31 inciso 4º números 13 y 14 de la LIR

Finalmente, la Ley Nº 21.210 estableció dos gastos especiales nuevos incorporando en el artículo 31 inciso 4º los números 13 y 14 de la LIR.

El artículo 31 inciso 4º número 13 de la LIR incorpora como «gasto necesario para producir la renta» ciertos gastos o desembolsos incurri-

---

[21] Comisión de Hacienda de la Cámara de Diputados (2019) «Sesión especial 116ª» p. 4.

dos por condiciones o compromisos medioambientales y por responsabilidad social empresarial.

Tratándose de gastos o desembolsos incurridos por condiciones medioambientales impuestas para la ejecución de un proyecto o actividad, podrán deducirse como gasto necesario para producir la renta cuando las condiciones estén contenidas en la resolución dictada por una autoridad competente que aprueba dicho proyecto o actividad, de acuerdo con la legislación vigente sobre medio ambiente.

Tratándose de gastos o desembolsos incurridos con ocasión de compromisos medioambientales incluidos en el estudio o en la declaración de impacto ambiental y tratándose de gastos o desembolsos efectuados a favor de la comunidad y que supongan un beneficio de carácter permanente, podrán deducirse como gasto necesario para producir la renta cuando consten en un contrato o convenio suscrito con un órgano de la administración del Estado. En estos casos, el gasto aceptado tiene como tope la cantidad mayor entre: la suma equivalente al 2% de la renta líquida imponible; del 1,6 por mil del capital propio tributario de la empresa, según el valor de este al término del ejercicio respectivo; o del 5% de la inversión total anual que se efectúe en la ejecución del proyecto.

Por su parte, el artículo 31 inciso 4º número 14 de la LIR incorpora como «gasto necesario para producir la renta» ciertos desembolsos o descuentos en los que incurre el contribuyente de acuerdo con un régimen de responsabilidad objetiva. Se trata de ciertos desembolsos o descuentos, ordenados por entidades fiscalizadoras, que efectivamente pague el contribuyente en cumplimiento de una obligación legal de compensar el daño patrimonial a sus clientes o usuarios, cuando dicha obligación legal no exija probar la negligencia del contribuyente. Además, se considera el caso de reposiciones y restituciones de productos y bonificaciones o devoluciones de cantidades pagadas, en cumplimiento de los artículos 19, 20 y 21 de la Ley Nº 19.496, de 7 de marzo de 1997, que establece normas sobre protección de los derechos de los consumidores, en la medida que no medie culpa infraccional del contribuyente.

Además, el artículo 31 inciso 4º número 14 de la LIR incorpora como «gasto necesario para producir la renta» todos los desembolsos acordados entre partes no relacionadas que tengan como causa el cumplimiento de una transacción, judicial o extrajudicial, o el cumplimiento de una cláusula penal. Los desembolsos en los que incurra un contribuyente como consecuencia de lo ordenado en una sentencia judicial puede no ser considerado gasto necesario para producir la renta; por tanto, esta nueva disposición tiene el importante efecto de incentivar el uso de mecanismos de resolución alternativa de conflictos.

IV. Conclusión

1. Como consecuencia lógica de la operación para determinar la renta líquida imponible, mientras más alto sea el monto de los gastos necesarios para producir la renta, menor será la base imponible del IDPC y menor será el impuesto que el contribuyente debe declarar y enterar en arcas fiscales. Aquí radica la importancia de delimitar con claridad cuáles de todos los desembolsos en lo que, efectivamente, ha incurrido el contribuyente pueden ser considerados gastos necesarios para producir la renta. Para que un desembolso pueda ser considerado «gasto necesario para producir la renta» debe estar relacionado con la renta producida. Sin embargo, esta relación no es directa como la que existe entre el costo de la materia prima y la renta producida, sino que se trata de una relación indirecta.

2. La Ley N° 21.210 modifica la regulación genérica de los gastos necesarios para producir la renta modificando el artículo 31 inciso 1° de la LIR en dos sentidos: (i) Primero, incorpora una definición de lo que debe entenderse por «gasto necesario para producir la renta». (ii) Segundo, modifica la forma en que se puede autorizar la deducción de los gastos en vehículos cuando no sean del giro habitual exigiendo una resolución fundada de Director del Servicio de Impuestos Internos; además, elimina la mención expresa a los gastos de supermercado y comercios similares, con lo cual su tratamiento pasa a estar regido por los requisitos generales de los gastos necesarios para producir la renta, sin requisitos de cuantía ni informes al Servicio de Impuestos Internos.

La Ley N° 21.210 modifica la regulación específica de los gastos necesarios para producir la renta modificando el artículo 31 in-

ciso 4° de la LIR en tres sentidos: (i) Primero, modifica el encabezado de los denominados gastos especiales, estableciendo que,
en la medida que sean aplicables conforme a su naturaleza, los
gastos especiales deben cumplir con los requisitos generales de
los gastos necesarios para producir la renta; además, se elimina la
mención expresa de que los gastos especiales estén relacionados
con el giro del negocio como requisito para su deducción. (ii) Segundo, modifica la regulación de los gastos especiales regulados
en el artículo 31 inciso 4° números 1, 3, 4, 5 bis, 6 y 7 de la LIR.
(iii) Tercero, establece dos gastos especiales nuevos incorporando
los números 13 y 14 en el artículo 31 inciso 4° de la LIR. El artículo 31 inciso 4° número 13 de la LIR incorpora como «gasto
necesario para producir la renta» ciertos gastos o desembolsos incurridos por condiciones o compromisos medioambientales y por
responsabilidad social empresarial. El artículo 31 inciso 4° número 14 de la LIR incorpora como «gasto necesario para producir
la renta» ciertos desembolsos o descuentos en los que incurre el
contribuyente de acuerdo con un régimen de responsabilidad objetiva; además, incorpora todos los desembolsos acordados entre
partes no relacionadas que tengan como causa el cumplimiento
de una transacción, judicial o extrajudicial, o el cumplimiento de
una cláusula penal, incentivando el uso de mecanismos de resolución alternativa de conflictos.

3. El riguroso tratamiento tributario dado por el legislador a los
   gastos rechazados, unido al estricto criterio de la jurisprudencia
   administrativa y judicial sobre la materia, hizo evidente la urgencia de una labor legislativa que aclarara el concepto «gasto necesario para producir la renta».

   Antes y después de la Ley N° 21.210, los requisitos para que un
   desembolso pueda ser deducido de la renta bruta son los mismos.
   La importancia de la modificación se produce porque en el texto actual se introdujo una definición legal de «gastos necesarios
   para producir la renta». Por tanto, debemos entender que un desembolso es necesario para producir la renta cuando cumple dos
   requisitos copulativos: tiene aptitud de generar renta en el mismo

o futuros ejercicios y se encuentra asociado al interés, desarrollo o mantención del giro del negocio.

La definición legal introducida define «gasto necesario para producir la renta» introduciendo un concepto indeterminado y, por lo mismo, nuestra tarea desde la dogmática tributaria en general será avanzar en la concretización del significado de la expresión «aptitud de generar renta», a partir de casos paradigmáticos. En esta tarea debemos conciliar los legítimos intereses de los contribuyentes con los legítimos intereses recaudatorios del fisco.

Bibliografía

Biblioteca del Congreso Nacional (2020): Ley N° 21.210, de 24 de febrero de 2020, que moderniza la legislación tributaria. Disponible en https://www.leychile.cl/Navegar?idNorma=1142667. Fecha de consulta: 9 de marzo de 2020.

Centro de Estudios Tributarios (2016). «Reporte Tributario N° 73. Julio de 2016». Disponible en http://cetuchile.cl/reportetributario/2015/rt73.pdf. Fecha de consulta: 9 de marzo de 2020.

Comisión de Hacienda de la Cámara de Diputados (2018): «Comisión de Hacienda. Minuta reglamentaria». Disponible en https://www.camara.cl/pdf.aspx?prmID=148061&prmTIPO=DOCUMENTOCOMISION. Fecha de consulta: 9 de marzo de 2020.

Comisión de Hacienda de la Cámara de Diputados (2019): «Sesión especial 116ª de la Comisión de Hacienda, correspondiente al período legislativo 2018-2002, celebrada el día jueves 8 de agosto de 2019 de 10:30 a 13:00 hrs». Disponible en https://www.camara.cl/verDoc.aspx?prmID=180288&prmTipo=DOCUMENTO_COMISION. Fecha de consulta: 9 de marzo de 2020.

Comisión de Hacienda de la Cámara de Diputados (2019): «Sesión ordinaria 115ª de la Comisión de Hacienda, correspondiente al período legislativo 2018-2002, celebrada el día miércoles 7 de agosto de 2019 de 15:00 a 18:00 hrs». Disponible en https://www.camara.cl/verDoc.aspx?prmID=180289&prmTipo=DOCUMENTO_COMISION. Fecha de consulta: 9 de marzo de 2020.

Corte Suprema de Justicia de Chile. 10 de noviembre de 2014, Rol N° 8421-2013, Considerando 5°. Disponible en http://basejurisprudencial.poderjudicial.cl/. Fecha de consulta: 9 de marzo de 2020.

Diario Financiero (2019): «Marco de Entendimiento para una reforma tributaria que fomente el emprendimiento y permita financiar una nueva agenda social, con foco en las Pymes y los adultos mayores». Disponible en https://df.cl/noticias/site/artic/20191108/asocfile/20191108140544/me_vf.pdf. Fecha de consulta: 9 de marzo de 2020.

GALLARDO BURGOS, Pablo (2017): «Análisis de la evolución histórica del concepto gastos necesarios para producir la renta - Costas judiciales como gasto necesario para producir la renta», *Revista de Estudios Tributario*, N° 17, pp. 73-112.

PRESIDENTE DE LA REPÚBLICA DE CHILE (2018): Mensaje de S.E. el Presidente de la República con el que inicia el proyecto de ley que moderniza la legislación tributaria. Disponible en https://www.camara.cl/pley/pdfpley.aspx?prmID=12 355&prmTIPO=INICIATIVA. Fecha de consulta: 9 de marzo de 2020.

PRESIDENTE DE LA REPÚBLICA DE CHILE (2019): Oficio N° 105-367, de 3 de julio de 2019, formula indicaciones al Proyecto de Ley que moderniza la legislación tributaria (Boletín N° 12.043-05). Disponible en: https://www.camara.cl/ver-Doc.aspx?prmID=25643&prmTIPO=OFICIOPLEY. Fecha de consulta: 9 de marzo de 2020.

REAL ACADEMIA ESPAÑOLA (2019): «Diccionario de la lengua española». Disponible en https://dle.rae.es/?w=necesario. Fecha de consulta: 9 de marzo de 2020.

SERVICIO DE IMPUESTOS INTERNOS (2000): «Oficio N° 2.566, de 29 de junio de 2000». Disponible en: http://www.sii.cl/pagina/jurisprudencia/adminis/2000/renta/julio08.htm. Fecha de consulta: 9 de marzo de 2020.

SERVICIO DE IMPUESTOS INTERNOS (2003): «Oficio N° 1.015, de 20 de marzo de 2003». Disponible en: http://www.sii.cl/pagina/jurisprudencia/adminis/2003/renta/ja461.htm. Fecha de consulta: 9 de marzo de 2020.

SERVICIO DE IMPUESTOS INTERNOS (2003): «Oficio N° 6.346, de 12 de diciembre de 2003». Disponible en: http://www.sii.cl/pagina/jurisprudencia/adminis/2003/renta/renta 6346.htm. Fecha de consulta: 9 de marzo de 2020.

SERVICIO DE IMPUESTOS INTERNOS (2004): «Oficio N° 1.118, de 4 de marzo de 2004». Disponible en: http://www.sii.cl/pagina/jurisprudencia/adminis/2004/renta/ja669.htm. Fecha de consulta: 9 de marzo de 2020.

SERVICIO DE IMPUESTOS INTERNOS (2005): «Oficio N° 3.853, de 4 de octubre de 2005». Disponible en: http://www.sii.cl/pagina/jurisprudencia/adminis/2005/ventas/ja1029.htm. Fecha de consulta: 9 de marzo de 2020.

SERVICIO DE IMPUESTOS INTERNOS (2009): «Oficio N° 1.373, de 27 de abril de 2009». Disponible en: http://www.sii.cl/normativa_legislacion/jurisprudencia_administrativa/ley_impuesto_renta/2009/ja1373.htm. Fecha de consulta: 9 de marzo de 2020.

SERVICIO DE IMPUESTOS INTERNOS (2010): «Oficio N° 336, de 24 de febrero de 2010». Disponible en: http://www.sii.cl/normativa_legislacion/jurisprudencia_administrativa/ley_impuesto_ventas/2010/ja336.htm. Fecha de consulta: 9 de marzo de 2020.

SERVICIO DE IMPUESTOS INTERNOS (2013): «Circular N° 45, de 23 de septiembre de 2013». Disponible en http://www.sii.cl/documentos/circulares/2013/circu45.pdf. Fecha de consulta: 9 de marzo de 2020.

SERVICIO DE IMPUESTOS INTERNOS (2015): «Circular N° 71, de 23 de julio de 2015». Disponible en http://www.sii.cl/documentos/circulares/2015/circu71. pdf. Fecha de consulta: 9 de marzo de 2020.

SERVICIO DE IMPUESTOS INTERNOS (2015): «Resolución Exenta N° 123, de 31 de diciembre de 2015». Disponible en: http://www.sii.cl/normativa_legislacion/resoluciones/2015/reso123.pdf. Fecha de consulta: 9 de marzo de 2020.

SERVICIO DE IMPUESTOS INTERNOS (2017): «Oficio N° 888, de 26 de abril de 2017». Disponible en: http://www.sii.cl/normativa_legislacion/jurisprudencia_administrativa/ley_impuesto_renta/2017/ja888.htm#_ftn5. Fecha de consulta: 9 de marzo de 2020.

SERVICIO DE IMPUESTOS INTERNOS (2018): «Circular N° 5, de 18 de enero de 2018». Disponible en http://www.sii.cl/normativa_legislacion/circulares/2018/circu5.pdf. Fecha de consulta: 9 de marzo de 2020.

THOMSON REUTERS. Diplomado de Gestión Tributaria (2017). «Módulo: Tributación de las Empresas».

VERGARA QUEZADA, Gonzalo (2019): «Gastos necesarios, crítica a una interpretación formalista», *Revista de Derecho Tributario Universidad de Concepción*, N° 5, pp. 126-165.

CAPITAL PROPIO TRIBUTARIO EN LA LEY DE MODERNIZACIÓN TRIBUTARIA

Pedro Castro Rodríguez[*]
Alonso Morales Muñoz[**]

El día 24 de febrero de 2020 fue publicada en el Diario Oficial la Ley N° 21.210, que moderniza la legislación tributaria (en lo sucesivo la «Ley»). Esta Ley contempla diversas modificaciones en materia de impuestos, siendo aquellas introducidas por su artículo 2° a la Ley de Impuesto a la Renta (también «LIR») parte central de la misma[1].

En lo que interesa a este artículo, nos referiremos en lo sucesivo a las modificaciones introducidas por la Ley relacionadas con el Capital Propio Tributario (también «CPT») y su incidencia en materia de impuesto a la renta, así como otros alcances tributarios contenidos en normas particulares.

Para ello cabe tener presente que, como regla general, las modificaciones introducidas a la LIR rigen a contar del 1° de enero de 2020[2],

---

[*] Magíster en Dirección y Gestión Tributaria, Universidad Adolfo Ibáñez. Socio de KPMG Auditores Consultores Chile SpA.

[**] Magíster en Tributación, Facultad de Economía y Negocios, Universidad de Chile. Director de KPMG Auditores Consultores Chile SpA.

[1] Esta norma debe ser complementada por otras destinadas a reglar su entrada en vigor y armonizar en ciertos casos la transición desde las normas anteriormente vigentes.
    Al respecto, resultan relevantes para estas modificaciones a la Ley sobre Impuesto a la Renta, las normas contenidas en las disposiciones transitorias, especialmente en sus artículos décimo, undécimo, décimo cuarto, décimo noveno, vigésimo quinto y trigésimo segundo.

[2] El inciso primero del artículo octavo transitorio de la Ley N° 21.210 establece que «Las modificaciones a la Ley sobre Impuesto a la Renta contenidas en el artículo 2° de la presente ley, entrarán en vigencia a contar del 1 de enero de 2020. En consecuencia, se aplicarán sus disposiciones a los hechos ocurridos a contar de dicha fecha».

afectando en consecuencia las nuevas disposiciones a hechos ocurridos a contar de esa fecha, incluso antes de la publicación de la misma norma.

I. Generalidades vinculadas al concepto de capital propio tributario

1. Concepto antes de la Ley Nº 21.210

Si bien históricamente la LIR no contenía una definición de capital propio tributario, podía desprenderse un concepto de éste a partir de lo dispuesto en el Nº 1, del artículo 41 de la misma norma, que establecía en su texto vigente hasta el 31 de diciembre de 2019: «Para los efectos de la presente disposición se entenderá por capital propio la diferencia entre el activo y el pasivo exigible a la fecha de iniciación del ejercicio comercial, debiendo rebajarse previamente los valores intangibles, nominales, transitorios y de orden y otros que determine la Dirección Nacional, que no representen inversiones efectivas. Formarán parte del capital propio los valores del empresario que hayan estado incorporados al giro de la empresa. En el caso de contribuyentes que sean personas naturales deberán excluirse de la contabilidad los bienes y deudas que no originen rentas gravadas en esta categoría o que no correspondan al giro, actividades o negociaciones de la empresa».

Algunas de las características relevantes que se desprendían de la norma transcrita eran:

a) En cuanto al alcance de ese concepto, según texto expreso de la propia norma[3], era para la aplicación de la corrección monetaria a la que en general se refiere el artículo 41 de la LIR.

Lo anterior, sin perjuicio de que diversas normas legales hicieran referencias al mismo concepto para efectos de ampliar su alcance y ámbito de aplicación, como es, por ejemplo, para determinar las Rentas Afectas a Impuesto («RAI») bajo el régimen de imputación parcial de créditos establecido en la letra B), del artículo 14

---

[3] En cuanto señala «Para los efectos de la presente disposición [...]».

de la LIR[4], para lo cual el CPT era utilizado como un factor fundamental, aplicándose también en tal caso el concepto y mecanismo de determinación dispuesto en el Nº 1, del señalado artículo 41.

b) Considera para su determinación, valores existentes bajo una conceptualización contable/tributaria, respecto de los cuales no existe una definición en la ley, como son, por ejemplo, «activo», «pasivo», «intangibles», «nominales», «transitorios», «de orden», etc.

Por tanto, tales conceptos, para su aplicación, han de interpretarse de la misma manera en que se hace bajo la disciplina o técnica contable-tributaria.

c) Al establecer la norma transcrita que para calcular el CPT debían además rebajarse otros valores que determinase la Dirección Nacional del Servicio de Impuestos Internos (también «SII»), se abría la posibilidad de que dicha institución pudiera ordenar la deducción de otros valores no establecidos en la Ley, cuestión que planteaba temas de constitucionalidad de dicha norma, pues tenía vinculación directa con uno de los elementos utilizados para establecer la obligación tributaria de los contribuyentes sujetos a impuestos finales.

d) Al establecer la norma que formaban parte del CPT aquellos valores del empresario que estaban incorporados al giro de la empresa, se generaba el efecto que podían considerarse dentro del CPT, y por tanto afectar la determinación de obligaciones tributarias, ciertos bienes que no necesariamente eran, jurídicamente, de propiedad del contribuyente.

e) En el caso de contribuyentes que fueran personas naturales —como el caso del empresario individual— la norma ordenaba que debían excluirse de la contabilidad los bienes y deudas que no originaran rentas gravadas en la primera categoría, o que no correspondiesen al giro, actividades o negociaciones de la empresa,

---

[4]   Según el texto vigente de tal norma hasta el 31 de diciembre de 2019.

como por ejemplo ocurría con aquellos bienes de uso personal o familiar del empresario.

Para fines sintéticos, podemos describir que el CPT debía determinarse considerando los siguientes elementos, según su valor existente al inicio del ejercicio:

(+)	Activo
(-)	Pasivo exigible
(-)	Valores Intangibles, Nominales, Transitorios y de Orden que no representen inversiones efectivas («valores INTO»)
(+)	Valores del empresario incorporados al giro de la empresa
(-)	En el caso de contribuyentes personas naturales, los bienes y deudas que no originen rentas gravadas en la primera categoría o que no correspondan al giro, actividades o negociaciones de la empresa
(=)	Capital Propio Tributario

El objetivo de la incorporación del concepto de CPT en el N° 1 del artículo 41 de la LIR, decía relación con la aplicación del mecanismo integral de corrección monetaria, esto es, en palabras por del propio SII: «[…] un mecanismo que permitiera expresar los patrimonios inicial y final, considerando un elemento corrector de los efectos inflacionarios, de modo que ellos reflejen su situación en valores ajustados a la realidad, y a su vez, posibilitar al Fisco recaudar sus impuestos en moneda de valor equivalente a la moneda en que se obtienen las utilidades, dándole al concepto renta que utiliza la ley del ramo un sentido real y una aplicación efectiva»[5].

2. Modificaciones introducidas por la Ley N° 21.210

Tal como se mencionó previamente, la Ley N° 21.210 introdujo una serie de modificaciones a la LIR, dentro de las cuales se incluyeron nuevas definiciones legales con el objeto de otorgar mayor certeza jurídica

---

[5]   Circular N° 100 de 1975, y Oficios N°s 3.231 de 1992 y 1.938 de 1998, del Servicio de Impuestos Internos.

a los contribuyentes. Una de estas nuevas definiciones legales fue la de capital propio tributario, que se incorporó bajo un nuevo N° 10 al artículo 2° de la LIR, eliminándose por contrapartida el anterior concepto antes citado del N° 1 del artículo 41 de la misma ley.

Con efectos a partir del 1° de enero de 2020, el artículo 2 N° 10 de la LIR establece que se entiende[6]: «10.- "Por capital propio tributario", el conjunto de bienes, derechos y obligaciones, a valores tributarios, que posee una empresa. Dicho capital propio se determinará restando al total de activos que representan una inversión efectiva de la empresa, el pasivo exigible, ambos a valores tributarios. Para la determinación del capital propio tributario deberán considerarse los activos y pasivos valorados conforme a lo señalado en el artículo 41, cuando corresponda aplicar dicha norma.

Tratándose de una empresa individual, formarán parte del capital propio tributario los activos y pasivos del empresario individual que hayan estado incorporados al giro de la empresa, debiendo excluirse los activos y pasivos que no originen rentas gravadas en la primera categoría o que no correspondan al giro, actividades o negocios de la empresa».

Si bien el nuevo concepto incorporado a la LIR por la Ley N° 21.210 presenta bastantes similitudes respecto al existente con anterioridad, sí se incluyen algunas precisiones que hasta la fecha habían sido únicamente recogidas por interpretaciones administrativas del SII[7].

Algunas de las características relevantes que se desprenden de la norma transcrita son:

a) Se precisa en el mismo concepto que éste tiene aplicación en el ámbito tributario, al añadirse formalmente la palabra «tributario»

---

[6]   El encabezado del artículo 2 de la LIR establece que: «Para los efectos de la presente ley se aplicarán, en lo que no sean contrarias a ella, las definiciones establecidas en el Código Tributario y, además, salvo que la naturaleza del texto implique otro significado, se entenderá».

[7]   Este concepto de CPT es necesario relacionarlo con el que ya contenía el mismo artículo 2 de la LIR, esta vez en su número 5, para definir «capital efectivo», que excluye al igual que el CPT aquellos activos que no representen una inversión efectiva en la empresa, tales como valores intangibles, transitorios, nominales y de orden.

al término «capital propio», pasando a denominarse CPT mediante texto expreso.

b) También se determina formalmente su ámbito de aplicación, puesto que, según texto expreso de la propia norma, se extiende a todos los efectos de la LIR (no circunscrito al ámbito de la corrección monetaria, para el cual se había establecido en la anterior norma). Ello sin perjuicio de las referencias que otras normas legales hagan al mismo concepto, para efectos de su aplicación y ampliar su alcance más allá de la LIR, como veremos en materia de patentes municipales.

c) En principio se efectúa una conceptualización muy amplia de lo que es capital propio tributario, pues se define que se entenderá por CPT al conjunto de bienes, derechos y obligaciones —a valores tributarios— que posee una empresa. Hasta aquí, no se efectúa una distinción respecto del tipo de bienes o derechos que deben considerarse, así como tampoco sobre la naturaleza de las obligaciones de que se trata, debiendo incluirse en principio todo tipo de bienes, corporales e incorporales, muebles o inmuebles, derechos reales y personales, así como efectuar la deducción de las obligaciones de cualquier naturaleza.

d) Ahora bien, la conceptualización inicialmente realizada luego se termina acotando por la vía de precisar la forma en que ha de determinarse el CPT. Se establece así que, para su cálculo, al total de activos que representen una inversión efectiva en la empresa, debe restarse el pasivo exigible, ambos a valores tributarios.

Es decir, si bien inicialmente se incluye en el CPT el conjunto de bienes y derechos que posee una empresa, luego termina por restringirse a aquellos que correspondan a activos que representan una inversión efectiva de la empresa, según su valor tributario, conforme a lo señalado en el artículo 41 de la LIR, cuando corresponda aplicar dicha norma.

Respecto de las obligaciones que en principio debían rebajarse para efectos de determinar el CPT, la norma termina acotando tal rebaja sólo a aquellas que representen pasivos exigibles, también según su valor tributario, conforme a lo señalado en el artículo 41 de la LIR, cuando corresponda aplicar tal norma.

e) Tal como se indicó anteriormente, para la determinación del CPT deben valorizarse los activos y pasivos mencionados conforme a lo dispuesto en el artículo 41 de la LIR, cuando corresponda aplicar dicha norma.

Lo anterior, en nuestra opinión, debe entenderse como una aclaración a la regla general incluida en la misma definición, que establece que los activos y pasivos referidos deben considerarse según su valor tributario. En ese contexto la referencia el artículo 41 de la LIR se entiende pues es en esa norma en la que se define caso a caso la forma de determinar el valor tributario de los activos y pasivos exigibles al término del ejercicio.

Surge entonces la razonable duda sobre cuál sería el valor tributario de activos y pasivos exigibles cuando no corresponda aplicar las normas contenidas en el artículo 41 de la LIR, las que se refieren a la corrección monetaria anual[8], por ejemplo, cuando se trate de contribuyentes autorizados a llevar su contabilidad en moneda extranjera, y que por tanto no deben aplicar corrección monetaria.

f) Se precisa que, tratándose de una empresa individual, forman parte del CPT los activos y pasivos del empresario incorporados al giro de la empresa, y se excluyen aquellos activos y pasivos que no originen rentas gravadas en la primera categoría o que no correspondan al giro, actividades o negocios de la empresa.

Lo anterior, a nuestro juicio, significa que los activos incorporados al giro del negocio forman parte del CPT y que los pasivos exigibles que hayan financiado activos incorporados al mismo giro deben deducirse de los activos respectivos, mientras que si se trata de activos que no originan rentas gravadas en la primera

---

8   El encabezo del artículo 41 de la LIR establece: «Los contribuyentes de esta categoría que declaren sus rentas efectivas conforme a las normas contenidas en el artículo 20, demostradas mediante un balance general, deberán reajustar anualmente su capital propio y los valores o partidas del activo y del pasivo exigible, conforme a las siguientes normas».

categoría o que no correspondan al giro, actividades o negocios de la empresa, no forman parte del CPT y los pasivos exigibles que los hayan financiado tampoco deberán rebajarse de tales activos. En nuestro concepto el que los activos no generen rentas gravadas en la primera categoría no debe entenderse en el sentido de si ciertos activos son generadores de ingresos no constitutivos de renta o de rentas exentas de impuesto, deben excluirse del cálculo del CPT, así como tampoco que si tales activos generan pérdidas tributarias para la empresa producto de su explotación, o bien, cuando dicha pérdida se ha producido un delito en contra de la propiedad. Mas bien, a nuestro entender, la norma se refiere por ejemplo, al caso de aquellos bienes que son de propiedad del empresario y es éste quién efectivamente usa y goza de aquellos, sin que se generen rentas o beneficios en la empresa.

En términos sintéticos, podemos concluir que el CPT debe determinarse, luego de las modificaciones establecidas por la Ley N° 21.210, considerando lo siguiente:

(+)	Total de activos que representen inversiones efectivas de la empresa (a su valor tributario).
(-)	Total de pasivos exigibles (a su valor tributario).
(+)	En el caso del empresario individual, los activos y pasivos del empresario que hayan estado incorporados al giro de la empresa.
(-)	En el caso del empresario individual, los activos y pasivos que no originen rentas gravadas en la primera categoría o que no correspondan al giro, actividades o negocios de la empresa.
(=)	Capital Propio Tributario

3. Valor que representa el CPT

Conceptual y cuantitativamente, el CPT representa el valor del patrimonio tributario de una empresa.

La valorización tributaria referida diferencia este patrimonio, de aquel que pueda considerarse para efectos financieros, contables o jurídicos.

En efecto, el carácter de valor tributario está determinado a partir del hecho que sus componentes o variables centrales deben a su vez cuantificarse conforme a parámetros tributarios.

En un análisis evolutivo de los movimientos normales y habituales de una empresa, considerados bajo la óptica tributaria, vemos que el CPT puede variar por las siguientes operaciones:

a) Aportes, aumentos y disminuciones de capital

Bajo este concepto se incluye el valor del capital aportado efectivamente por los propietarios a su empresa o sociedad, más los aumentos y disminuciones posteriores que se efectúen del mismo. Para que se verifiquen como tales, éstos deben haber cumplido con las formalidades propias del tipo social de que se trate, y haberse enterado efectivamente en la empresa. En el caso de la devolución de capital, ésta debe haber sido imputada al capital social y sus reajustes, en conformidad a lo dispuesto en los artículos 14 y 17 N° 7 de la LIR.

En todo caso, dentro del concepto de disminuciones de CPT se incluyen los retiros, remesas o distribuciones que se efectúen en favor de los propietarios de la empresa o sociedad, y todas aquellas cantidades representativas de desembolsos de dinero o de retiros de especie que sean considerados como gastos rechazados, sea que se graven o no con la tributación dispuesta en el artículo 21 de la LIR. Dentro de este último concepto, quizás el más importante es el pago del Impuesto de Primera Categoría («IDPC») que efectúa la empresa anualmente.

b) Devengo o percepción de rentas o determinación de pérdidas tributarias

Las rentas o utilidades tributables, exentas o no tributables, forman parte del CPT a contar del 1º de enero del año siguiente al que éstas han sido percibidas o devengadas por la empresa, según el caso, incrementando por consiguiente el CPT.

A su vez, las pérdidas tributarias (del régimen general) o de un régimen de exención o asociados a ingresos no constitutivas de renta, disminuyen el CPT a contar del 1º de enero del año siguiente a aquel en que tales pérdidas son deducibles para efectos tributarios de los ingresos respectivos.

En resumen, podemos concluir que el CPT se conforma, aumenta o disminuye por los siguientes conceptos:

Concepto	Efecto en el CPT o patrimonio tributario	
	Disminución	Aumento
Aporte inicial en la constitución (año 1)		xxxxx
Corrección monetaria (año 2)		xxxxx
Utilidad tributaria del ejercicio (RLI año 2)		xxxxx
Dividendos recibidos (año 2)		xxxxx
Utilidad no tributable devengada (año 2)		xxxxx
Pago de IDPC (año 3)	xxxxx	
Retiros de los socios (año 3)	xxxxx	
Pérdida tributaria del ejercicio (año 3)	xxxxx	
Aumento de capital (año 3)		xxxxx
Disminución de capital (año 4)	xxxxx	

II. Relevancia del capital propio tributario en materia de impuestos

El capital propio tributario históricamente ha representado y sigue representando el valor del patrimonio tributario de una empresa. Corresponde al conjunto de bienes, derechos y obligaciones de ésta susceptibles de tener un valor para efectos tributarios.

Considerando aquello, el CPT es utilizado como parámetro para diversas circunstancias del ámbito tributario. A continuación, examinamos las incidencias más recurrentes que tiene el CPT en materia de impuestos, destacando aquellas incluidas expresamente por la Ley Nº 21.210:

1. *Aplicación de las normas sobre corrección monetaria*

Siguiendo lo dispuesto en el N° 1, del artículo 41 de la LIR, en relación con lo dispuesto en los N° 12 y N° 13 del mismo artículo, así como con el artículo 32 de la misma ley, los contribuyentes de la primera categoría que declaren sus rentas efectivas conforme a las normas contenidas en el artículo 20, demostradas mediante un balance general[9], deberán reajustar anualmente su capital propio inicial, y también los aumentos y disminuciones de éste[10].

Los referidos reajustes tienen incidencia directa en su resultado tributario, por la vía de efectuar los agregados o deducciones en la determinación de la RLI que se indican:

a) Deducciones de la RLI:
   - El monto del reajuste del CPT inicial del ejercicio[11].
   - El monto del reajuste de los aumentos[12] de dicho CPT inicial.

b) Agregados a la RLI:
   - El monto del reajuste de las disminuciones[13] del CPT inicial del ejercicio.

De manera esquemática, podemos describir que el reajuste del CPT inicial, sus aumentos y disminuciones tienen las siguientes incidencias:

---

[9] Se excluyen de esta disposición los contribuyentes que se acojan a la cláusula PYME establecida en la letra D), del artículo 14 de la LIR.

[10] Lo anterior, sin perjuicio de la obligación de reajustar también sus activos y pasivos, conforme a las reglas del artículo 41 de la LIR, con incidencia en la determinación de la RLI conforme a lo indicado en el artículo 32 de la misma ley.

[11] Se reajusta por la variación del IPC entre el segundo mes anterior al de iniciación del ejercicio y el mes anterior al del balance.

[12] Se reajusta por la variación del IPC entre el mes anterior al del aumento y el mes anterior al del balance.

[13] Se reajusta por la variación del IPC entre el mes anterior al de la disminución y el mes anterior al del balance.

Concepto	Efecto en el patrimonio tributario		Efecto en la Renta Líquida Imponible	
	Debe	Haber	Deducción	Agregado
CPT inicial		xxxxx		
Reajuste anual		xxx	xxx	
Aumento CPT inicial		xxxxx		
Reajuste		xxx	xxx	
Disminución CPT inicial	xxxxx			
Reajuste	xxx			xxx

2. *Límite o parámetro para la aplicación de ciertas sanciones*

Atendido que representa al patrimonio valorizado en términos tributarios, el CPT ha sido considerado por diversas normas legales como parámetro para la aplicación de sanciones frente a determinadas infracciones incurridas por los contribuyentes.

Así, el artículo 97 del Código Tributario[14], que tipifica una serie de infracciones y sanciones aplicables a los contribuyentes, acude al CPT como medida para la aplicación de la sanción en los siguientes casos[15]:

a) En su N° 16, referido a la pérdida o inutilización no fortuita de los libros de contabilidad o documentos que sirvan para acreditar las anotaciones contables o que estén relacionados con las actividades afectas a cualquier impuesto, se sanciona con multa de

---

[14]   Ubicado en el Título II, «De las infracciones y sanciones».

[15]   Sin perjuicio de la utilización de otros conceptos relacionados al CPT en otros casos, como es el de capital efectivo, en el N° 6, inciso segundo de la misma norma, para sancionar a quien incumpla o entrabe la obligación de implementar y utilizar sistemas tecnológicos de información conforme al artículo 60 ter del Código Tributario, con una multa de hasta 60 UTA, con un límite equivalente al 15% del capital efectivo determinado al término del año comercial anterior a aquel en que se cometió la infracción. En caso de que el contribuyente no esté obligado a determinarlo o no sea posible hacerlo, la multa a aplicar será de 1 a 5 unidades tributarias anuales.

1 Unidad Tributaria Mensual («UTM») a 20 Unidades Tributarias Anuales («UTA»), la que, en todo caso, no podrá exceder de 15% del CPT vigente al inicio del año comercial en que ocurra la pérdida o inutilización; o bien, si los contribuyentes no deben determinar el CPT, resulta imposible su determinación o aquél es negativo, la multa se aplica con un mínimo de ½ UTM a 10 UTA.

b) En el mismo N° 16, en el caso de pérdida o inutilización no fortuita de los libros de contabilidad o documentos mencionados en la letra a), cuando se dé aviso de este hecho o se lo detecte con posterioridad a una notificación o cualquier otro requerimiento del Servicio que diga relación con dichos libros y documentación, la sanción será de multa de 1 UTM a 30 UTA, la que en todo caso no podrá exceder de 25% del CPT vigente al inicio del año comercial en que ocurra la pérdida o inutilización; o bien, si los contribuyentes no deben determinar CPT, resulta imposible su determinación o aquél es negativo, la multa se aplicará con un de 1 UTM a 20 UTA.

Por su parte, en la Ley sobre impuesto a la Renta, a modo ejemplar, encontramos las siguientes multas determinadas sobre la base del CPT, como consecuencia del incumplimiento a obligaciones impuestas por las mismas normas:

a) En el artículo 41 letra E), sobre precios de transferencia, en su N° 6, que establece la obligación de ciertos contribuyentes domiciliados, residentes o establecidos en nuestro país que realicen operaciones con partes relacionadas, definidas en el N° 1 del mismo cuerpo legal, de presentar una declaración jurada anual identificando dichas operaciones[16], cuya no presentación, o bien, su presentación errónea, incompleta o extemporánea se sanciona con una multa de 10 a 50 UTA, la que no podrá exceder del límite mayor entre el equivalente al 15% del capital propio del contribuyente determinado conforme al artículo 41 o el 5% de su capital efectivo. La aplicación de dicha multa se someterá al

---

[16]   Actualmente mediante Declaración Jurada N° 1907.

procedimiento establecido por el número 1°, del artículo 165, del Código Tributario.

b) En el artículo 41 G, referido a rentas pasivas, sanciona con una multa de 10 a 50 UTA el no presentar la declaración jurada ordenada por la letra F) de esa misma norma, o bien su presentación errónea, incompleta o extemporánea, para informar el contenido del registro de rentas pasivas que deben mantener los contribuyentes que deban informar dichas rentas en sus declaraciones de impuestos, sanción que no podrá exceder del límite mayor entre el equivalente al 15% del capital propio del contribuyente determinado conforme al artículo 41 de la LIR o el 5% de su capital efectivo.

3. Valor para establecer límites a ciertos gastos, desembolsos o para el reconocimiento de ingresos

Al igual que en el caso anterior, considerando que el CPT representa el valor del patrimonio en términos tributarios, éste ha sido considerado también por el legislador tributario en diversas normas para establecer límites para la deducción de ciertos gastos, para la aceptación de desembolsos o como indicador para el reconocimiento de ingresos, según se indica a continuación:

a) Límite a la deducción de gastos o imputación de créditos por donaciones

Diversas normas hacen referencia al CPT para efectos de establecer límites a la deducción de ciertos gastos, o para la determinación de créditos imputables por donaciones que efectúa la empresa. Ejemplos de lo anterior se encuentran en las siguientes normas:

i) Donaciones a que se refiere el artículo 31 N° 7 de la LIR[17]. Estas donaciones efectuadas en dinero o especies son deducibles como

---

[17]   Tal norma se refiere a las donaciones efectuadas cuyo único fin sea la realización de programas de instrucción básica o media gratuitas, técnica, profesional

gastos necesarios para producir la renta de la empresa, siempre que su único fin sea la realización de programas de instrucción básica o media gratuitas, técnica, profesional o universitaria en el país, sean privados o fiscales, y ya sea que los programas de instrucción sean realizados directamente por la institución donataria o a través de otras entidades o establecimientos docentes, académicos o educacionales, sólo en cuanto no excedan de la cantidad mayor entre el 2% de la RLI de la empresa, o del 1,6%o (uno coma seis por mil) del CPT de la empresa al término del correspondiente ejercicio[18].

ii) Donaciones a Universidades, conforme al artículo 69 de la Ley N° 18.681 de 1987[19]. Este tipo de donaciones se efectúa en dinero, y son destinadas a las Universidades e Institutos Profesionales, Estatales o Particulares. El 50% de las donaciones se deduce como crédito, con tope del monto del IDPC, deducidas las contribuciones de bienes raíces, o de 14.000 UTM del mes de diciembre de cada año, y el 50% restante, o aquella parte que no pueda ser imputada como crédito se rebaja como gasto necesario para producir la renta, con tope de la cantidad mayor entre el 2% de la RLI o del 1,6%o del CPT de la empresa al término del correspondiente ejercicio.

iii) Otras donaciones. También consideran como límite el 1,6%o del CPT de la empresa al término del correspondiente ejercicio, para

---

o universitaria en el país, ya sean privados o fiscales, ya sea que los programas de instrucción sean realizados directamente por la institución donataria o a través de otras entidades o establecimientos docentes, académicos o educacionales. También se aplica a las donaciones que se efectúen a los Cuerpos de Bomberos de la República, Fondo de Solidaridad Nacional, Fondo de Abastecimiento y Equipamiento Comunitario, Servicio Nacional de Menores y a los Comités Habitacionales Comunales.
Las instrucciones del SII sobre este tipo de donaciones están contenidas en las Circulares N°s 24 de 1993 y 71 de 2010.

[18]   Con todo, este tipo de donaciones deben igualmente considerarse para el cálculo del Límite Global Absoluto de 5% para el conjunto de las donaciones que se efectúen.

[19]   Las instrucciones del SII sobre este tipo de donaciones están contenidas en las Circulares N° 24 de 1993 y 71 de 2010.

establecer ciertos beneficios tributarios, como son las donaciones que se efectúen con Fines Culturales, conforme al artículo 8º de la Ley Nº 18.985[20] y aquellas realizadas al Fondo Nacional de Reconstrucción conforme a la Ley Nº 20.444[21].

b) Deducción de gastos en responsabilidad social empresarial[22]

Conforme a lo dispuesto en el nuevo Nº 13, del artículo 31 de la LIR, procede la deducción de los gastos o desembolsos incurridos con motivo de exigencias, medidas o condiciones medioambientales impuestas para la ejecución de un proyecto o actividad, contenidas en la resolución dictada por la autoridad competente que apruebe dicho proyecto o actividad conforme a la legislación medioambiental vigente[23], hasta el límite mayor que se determine entre el 2% de la RLI del ejercicio respectivo, el 1,6‰ del CPT de la empresa al término del ejercicio respectivo, o el 5% de la inversión total anual que se efectúe en la ejecución del proyecto.

El exceso de la suma de estos gastos o desembolsos efectuados durante el año respectivo, por sobre el límite más alto entre los indicados precedentemente, no será deducible como necesario para producir la renta, pero, en principio, tampoco se afectará con la tributación dis-

---

[20] Las instrucciones del SII sobre este tipo de donaciones están contenidas en la Circular Nº 34 de 2014.

[21] Las instrucciones del SII sobre este tipo de donaciones están contenidas en la Circular Nº 22 de 2014.

[22] De acuerdo con las modificaciones introducidas por el artículo 2º de la Ley Nº 21.210, de 2020.

[23] La norma mencionada establece que también podrán deducirse: a) los gastos o desembolsos en los que el titular incurra con ocasión de compromisos ambientales incluidos en el estudio o en la declaración de impacto ambiental, respecto de un proyecto o actividad que cuente o deba contar, de acuerdo con la legislación vigente sobre medio ambiente, con una resolución dictada por la autoridad competente que apruebe dicho proyecto o actividad; y, b) los gastos o desembolsos efectuados en favor de la comunidad y que supongan un beneficio de carácter permanente, tales como gastos asociados a la construcción de obras o infraestructuras de uso comunitario, su equipamiento o mejora, el financiamiento de proyectos educativos o culturales específicos y otros aportes de similar naturaleza.

puesta en el artículo 21 de la LIR[24], salvo que se verifique la hipótesis establecida en el inciso 3º de tal artículo.

c) Base para el cálculo del *badwill* o *goodwill* tributario

Conforme a lo dispuesto en los artículos 15 y 31 Nº 9 de la LIR, respectivamente, para la determinación del *badwill* o *goodwill* tributario en las fusiones por incorporación o impropia, debe compararse el valor de la inversión tributaria que previo a la fusión mantenía la empresa absorbente en la absorbida, con el valor total o proporcional del CPT de la empresa absorbida, según sea el caso[25], determinado éste a la fecha de fusión.

Lo anterior, por cuanto según se ha señalado, el CPT representa el valor del patrimonio tributario que se recibe desde la sociedad absorbida, representado por los activos y pasivos de ésta, en reemplazo del valor de la inversión en acciones o derechos que tenía previo a la fusión la sociedad absorbente en la absorbida.

d) Patrimonio que se considera en la división de una empresa o sociedad

Con motivo de la división de una empresa o sociedad se producen una serie de efectos tributarios, algunos de los cuales consideran el valor del CPT para su cuantificación.

---

[24]   Conforme a la modificación introducida al inciso 1º del artículo 21 de la LIR, por el artículo 2º de la Ley Nº 21.210.

[25]   Será total, cuando la empresa absorbente, producto de la inversión, haya reunido en sus manos el 100% de las acciones o derechos sociales de la sociedad absorbida. Será proporcional cuando la sociedad absorbente, producto de su inversión, posea previo a la fusión menos del 100% de las acciones o derechos de la sociedad absorbida, en cuyo caso para determinar el *badwill* o *goodwill* tributario se debe comparar el valor de la inversión previa con la proporción equivalente en el CPT de la sociedad absorbida.

Así, por ejemplo, tenemos, según la LIR[26] que el saldo de la totalidad de las cantidades que deben anotarse en los registros RAI, de Rentas Exentas o no tributables («REX») y en el Saldo Acumulado de Créditos («SAC») de la empresa, se asignará a cada una de las empresas resultantes de la división en proporción al CPT que se asigne a cada una de ellas, respecto del total del CPT de la empresa que se divide.

En estos casos el capital efectivamente aportado a la empresa se distribuye también entre cada una de las empresas resultantes de la división, en la misma proporción antes señalada, considerando como capital efectivamente aportado el monto considerado en la determinación del registro RAI a la fecha de la división.

A partir de lo anterior, el SII ha considerado también que el valor de costo tributario que tienen los socios o accionistas de la sociedad dividida respecto de su inversión en acciones o derechos en la sociedad que se divide, se distribuye también en la misma proporción entre las empresas o sociedades resultantes de la división[27].

e) CPT como variable fundamental para determinar las rentas afectas a impuesto

Bajo el régimen de imputación parcial de créditos establecido en la letra B) del artículo 14 de la LIR, según su texto vigente hasta el 31 de diciembre de 2019, el saldo del registro RAI se determinaba a partir del valor del CPT.

Una metodología similar se considera a contar del 1º de enero de 2020, tanto para el régimen general de tributación establecido en la letra A), del artículo 14 de la LIR (de imputación parcial de créditos), como para el régimen pro PYME establecido en la letra D) del mismo artículo.

A continuación, analizaremos brevemente la incidencia del CPT en la determinación del saldo del registro RAI a contar del año 2020, y la consideración de éste en materia de impuesto a la renta.

---

[26]   De acuerdo con lo establecido en la letra C), de su artículo 14.
[27]   Ver Oficios Nº 2.230, de 2017 y Nº 2.386, de 2018, ambos del SII.

i) Régimen general de tributación[28]. El saldo del registro RAI se determina al finalizar el año comercial respectivo, y debe registrar las rentas o cantidades que correspondan a la diferencia positiva entre[29]:

- El valor positivo del CPT, y

- El saldo positivo de las cantidades que se mantengan en el registro REX, sumado al valor del capital aportado efectivamente a la empresa más sus aumentos y menos sus disminuciones posteriores, reajustados de acuerdo con la variación del IPC entre el mes anterior a aquel en que se efectúa el aporte, aumento o disminución y el mes anterior al del término del año comercial.

Para estos efectos, si el capital propio tributario determinado fuese negativo, se considerará como valor cero.

De esta manera, se sumarán al CPT que se determine los retiros, remesas o dividendos efectuados durante el ejercicio, reajustados según la variación del IPC entre el mes anterior a aquel en que se efectúa el retiro, remesa o distribución y el mes anterior al término del año comercial, y el saldo negativo del registro REX.

En el siguiente esquema se presentan un resumen de lo expuesto para la determinación del RAI en el sistema general:

(+)	Valor positivo del CPT (si el CPT fuere negativo, se considera como valor igual a cero).
(+)	Retiros, remesas o dividendos efectuados durante el ejercicio, reajustados.
(+)	Saldo negativo de REX, si existiere.
(-)	Saldo positivo de REX, si existiere.
(-)	Capital aportado a la empresa, más sus aumentos y menos sus disminuciones, reajustados.

---

[28]   Reglas establecidas en la letra A), del artículo 14 de la LIR, según su texto vigente a contar del 1º de enero de 2020, y normas transitorias contenidas en la Ley Nº 21.210.

[29]   Conforme a lo dispuesto en el Nº 2, de la letra A), del artículo 14 de la LIR.

| (-) | Fondo de Utilidades Reinvertidas, reajustado (si no está comprendido bajo el concepto anterior) |
| (=) | RAI (resultado debe ser positivo, en caso contrario se considera igual a cero) |

El saldo del registro RAI así determinado representa las rentas o cantidades afectas a los impuestos finales al término del ejercicio que se encuentran formando parte del patrimonio tributario. Si los retiros o distribuciones efectuadas durante el año resultan imputadas al saldo del referido registro, se afectarán con el Impuesto Global Complementario («IGC») o Impuesto Adicional («IA»), según corresponda.

En principio, el registro RAI es obligatorio para los contribuyentes sujetos al régimen general de tributación, sin perjuicio de que la LIR libera de tal obligación cuando las empresas no mantengan rentas o cantidades que deban ser controladas en el registro REX[30]. En tal caso, cualquier retiro o distribución estará afecto a los impuestos finales.

Con todo, si se efectúan retiros o distribuciones con cargo al capital aportado y sus reajustes, cumpliendo las formalidades y requisitos para ello, las empresas deberán reconstituir el saldo del registro RAI para el ejercicio correspondiente[31], considerando los registros reconstituidos para definir la calificación tributaria de tales retiros o distribuciones, siendo procedente imputar el capital aportado y sus reajustes conforme al orden que la propia LIR establece.

Los contribuyentes sujetos al régimen general de tributación, salvo que estén liberados de la obligación de llevar tales registros en conformidad a lo señalado precedentemente, deberán informar anualmente al SII[32], entre otras cosas, el saldo del registro RAI, así como el detalle de la determinación de su saldo anual, identificando los valores que han servido para determinar el CPT.

---

[30]   De acuerdo con lo establecido en el N° 3, de la letra A), del artículo 14 de la LIR, en tal caso se liberarían de la obligación de llevar el registro RAI, DDAN y REX.

[31]   Así como el DDAN y REX, según corresponda.

[32]   Conforme al N° 8, de la letra A), del artículo 14 de la LIR.

En definitiva, el RAI, determinado a partir del valor del CPT, es utilizado bajo el régimen general de tributación para determinar la magnitud de las rentas o cantidades tributables que forman parte del patrimonio tributario, y que en caso de retiradas o distribuidas, deben afectarse con los impuestos finales.

ii) Régimen Pro PYME. El régimen de tributación sobre la base de renta efectiva de las PYMEs, se encuentra establecido en la letra D), del artículo 14 de la LIR[33], dirigido, en resumen, a empresas cuyo capital efectivo al momento de su inicio de actividades no exceda de 85.000 Unidades de Fomento («UF») y su ingresos brutos percibidos o devengados del giro, no excedan en promedio de 75.000 UF anuales.

Bajo dicha norma, se establecen dos alternativas de tributación para los propietarios de la empresa. La primera de ellas se produce con motivo de los retiros o distribuciones que se efectúen en favor de dichos propietarios, y la segunda, dice relación con la opción que tiene la empresa de acogerse al régimen de transparencia fiscal[34].

En la primera alternativa del régimen Pro PYME, bajo el cual los propietarios tributan conforme a los retiros o distribuciones, en general la empresa está liberada de la obligación de confeccionar los registros de rentas (RAI, DDAN, y REX), salvo que perciba o genere rentas exentas de los impuestos finales, ingresos no constitutivos de renta o rentas con la tributación cumplida.

En este último caso, la ley considera reglas especiales para determinar un CPT simplificado[35], el que se calcula considerando la diferencia entre:

---

[33] Norma que rige a contar del 1º de enero de 2020.
[34] Establecido en el Nº 8, de la letra D), del artículo 14 de la LIR. Bajo tal régimen de transparencia fiscal, la empresa se libera de llevar los registros de rentas empresariales y el CPT pierde relevancia para determinar la tributación de los propietarios de la empresa.
[35] Conforme a lo dispuesto en la letra j), del número 3), de la letra D), del artículo 14 de la LIR.

- El valor del capital aportado (que haya cumplido con las formalidades legales respectivas), más la base imponible del IDPC determinada cada año, según corresponda, más las rentas percibidas con motivo de participaciones en otras empresas; y,

- El valor de las disminuciones de capital, de las pérdidas, de las partidas del inciso 2º del artículo 21 pagadas y de los retiros y distribuciones efectuadas a los propietarios en cada año.

El CPT así determinado, deberá ser informado por el SII a la empresa respectiva, para que ésta proceda a su complementación o rectificación en los casos que así corresponda, en la forma en que lo establezca mediante resolución dicho organismo.

Lo expuesto en este párrafo, para la determinación del CPT simplificado (por parte del SII y la empresa) en el caso de contribuyentes de primera categoría acogidos al régimen Pro PYME, se puede sintetizar de la siguiente manera:

(+)	Aportes de capital;
(+)	Bases imponibles del IDPC (RLI);
(+)	Retiros o dividendos percibidos de otras empresas constituidas en Chile;
(-)	Disminuciones de capital;
(-)	Pérdidas tributarias declaradas (se excluyen las de arrastre);
(-)	Partidas del inciso 2º del artículo 21 de la LIR;
(-)	Retiros o distribuciones pagados a los propietarios;
(=)	CPT simplificado

En esta determinación, en nuestra opinión, quedan excluidas de la determinación de este CPT simplificado aquellas rentas percibidas o devengadas por la empresa que puedan corresponder a rentas exentas, no constitutivas de renta o con la tributación cumplida, lo que podría llevar a considerar potencialmente un saldo insuficiente para efectos de determinar las rentas afectas a impuesto (RAI), dado que en la mecánica de determinación del RAI se considera la deducción de esas cantidades que en este específico ya no forman parte del CPT, lo que podría conducir en los hechos a una subdeclaración del saldo de dicho registro, cuando corresponda determinarlo.

f) Opción de corregir o rectificar diferencias de CPT que entrega la Ley Nº 21.210

El artículo 32º transitorio de la Ley Nº 21.210[36] establece opciones de rectificación que podrán ejercer los contribuyentes obligados a determinar su renta efectiva según contabilidad completa[37], que en el año tributario 2019 (es decir, al 31 de diciembre de 2018), hayan informado al SII un CPT mayor o menor al que correspondía a esa fecha[38].

Cabe hacer presente de manera particular que la norma en cuestión es poco clara, sumado al hecho que a la fecha de emitirse esta opinión el SII tampoco ha emitido instrucciones con su interpretación sobre la materia, por lo que todo aquello que a continuación se comenta es única y exclusiva interpretación de quiénes suscriben este artículo, sobre la base del texto expreso de la norma, buscando que la interpretación de

---

[36]   En el Mensaje del Proyecto de Ley que da origen a la Ley Nº 21.210, el Ejecutivo indicó que: «Dado que el capital propio tributario es clave en la tributación con impuestos finales de los propietarios de las empresas, y que habiendo existido ya en nuestra legislación tributaria, especialmente para efectos de la determinación de la patente municipal a pagar, hay contribuyentes que se encontraron con diferencias relevantes en su capital propio tributario desde hace larga data, por ejemplo, por diferencias por aplicación incorrecta de corrección monetaria, errores de cómputo, procesos de reorganizaciones empresariales u otros, podrán declarar y pagar las diferencias de una sola vez en la declaración anual de renta del año tributario 2019 o 2020, según corresponda. Sin perjuicio de lo anterior, la empresa podrá optar por corregir todas las declaraciones anuales afectadas con dichas diferencias».

[37]   Se trataría de aquellos contribuyentes sujetos al régimen de la letra A) del artículo 14 de la LIR. También se trataría de aquellos sujetos a la letra D) (PYMEs), que no opten por llevar contabilidad simplificada. Quedarían excluidos, aquellos sujetos al régimen de transparencia fiscal.

[38]   Conforme a lo dispuesto en el artículo 41 de la LIR vigente al 31 de diciembre de 2019.

la misma armonice con las demás normas transitorias y permanentes establecidas por la Ley N° 21.210.

Así también, debemos considerar que el mero hecho de subdeclarar o sobredeclarar el valor del CPT no implica necesariamente que se generen diferencias de impuesto, sea a nivel de la empresa gravada con el IDPC, o de sus propietarios gravados con los impuestos finales, sin perjuicio de que eventualmente las diferencias en la determinación del CPT puedan en definitiva sí implicar diferencias en uno o más de los impuestos referidos.

Así, por ejemplo, a nivel de la empresa, una subdeclaración de los ingresos tributarios podría dar origen a un menor CPT declarado, y consecuencialmente generaría diferencias a nivel del IDPC declarado.

A nivel de los propietarios, podrían generarse diferencias en los impuestos finales declarados, si éstos alegaren que han efectuados retiros o distribuciones con cargo al capital social o a rentas exentas, en circunstancias que el CPT declarado debió ser mayor, dando origen, por ejemplo, a una suma mayor de Rentas Afectas a Impuestos (RAI) que debió haberse imputado con anterioridad al capital, cuestión que no ocurrió por efecto de la subdeclaración del CPT.

También hacemos presente que a la fecha de publicación de la Ley N° 21.210, las eventuales diferencias de impuestos que se generen producto del mayor o menor CPT declarado para el año tributario 2019 se encuentran vigentes y dentro de los plazos de prescripción en los cuales podrían fiscalizadas y redeterminadas por el SII.

a) Origen de las diferencias en el CPT declarado. De acuerdo con la referida norma transitoria, la diferencia de mayor o menor CPT declarado para el año tributario 2019, puede tener su origen en la falta de reconocimiento de anticipos, aplicación incorrecta del mecanismo de corrección monetaria, errores de cómputo, procesos de reorganizaciones empresariales u otros conceptos.

Bajo la hipótesis residual anterior, esto es, otros conceptos que puedan generar diferencias en el CPT declarado, se pueden incluir a su vez una gran cantidad de otras hipótesis que no han sido descartadas por el legislador, por ejemplo: la subdeclaración de ingresos o sobredeclaración de gastos o retiros, sub o sobre valorización de activos tributarios o de pasivos exigibles, etc.

b) Oportunidad para rectificar las diferencias de CPT. Las opciones que entrega tal norma transitoria dicen relación con la posibilidad de rectificar las diferencias de CPT en la declaración anual de impuestos a la renta correspondiente al año tributario 2020 o 2021.

Lo anterior, a nuestro juicio, admite una oportunidad para ejercer la opción por parte de la empresa, y que dice relación con el momento en que se presenta una u otra declaración de impuestos, agotándose por tanto la opción con el ejercicio de la misma, o bien una vez transcurrida la oportunidad para ejercerla.

c) Beneficios de ejercer las opciones que considera la norma transitoria. El ejercicio de cualquiera de las opciones que contempla el artículo 32° transitorio permite que, si las diferencias de CPT se solucionan conforme a lo dispuesto en dicha norma, no proceda que el SII aplique multas o intereses por eventuales diferencias de impuestos que puedan derivarse del mayor o menor CPT declarado, así como tampoco procederá el ejercicio de las facultades de fiscalización posteriores por parte de dicho organismo, respecto de tales diferencias.

Como puede apreciarse entonces, parece bastante atractivo corregir las diferencias de CPT sujeto a lo dispuesto en esta norma, pues sus consecuencias son bastante favorables para los contribuyentes.

d) Casos en que no pueden ejercerse las opciones del artículo 32 transitorio[39]. La norma transitoria establece de manera expresa que lo dispuesto en ella no se aplicará si durante los 3 años calendarios anteriores a la rectificación del CPT, la empresa o sus propietarios:

– Han sido sancionados, mediante sentencia firme y ejecutoriada, en virtud del artículo 97 números 4, 5, 7, 16, 20, 21 y 23 del Código Tributario;

---

[39]   De acuerdo con la letra d), del artículo 32 transitorio.

- Han cometido una infracción tributaria que pueda ser sancionada con multa y pena privativa de libertad, y se persiga la aplicación de la multa respectiva y el cobro civil de los impuestos en virtud del inciso 3º del artículo 162 del Código Tributario;

- Tratándose de contribuyentes personas naturales, hubieren sido formalizados o condenados por alguno de los delitos señalados en el artículo 27 de la Ley Nº 19.913; o

- Se haya declarado judicialmente respecto de la empresa, mediante sentencia firme y ejecutoriada, la existencia de abuso o simulación, conforme al artículo 160 bis del Código Tributario.

Lo anterior, implica que, si la rectificación se efectúa en la declaración de impuestos correspondiente al año tributario 2020 o 2021, la verificación de una o más de las conductas antes señaladas, debe haberse producido en los años comerciales 2017, 2018 o 2019, o bien, en los 2018, 2019 o 2020, respectivamente.

Además, la norma transitoria dispone que tampoco se aplicará lo dispuesto en ella, a una empresa o sus propietarios que, al 24 de febrero de 2020, fecha de publicación de la Ley, se encuentren bajo un proceso de recopilación de antecedentes, salvo que se declare por parte del SII que no se continuará con dicho procedimiento.

e) Forma de acreditar los ajustes que se rectifican. La norma en análisis dispone que el SII establecerá mediante resolución la forma de acreditar los ajustes que motivan la rectificación del mayor o menor CPT declarado.

Lo anterior parece pertinente en nuestra opinión, tratándose de aquellos casos en que se opte por aplicar el impuesto sustitutivo de 20% que contempla la norma[40], pues permitiría generar un saldo de rentas libres de tributación (en nuestra opinión, rentas con la tributación cumplida por aplicación del referido impuesto)

---

[40]   Conforme a la letra c), del artículo 32 transitorio de la Ley Nº 21.210.

cuando la empresa no pueda determinar el origen de las diferencias con el CPT declarado.

Atendido que esta hipótesis se sustenta sobre la base que el contribuyente no puede determinar el origen de tales diferencias, se justifica que el SII establezca mediante resolución la forma alternativa de acreditar los ajustes que motivan tal rectificación.

En los demás casos no resultaría aplicable la referida resolución, pues el origen de la rectificación que se propone por la empresa se sustentaría en ajustes que incidirían en una mayor o menor renta líquida imponible declarada por parte de la empresa, o en un menor o mayor retiro o distribución afecto a los impuestos finales, según el caso, cuestión que en nuestra opinión debiera acreditarse por parte de la empresa conforme a las reglas generales.

f) Armonización de las diferencias de CPT con la aplicación del impuesto sustitutivo que establece el artículo 25º transitorio de la Ley Nº 21.210. La norma transitoria del artículo 32º de la Ley Nº 21.210 también dispone que el SII establecerá mediante resolución, la concordancia entre estas diferencias no justificadas de CPT con aquellos valores que se acojan al también régimen opcional establecido en el artículo 25 transitorio de la Ley Nº 21.210[41], debiendo seguirse para estos efectos las reglas sobre determinación del capital propio tributario.

En nuestra opinión tal norma se referiría del contribuyente que opta por aplicar el impuesto sustitutivo de 30%, establecido en el artículo 25º transitorio, cumpliendo los requisitos para tal efecto, sobre los valores del Saldo Total de Utilidades Tributables que se generaron hasta el 31 de diciembre de 2016 y estén disponibles al 31 de diciembre de 2019, y que para sujetarse a tal norma deben ser consistentes o concordantes con el valor del CPT declarado, puesto que tales utilidades tributables debieran formar parte del CPT declarado.

---

[41]   Tal norma establece la aplicación de impuesto sustitutivo y transitorio de 30%, sobre aquellas rentas que se mantengan al 31 de diciembre de 2019, y se hayan generado hasta el 31 de diciembre de 2016.

g) Diferencias que pueden ser rectificadas de acuerdo con el artículo 32° transitorio. Las diferencias en el mayor o menor CPT declarado, pueden tener incidencia impositiva, como se ha dicho, a nivel de la empresa o de sus propietarios, de allí que la norma transitoria otorgue la opción de rectificar en cualquiera de esos dos niveles.

Se podrá rectificar el referido CPT, siempre que la empresa hubiera presentado oportunamente sus declaraciones de impuesto.

Lo anterior supone además, en nuestra opinión, que las otras variables que inciden en la determinación de las rentas afectas a impuesto se han aplicado correctamente, como sería, por ejemplo, el saldo del registro REX, el valor del capital aportado a la empresa, entre otras. Conforme a ello, la aplicación de lo que se indica seguidamente sólo corresponde respecto de diferencias en la determinación del valor del CPT, según el caso y conforme se expone:

i) A nivel de la empresa

i.1) Menor CPT declarado por la empresa. Si el menor CPT declarado por la empresa respecto del que correspondía, tiene su origen en una menor renta líquida imponible declarada que también deba ajustarse, la diferencia del IDPC que se determine se declarará y pagará en la declaración anual de impuesto a la renta del año tributario 2020 o 2021, según se ejerza la opción.

Con ello, quedará resuelta toda diferencia de impuestos que se haya presentado en los años anteriores, y que se relacione con la diferencia de CPT.

No obstante lo anterior, la empresa podrá a su elección rectificar sus declaraciones anuales de impuestos de cada año en que se haya mantenido la diferencia.

El IDPC pagado será reconocido por la empresa en la fecha del pago, como un agregado en el registro SAC.

Si la diferencia que se rectifica tiene su origen en los años tributarios 2017 a 2019, habiendo la empresa estado sujeta al régimen de imputación parcial de créditos a que se refería la letra B), del artículo 14 de la LIR[42], el IDPC pagado que se agregará al SAC se deberá considerar como un crédito por IDPC sujeto a la obligación de restitución.

i.2) Mayor CPT declarado por la empresa. Si la rectificación del mayor CPT declarado por la empresa tiene su origen en una mayor renta líquida imponible declarada por sobre la que realmente correspondía, y resulta de ello un menor IDPC a pagar por parte de la empresa, ésta deberá mantener el crédito por IDPC originalmente anotado en el registro SAC, considerando el exceso como un IDPC pagado de manera anticipada y voluntaria, conforme a lo dispuesto en el N° 6 de la letra A), del artículo 14 de la LIR, y con ello, la base imponible sobre la cual se haya aplicado tal impuesto se podrá deducir de la renta líquida imponible que se genere en el ejercicio siguiente o subsiguientes, sin que con ello pueda generar una pérdida tributaria y considerándose tal crédito por IDPC como parte de aquellos sin la obligación de restitución.

ii) A nivel de los propietarios. El régimen de rectificación que se explica a continuación es procedente aun cuando en el tiempo intermedio se hayan producido modificaciones de los propietarios, afectando a aquellos que hayan percibido los retiros o distribuciones respectivos.

ii.1) Propietarios que correspondan a empresas sujetas al régimen general de tributación[43]

– Mayor CPT declarado por la empresa. Los propietarios de empresas que rectifiquen el mayor CPT declarado respecto del que correspondía, deberán agregar al registro REX el monto de aquellos retiros o distribuciones que originalmente se hayan imputado a utilidades afectas a impuesto finales en la empresa fuente de dichos retiros o distribuciones, cuando, atendida la rectificación, tales rentas afectas no existan, debiendo calificar tales retiros o distribuciones como exentos, no constitutivos de renta o con la tributación cumplida, según el caso.

---

42 Según su texto vigente al 31 de diciembre de 2019.
43 Establecido en la letra A), del artículo 14 de la LIR.

Este agregado al registro REX se realizará por parte de los propietarios al término del año en que se produzca la rectificación del CPT por parte de la empresa fuente, y se determine que los retiros o distribuciones tienen una calificación tributaria distinta.

– Menor CPT declarado por la empresa. Si los retiros o distribuciones realizados desde la empresa fuente se han imputado a rentas exentas, a ingresos no constitutivos de renta o a cantidades con la tributación cumplida, debiendo haberse calificado como afectos a impuestos finales atendida la rectificación del menor CPT declarado respecto del que realmente correspondía, la empresa propietaria deberá efectuar una deducción del registro REX al término del año en que se produzca la rectificación del CPT por parte de la empresa fuente, y se determine que los retiros o distribuciones tienen una calificación tributaria distinta.

Si la empresa propietaria no mantiene un saldo positivo en el registro REX, efectuará una deducción del saldo del crédito por IDPC que mantenga acumulado en el registro SAC, por una suma equivalente al que habría correspondido deducir de dicho registro en caso de tratarse de un retiro o distribución afecto a los impuestos finales.

ii.2) Propietarios que correspondan a contribuyentes de impuestos finales

– Menor CPT declarado por la empresa. En caso que la rectificación del CPT efectuado por la empresa genere un aumento en las rentas o cantidades que deben declarar los propietarios como afectas a impuestos finales, atendido que el CPT que correspondía era mayor que el declarado, la empresa respectiva podrá pagar tales diferencias de impuestos finales de acuerdo a los artículos 65, 69 y 72 de la LIR, en la forma que señale el SII mediante resolución, y sin que el propietario deba realizar una rectificación de su declaración de impuestos.

En estos casos, tales desembolsos se considerarán como partidas del inciso 1º del artículo 21 de la LIR y, por tanto, el impuesto final a pagar por cuenta del propietario, será el impuesto de tasa 40% que establece tal norma.

– Mayor CPT declarado por la empresa. En caso que la rectificación de las diferencias de CPT genere una disminución de los
retiros, remesas o distribuciones que se afecten con impuestos finales, atendido que el CPT que correspondía informar era menor
que aquel efectivamente declarado y, siempre que se haya pagado
un impuesto en exceso por parte de los propietarios, éstos podrán
solicitar devolución de tal exceso conforme con lo dispuesto en
el artículo 126 del Código Tributario, lo que se deberá declarar
o rectificar en su declaración de impuesto correspondiente al año
en que la empresa fuente ejerza la opción.

Para tales efectos deberá considerarse en todo caso los créditos
que se hayan asignado a los retiros o distribuciones, de manera
tal que el exceso en cuestión se producirá al comparar el resultado
anual de la declaración de impuestos a la renta que se determina
sin incluir los retiros o distribuciones y sus créditos, con aquella
que se haya declarado originalmente.

h) Tasa opcional en caso de imposibilidad material de establecer el
origen de las diferencias en la determinación del CPT. Finalmente, en caso que la empresa no pueda determinar el origen de las
diferencias entre el CPT declarado respecto de aquel que correspondía para el año tributario 2019, podrá optar por declarar y
pagar un impuesto único y sustitutivo de tasa 20% que se aplicará
sobre tal diferencia.

La cantidad (diferencia de CPT no aclarada) que resulte gravada
con el impuesto mencionado, se anotará en el registro REX como
una renta con la tributación cumplida, rebajando de tal suma el
monto del impuesto pagado.

Tal impuesto deberá ser declarado y pagado en una sola oportunidad, en la declaración anual de impuestos a la renta correspondiente al año tributario 2020 o 2021, según la oportunidad en que
se ejerza la opción, entendiéndose que la diferencia de impuesto
que se declare se devenga en el año en que la empresa optó por
acogerse a este impuesto.

En nuestra opinión, lo anterior tiene sentido sólo tratándose de
aquellos casos en que se haya declarado un CPT menor al que

correspondía, pues en caso contrario tal diferencia no corresponde a una cantidad que deba formar parte del registro REX de la
empresa, susceptible de ser retirada o distribuida desde la misma.
Así las cosas, no tiene sentido que deba incorporarse al REX cantidades que no sean susceptibles de ser retiradas o distribuidas,
cuestión que ocurriría cuando se declara un CPT mayor al que
correspondía.

g) Capital propio como base para la aplicación de patente municipal

El artículo 23 del D.L. N° 3.063 de 1979 sobre Rentas Municipales
dispone en su inciso primero que el ejercicio de toda profesión, oficio,
industria, comercio, arte o cualquier otra actividad lucrativa secundaria
o terciaria, sea cual fuere su naturaleza o denominación, está sujeta a
una contribución de patente municipal. En relación con esta obligación,
el inciso segundo del artículo 24 de la misma norma determina que el
valor por doce meses de la patente será de un monto equivalente entre
el dos y medio por mil y el cinco por mil del capital propio de cada contribuyente, que no podrá ser inferior a una unidad tributaria mensual ni
superior a ocho mil unidades tributarias mensuales.

Para esos efectos se entiende por capital propio el inicial declarado
por el contribuyente si se tratare de actividades nuevas, o el registrado
en el balance terminado el 31 de diciembre inmediatamente anterior a
la fecha en que deba prestarse la declaración, considerándose los reajustes, aumentos y disminuciones que deben practicarse de acuerdo con las
normas del artículo 41 y siguientes de la Ley sobre Impuesto a la Renta,
vale decir, capital propio para efectos de patente municipal es el capital
propio tributario y no el capital determinado de acuerdo a normas de
contabilidad financiera, para otros fines ajenos a los tributarios.

Adicionalmente, el inciso final del artículo 24 del D.L. N° 3.063
agrega que en la determinación del capital propio —capital propio tributario— los contribuyentes podrán deducir aquella parte de éste que
se encuentre invertida en otros negocios o empresas afectos al pago de
patente municipal.

De esta manera, la patente municipal a que se refiere el artículo 23
del D.L. N° 3.063 debe aplicarse sobre el capital propio tributario del

contribuyente, determinado en conformidad a los artículos 41 y siguientes de la LIR, una vez deducidas de éste el valor de la totalidad de las inversiones que el contribuyente mantenga en otros negocios o empresas afectas a patente municipal, en caso de que ello sea aplicable.

Al respecto, cabe indicar que tales inversiones deben considerarse también de acuerdo con su valor tributario y no con el financiero[44], toda vez que éstas deben deducirse del capital propio tributario del contribuyente, determinado de acuerdo con las mismas reglas de la LIR, el cual se encuentra conformado por los activos menos los pasivos exigibles registrados a su valor tributario, determinado de acuerdo con el mismo cuerpo legal.

En consecuencia, la rebaja que debe efectuar un contribuyente de sus inversiones en otros negocios o empresas, corresponde se efectúe atendiendo al valor de la inversión o aporte realizado —incluyendo los aumentos y disminuciones de capital— y no al valor del capital propio tributario que registre la empresa o entidad receptora de la inversión, cuestión que resulta relevante tratándose de entidades que por distintos motivos registren pérdidas tributarias como resultado de su gestión al término del ejercicio.

En este contexto, según lo establecido por los artículos 41 N° 8 en relación con el 17 N° 8 de la LIR, y 41 N° 9 de la misma norma, el valor tributario de las acciones y derechos sociales corresponderá al valor de aporte o adquisición reajustado por la variación del índice de precios al consumidor ocurrido entre el último día del mes anterior al de dicho aporte o adquisición y el mes anterior al del balance, incrementado o disminuido, según sea el caso, por los aumentos o disminuciones de capital posteriores efectuados por el contribuyente, reajustados de la misma forma.

Lo anterior se encuentra en armonía con las interpretaciones emitidas por la Contraloría General de República (en adelante, «CGR») frente a consultas de contribuyentes y Municipalidades, dentro de las

---

[44]   Esta ha sido una materia de constante discusión entre los contribuyentes y las Municipalidades, tanto en sede administrativa como judicial.

que destaca el Dictamen N° 1.357 del año 2018[45], que concluye: «Ahora bien, en cuanto a los valores según los cuales deben contabilizarse los montos invertidos que se pretenden deducir, es menester recordar que para fijar el capital propio tributario del contribuyente, los municipios deben atenerse al valor previsto en la declaración anual de impuesto a la renta respectiva, deducidas las inversiones realizadas según su valor tributario determinado en dicho instrumento, conforme a las normas consignadas en los artículos 41 y siguientes del citado decreto ley N° 824, de 1974».

En igual sentido, el Dictamen N° 37.486 del año 2016[46], de la misma CGR, concluye que: «Por otra parte, en lo concerniente a la discrepancia que existiría entre el valor del descuento solicitado por esa sociedad conforme al certificado de inversión respectivo y la suma que consta en el balance de la empresa receptora, es dable indicar que para determinar el capital propio del pertinente contribuyente inversionista, sobre cuya base se establecerá el monto de la patente municipal, debe estarse al valor tributario de la correspondiente inversión, el que difiere del valor financiero reflejado en el balance anual, puesto que este no muestra necesariamente el monto efectivo de la inversión realizada, el cual está relacionado con las utilidades o pérdidas que haya registrado la empresa receptora en el año inmediatamente anterior a la declaración respectiva».

A su vez, el Dictamen N° 50.075 del año 2011, aclarando que el valor relevante para efectos de considerar la rebaja de inversiones es el del aporte o inversión y no el capital propio de la empresa receptora, concluye: «La Municipalidad de Valdivia, mediante oficio N° 329, de 2011, señaló, en lo pertinente, que no corresponde que todas las inversiones que la recurrente tiene en las sociedades receptoras sean deducidas para los efectos del cálculo de la patente municipal, por cuando estas tendrían

---

[45]   Contraloría General de la República. 20 de mayo de 2016. Aquí se aplica el criterio contenido en los dictámenes: (1) Contraloría General de la República N° 48.572, de 09 de agosto de 2012 y (2) Contraloría General de la República N° 73.620, de 15 de septiembre de 2015.

[46]   Aplica criterio contenido en dictamen de Contraloría General de la República N° 4.558, de 2016.

un capital propio negativo y, por ende, no se cumpliría con la finalidad que persigue el legislador al prever las presunciones correspondientes, a saber, evitar la doble tributación [...]»[47]. Por su parte, de acuerdo a lo indicado por el dictamen N° 27.477 de 2010, para los efectos de determinar el valor de las inversiones realizadas en otras empresas afectas al pago de patente municipal, debe estarse a su valor tributario —determinado conforme a las normas tributarias contenidas en los artículos 41 y siguientes del decreto ley N° 824, de 1974— y no al valor financiero de las mismas, por cuanto este no refleja necesariamente el monto efectivo de la inversión realizada en las sociedades receptoras y se relaciona con las utilidades o pérdidas que estas han registrado en el año inmediatamente anterior a la declaración correspondiente[48].

Finalmente, ese último Dictamen N° 27.477 del año 2010 aclara: «[...] estimar que las deducciones de las inversiones deban efectuarse según su valor financiero reflejado en el balance anual de la empresa receptora produciría efectos y distorsiones no pretendidas por el legislador, atendido que el valor financiero no refleja necesariamente el monto efectivo de la inversión realizada en otras empresas, el cual está relacionado con las utilidades o pérdidas que haya registrado la empresa receptora en el año inmediatamente anterior a la declaración correspondiente»[49].

Idéntica interpretación ha sostenido nuestra Excelentísima Corte Suprema al resolver controversias entre contribuyentes y Municipalidades, concluyendo por ejemplo en sentencia Rol N° 11.866-2014 que: «Este proceso de deducción conduce ineludiblemente a concluir que si el capital propio tributario está conformado por los activos tributarios menos los pasivos exigibles tributarios, lo que debe rebajarse es el valor tributario de las inversiones»[50].

---

[47]   Contraloría General de la República. 15 de diciembre de 2011. Dictamen N°
       50.075.
[48]   Contraloría General de la República. 14 de junio de 2010. Dictamen N° 27.477.
[49]   Contraloría General de la República. 14 de junio de 2010. Dictamen N° 27.477.
[50]   Corte Suprema. 09 de septiembre de 2014. Rol N° 11.866-2014. «Connected
       Acquisition Chile S.A. contra Ilustre Municipalidad de Providencia» (*LTM
       6575365*).

Igualmente, en sentencia de la Corte Suprema, Rol N° 2741-2010 determina: «Décimo: si la ley establece que la base imponible es el capital propio tributario del artículo 41 de la Ley de Impuesto a la Renta y asimismo autoriza a rebajar aquella parte de este capital propio que se encuentre invertido en otras sociedades gravadas con este mismo impuesto, la única solución para evitar la doble tributación —fin perseguido por el legislador— es que la rebaja se haga valorizando esta porción de capital propio, formada por la referida inversión, de la misma manera que se valoriza el resto del capital propio, es decir, conforme a su valor tributario [...]

Undécimo: Que, en consecuencia, y de acuerdo a lo razonado, los sentenciadores vulneraron el tenor del artículo 24 de la Ley de Rentas Municipales, pues no permitieron que la sociedad reclamante Inversiones Trauco Limitada dedujera de su capital propio tributario las inversiones realizadas en EMOL S.A. con arreglo al inciso final del artículo recién mencionado, esto es, de acuerdo a un criterio tributario [...]

Duodécimo: Que en lo concerniente a los restantes capítulos del recurso de casación sólo cabe decir que de acuerdo a lo anteriormente señalado, es claro que el artículo 24 de la Ley de Rentas Municipales se basta a sí mismo para dirimir el asunto controvertido, desde que éste define qué debe entenderse por capital propio en su inciso tercero, concepto que resulta aplicable para todos los efectos del precepto, incluida la forma en que deben realizarse las deducciones al mismo para los efectos del cálculo de la patente a pagar»[51].

---

[51]   Corte Suprema. 21 de septiembre de 2012. Rol N° 2.741-2010. «Inversiones Trauco Limitada contra I. Municipalidad de Las Condes». En igual sentido, la Corte Suprema, en su sentencia. 20 de julio de 2012. Rol N° 5.153-2010. «Metlife Chile Inversiones Limitada contra I. Municipalidad De Las Condes» (*LTM 10864157*) concluye que: «Séptimo: Que, como se ha dicho, el inciso final del artículo 24 antes transcrito establece que los contribuyentes que tienen inversiones en otros negocios o empresas también afectas al tributo municipal, pueden deducir aquella parte del "mismo" —del capital propio tributario— que se encuentre invertido en aquellos negocios o empresas. De lo anterior sólo es posible concluir que si las inversiones han de rebajarse del capital propio tributario, y éste está compuesto del valor tributario de los activos —que incluyen dichas inversiones— menos los pasivos exigibles, es claro que las inversiones

deben deducirse por su valor tributario, porque de lo contrario no podrían ser rebajadas del "mismo" [...].

Octavo: Que, en efecto, si la ley establece que la base imponible es el capital propio tributario del artículo 41 de la Ley de Impuesto a la Renta y, asimismo, autoriza a rebajar aquella parte de este capital propio que se encuentre invertido en otras sociedades gravadas con este mismo impuesto, la única solución para evitar la doble tributación —fin perseguido por el legislador— es que la rebaja se haga valorando esta porción de capital propio, formada por la referida inversión, de la misma manera que se valora el resto del capital propio, es decir, conforme a su valor tributario; [...]

Noveno: Que siguiendo con el análisis del precepto en cuestión, cabe resaltar que éste instaura la posibilidad de que el contribuyente "deduzca" del capital propio tributario la parte que se encuentre invertida en otros negocios o empresas que se encuentren afectos a patente. Luego, la parte que se deduce o resta del todo debe necesariamente formar parte de él, de modo que la inversión que forma parte de un capital propio tributario está constituida por el valor tributario de la misma, puesto que su valor contable no es parte de él, sino del patrimonio contable o financiero».

Mismo criterio encontramos en la sentencia Corte Suprema. 21 de septiembre de 2012. Rol Nº 2743-2010. «Compañía Inmobiliaria y Comercial Canelo S.A. contra I. Municipalidad de Las Condes» (*LTM 6589859*), que resuelve:

«Séptimo: Que en el planteamiento del problema resulta necesario citar el inciso final del artículo 24 de la Ley de Rentas Municipales, que señala: En la determinación del capital propio a que se refiere el inciso segundo de este artículo, los contribuyentes podrán deducir aquella parte del mismo que se encuentre invertida en otros negocios o empresas afectos al pago de patente municipal, lo que deberá acreditarse mediante certificado extendido por la o las municipalidades correspondientes a las comunas en que dichos negocios o empresas se encuentran ubicados. El Presidente de la República reglamentará aplicación de este inciso».

El conflicto surge entonces en relación a si el monto invertido en otros negocios o empresas debe determinarse de acuerdo a normas financieras aplicando los principios y prácticas contables o bien si debe hacerse conforme a las normas establecidas por la Ley de la Renta en su artículo 41.

«Octavo: Que es indubitado que el capital propio a que se refiere la Ley de Rentas Municipales —base imponible del impuesto de patente municipal— es el determinado de acuerdo a las disposiciones del artículo 41 de la Ley de Impuesto a la Renta.

Noveno: Que, como se ha dicho, el inciso final del artículo 24 antes transcrito establece que los contribuyentes que tienen inversiones en otros negocios o empresas también afectas al tributo municipal, pueden deducir aquella parte del "mismo" —del capital propio tributario— que se encuentre invertido en aquellos negocios o empresas. De lo anterior sólo es posible concluir que si las inversiones

En conclusión, de los dictámenes y fallos mencionados, es posible concluir que:

a) El concepto de capital propio que emplea el artículo 24 del D.L. N° 3.063 corresponde al de capital propio tributario del contribuyente, determinado de acuerdo con las normas del artículo 41 de la Ley sobre Impuesto a la Renta;

b) Por expresa disposición del inciso final del artículo 24 del D.L. N° 3.063, deben deducirse para el cálculo de dicho capital propio el valor de aquellas inversiones que el contribuyente mantenga en otras empresas afectas al pago de patente municipal[52];

c) Las inversiones a ser deducidas para efectos de determinar el capital propio sobre el cual se calculará la patente, deben considerarse de acuerdo con su valor tributario determinado según las normas de los artículo 41 N° 8, en relación al 17 N° 8, y 41 N° 9 de la LIR, considerando el valor de adquisición o aporte reajustado por la variación del índice de precios al consumidor entre el mes anterior al de adquisición o aporte y el mes anterior al cierre

se rebajan del capital propio tributario, y los activos de éste entre los cuales están las acciones de EMOL S.A. se valorizan de acuerdo a las normas del artículo 41 de la Ley de la Renta, éstas deben deducirse por su valor tributario.

Décimo: Que, en efecto, si la ley establece que la base imponible es el capital propio tributario del artículo 41 de la Ley de Impuesto a la Renta y asimismo autoriza a rebajar aquella parte de este capital propio que se encuentre invertido en otras sociedades gravadas con este mismo impuesto, la única solución para evitar la doble tributación —fin perseguido por el legislador— es que la rebaja se haga valorizando esta porción de capital propio, formada por la referida inversión, de la misma manera que se valoriza el resto del capital propio, es decir, conforme a su valor tributario.

Undécimo: Que, en consecuencia, y de acuerdo a lo razonado, los sentenciadores vulneraron el tenor del artículo 24 de la Ley de Rentas Municipales, pues no permitieron que la sociedad reclamante Compañía Inmobiliaria y Comercial El Canelo S.A. dedujera de su capital propio tributario las inversiones realizadas en EMOL S.A. con arreglo al inciso final del artículo recién mencionado, esto es, de acuerdo a un criterio tributario».

[52]   Lo anterior con independencia de si la empresa receptora afecta al pago de patente, en definitiva, debe o no pagar dicho tributo, como podría ser el caso de una empresa con capital propio negativo y, por ende, sin base imponible afecta a patente.

del balante, incrementado o disminuido, según el caso, por los aumentos o disminuciones de capital efectuados durante el ejercicio, reajustados de la misma forma.

d) Para efectos de acreditar las inversiones que se deben deducir del capital propio de un determinado contribuyente, debe estarse exclusivamente a la contabilidad fidedigna de dicho contribuyente, sin que los antecedentes financieros o tributarios de otras empresas en las cuales éste mantenga inversiones deban considerarse para efectos de determinar la existencia de las mismas o su monto, pues lo relevante es el valor de aporte o adquisición y no el del capital propio tributario de la empresa receptora[53].

4. Otros aspectos discutidos en torno al CPT

Para finalizar, en este apartado haremos referencia a un par sentencias de nuestros tribunales superiores de justicia que dan cuenta de la importancia de las discusiones que surgen en torno al concepto de capital propio tributario y sus efectos para los contribuyentes.

a) CONCEPTO DE CPT PARA LA DETERMINACIÓN DEL *BADWILL* TRIBUTARIO. En el primer caso, la Iltma. Corte de Apelaciones de Santiago, revocando la sentencia de primera instancia dictada por el Primer Tribunal Tributario y Aduanero de la Región Metropolitana[54], concluyó interpretando el artículo 15 de la LIR que no existía doble tributación por el hecho de considerar las utilidades tributarias provenientes de la sociedad absorbida como formando parte de su CPT, para efectos de determinar el mayor de la inver-

---

[53]   Lo anterior, sin perjuicio de los certificados que deban ser emitidos por las municipalidades correspondientes a las comunas en que dichos negocios o empresas se encuentran ubicados, y del certificado que deben emitir los representantes de las empresas en las cuales se mantienen tales inversiones, de conformidad al artículo 24 del D.L. N° 3.063 y su Reglamento, D.S. N° 484 de 1980, del Ministerio del Interior.

[54]   Ilustrísima Corte de Apelaciones de Santiago. 04 de octubre de 2018. Rol N° 253-2017, Libro Tributario y Aduanero-Ant., «Banco de Chile S.A. contra Servicio de Impuestos Internos Grandes Contribuyentes». Actualmente, la causa está en relación en la Corte Suprema, Rol N° 4.444-2019.

sión, en los siguientes términos: «[…] Esta norma implica que la diferencia entre el valor de la inversión y el capital propio tributario, en el evento que no existan activos no monetarios, se debe considerar como un ingreso diferido que el contribuyente podrá imputar dentro de sus ingresos brutos en un lapso de hasta diez años, incorporando como mínimo un décimo en cada ejercicio, asimilando en este caso el mayor valor a un ingreso bruto propio de los señalados en el artículo 29 de la Ley sobre Impuesto a la Renta. Lo cierto es que en esta norma no hay nada dudoso, ni tampoco se advierte que el legislador haya contemplado alguna hipótesis de exención tributaria para el tratamiento del *badwill*, sea en la misma norma o en otra diversa, que permita establecer, razonablemente, que exista una pugna interpretativa en cuanto a los efectos de un precepto por sobre otro. El hecho que el reclamante recurra al artículo 33 Nº 2 a) de la Ley de la Renta, para pretender dar obscuridad al precepto del artículo 15 y entender que las utilidades de la empresa absorbida debieron ser deducidas de la renta líquida declarada es una interpretación errada. […] Que, en consecuencia, el ingreso producido por el mayor valor derivado de la adquisición y reunión del 100% de las acciones sobre la sociedad Banchile Factoring S.A. no puede ser calificado como una renta del artículo 20 Nº 2 de la Ley sobre Impuesto a la Renta, sino en el mayor valor y consecuente incremento que significó para el Banco de Chile, en su calidad de sociedad absorbente, incorporar a su patrimonio el de la empresa absorbida, coincidiendo esta Corte con el Servicio de Impuestos Internos, en cuanto a que dicha incremento patrimonial debe ser calificado como una renta que se subsume en la hipótesis del numeral 5 del artículo 20, ingreso que escapa del ámbito de aplicación del artículo 33 Nº 2 letra a) de la referida Ley de la Renta».

b) Tratamiento del CPT negativo de una sociedad absorbida por fusión. En un segundo fallo, nuestra Corte Suprema, desechando un recurso de casación en el fondo interpuesto, confirmó lo resuelto por tribunal de instancia, quien desechó la determinación del *goodwill* efectuada por el contribuyente luego de un proceso de fusión, al considerar para la determinación del CPT como traspasados a la sociedad absorbente activos consistentes en gastos de organización y de puesta en marcha no amortizados por la sociedad absorbida.

Al respecto, en su considerando quinto, nuestro máximo tribunal estableció que: «Que, en lo que respecta al segundo capítulo contenido en el recurso en análisis, y que guarda relación con la forma en que la reclamante incorporó en el *goodwill* la determinación del capital propio tributario negativo de la sociedad absorbida, cabe señalar que la obligación de la sociedad o sociedades que desaparecen producto de la fusión, de presentar un balance y determinar los impuestos a pagar al tiempo de materializar dicho proceso de reorganización, implica que ese es el último momento en que la pérdida tributaria podrá ser considerada en la determinación de la renta líquida imponible de dichas sociedades que desaparecen, para los efectos de determinar los impuestos a pagar, no existiendo la posibilidad de que el saldo negativo pueda ser incorporado en la determinación de la renta líquida imponible de las sociedades que subsisten o que se crean, atendido a que la ley tributaria no contempló dicho mecanismo [...] Por lo anterior, y no habiéndose generado la pérdida tributaria en la reclamante, resultaba del todo improcedente la incorporación del capital propio negativo de la sociedad absorbida al *goodwill* resultante de la operación de fusión por absorción, y así, su amortización en los años tributarios 2008 y 2009 debió ser recalculada por el Servicio de Impuestos Internos en las liquidaciones impugnadas, de manera tal que el yerro denunciado sobre este punto no concurre, razón por la cual el arbitrio será rechazado en este capítulo»[55].

IV. Conclusiones

La Ley N° 21.210, publicada el 24 de febrero de 2020, incorporó en el artículo 2° N° 10 de la Ley sobre Impuesto a la Renta una definición

---

[55] Corte Suprema. 09 de mayo de 2019. Rol N° 18.222-2017. «Sociedad Concesionaria Costanera Norte S.A. con SII».

expresa de capital propio tributario, aclarando conceptos que hasta entonces sólo habían sido objeto de interpretaciones administrativas por el Servicio de Impuestos Internos.

El CPT representa, conceptual y cuantitativamente, al valor del patrimonio de una empresa, el cual, en un análisis evolutivo y desde una óptica tributaria, puede variar principalmente por: (a) los aportes, aumentos y disminuciones de capital y (b) el devengo o percepción de rentas o determinación de pérdidas tributarias.

De esta manera, las rentas o utilidades tributables, exentas o no tributables, forman parte del CPT a contar del 1º de enero del año siguiente al que éstas han sido percibidas o devengadas por la empresa, según el caso, incrementando por consiguiente el CPT. A su vez, las pérdidas tributarias (del régimen general) o de un régimen de exención o asociados a ingresos no constitutivas de renta, disminuyen el CPT a contar del 1º de enero del año siguiente a aquel en que tales pérdidas son deducibles para efectos tributarios de los ingresos respectivos.

Este concepto de capital propio tributario incorporado en virtud las modificaciones introducidas a la LIR por el artículo 2º de la Ley Nº 21.210, y el en sí CTP como institución, genera en nuestro sistema tributario una serie de efectos en materia de impuestos y determinación de las obligaciones tributarias, entre las cuales resultan especialmente relevantes los siguientes:

a) Sobre las normas sobre corrección monetaria;

b) Como límite o parámetro para la aplicación de ciertas sanciones;

c) Como valor para establecer límites a ciertos gastos, desembolsos o para el reconocimiento de ingresos (por ejemplo para la deducción de gastos o imputación de créditos por donaciones, en materia de deducción de gastos en Responsabilidad Social Empresarial y como base para el cálculo del *badwill* o *goodwill* tributario);

d) Como patrimonio a considerar en la división de una empresa o sociedad;

e) Como variable fundamental para la determinación de las rentas afectas a impuesto, tanto en el régimen general de tributación como en el Pro PYME;

f) Para el ejercicio de la opción establecida por el artículo 32° transitorio, en el caso de contribuyentes obligados a determinar su renta efectiva según contabilidad completa que al AT 2019 hayan informado al SII un CPT mayor o menor al que correspondía al 31 de diciembre de 2018;

g) Como base para la aplicación de patente municipal; y,

h) Como concepto clave en la resolución de controversias de índole tributaria por nuestros tribunales de justicia.

UN RÉGIMEN TRIBUTARIO MAS JUSTO PARA LAS PYMES

Soledad Recabarren*

Después de más de 18 meses por fin tenemos aprobada la Ley de Modernización Tributaria. El Proyecto de Reforma Tributaria originalmente presentado, en materia de tratamiento de Pymes, sufrió una serie de modificaciones, todas ellas a requerimiento de las diferentes agrupaciones de Pequeñas y Medianas Empresas (Pymes) organizaciones que se presentaron y actuaron de manera conjunta, tanto en la negociación con el M. de Hacienda, con los partidos de gobierno y con los de oposición.

En este artículo revisaremos la realidad económica de las empresas Pymes, para poder, en definitiva, entender el porqué era tan importante establecer una normativa especial, totalmente diferente a aquella que se aplica a las grandes empresas.

Posteriormente, veremos qué fue lo que se solicitó, cómo quedó finalmente la norma.

I. El mundo Pyme

Para iniciar el conocimiento del mundo Pyme, partiremos revisando una serie de datos obtenidos de la página de estadísticas del Servicio de Impuestos Internos (SII), la cual se basa en la información rescatada de los Formularios 22 presentados por personas y empresas en la Operación Renta de abril de 2019 (AT2019), y que corresponde al ejercicio comercial 2018.

---

* Abogado. Magíster en Comunicación Estratégica. Socio de Recabarren & Asociados. Director Ejecutivo de Fundación CELET. Coordinador del LLM UC con mención en Derecho Tributario.

Para iniciar, revisaremos una serie de datos que permiten caracterizar el universo Pyme, y su peso en el mercado, tanto en las ventas como en la capacidad de dar trabajo.

Fig. 1: Datos Mundo Pyme (Montos en CLP)

Tramo	Empresas	%	Ventas anuales	%	Trabajadores	Renta Declarada
Micro	762.137	75,65%	414.147.924	1,74%	672.385	89.999.787
Pequeña	202.604	20,11%	1.462.788.750	6,13%	2.030.324	270.556.877
Mediana	28.577	2,84%	1.362.257.612	5,71%	1.449.656	220.127.195
Sub total	993.318	98,60%	3.239.194.286	13,58%	4.152.365	580.683.859
Grandes	14.185	1,41%	20.614.002.308	86,42%	4.582.601	1.164.715.717
Sub total	1.007.503	100%	23.853.196.594	100,00%	8.734.966	1.745.399.576
S/Inform.	264.392				791.424	628.087
TOTAL	1.271.895				9.526.390	1.746.027.663

Como se puede apreciar en el cuadro anterior, del total de empresas con ventas declaradas al SII, el 98,6% son Pymes (esto si excluimos las empresas sin información). Si por el contrario, consideramos incluso aquellas empresas respecto de las cuales no se tiene información, y asumimos que son Grandes Empresas, las Pymes representarían el 78,1% del universo total de empresas en Chile.

En consecuencia, las Pymes, en número son, a lo menos, ¾ partes del mercado. Esto nos indica lo relevante que es la normativa que regula a un porcentaje tan importante del mercado, sea un sistema que mire su realidad, y que no se le aplique a este grupo normativa pensada y dictada para Grandes Empresas.

En esta tabla, además, se puede observar que, pese al alto número de empresas pymes existentes, las ventas efectuadas por éstas sólo representa el 13,5% de las ventas totales del país.

Esta participación en las ventas, no sólo es bajo; lo realmente preocupante es que en el año 2005 las pymes representaban el 17% del total de las ventas, el 2010 representaban el 16% y el 2015 representaban el 15% de las ventas.

Esto implica que las grandes empresas han ido incrementadas su participación en el mercado, mientras las pymes se han reducido, estableciéndose oligopolios que acaparan y controlan las ventas de muchos artículos de primera necesidad en Chile.

Cuando uno revisa la normativa legal que regula el mercado, podemos concluir que se fomentan las actividades sólo de las Grandes Empresas, y hace difícil y costoso el mantener una pyme. A modo de ejemplo, podemos señalar que si ambos grupos de empresas (pequeñas y grandes) deben cumplir con la misma normativa tributaria, el costo de esta carga administrativa, si se mide en función a las ventas o al margen de utilidad de cada empresa, es costo es muy superior en la pyme.

Lo mismo ocurre con los procesos de fiscalización, el SII ha dispuesto para las grandes empresas un fiscalizador o grupo de ellos en la Dirección de Grandes Contribuyentes, los cuales fiscalizan a través de un ejecutivo de cuenta especial, todas las actividades de cada gran empresa, mientras que las pymes tienen que soportar largas esperas para que un fiscalizador que tiene un sin número de casos revise su situación. Lo anterior, es aún peor, si a una pyme la llegan a fiscalizar por IVA y Renta al mismo tiempo, caso en el cual tendrá que concurrir a diferentes grupos de fiscalización, en momentos diferentes, e incluso duplicar la documentación que debe presentar a la autoridad tributaria, al no estar en línea la información de cada grupo de fiscalización.

Adicionalmente, las Grandes Empresas cuentan con asesoría profesional, en cambio las pymes carecen de todo apoyo, y virtualmente tienen que hacer una travesía por el desierto en materia tributaria. Esto se puede visualizar claramente cuando el SII liquida impuestos a una empresa: Las pymes, por ser empresas, no gozan del beneficio de pobreza y por tanto no pueden acceder a asesoría legal gratuita, y tampoco tienen la capacidad económica de contratar un abogado especialista, con lo cual se enfrentan solas al sistema judicial, en el cual, su contraparte es el SII el cual está representado por alguno de los muchos abogados especializados que trabajan en dicha institución.

En contraste, y pese a la baja participación de las pymes en el mercado, y a la desventaja en que se encuentran frente a las Grandes Empresas, las pymes generan entre un 43,5% y un 47,5% de los contratos de trabajadores dependientes (este porcentaje varia si se considera o no a las empresas sin información). Esto implica que, representando sólo un poco más del 10% de las ventas, dan la mitad de los puestos de trabajo dependiente, en Chile.

Adicionalmente, se hace necesario rectificar este porcentaje ya que, hay puestos de trabajo que utiliza el propio empresario y los miembros de su familia, los cuales no siempre tienen contratos de trabajo dependiente, ya que tal como lo comentaremos más adelante, no es permitido por el SII.

Lo anterior nos lleva a concluir que las pymes, aún cuando representan un 13% de las ventas del mercado, entregan puestos de trabajo que supera con creces el 50% de la capacidad de contratación privada de Chile.

Cuando uno analiza el problema de las pymes, se encuentra con que durante mucho tiempo se les ha dado el mismo tratamiento que a las grandes empresas, y esto se da no sólo en materia tributaria (como por ejemplo, el caso del castigo de deudores incobrables, normativa creada para el gran retail, y aplicada a todos los contribuyentes, sin distinguir tamaño), sino que también en materias medioambientales y laboral (ej. cotización adicional del 6%, salas cunas, jornada de 40 horas).

Esto implica que, la imposición de estas cargas, en el caso de las pymes, afecta a empresas con ingresos inferiores a las 100.000 Unidades de Fomento (UF), y con márgenes de rentabilidad bajo el 15%, tratándolas como si fueran Grandes Empresas.

Dada la diferencia económica entre pymes y grandes empresas, se hace necesario establecer una regulación detallada para el 2% de las empresas que generan el 87% de las ventas del país, ya que ellas son las que contribuyen en mayor medida al pago de impuestos. Sin embargo, carece de lógica que sea esta misma normativa se aplique a las pequeñas y medianas empresas.

En las siguientes secciones veremos la situación previa a la Ley Nº 21.210, sobre Modernización Tributaria, el debate que se dio en el contexto de la tramitación de esta reforma, y el resultado de ello.

II. Situación previa: como tributan las Pymes

En la sección anterior señalamos que uno de los problemas de las pymes, es que se les aplican las normas que regulan a las grandes empresas. En el ámbito tributario, el año 2014 se dictó, como parte de las reformas contenidas en la Ley N° 20.780, un nuevo artículo 14 ter en la Ley de Impuesto a la Renta, que pretendía darle un régimen diferenciado a las pymes, y que se esperaba aplicar a la gran mayoría de ellas. Sin embargo, por una serie de problemas de redacción de la norma, ésta tuvo una baja aceptación, y se acogieron a este régimen simplificado menos del 28% de las pymes.

De las estadísticas tomada de la página del SII, se puede establecer a qué régimen tributario se han acogido las pymes.

Fig. 2: Régimen Tributario de las Pymes

Tamaño de empresa	Número de Empresas			
	14 A	14 B	14 Ter	Total
Mipymes (<50.000 UF)	588.515	166.338	290.119	1.044.972
Otras empresas	5.073	17.932	193	23.198
Total	593.588	184.270	290.312	1.068.170
% de mipymes	56,32%	15,92%	27,76%	

Como se puede apreciar, sólo el 27,76% del total de las pymes con facturación inferior a 50.000 UF tributan en el régimen del artículo 14 Ter. La gran mayoría de las pymes, pese a poder acogerse a un régimen simplificado, optaron por tener una carga tributaria alta, y rechazaron el eximirse del pago de impuesto de primera categoría y tributar sólo con impuesto Global Complementario.

Pese a lo favorable del régimen pyme, el sistema no quedó bien hecho, y terminó aplicando a las pymes una normativa administrativa dictada para grandes empresas, o aplicándole restricciones injustas, como impedirle a los empresarios que optaban por acogerse al régimen del Artículo 14 ter el fijarse sueldo empresarial.

Adicionalmente, la normativa dictada en el año 2014 establecía que, si una empresa se acogía al 14 ter y tenía Utilidades Tributarias Acumuladas, estas se entenderían retiradas de inmediato y por su totalidad al momento de acogerse al régimen simplificado, lo que generó que muchos empresarios pymes se vieran gravados con una alta carga tributaria al momento de acogerse al artículo 14 Ter, llegando incluso a tener que poner fin a su negocio para pagar estos impuestos.

Esta norma fue un error, y por ello fue modificada en el año 2016, estableciéndose que la tributación por las utilidades acumuladas se realizaría en un plazo de 5 años a un 20% anual. Sin embargo, no se resolvió el problema de aquellos que debieron poner fin a sus negocios por este error legislativo.

Por su parte, el 56,32% de las pymes optó por tributar bajo el régimen atribuido, pagando impuesto de primera categoría con tasa 25%. La normativa establecida en el artículo 14 letra A de la LIR contemplaba registros contables muy similares a los que debían llevar las grandes empresas, pero teniendo que tributar con los impuestos finales por la utilidad generada en el año. Esto es, debían tributar en el mismo ejercicio en que se generaba la utilidad en la pyme, con Impuesto de Primera Categoría y Global Complementario.

Es importante hacer presente que la tasa media de Impuesto Global Complementario que grava a los empresarios pymes no supera el 11%, con lo cual, si una pyme tributa con tasa 25% (régimen atribuido), termina pagando más impuestos que los que efectivamente lo afectan. El exceso de impuesto será recuperado por el empresario en mayo del año siguiente al de pago del impuesto (PPM), lo que implica que la pyme financia al Estado, durante un año y sin cobrar intereses.

Finalmente, un 15,92% de las pymes tributa en el régimen semi integrado, estando afectas a un impuesto de primera categoría con tasa 27%, y existiendo para este grupo de empresarios una pérdida del 35% del crédito por impuesto de primera categoría, lo que implica que estos empresarios pagan 9,45 puntos adicionales de tributación.

En consecuencia, la carga tributaria que soportan el 72% de las pymes (atribuido y semi integrado) es excesiva, y mucho más alta que la que afecta al empresario pyme cuando éste declara su impuesto global complementario.

Para acreditar cual es la carga tributaría efectiva que tienen los empresarios pymes afectos al impuesto global complementario, pasaremos a analizar las estadísticas del SII sobre el número de contribuyentes en diferentes tramos de carga tributaria:

Fig. 3: Carga Tributaria Empresarios Pyme

	Personas Naturales Contribuyentes de IGC		
Tramo	Tasa Efectiva	%	% acumulado
1	0%	74,96%	
2	2,2%	16,35%	91,31%
3	4,52%	4,62%	95,93%
4	7,09%	1,72%	97,65%
5	10,62%	0,87%	98,52%
6	15,37%	0,67%	99,19%
7	15,37% o +	0,81%	100,00%

Si aplicamos el porcentaje existente de empresas pymes (98,59%) al número de los contribuyentes afectos a Impuesto Global Complementario, tendríamos que concluir que la tasa efectiva máxima que afecta a un empresario pyme no es superior al 10,62%. Sin embargo, una gran parte de los empresarios pyme paga ente un 25% o un 27% de impuesto de primera categoría, lo que implica que estos contribuyentes pagan a nivel de la empresa a lo menos el doble del impuesto que les corresponde como personas.

En su programa de gobierno, la Presidenta M. Bachelet se comprometió a mejorar la situación de las pymes, indicándose, en el Mensaje del Proyecto de Reforma Tributaria que el régimen simplificado del artículo 14 ter de la LIR beneficiaría aproximadamente al 97% del universo pyme.

Si bien es cierto que el artículo 14 ter constituyó un mejoramiento de la situación de las pymes, no es menos cierto que estuvo lejos de beneficiar a un alto porcentaje de estas empresas, ya que, como lo señalamos, sólo se acogieron a este régimen simplificado el 27,76% de las empresas con ventas inferiores a las 50.000 UF.

Esta situación fue latamente analizada por los gremios de las pymes, y su diagnóstico para explicar por qué no se logró el porcentaje estimado inicialmente por el gobierno de la Presidenta Bachelet, incluye múltiples razones, entre las cuales se encuentran las siguientes:

- Primero, no se podían acoger al Artículo 14 Ter, ni al Régimen Atribuido, las empresas pymes que tienen un socio que es contribuyente de primera categoría. En este caso, ni siquiera se excluían de esta prohibición ni los capitales ángeles, ni las incubadoras que apoyan con aportes de capital a emprendedores.

- Aquellas empresas con giro inmobiliario, no se podían acoger al Artículo 14 Ter. Esta prohibición se mantiene en la normativa Pro Pyme dictada en la Ley de Modernización Tributaria.

- Se considera relevante la opción legal que toma la pyme al constituirse, ya que, si se constituía como Sociedad Anónima, o como sociedad por acciones, no se podían acoger al régimen del Artículo 14 Ter. Tampoco se podían acoger a este régimen las Corporaciones, las Fundaciones ni las Cooperativas.

- En el caso de existir FUT acumulado en la empresa pyme, por el sólo hecho de acogerse al Artículo 14 Ter, en el año 2014 se gatillaba automáticamente la tributación con impuesto global complementario por el total de estas utilidades acumuladas.

Sólo en el año 2016, se trató de mejorar esta norma, estableciéndose que el saldo FUT no se devengaba de inmediato, sino que se debía tributar por el en 5 ejercicios. Sin embargo, y tal como lo señalamos, esta norma no reguló ni solucionó la situación de los muchos empresarios pymes a quienes se les gatilló el impuesto y se encontraban en proceso de cobranza por parte del SII o Tesorería.

III. Debate: proyecto de modernización tributaria

El Proyecto de Modernización Tributaria, presentado por el Presidente Piñera en agosto de 2018, mejoraba la normativa que regulaba a las pymes. Sin embargo, el texto inicialmente planteado en el Proyecto mantenía una serie de problemas que aún generaban inconvenientes a las pymes.

Demoró casi un año de negociaciones el lograr el texto propuesto en el artículo 14 letra D Nº s 3 y 8 de la LIR.

Las pymes señalaron a lo largo de la negociación que había 20 problemas que hacían imposible que el artículo 14 ter pudiese ser una opción válida para la gran mayoría de las pymes.

Analizaremos cada uno de estos 20 problemas y el grado de solución dado por el gobierno del presidente Piñera en conjunto con la Comisión de Hacienda de la Cámara de Diputados, los hemos separado en tres grupos: (i) Puntos corregidos, (ii) Puntos parcialmente solucionados, y (iii) Puntos no resueltos.

1. Puntos corregidos

1. Simplicidad del Régimen. Se logró una redacción más simple para la normativa Pro Pyme, en el artículo 14 letra D Nº s 3 y 8 de la LIR.

2. Tipo de contribuyente. El artículo 14 ter, y en general toda la reforma de 2014, se construyó en base a los tipos sociales que podían tener las empresas, y no a su tamaño. Las pymes solicitaron que se eliminaran las restricciones por tipo social, pudiendo acogerse al régimen Pro pyme cualquier entidad. Finalmente el Gobierno acepto que el criterio usado para acogerse a la norma Pro Pyme, fuere exclusivamente el nivel de facturación, excluyéndose por tipo legal sólo a las Sociedades Anónimas Abiertas.

3. Límite de Ingresos. Se amplió el límite para acogerse al régimen pyme de 50.000 UF de ingresos brutos a 75.000 UF. Este incremento no era el esperado por los gremios pymes, ya que éstos aspiraban que, en materia tributaria, se aplicara el mismo limite que existe en el resto de la legislación, la cual califica como pyme a las empresas con ventas inferiores a las 100.000 UF. Sin embargo, esto constituyó un avance.

4. Sueldo empresarial. Todos los empresarios de Chile, tienen el derecho a fijarse un sueldo empresarial de hasta 80,2 UF, el cual es un gasto deducible en la empresa, siempre que esta cumpla con la obligación de efectuar cotizaciones previsionales al em-

presario, el cual además estará afecto a impuesto de segunda categoría por el sueldo recibido.

Si bien este beneficio fue redactado en términos amplios, el SII señaló que no era aplicable a las empresas acogidas al artículo 14 Ter. Esta restricción fue fundada en que los empresarios pyme acogidos a este régimen no estaban obligados a llevar contabilidad completa, y por ello no podían fijarse sueldo empresarial.

Los empresarios pymes solicitaron tener derecho a este beneficio, primero, porque esto no implica no tributar, ya que se paga impuesto de segunda categoría por el sueldo empresarial, y además se debe reliquidar, en abril las rentas percibidas o atribuidas al empresario, quien deberá afectarlas al impuesto global complementario, con los créditos correspondientes, por los impuestos de primera o segunda categoría ya pagados. Adicionalmente, al tener el empresario pyme un sueldo empresarial, éste se verá obligado a realizar cotizaciones previsionales y de salud, con los beneficios que esto genera.

El Proyecto de Modernización reconoce en el artículo 14 letra D, el derecho del empresario pyme a tener sueldo empresarial por un monto equivalente al tope máximo imponible. Adicionalmente, las modificaciones del artículo 31 de la LIR sobre gastos, le permite, a los empresarios de cualquier tipo de sociedad fijarse sueldo empresarial, siempre que sea a valores de mercado, y sea razonablemente proporcionado a las características de la respectiva empresa.

5. Norma de transparencia. Esta norma permite eximir a la empresa del pago del impuesto de primera categoría, con la obligación de que el empresario tribute, en el mismo ejercicio, con los impuestos finales correspondientes, y sin crédito. Antes el empresario pyme debía acogerse expresamente a este sistema, en cambio hoy, se establece que este beneficio operará de forma automática, no requiriéndose que el contribuyente ejerza ninguna opción, si cumple con todos los requisitos. Se exige una declaración del contribuyente sólo en caso de querer renunciar a este sistema de transparencia.

En efecto, este constituye un gran cambio, ya que antes la empresa tenía que optar por el sistema de transparencia, y si no se ejercía esta opción, la pyme debía llevar contabilidad completa, y se veía acogida al régimen atribuido o semi integrado, dependiendo del tipo social adoptado por la pyme.

Este cambio es relevante en la práctica, ya que en caso de existir un conflicto entre una pyme y el SII, el régimen general que fije la ley, determina cómo debe probar la empresa sus alegatos.

Antes, si una empresa no calificaba para ser 14 Ter, debía tributar con contabilidad completa en el sistema atribuido o semi integrado. Hoy si el SII en un proceso de fiscalización sostiene que una pyme no cumplía todos los requisitos para acogerse al régimen de transparencia, deberá tributar de acuerdo a la regla general de las pymes, que tributan en el sistema simplificado pero con contabilidad completa.

6. Incorporación y salida. La reforma de 2014 estableció que una sociedad que registraba FUT debía tributar por el total de dichas utilidades en el ejercicio en el cual la empresa se acoge al artículo 14 Ter. Esto causó perjuicio para las empresas pymes:

(i) El SII a través de su sitio Web, le recomendaba a la totalidad de las pequeñas y medianas empresas acogerse al nuevo Artículo 14 Ter, sin realizar distingos en base a los registros de las sociedades.

(ii) El SII realizó una serie de liquidaciones y juicios de cobro de impuestos a pymes, por haberse gatillado la tributación sobre el FUT acumulado, pese a haberse recomendado esto por el propio SII, y

(iii) Por su parte, los contribuyentes que cumplían con los requisitos para acogerse al 14 Ter, y que fueron asesorados, no ejercieron esta opción, porque registraban FUT.

En el 2016, para tratar de corregir estos problemas, se permitió diferir la tributación de este FUT, en el plazo de 5 años.

La norma establecida en el Proyecto de Modernización Tributaria, aprendió de este error y permite tributar por las utilidades acumuladas en el RAI, en el plazo de 10 años, siendo aplicable este beneficio a todas las empresas que se deseen acoger a las normas Pro Pyme.

7. Corporaciones y Fundaciones. En la legislación de 2014, no se estableció el sistema tributario aplicable a las Corporaciones y Fundaciones, aclarándose posteriormente que este tipo de entidades no estaban acogidas a ningún régimen tributario, pero que, de generar rentas afectas al impuesto de primera categoría, tributarían con tasa 25%. En el Proyecto de Modernización Tributaria nuevamente se estableció que estas entidades no están acogidas a ningún régimen tributario, sin embargo, pareciera concluirse que si estas entidades cumplen con los requisitos para acogerse al régimen Pro Pyme, se pueden acoger a este régimen simplificado.

8. Cooperativas. En el sistema establecido en la Reforma tributaria del año 2014 y 2016, las cooperativas sólo podían estar acogidas al sistema semi integrado (artículo 14 letra B de LIR), independientemente del nivel de facturación de dicha entidad. El Proyecto de Modernización Tributaria permite que, cualquiera sea la estructura legal de la empresa, en la medida que se cumplan los requisitos de ingresos brutos estas se puedan acoger a la norma Pro Pyme. Entendemos, eso sí, que es bajo el sistema simplificado.

9. Registros. Ya no es obligatorio para las pymes, tener otro registro que una contabilidad simplificada en base a ingresos y egresos. Esta contabilidad considera ingreso tributable cualquier percepción de activos, y gasto cualquier desembolso que realice la empresa.

Esta información se comparará con el control que lleva el SII por emisión y recepción de boletas y facturas electrónicas.

10. Informe de ingresos y egresos. De acuerdo con la normativa establecida en la Reforma Tributaria y a las instrucciones del SII, las pymes debían registrar en el libro caja una a una las operaciones realizadas en el día. En la normativa de Modernización Tributaria se indica que no es necesario registrar todas y cada

una de las operaciones, sino que bastaría con un resumen diario, lo cual simplifica las obligaciones del empresario pyme.

11. Impuesto adicional por programas de trabajo. Para las empresas pymes era necesario mantener la norma del artículo 14 ter letra B de la LIR, que declaraba exento de impuesto adicional el pago al exterior por programas que le permiten el empresario pyme desarrollar su trabajo. Esta exención se mantiene en la normativa de Modernización Tributaria.

12. Sucesión de empresas pymes. En una pyme familiar, necesariamente llegado el momento de retiro del padre, debe transferirse a el o los hijos que trabajaran en la empresa la propiedad de ésta. En el texto de la Reforma Tributaria se presumía que una operación entre personas relacionadas es tasable, lo que constituía una presunción de mala fe, que afectaba mayoritariamente a las pymes.

Las pymes solicitaron que se les aplicaran las reglas generales en este tipo de operaciones, correspondiendo que se presuma que las operaciones se realizan a valores de mercado en la venta de inmuebles, procediendo la tasación sólo cuando la operación no se realiza a valores de mercado, criterio que fue aceptado.

13. Cobertura potencial. Las pymes han estimado que simplificándose el sistema este tiene el potencial de llegar a un alto número de empresas, lo que podría acercarse al 97% deseado.

2. Los Puntos corregidos parcialmente a través de la negociación de las pymes con el M. de Hacienda y con los partidos de gobierno y oposición

1. El concepto de gasto se debe relacionar con el de ingresos. El concepto actualmente usado, es que los gastos son deducibles sólo en la medida que sean necesarios para producir la renta, y la definición de «necesario» se ha ido restringiendo por las reiteradas interpretaciones dadas por el SII, en las que se estima que, para ser aceptados como rebaja de la renta líquida imponible, los gastos deben ser necesarios, obligatorios e ineludibles.

Se solicitó, por parte de las pymes, ampliar la definición de gasto deducible a la definición dada por la Corte Suprema que considera gastos deducibles aquellos que directa o indirectamente se relacionen con el giro o actividad desarrollada por la empresa. Este criterio inicialmente fue aceptado al modificarse el artículo 31 de la LIR, sin embargo, vía indicaciones fue restringiendo este concepto, con lo cual fue incorporada parcialmente esta petición.

2. Normas de relación. La Reforma Tributaria definía en el 2014 las normas de relación de acuerdo con la normativa establecida en la Ley de Mercado de Valores, lo cual, en muchos casos no era aplicable, o permitía interpretaciones que no correspondían, cuando estábamos frente a empresas pymes. El texto de la Ley de Modernización Tributaria redefinió el concepto de partes relacionadas, para que éste se aplique exclusivamente a materias tributarias, quedando reguladas en el artículo 8º número 17 del Código Tributario.

3. Giros restringidos. Se elimina la restricción por giros, y se opta por el monto de ventas de la empresa como principal definición para calificar a una empresa como pyme. Sin embargo, por los topes de rentas pasivas que puede tener una pyme, las empresas inmobiliarias no pueden acogerse a la normativa Pro Pyme.

4. Créditos incobrables. Se solicitó la dictación de una normativa especial que permita a las pymes castigar créditos incobrables, solicitándose expresamente que no se les aplique la normativa de la Circular Nº 24 de 2008, la cual fue dictada para el castigo de deudores incobrables del Gran Retail. Se estableció que se dictarán procesos especiales de castigo de incobrables para las empresas pymes.

3. Materias que aún es necesario corregir

1. Zonas Francas. Actualmente no es posible que las pymes establecidas en Zonas Francas puedan acogerse a la normativa Pro Pyme, ya que la mayoría de los beneficios de zonas extremas

requieren tener contabilidad completa para hacer uso de ellas. Esta limitación carece de sentido, y es necesario rectificar ese error.

2. Incorporación de las empresas en renta presunta. Mucho se ha discutido sobre la eliminación de la Renta Presunta, sin embargo, uno de los temas que se requiere mejorar para poder avanzar en dicho sentido es la normativa transitoria para hacer que el cambio de un régimen de renta presunta a uno de renta efectiva simplificada (normas Pro Pymes), sea una transición de fácil implementación y, en particular, es necesario que se permita registrar los inmuebles al valor de mercado a la fecha del cambio de régimen tributario.

3. FUT de las microempresas. Las empresas pymes que facturan menos de 2.400 UF, deberían quedar liberadas de devengar el FUT acumulado, ya que si consideramos la tasa efectiva que afecta a estos microempresarios, podemos concluir que el impuesto global complementario determinado es inferior al crédito acumulado en el FUT. Dada esta realidad, debiera darse por compensada automáticamente la obligación tributaria de los microempresarios con los créditos acumulados en esa pyme, simplificándose en consecuencia el sistema y el control administrativo asociado a éste.

Como se puede ver, las empresas pymes han sufrido una larga travesía para llegar ahora a un régimen que, razonablemente, les permita frenar la caída en la participación de mercado que los afecta. Asimismo, es importante que este sistema tributario sea un sistema simple, en el que el empresario pague el impuesto que le corresponde, y no tenga que endeudarse para pagar impuestos que después se le tienen que devolver por resultar excesivos los créditos.

IV. Resultado de las modificaciones: definición de Pymes

La nueva normativa legal establece que son pymes las empresas que cumplan las siguientes condiciones:

1. Que su capital efectivo al momento del inicio de actividades no exceda las 85.000 Unidades de Fomento. Esto se determina de acuerdo con el valor de la UF al primer día del mes en que se inicia actividades.

2. El promedio anual de ingresos brutos (precios de venta, remuneración de servicios y otros ingresos) que sean percibidos o devengados durante el ejercicio, no exceda de 75.000 UF.

   a. Para ingresar a este sistema Pro Pyme se deben considerar los ingresos de los últimos 3 años (o menos, si la empresa tuviere una existencia menor), debiendo no exceder estos el promedio anual indicado.

   b. Una vez que se está acogido al Régimen Pro Pyme, se debe mantener este promedio anual de ingresos de no más de 75.000 UF, en los últimos 3 ejercicios, considerándose sólo los ejercicios en los cuales la empresa esté acogida al sistema Pro Pyme.

   c. En esta medición trianual, se puede exceder el tope en un solo ejercicio, siempre que no se excedan las 85.000 UF, y el promedio anual del trienio se mantenga en 75.000 UF anuales.

3. Son ingresos brutos para este cálculo todos los ingresos vinculados al giro o actividad desarrollada por la empresa, excluyéndose:

   a. Los ingresos extraordinarios como las ganancias de capital, o las rentas esporádicas tales como venta de activo fijo.

   b. No se considera ni el IVA, u otro impuesto adicional o específico que deba recargarse.

   c. Los créditos incobrables que correspondan a ingresos devengados que se castiguen durante el ejercicio.

   Para fijar este límite se usa el valor de la UF del último día del mes que se está calculando.

4. Para facilitar el control de este límite, el promedio de ingresos brutos se determinará en base a la información de ventas contenida en el registro electrónico de compras y ventas que lleva

el SII. Esta información deberá ponerla el SII a disposición del contribuyente, para que éste la complemente o la ajuste, si fuere necesario.

5. Las reglas Pro Pyme, establecen una norma de control, para evitar de que un contribuyente por la vía de la generación de más de un vehículo, dividiendo de esta forma sus ingresos, utilizando indebidamente el sistema que fue pensado sólo para pymes.

Es por ello que, para ser considerado pyme no sólo se computan los ingresos brutos propios, sino que también se deben sumar a estos, los ingresos brutos de las empresas relacionadas.

a. El artículo 8 N° 17 del Código Tributario define partes relacionadas en los siguientes términos: «Salvo que alguna disposición legal establezca algo distinto, se entenderá por "relacionados":

a) El controlador y las controladas. Se considerará como controlador a toda persona o entidad o grupo de ellas con acuerdo explícito de actuación conjunta que, directamente o a través de otras personas o entidades, es dueña, usufructuaria o a cualquier otro título posee o tiene derecho a más del 50% de las acciones, derechos, cuotas, utilidades o ingresos, o derechos a voto en la junta de accionistas o de tenedores de cuotas de otra entidad, empresa o sociedad. Estas últimas se considerarán como controladas.

Para estos efectos, se entenderá que existe un acuerdo explícito de actuación conjunta cuando se verifique una convención entre dos o más personas o entidades que participan simultáneamente en la propiedad de la sociedad, directamente o a través de otras personas naturales o jurídicas controladas, mediante la cual se comprometen a participar con idéntico interés en la gestión de la sociedad u obtener el control de la misma.

b) Todas las entidades que se encuentren bajo un controlador común.

c) Las entidades y sus dueños, usufructuarios o contribuyentes que a cualquier otro título posean, directamente o a través de otras personas o entidades, más del 10% de las acciones, derechos, cuotas, utilidades o ingresos, o derechos a voto en la junta de accionistas o de tenedores de cuotas.

d) El gestor de un contrato de asociación u otro negocio de carácter fiduciario respecto de la asociación o negocio en que tiene derecho a más del 10% de las utilidades. Asimismo, los partícipes de un contrato de asociación u otro negocio de carácter fiduciario respecto de la asociación o negocio en que tengan derecho a más del 10% de las utilidades.

e) Las entidades relacionadas con una persona natural de acuerdo a los literales c) y d) anteriores, que no se encuentren bajo las hipótesis de las letras a) y b), se considerarán relacionadas entre sí.

f) Las matrices o coligantes y sus filiales o coligadas, en conformidad a las definiciones contenidas en la ley Nº 18.046».

b.   Para efecto de la determinación del total de los ingresos brutos se suma la totalidad de los ingresos brutos indicados en las letras a) y b) precedente, esto es, aquellos correspondientes a entidades controladas. Además, se considerará la proporción de los ingresos brutos que le corresponde en base a la participación en el capital, utilidades o derecho a voto, lo que resulte mayor, respecto de las letras c), d) y e) precedentes. Siendo obligación de las empresas relacionadas informar a la empresa pyme correspondiente el monto de ingresos que debe sumar para efecto de determinar el tope de ingresos brutos.

6.   El monto de los ingresos brutos, deberá sufrir ciertos ajustes:

a.   Se deben deducir los deudores incobrables que correspondan a ingresos devengados, y que sean castigados durante el ejercicio en curso.

b.   Se deben sumar los ingresos brutos percibidos o devengados por empresas o entidades relacionadas, sean estas propias del giro, o proveniente de tenencia, rescate o enajenación de inversiones en acciones, derechos sociales o participaciones en otro tipo de entidades.

7. Hay una limitación adicional, de acuerdo con la cual la pyme no puede percibir más de un 35% de sus ingresos, (i) de rentas de bienes raíces, con la excepción de las que provengan de la explotación de bienes raíces agrícolas, (ii) las rentas de capitales mobiliarios, o (iii) de las rentas provenientes de la posesión o tenencia a cualquier título de derechos sociales, acciones o cuotas en fondos de inversión.

8. Una pyme a contar de la vigencia de esta normativa, puede tener un socio empresa, el cual puede estar sujeta a cualquier régimen tributario, sea con contabilidad completa o simplificada.

9. No se pueden acoger al régimen Pro Pyme de transparencia las (i) Sociedades Anónimas Abiertas, (ii) las Corporaciones y Fundaciones reguladas en el Título XXXIII del Código Civil, ni (iii) las empresas en que el estado sea el titular del 100% de la propiedad.

10. Son sujetos de esta normativa las Cooperativas que cumplan todas las condiciones para acogerse. Esto es relevante ya que antes de este cambio legal las cooperativas no podían acogerse al 14 Ter.

V. Sistema tributario Pro Pyme

El texto legal aprobado y promulgado, permite que las empresas pymes y sus dueños puedan optar, a contar del 1 de enero de 2020, a una de las tres opciones de régimen tributario que se regulan en el artículo 14 de la LIR.

1. Un Régimen Simplificado de Transparencia Tributaria

El régimen general Pro Pyme es un sistema simple, en el cual, de optarse por la opción de transparencia, la empresa se exime del pago del impuesto de primera categoría (porque se opta por tributar automáticamente con los impuestos finales; global complementario o adicional). Una pyme sujeta a esta opción, quedará automáticamente liberada de la obligación de llevar contabilidad o registros.

Bajo este sistema, el resultado del ejercicio se determina de acuerdo con los movimientos de caja que registra la empresa, considerándose cualquier pago o precio recibido como un ingreso y cualquier desembolso como un gasto, y constituyendo el saldo de caja final la utilidad que se atribuye al empresario para que éste tribute con impuesto global complementario, sin derecho a crédito, ya que dicha utilidad no se ve afecta a impuesto de primera categoría. (ex-artículo 14 ter mejorado).

Las empresas nuevas, al momento de realizar su iniciación de actividades, si no ejerce el derecho a optar bajo otro régimen tributario de transparencia, quedarán acogidas, por el sólo ministerio de la ley, al Régimen Pro Pyme, pero con contabilidad completa, y tributando en base a retiros. Para acogerse al régimen transparente, la opción debe ser manifestada expresamente.

Las empresas que ya existen al 31 de diciembre de 2019, y que se encuentran tributando bajo los regímenes del artículo 14 letras A o B de la ex LIR, y que cumplen con los requisitos de optar al régimen Pro Pyme, pasarán de pleno derecho a estar acogidas al sistema Pro Pyme simplificado. En esta opción, se entiende que la pyme debe llevar contabilidad completa y tributa con impuesto de primera categoría de tasa 25% y los dueños tributan en base retirada. No obstante, es posible optar, antes del 30 de abril, por acogerse al régimen Pro Pyme transparente, caso en el cual la empresa se libera de llevar contabilidad y de pagar impuesto de primera categoría.

Si la sociedad ya existente, estaba acogida al artículo 14 Ter, y cumple los requisitos, de pleno derecho se incorpora al régimen Pro Pyme transparente.

2. *Contabilidad simplificada, en base a retiros*

Al igual que en el caso anterior, una empresa puede llevar una contabilidad simplificada, en base caja, siempre que lo solicite expresamente. Sin embargo, al no optarse por el régimen de transparencia tributaria, automáticamente, el resultado determinado (bajo contabilidad completa o simplificada) se verá afecto a impuesto de primera categoría con tasa de 25%, y el socio o accionista tributará con impuesto global complementario sólo por los montos efectivamente retirados, pudiendo usarse íntegramente el impuesto de primera categoría pagado, como crédito contra el impuesto global complementario. Este es un sistema totalmente integrado.

Si una empresa ya existe, y no estaba acogida al régimen pyme del artículo 14 Ter, pero si cumple los requisitos del régimen Pro Pyme, quedará bajo este régimen Pro Pyme simplificado, de pleno derecho.

3. Contabilidad completa, en base a retiros

Una empresa pyme puede optar por tributar en base al sistema semi integrado, con todas las consecuencias que ello implica.

En consecuencia, en el sistema tributario Pro Pyme, las pequeñas y medianas empresas con ingresos brutos inferiores a las 75.000 UF tienen la posibilidad de acogerse a diferentes sistemas tributarios, que se definen en una escala de tres peldaños ya vista someramente, y estableciéndose a su respecto una serie de requisitos, los cuales pasaremos a analizar en más detalle:

4. Primer piso: Artículo 14 letra D Nº 8. Régimen de Transparencia

Es la puerta de entrada a la tributación, ya que, por su simplicidad, favorece la formalización de las micro y pequeñas empresas.

Cuando se dice que «menos es más», nos encontramos frente a la definición de la nueva normativa Pro Pyme transparente.

El Nº 8 de la letra D del artículo 14 de la LIR, no es sino el artículo 14 ter mejorado, que ahora establece la siguiente regulación:

1. Se permite acceder a este régimen a todo tipo de contribuyentes, sin importar su estructura jurídica.

2. Para acogerse a este sistema de transparencia, la empresa deberá informarlo al momento del inicio de actividades, o antes del 30 de abril del año siguiente.

Esta opción debe constar en una declaración jurada del empresario unipersonal, o mediante escritura pública suscrita por la unanimidad de los socios, y en el caso de las Sociedades Anónimas en acuerdo tomados en Junta Extraordinaria de Accionistas, por 2/3 de las acciones con derecho a voto. Este acuerdo que debe ser reducido a escritura pública.

3. Si optan por esta opción no estarán obligados a llevar contabilidad, solo deben llevar un libro de ingresos y egresos que debe registrar un resumen diario. Sin embargo, si quieren llevar contabilidad, por razones de control o gestión, esto no impide que sigan tributando en el régimen simplificado en base caja.

4. Pueden acceder a este sistema todas las empresas que registren ventas por un monto máximo de 75.000 UF.

    El SII pondrá a disposición del contribuyente dentro de la segunda quincena de abril la información de compras y ventas, para que la pyme declare y pague los impuestos correspondientes, ajustando o modificando esta información si procediere.

5. No deben efectuar corrección monetaria.

6. Aplican depreciación instantánea e integra, en el ejercicio en que se adquiera o sea fabricado el activo fijo.

7. Se reconoce como gasto del ejercicio:

    a) La compra de existencias e insumos, aun cuando no se hayan vendido o consumido al término del ejercicio.

    b) Las cantidades efectivamente pagadas por concepto de importaciones, prestaciones de servicios, remuneraciones, intereses.

    c) Las pérdidas de ejercicios anteriores.

    d) Los créditos incobrables castigados durante el ejercicio.

    e) Si un bien se adquiere con pago a plazo, sólo serán deducibles las cuotas efectivamente pagadas.

8. En el caso de inversiones, se reconoce el costo en el ejercicio en que esta se enajene, y para determinar el resultado se deducirá el costo de adquisición reajustado por IPC, entre el mes anterior a la compra y el mes anterior a la venta. Esta enajenación, si es

esporádica, no forma parte de los ingresos brutos para efectos de la determinación de las 75.000 UF.

9. La utilidad del ejercicio se determina en base a los ingresos y egresos registrados en el libro caja.

10. El no contar con registros especiales implica que estos contribuyentes no pueden hacer uso de los beneficios de ingresos no renta o rentas exentas de impuesto.

11. Si perciben rentas de sociedades, las rentas percibidas se reconocerán incrementadas con el crédito, y este crédito informado, podrá ser usado por los socios o accionistas en contra de sus rentas afectas a impuestos finales.

12. No aplica a estas empresas el impuesto control de «gasto rechazado» del artículo 21 de la LIR.

13. Pueden hacer uso del crédito por compra de activo fijo, el cual usarán los dueños en contra sus impuestos finales. El SII entregará a los dueños información de los créditos a los cuales tienen derecho.

14. Queda liberado del pago del impuesto de primera categoría, pero sus socios o accionistas deberán tributar con el impuesto global complementario o adicional, por la utilidad generada por la empresa, sin derecho a crédito.

15. Tiene reglas especiales para la determinación de los Pagos Provisionales Mensuales (PPM). El primer año la tasa será de 0,20%.

    A contar del segundo año, si los ingresos brutos son inferiores a las 50.000 UF la tasa de PPM será de 0,20%, si los ingresos brutos exceden las 50.000 UF la tasa de PPM será de 0,5%.

16. Este sistema tiene el beneficio de que, para los contribuyentes Pymes, los gastos de cumplimiento no excederán el impuesto que deben pagar al Fisco.

17. Permite tener «Capitales Ángeles», como socios, sin comprometer el régimen simplificado Pro Pyme.

18. Hasta las 50.000 UF de ventas sólo pagarán patente municipal por el mínimo, esto es, 1 UTM al año.

19. Determinará el Capital Propio Tributario sumándole al capital efectivamente enterado, los incrementos de capital y restando las disminuciones de capital, todas ellas reajustadas por IPC.

20. No aplica la norma de los artículos 60 bis y siguientes del Código Tributario, esto es fiscalización en línea, y exigencias sobre registros computacionales.

21. Tienen posibilidad de sustituir multas por capacitación tributaria impartida por el SII (artículo 165 N° 3 CT).

22. Las utilidades determinadas serán tributadas por los socios o accionistas en los términos en que hayan acordado distribuirla, en el pacto social, si no procediere esta regla, por lo pactado en escritura pública, y si esto no puede aplicarse, se imputarán de acuerdo con las participaciones en el capital social enterado, y en su defecto de acuerdo con el capital suscrito.

23. Anualmente la empresa acogida al sistema transparente deberá informarle al SII quienes son sus socios, para efectos de permitirles el uso del PPM pagado por la empresa, o los créditos recibidos o generados por la empresa, si fuere procedente.

5. *Segundo Piso: Contabilidad simplificada*

1. Estos contribuyentes tienen obligación de llevar contabilidad, la cual puede ser simplificada, en base caja, o pueden llevar contabilidad completa. Si se opta por contabilidad en base a caja, esta opción debe ser solicitada por escrito al SII, de acuerdo con las instrucciones que este organismo emita.

2. Están afectas a un impuesto de primera categoría con tasa de 25%.

3. Deben realizar PPM de tasa 0,25% al inicio de sus actividades. Si los ingresos del año anterior no exceden las 50.000 UF mantiene la tasa de 0,25%, y si excede este monto, la tasa de PPM se incrementa a un 0,5%.

4. Los socios tributan sobre base retirada, y pueden usar como crédito el 100% del impuesto de primera categoría pagado, debido a que existe integración total de impuestos en este régimen.

5. Tienen que determinar Capital Propio Tributario (CPT). Para calcular el CPT, se parte sumándole al capital efectivamente enterado, las bases tributables (RLI) de cada ejercicio, más las rentas percibidas con motivo de tener participaciones en otras sociedades. Se le restan las pérdidas acumuladas, los retiros y distribuciones de utilidades, y los gastos rechazados. Este resultado es el monto de capital propio tributario, el cual deberá ser informado al SII.

6. Paga patente municipal en base al Capital Propio Tributario determinado.

7. Si optan por la contabilidad simplificada, no tienen obligación de llevar ningún tipo de registro, debiendo sólo llevar un libro caja que le permite determinar el resultado del ejercicio como la diferencia entre las entradas y salidas de caja anotadas.

8. Si la empresa genera o percibe rentas exentas de los impuestos finales o ingresos no renta, y se desea hacer uso de este beneficio, se deberá llevar el registro REX.

9. Por su parte, si asigna créditos a sus socios o accionistas (por recibir rentas con crédito), deberá llevar el Registro SAC, para controlar la tasa del crédito y la naturaleza de éste, debiendo distribuirse primero los créditos sin restitución y luego los créditos con restitución.

10. A este grupo de contribuyentes, si se les aplican las normas sobre gastos rechazado del artículo 21 de la LIR.

11. Estos contribuyentes tienen gastos de cumplimiento menores a los actuales, los cuales se consideran aceptables para medianas empresas.

12. Permite tener aportes de «Capitales Ángeles», sin comprometer el régimen simplificado Pro Pyme.

13. Los dueños de la pyme tributan con su impuesto global complementario, o impuesto adicional, en base a los retiros realizados.

6. *Tercer Piso: Contabilidad Completa*

Este es el mayor rango de cumplimiento, y corresponde al sistema tributario y contable aplicado a las grandes empresas. No lo explicaremos largamente ya que es el que se aplica a las grandes empresas que tributaban bajo el régimen del artículo 14 letra B de la LIR.

En este caso la empresa se verá afecta a un impuesto de primera categoría de tasa 27%, los dueños tributarán en base a sus retiros, pero el impuesto de primera categoría constituirá crédito contra sus impuestos finales, global complementario o adicional, sólo en un 65% del impuesto pagado. Esto es, el empresario tendrá crédito de sólo un 17,55%, por encontrarse el impuesto de la empresa y el de los dueños parcialmente integrado.

El régimen aplicable a las pymes queda razonablemente compatible con la concentración excesiva de la economía chilena, permitiéndole a las pequeñas y medianas empresas funcionar con una menor carga administrativa.

VI. Facilidades incorporadas en la ley para obtener financiamiento

1. Créditos bancarios. Con la finalidad de que el mercado financiero pueda acceder a la información contable y financiera de la Pyme, el SII, a petición del empresario, entregará un informe sobre la situación tributaria de la pyme.

   Si bien esto se considera un avance, lo relevante será la actitud que tendrán los Bancos frente a los requerimientos de financiamiento de las pequeñas y medianas empresas, así como las exigencias que le imponga la autoridad a los Bancos para asegurar el pago de los créditos. Tanto es así que los técnicos han señalado que las normas de Basilea III harán más difícil para las pymes acceder a créditos bancarios.

2. Capitales Ángeles. Una norma que realmente constituye un beneficio para las pymes es que, bajo la nueva normativa, no se consideran como empresas relacionadas aquellas entidades que

tienen participación o entregan financiamiento con el fin de promover el emprendimiento o la innovación tecnológica. Para ello, estas entidades deberán estar previamente certificadas por la Corporación de Fomento a la Producción (CORFO), y tener por finalidad apoyar la puesta en marcha, el desarrollo o crecimiento de emprendimientos o innovación tecnológica.

Adicionalmente, deberán suscribir un acuerdo el emprendedor y la empresa financista, en el cual conste:

- Un plan de desarrollo del proyecto, por un plazo no inferior a 2 años,
- La prohibición de efectuar disminuciones de capital que afecten este financiamiento, y finalmente,
- Una declaración de que la pyme y el financista no se encontraban relacionados con anterioridad a este acuerdo.

VII. Incentivo al ahorro

La Ley de Modernización Tributaria establece un incentivo al ahorro para todas las empresas con ingresos brutos anuales inferiores a 100.000 UF. Este límite se mide, al igual que en los casos anteriores, como el promedio de los últimos 3 ejercicios comerciales.

El beneficio consiste en la posibilidad de no afectar con impuesto un porcentaje de las utilidades de la empresa, en la medida que dichas utilidades sean reinvertidas.

1. Este beneficio es para empresas con ingresos brutos inferiores a las 100.000 UF anuales, y que estén acogidos al régimen de contabilidad completa, o al régimen Pro Pyme simplificado.

2. Estas empresas podrán efectuar una deducción de su Renta Líquida Imponible afecta al impuesto de primera categoría (IdPC) hasta por un monto equivalente al 50% de la Renta Líquida Imponible, siempre que este monto se mantenga invertido en la empresa.

3. Sin embargo, esta deducción tiene un tope máximo de 5.000 UF, según el valor de la UF del último día del año. Este tope máximo

se mide sobre la Renta Líquida Imponible deducidos los gastos rechazados y los retiros efectuados por los socios, y, se deberán agregar los ingresos de las empresas relacionadas.

4. El uso de este incentivo debe ser informado al SII dentro del plazo que tiene la empresa para presentar la declaración anual de impuestos.

5. No se permite el uso de este incentivo al ahorro, a sociedades cuyos ingresos provengan de rentas de capitales mobiliarios o contratos de asociación, en más de un 20% del total de los ingresos brutos del ejercicio.

VIII. Exención de impuesto adicional

Las empresas con ingresos brutos inferiores a 100.000 UF en el promedio anual, medido en los tres años previos, sea que tributen en renta efectiva determinada según contabilidad completa o el régimen Pro Pyme, y que realicen pagos al exterior por concepto de publicidad en el extranjero, uso y suscripción al uso de plataformas de servicios tecnológicos de internet, a contribuyentes no domiciliados ni residentes en Chile estarán exentos del impuesto adicional establecido en el Artículo 59 Nº 2 de la LIR.

Este beneficio no es aplicable cuando la empresa prestadora de servicios se encuentra relacionada con la empresa local.

IX. Ingreso desde otro régimen al de transparencia tributaria

1 Deberán dar aviso al SII antes del 30 de abril del ejercicio en que se desee ingresar al Régimen Transparente, esta opción debe constar en una declaración del empresario unipersonal, o en una escritura pública suscrita por la unanimidad de los socios, y en el caso de las Sociedades Anónimas en Junta Extraordinaria de Accionistas, acuerdo tomado por 2/3 de las acciones con derecho a voto, reducida a escritura pública.

2. La empresa debe informar al SII los saldos que registraba en los registros de utilidades pendientes de tributación, de las rentas exentas e ingresos no renta y de los créditos acumulados, esto es, los saldos existentes en los Registros RAI, REX y SAC.

3. Deberán considerar como ingreso diferido la diferencia que resulte de deducir al Capital Propio Tributario, los aportes de capital, debidamente corregidos por IPC, los saldos del Registro REX (rentas exentas e ingresos no renta), este monto además se incrementará con los créditos registrados en el Registro SAC.

El monto del ingreso diferido que se determine se computará proporcionalmente dentro de los ingresos percibidos, durante el plazo máximo de 10 años.

Este diferimiento en la tributación, se aplicará incluso si el contribuyente deja el sistema de transparencia fiscal, salvo que se haga un término de giro, caso en el cual, el saldo por amortizar se computará como ingreso del ejercicio del término de giro.

Este ingreso diferido no se afectará con el pago de PPM, ni se computará para el límite de las 75.000 UF.

4. Si una empresa opta por abandonar el régimen de transparencia, deberá confeccionar los registros correspondientes, y deberá determinar el Capital Propio Tributario.

5. Para volver a reincorporarse al régimen de transparencia, quien se haya salido de él, deberá esperar 5 años para reingresar.

X. Empresas que del sistema atribuido y semi integrado pasan al régimen pro Pyme, bajo contabilidad simplificada en base caja

Si una empresa se encontraba hasta el 31 de diciembre de 2019 en alguno de los regímenes del artículo 14 A o 14 B de la LIR, para los efectos de iniciar su contabilidad, bajo el Régimen Pro Pyme, en el sistema de contabilidad simplificada (base caja), deberá someterse a las siguientes reglas:

1. Reconocerá como gasto del primer día, el activo fijo sujeto a depreciación, y las existencias e insumos que estén registrados como activos realizables.

2. Reconoce como gasto inicial, las pérdidas acumuladas.

3. No son ingresos los pagos de rentas devengadas durante los ejercicios anteriores, pero si los pagados en este primer ejercicio.

4. Deberá controlar los saldos del Registro RAI y REX, y los saldos de créditos del Registro SAC.

5. El monto determinado en el RAI, se considerará un ingreso diferido el que se deberá agregar a la base imponible de los socios o accionistas de la empresa, hasta en 10 ejercicios, con el crédito correspondiente.

6. Se entenderán retirados, remesados o distribuidos los saldos acumulados en el Registro REX.

XI. Salida del régimen pro Pyme

1. Deberán dar aviso al SII antes del 30 de abril del ejercicio en que se abandone este régimen.

2. Los ingresos o gastos no reconocidos por no haberse registrado de acuerdo con el sistema de flujo de caja, se deberán registrar al inicio del ejercicio en que se abandona el régimen Pro Pyme.

3. La empresa deberá determinar Capital Propio Tributario, de acuerdo con el siguiente sistema: Parte sumándole al capital efectivamente enterado las bases tributables (RLI) de cada ejercicio, más las rentas percibidas con motivo de tener participaciones en otras sociedades. Se le restan las pérdidas acumuladas, los retiros y distribuciones, y los gastos rechazados. El resultado de este cálculo será el monto de capital propio tributario que deberá ser informado al SII.

4. Se deberá realizar un balance inicial, de acuerdo con las siguientes reglas:

    a. Activo fijo depreciable, será valorizado en $1. Sin perjuicio de ello podrá reconocerse al valor neto de adquisición, menos una depreciación lineal, por el plazo transcurrido desde su adquisición.

b. Materias primas, se valorarán en $1. Sin perjuicio de lo señalado, se podrá registrar al valor de adquisición, o de traspaso de costo, o de venta, menos un margen de comercialización.

c. Bienes raíces. Los que pueden depreciarse se registrarán en $1. Los que no pueden depreciarse, se valoran de acuerdo con el valor de adquisición debidamente reajustado por IPC.

d. Intangibles y marcas, patentes o derechos, a su valor de adquisición debidamente reajustado por IPC.

e. Bienes no depreciables, a su valor de adquisición debidamente reajustado por IPC.

f. Otros bienes, dependiendo de la naturaleza del activo se utilizarán las reglas anteriores.

g. Los pasivos se registran a su valor par, reconociéndose los factores de corrección o intereses pactados.

5. Respecto de los bienes valorizados a su valor de adquisición y no en $1, este incremento se deberá reconocer en el Capital Propio Tributario de la empresa, sin que deba reconocerse un ingreso diferido con motivo del cambio de régimen.

Esto constituye una importante diferencia, ya que en el régimen 14 ter este incremento del valor de registro del bien, era obligatorio y además era un ingreso diferido, que se afectaba con impuesto de primera categoría, y que se reconocía gradualmente en el tiempo. Hoy es considerado un resultado acumulado.

6. En base a la determinación del nuevo capital propio tributario, se deberá construir el Registro RAI.

XII. Nuevas normas de gasto que afectan a las Pymes

1. Se modifica el concepto de gasto deducible por «aquellos que tengan aptitud de generar renta, en el mismo o futuros ejercicios y se encuentren asociados al interés, desarrollo o mantención del giro de negocio», esto es un concepto más amplio que el concepto

de gasto necesario e ineludible aplicado hasta el 31 de diciembre de 2019.

2. Elimina la prohibición de deducir como gastos las compras efectuadas en supermercados cuando excedían de 5 UTA anuales, esto es menos de $3.000.000 al año. Esta normativa señalaba además que, si se requería deducir un monto superior, se debía solicitar una autorización del SII, la que se realizaba a través de la emisión de una Resolución.

Esta norma de control fue fuertemente objetada por las pymes en las reformas de los años 2014 y 2016, y se logró eliminarla en el Proyecto de Modernización Tributaria.

3. Se acepta que el socio o accionista, su cónyuge o conviviente o los hijos de éstos, tenga contrato de trabajo con sueldo de mercado en la pyme, en la medida que efectivamente trabajen en el negocio o empresa.

4. No se considerará gasto rechazado afecto al impuesto control de tasa 40% del Artículo 21 de la LIR, los gastos asociados a bienes de la empresa para uso de los trabajadores, si éstos pueden ser utilizados por todos los trabajadores bajo criterios de universalidad y sin exclusiones.

5. Son gastos deducibles los desembolsos acordados entre partes no relacionadas que tengan como causa el cumplimiento de una transacción judicial o extrajudicial o el cumplimiento de una cláusula penal.

NUEVOS CONCEPTOS DE RESIDENCIA Y ESTABLECIMIENTO PERMANENTE

Felipe Yáñez V.[*]

I. Introducción

La tributación internacional se basa en el concepto de residencia como el punto de conexión más pleno de un sujeto a un determinado territorio. Sin embargo, en el mundo actual caracterizado, por un lado, por economías abiertas que compiten por atraer a un mayor número de empresas y, por otro, regido por una tecnología que une a vendedores y consumidores sin tantas intermediaciones, se ha desdibujado progresivamente el binomio residencia-territorio como fuente de legitimidad de la tributación. Si bien la necesidad de permanencia física en un territorio es aún relevante para las personas naturales, ya no resulta tal para las empresas, pues las decisiones pueden adoptarse en cualquier parte del mundo, e incluso de manera colectiva desde distintos lugares, lo cual dificulta que el lugar de dirección efectiva (por no hablar del domicilio legal) pueda identificarse con un país específico, lo cual equivale a decir que pueda situarse en cualquier rincón del planeta[1].

Más allá del punto de conexión de la residencia tributaria aparece otro elemento casi tan relevante: la existencia de un establecimiento permanente en el país de destino de las operaciones de un contribuyente. Sin embargo, el crecimiento interminable del Internet disminuye en igual grado la necesidad de establecimientos físicos. Como consecuencia de lo anterior, el punto de conexión territorial que supone un establecimiento permanente (EP), cada vez pierde más relevancia. Esto ha pro-

---

[*] Abogado, Magíster en Derecho Tributario, Universidad de Colonia (Alemania), Profesor de Derecho Tributario en programas de la Universidad de los Andes, de la Facultad de Economía y Negocios de la Universidad de Chile y de la Pontificia Universidad Católica de Valparaíso. Socio de Impuestos en Mazars Chile.
[1] *Cfr.* Lucas Durán y Del Blanco García (2018).

vocado una crisis y revisión de todo el desarrollo conceptual del EP a lo largo del siglo XX[2].

Por este motivo, no es sorpresivo que el recientemente aprobado Proyecto de Modernización Tributaria («PMT») contuviera una mención a ambos conceptos. Por esta misma razón, nos ha parecido oportuno revisar en este artículo la situación legislativa previa al Proyecto y sus motivaciones, para luego analizar con detención ambos conceptos y la función que cumplen en el ordenamiento tributario chileno. Luego, una vez dotados de un entendimiento más preciso de los conceptos, intentaremos distinguir los efectos más relevantes que los cambios introducidos por el PMT tendrán en el horizonte tributario, para finalmente formular algunos comentarios críticos a las particularidades del PMT en este punto.

II. Situación previa y motivación del proyecto

De acuerdo al Mensaje Presidencial referido al PMT, dicha iniciativa incluía la modificación de dos conceptos centrales en el proceso de atribución de potestades tributarias entre jurisdicciones nacionales a nivel mundial: el concepto de residencia, en el caso de las personas naturales, y el de establecimiento permanente, en el caso de cualquier contribuyente que desarrolle actividades susceptibles de generar hechos gravados en una jurisdicción distinta a la de su domicilio o residencia.

En el caso del concepto de «residencia», e invocando argumentos de mayor certeza jurídica, el PMT ha modificado el antiguo concepto de «residente» contenido en el artículo 8 N° 8 del Código Tributario, que correspondía originalmente al artículo 2 N° 4 de la Ley sobre Impuesto a la Renta, dictada mediante la Ley N° 15.564 del año 1964[3] y que fue trasladada al Código del ramo, cuando se dictó una nueva versión del mismo en el año 1974.

Algo similar sucede con el antiguo concepto de «establecimiento permanente», que el PMT ha dotado de una definición operativa, de

---

2   *Cfr.* SCHAFFNER (2013).

3   Disponible en http://bcn.cl/1vstr (última revisión: 08 marzo 2020).

la que antes carecía, pero sosteniendo que este cambio consiste en una modernización de dicha norma. Al igual que en el caso del vocablo «residente», aquél fue inserto en la legislación interna y —en particular, en la Ley sobre Impuesto a la Renta— por la misma Ley N° 15.564[4]. Como se ve, ambos conceptos tenían un origen y ubicación común en la geografía legislativa. Por ello, y teniendo en cuenta la relevancia que tales conceptos tienen en un ordenamiento tributario nacional en constante interacción con otras jurisdicciones, tal reforma significó un mejoramiento técnico apreciable del sistema tributario chileno[5].

Lamentablemente, no encontramos en la posterior tramitación del PMT referencia alguna a estas disposiciones por parte de los parlamentarios en la discusión del proyecto, ni del Tribunal Constitucional al analizar la concordancia de los mismos con los principios y normas de la Ley Fundamental. Y no se trata de una omisión debida al rechazo de la nueva norma, pues —al contrario— ésta fue aprobada tal y como fue propuesta originalmente por el Presidente, sin perjuicio de algunas indicaciones menores del propio Ejecutivo. Por ello, más bien parece una aprobación sin previo análisis ni discusión de la materia.

Convengamos, pues, que se trata de una materia de significativa dificultad en su análisis, no sólo por la especialidad de la misma —se trata de conceptos en los cuales el derecho interno limita o colisiona con los derechos de otros Estados— sino porque además su modificación tiene consecuencias que no se perciben a primera vista, siquiera por los redactores de la norma, si nos ceñimos a lo afirmado por los representantes del Poder Ejecutivo durante la discusión del PMT.

En efecto, ante la Comisión de Hacienda de la Cámara de Diputados, el entonces Ministro de Hacienda se encargó de reiterar las principales consideraciones bajo las cuales se propusieron estas modificaciones al Congreso. Por un lado, reiteró que la introducción de una definición expresa y operativa de EP en el derecho interno consistía en una modernización de dicho concepto, la cual recogía las más recientes directrices de la OECD (Organización para la Cooperación y el Desarrollo

---

4   Cuevas (2010a) p. 40.
5   Ffrench-Davis (1973) p. 173.

Económico), aunque «adecuando ciertos conceptos internacionales a la realidad específica de nuestra de legislación tributaria»[6].

En efecto, el concepto de EP en Chile de un contribuyente sin domicilio ni residencia en el país fue incorporado en 1964 a la legislación tributaria, en particular a la Ley sobre Impuesto a la Renta, como contribuyente del Impuesto Adicional. Sin embargo, dicha incorporación sólo se hizo de manera nominal, sin definirlo de manera abstracta, sino simplemente por vía de ejemplos («cualquiera clase de establecimientos permanentes, tales como sucursales, oficinas, agentes o representantes»). No obstante, como hace notar Cuevas al analizar la discusión parlamentaria, el legislador se habría basado en el concepto nuclear ya recogido por los tratados internacionales vigentes a esa fecha y que —en términos generales— es muy similar al vigente hasta ahora: «un lugar fijo de negocios en que las actividades de las empresas se desarrollan, por entero o parcialmente, y cuyo giro sea cualquier explotación de carácter remunerativo»[7].

En cambio, al referirse al concepto de residencia, el entonces Secretario de Estado destacó que bajo el término «residente» actualmente se comprende en Chile a una persona que permanece de forma ininterrumpida por seis meses en el territorio nacional, lo cual «permite a un contribuyente eludir esta calidad, saliendo brevemente del país»[8]. Para precaver este caso, «se propone un concepto más moderno, que considera un total de 183 días de permanencia en Chile, sean ininterrumpidos o no»[9]. Como se ve, aunque también en este caso hay un afán de modernizar el concepto empleado por la legislación local, un móvil importante de la iniciativa es evitar que una persona pueda eludir la adquisición de la condición de residente mediante el simple expediente de ausentarse del país por un breve espacio de tiempo.

No deja de llamar la atención este argumento, considerando que ha sido el propio Servicio de Impuestos Internos quien ha planteado desde largo tiempo esta interpretación excéntrica —por su carácter restric-

6   Biblioteca Congreso Nacional (2020) p. 32.
7   Cuevas (2010a) pp. 42-44.
8   Biblioteca Congreso Nacional (2020) p. 250.
9   Biblioteca Congreso Nacional (2020) p. 250.

tivo— del concepto de residencia[10], obviando los reparos hechos a tal postura por la Excma. Corte Suprema (2013), que consideró más acorde al tenor del precepto una interpretación que permitiese sumar plazos inferiores a seis meses para efectos del cómputo del plazo[11]. Si embargo, ahora es el propio Poder Ejecutivo quien modifica dicho criterio por la vía de sustituir el antiguo concepto por uno redactado según la fórmula más comúnmente utilizada en el derecho comparado y en los Convenios para Evitar la Doble Imposición internacional. En nuestra opinión, habría bastado un mero cambio en la interpretación administrativa, pero seguramente se optó por la vía legislativa para dotar al cambio de mayor fuerza y para no dejar pie a interpretaciones divergentes por parte de la administración tributaria.

III. Efectos de la reforma en el ámbito jurídico interno

Sin perjuicio que la sola modernización —en el caso del cambio al concepto de «residencia»— y la inclusión de una definición efectiva y operativa —en el caso del concepto de EP— son razones suficientes para dar la bienvenida a estos cambios, la comprensión racional de nuestro

---

[10]   Últimamente, Servicio de Impuestos Internos, Oficio N° 787 (20 de abril de 2018).

[11]   En la causa caratulada «Hussain Bukhari Ibrar con Servicio de Impuestos Internos» (2003), el máximo Tribunal sostuvo que la supuesta necesidad de que los seis meses de residencia sean ininterrumpidos «no se compadece con el texto del artículo 8° N° 8 del Código Tributario, que exige permanencia por más de seis meses en total, dentro de dos años tributarios consecutivos para estimar residente a una persona, porque dicha argumentación omite considerar la frase "en total", que sigue a la expresión "seis meses"» (Considerando 16°). Luego, agregó en el considerando 17° que «en efecto, por "total", el diccionario ya señalado [de la Real Academia de la Lengua Española] entiende por "General, universal ya que comprende todo en su especie", en una primera acepción; y, en una segunda, "Suma, cantidad equivalente a dos o más homogéneas"». Finalmente, en el considerando 18 concluye que «el precepto del Código Tributario antes señalado entiende por residente a quien complete un total de seis meses en el período que ya se dijo. Esto es, el uso de la expresión "total" necesariamente ha de tomarse en su sentido natural y obvio, que es el de la suma de varias partes o cantidades». Considerandos citados en Vergara (2013) p. 76.

ordenamiento tributario exige llevar a cabo un análisis más específico de los principales efectos que estos cambios conllevarán en el ámbito interno. En una primera instancia dejaremos al margen el análisis de los efectos que estos cambios podrían tener en el ámbito del derecho internacional tributario, teniendo presente que dichos conceptos no vienen a modificar —al menos formalmente y en apariencia— las normas tributarias de carácter internacional, en la medida que éstas últimas se encuentran contenidas principalmente en instrumentos laterales o bilaterales (tratados o convenios) y nuestro ordenamiento no acepta la posibilidad de que una norma de derecho interno —como es el caso del PMT— pueda dejar sin efecto un instrumento suscrito con uno o más Estados (*treaty override*)[12].

1. *Efectos del cambio en el concepto de Residencia*

Para comprender adecuadamente los cambios provocados en este punto por el PMT, primeramente, es necesario clarificar qué debemos entender por residencia y, en segundo término, qué funciones se le atribuyen a dicho concepto en el ordenamiento tributario chileno.

a) Concepto

Cada Estado soberano establece mediante sus leyes tributarias puntos de conexión para someter a gravamen una manifestación de riqueza o a un contribuyente que muestra una relación tributaria con su territorio. Los posibles principios de sujeción a las leyes emanadas de un Estado son el personal y el territorial. El personal hace referencia a la residencia del obligado tributario en su territorio, mientras el territorial, a las rentas producidas en el territorio del Estado respectivo[13].

La residencia implica una relación estable con el Estado donde un sujeto es residente. Se trata de un vínculo de hecho de la persona y su medio social, que lo lleva a participar en la economía del país, de modo

---

[12]   OECD *Ctr.* for Tax Policy and Admin., Tax Treaty Override (OECD 1989).
[13]   Sainz de Bujanda (1993) p. 121.

análogo a como lo hacen sus nacionales. Esto permite al contribuyente residente usar la infraestructura del Estado y disfrutar de la protección que le otorgan las autoridades administrativas. Sobre la base de esta relación estrecha y estable, se justifica que un Estado pueda aplicar sobre su residente un gravamen por rentas de fuente mundial, haciéndolo partícipe en la financiación de las actuaciones públicas. Esto se ha venido en llamar por fiscalistas y políticos la ciudadanía fiscal[14].

Así pues, el primer punto de conexión que habilita a dicho Estado para gravar las rentas de fuente mundial (*worldwide income taxation*), esto es, no sólo las rentas producidas en su territorio, sino también las rentas producidas en el extranjero, hasta donde se extiende en este caso la soberanía fiscal, en virtud de la residencia. La prueba de dicha residencia se hará mediante la verificación de circunstancias tales como la permanencia del sujeto en el territorio del Estado durante un determinado número de años, o durante todo el período del año fiscal, la posesión en aquel territorio de una vivienda de carácter permanente, o bien la existencia en el mismo de un centro de intereses vitales, sean familiares, sociales o económicos.

En tanto, el criterio territorial (*source income taxation*) limita dicha soberanía a las rentas producidas en el territorio del Estado, basado en la riqueza en sí misma considerada, en defecto del anterior[15].

b) Funciones

La soberanía política de los Estados se proyecta también en el ámbito tributario, la cual sirve de base para obligar a los ciudadanos al pago de los tributos[16]. En el ámbito de los impuestos directos, la residencia permite a un Estado someter a tributación a sus residentes incluso respecto de las rentas que obtengan en otros Estados. En otras palabras, dicho concepto sirve de base al criterio de sujeción por rentas de fuente mundial. No obstante, si el poder soberano del Estado es el fundamento de su poder para establecer tributos, dicha capacidad se ve limitada

---

14   Carrasco (2010).
15   Sainz de Bujanda (1993) p. 121.
16   Rodríguez Bereijo (1976) pp. 82 y ss.

respecto de personas que residen en otros Estados o de rentas que provienen de otras jurisdicciones.

Así pues, la residencia dentro del territorio de un Estado ha sido reconocida como requisito válido bajo el Derecho Internacional para que la renta obtenida por un residente de dicho Estado pueda ser sometida a gravamen en aquél con independencia del lugar donde se obtenga dicha renta[17].

Esta circunstancia cobra especial relevancia si tenemos en cuenta que a fecha de hoy, en mayor o menor medida, todo contribuyente interactuará en algún momento de su existencia con dos o más Estados y, por ende, con dos o más conceptos de residencia tributaria[18].

Dicho lo anterior, la principal función del concepto de residencia —a la luz de los aspectos internacionales del derecho tributario— radica en facultar al Estado de la residencia para gravar con impuestos a los sujetos que tengan la condición de residentes en dicho Estado, respecto de cualquier bien o actividad, dondequiera que ésta o aquél se desarrollen o sitúen.

Por consiguiente, si conforme a la modificación introducida por el PMT el concepto de residencia se ha extendido a situaciones bajo las cuales un sujeto podía eludir adquirir la condición de residente, al evitar permanencias ininterrumpidas en el territorio nacional superiores a seis meses; entonces, esta modificación ha venido a ampliar el ámbito de aplicación de la potestad tributaria bajo el principio de renta de fuente mundial, cubriendo posibles escenarios de imposición reducida o incluso de doble no imposición, como sería el caso de un sujeto cuyo bien o actividad no quedase cubierta bajo la tributación de renta de fuente mundial por Chile (al no alcanzar la condición de «residente» en nuestro país), ni bajo la tributación de renta de fuente local por el Estado donde el bien se sitúa o la actividad se desarrolla (al aplicarse descoordinadamente una exención en atención a una supuesta tributación por residencia en Chile, o bien al aplicarse una exención de fuente local en dicho territorio).

---

[17]   García de Pablos (2018) pp. 119-120.
[18]   Albaladejo (2018) p. 71.

2. *Efectos del cambio en el concepto de EP*

Al igual que en el caso de la residencia tributaria, para aprehender los reales efectos de este cambio de concepto de EP es necesario precisar qué se entendía por tal hasta antes de la promulgación del PMT y cuál es hoy el significado renovado del término. Asimismo, es necesario tener en cuenta cuál es el rol o función que este concepto ocupa en el ordenamiento tributario interno.

a) Concepto

El EP es un concepto fundamental del derecho tributario internacional, porque mediante él y en virtud de una ficción legal —v.gr. considerar al EP como una entidad con personalidad jurídica independiente y diferenciada de su casa matriz, pese a carecer de ella[19]— los Estados pueden ejercer su pretensión tributaria sobre los no residentes que desarrollen actividades en su propio territorio[20].

Desde un punto de vista histórico, es a partir de la segunda mitad del siglo XIX que se comienza a hablar de esta forma de organización empresarial. El derecho prusiano usó el término *Betriebstatt* para dilucidar la sujeción a la imposición de las utilidades derivadas de la actividad industrial y comercial de sujetos que vivían en otros municipios. Alrededor del año 1885, las leyes tributarias de Prusia recogieron el concepto de establecimiento permanente, que comprendía las agencias, los lugares de dirección, las sucursales y los lugares de venta de bienes. Posteriormente, en el año 1899, se incluyó por primera vez el concepto de EP en un tratado internacional suscrito entre la misma Prusia y el Imperio Austrohúngaro[21].

Sin perjuicio de la recepción en los derechos internos de cada Estado, el concepto de EP ha sido recibido y consagrado por los CDIs. Siguiendo la estructura del Modelo de Convenio elaborado por la OECD,

---

[19] Esto es válido, al menos, respecto del EP/lugar fijo, pero no del EP/agente. *Cfr.* Gorospe Oviedo (2018) p. 369.
[20] García Prats (2008) pp. 1253-1280.
[21] Montaño (2004) citado por Faúndez Ugalde (2018) pp. 155-173.

lo ha definido en su artículo 5 como «un lugar fijo de negocios mediante el cual la empresa realiza toda o parte de su actividad».

Esta definición contiene tres requisitos copulativos, a saber:

1) la existencia de un lugar fijo de negocios disponible para realización de la actividad empresarial (*place of bussines*), que puede consistir en instalaciones, en maquinaria o en equipos;

2) la estabilidad o permanencia espacial y temporal del lugar de negocios, que, por tanto, debe ser fijada en un lugar identificado, con un cierto grado de permanencia; y

3) el desarrollo de una actividad empresarial por medio del lugar del negocio[22].

Con posterioridad, se han ido elaborando diversas variantes del concepto de EP/lugar fijo, como es el caso del llamado EP/servicios, EP/obras de construcción o el EP/agente.

En cambio, si bien el derecho chileno no contenía una definición expresa de EP, sí había incorporado el concepto a la Ley sobre Impuesto a la Renta en la reforma tributaria de 1964 (Ley N° 15.564), en cuya tramitación legislativa se reconocía que se refería al concepto que en esa época recogían los tratados internacionales sobre la materia, dando cuenta de que se trataba de un lugar fijo de negocios, mediante el cual una empresa llevaba a cabo el todo o parte de sus actividades, y agregando que debía tratarse de actividades de carácter remunerativo, lo que podía entenderse como susceptibles de generar o producir rentas para la empresa[23].

Con posterioridad, el Servicio de Impuestos Internos fue desarrollando más este concepto, por medio de sus pronunciamientos administrativos, afirmando que un EP era «la extensión de la actividad de la casa matriz extranjera en Chile, mediante el establecimiento de una oficina o sucursal en donde se desarrolla una actividad formal que asume la representación total de la empresa extranjera, pudiendo cerrar negocios

---

[22]   Bisogno (2018) p. 286.
[23]   Cuevas (2010b) p. 126.

en los términos que se le indiquen»[24]. En definitiva, los elementos fundamentales de tal definición eran (i) un lugar fijo de negocios (oficina o sucursal); (ii) extensión de la actividad de la casa matriz en Chile; (iii) desarrollo de una actividad susceptible de generar renta (cierre de negocios); (iv) actividad formal que asume representación total de la empresa extranjera.

Como puede verse, el concepto de EP se encuentra regulado tanto en normas de derecho interno de los países como en instrumentos bilaterales o incluso multilaterales (normalmente, un CDI), generalmente en conformidad al Modelo desarrollado por la OECD o la variante propuesta por la ONU.

Conviene detenerse, por ende, un instante a considerar la jerarquía que opera entre dichos conceptos en aquellos Estados donde el EP está regulado tanto a nivel interno («EP Doméstico») como de un CDI («EP Convencional»). A nuestro entender, la respuesta a esta pregunta dependerá de la función que se le atribuya a cada concepto. En principio, si la función de ambos conceptos es idéntica, la respuesta estará dada por la jerarquía de las normas: en ausencia de EP Convencional aplicable, será vinculante el concepto EP Doméstico. Por el contrario, en aquellos casos donde exista un concepto de EP Convencional, el concepto EP Doméstico dejará de aplicarse, cediendo a la mayor jerarquía del instrumento bilateral o multilateral. Así lo ha entendido, por ejemplo, la legislación y jurisprudencia española[25].

Algo distinto sucederá, pues, cuando la función atribuida al concepto de EP Doméstico difiera del contenido en el EP Convencional. Esto puede suceder, por una parte, cuando el concepto de EP Doméstico se refiere a los mismos impuestos cubiertos por los CDIs (v.gr. en el caso de Chile, los impuestos sobre la renta), pero la legislación interna le atribuye una función distinta a la contenida en los tratados o convenios. En ese caso, será posible sostener que el concepto de EP Doméstico se aplicará aun en caso de existencia de un instrumento bilateral o multilateral, en la medida que la función bajo la cual pretende utilizarse no

---

[24]   Servicio de Impuestos Internos, Oficio N° 2.205 (05 de junio de 2000) y Oficio N° 1.646 (8 de mayo de 2009), citados por Cuevas (2010a) p. 47.
[25]   Gorospe Oviedo (2018) p. 370.

queda cubierta por el concepto de EP Convencional, y en la medida que su aplicación no conduzca a un resultado contrario a los fines y objetivos de dicho tratado o convenio. Estas situaciones normalmente se verifican en aquellos países que gravan a los no residentes sobre sus rentas de fuente local bajo supuestos distintos a los del artículo 7 del Modelo de Convenio OECD, con impuestos especiales de retención en la fuente (en el caso de Chile, el Impuesto Adicional contenido en los artículos 59 y 60 de la Ley sobre Impuesto a la Renta).

Este parece ser el caso del ordenamiento tributario chileno, donde hasta el año 2012 el concepto de EP Doméstico establecía la forma en que los contribuyentes no residentes debían tributar sobre sus rentas de fuente chilena con los impuestos contenidos en la Ley sobre Impuesto a la Renta[26]. Sin embargo, la reforma tributaria contenida en la Ley Nº 20.630 del año 2012 modificó el régimen tributario aplicable a los EP Doméstico, transformándolos en un nuevo contribuyente de Impuesto de Primera Categoría, afectos en Chile a impuesto por sus rentas de fuente mundial, sujetándolos al mismo régimen propio de otras formas jurídicas de empresa (sociedades de personas y de capital).

A nuestro entender, y al contrario de lo afirmado en las instrucciones que emitió el Servicio de Impuestos Internos en esa época[27], puede afirmarse que dicha reforma transformó al concepto de EP Doméstico en una nueva categoría de «empresa» para efectos de la Ley sobre Impuesto a la Renta, equivalente a las empresas individuales/unipersonales, pero cuyo titular es una persona o entidad no residente ni domiciliada en Chile.

Otro caso de coexistencia y aplicación simultánea de ambos conceptos de EP tendrá lugar en aquellos Estados donde el concepto de EP

---

[26] Cuevas (2010b) p. 127.
[27] Servicio de Impuestos Internos, Circular Nº 14 (07 de marzo de 2014), p. 13, donde se afirma: «La nueva disposición no ha innovado en cuanto al concepto de EP, así como tampoco respecto de los impuestos que le afectan. Las modificaciones principales dicen relación más bien con la definición de qué rentas se deben afectar con impuestos, cuál es la forma en que éstas se determinan, así como también, con las facultades de fiscalización con que cuenta este Servicio para tal efecto». Naturalmente, discrepamos de dicha opinión, pues estimamos que los cambios introducidos al régimen del EP modifican su propia naturaleza.

Doméstico es aplicable a otros impuestos diversos de los cubiertos por los tratados o convenios, como es el caso frecuente del EP para efectos de IVA o incluso de impuestos especiales (operaciones financieras) o sectoriales (economía digital).

b) Función

Desde un punto de vista internacional, el concepto de EP es —en primer término— el resultado necesario de analizar la actividad de las empresas multinacionales, estructuradas como entidades legales independientes a lo largo de diversos Estados, en los cuales operan como empresas autónomas y descentralizadas, que se ocupan sólo de sus cuestiones internas, circunscribiendo sus operaciones y actividades a los límites del respectivo Estado, con gobiernos corporativos propios y enteramente sujetas a la normativa doméstica del Estado respectivo y, en particular, al control por parte de la administración tributaria de dicho país[28].

En este sentido, debe tenerse presente que —de acuerdo a la normativa generalmente aceptada a nivel internacional y también parcialmente por nuestro país (condensada en el Artículo 7 del Modelo de Convenio OECD)— las utilidades de las empresas sólo son tributables en el Estado de residencia de la misma, salvo que ésta erija un EP en otro Estado y éste sea considerado como la fuente de dichas utilidades. Por lo tanto, la definición y límites del concepto de EP establecen las reglas de distribución entre los distintos Estados de la fuente más relevante de ingresos en las economías modernas, a saber: las actividades empresariales[29]. Por el contrario, si nos encontráramos en el escenario extremo de ausencia de reconocimiento del concepto de EP, o bien los ingresos de las empresas podrían ser enteramente gravadas en el Estado de la fuente, como proponía el llamado Modelo de Convenio del Pacto Andino, o bien enteramente en el Estado de la residencia, como sucede

---

28   CARBAJO VASCO (2018) p. 292.
29   CARBAJO VASCO (2018) p. 293.

conforme a la regulación del Modelo de Convenio de la OECD, si no existe un EP en el Estado de la fuente[30].

En otras palabras, puede decirse que el concepto de EP consagrado en tratados y convenios suscritos por nuestro país prevé que las utilidades obtenidas por una empresa que no tiene la calidad de residente sean objeto de gravamen en Chile —en cuanto Estado de la fuente— sólo en la medida en que la empresa en cuestión tenga un EP en nuestro país, al que se le puedan atribuir dichas utilidades. Así pues, el EP no es más que esa circunstancia o conjunto de circunstancias que revelan la existencia de una actividad esencial y estable en un Estado diferente del de residencia por parte de una determinada empresa. En consecuencia, el EP Convencional es el punto de conexión que va a permitir atribuir y gravar las utilidades obtenidas por un no residente[31]. Que la renta sea atribuible a dicha actividad esencial y estable no implica necesariamente que la renta deba tener su fuente en Chile (v.gr. el Estado donde se erige el EP), por lo que el gravamen también puede extenderse a rentas de fuente mundial.

En consistencia con lo anterior, el propio Servicio de Impuestos Internos ha interpretado administrativamente estas disposiciones, afirmando que «los supuestos de EP contemplados en los Convenios tributarios suscritos por Chile solo cumplen la función de asignar potestad tributaria entre los Estados Contratantes de esos Convenios, pero no determinan qué imposición interna se aplicará en definitiva por un Estado una vez que el Convenio le otorgue derecho a gravar»[32].

Por otra parte, y desde un punto de vista interno, nuestra opinión es que el concepto de EP Doméstico constituye desde 2013 una nueva especie de empresa constituida en Chile y afecta al impuesto corporativo local (Impuesto de Primera Categoría), bajo las mismas reglas que cualquier otra especie de empresa constituida en el país bajo las demás formas legales reconocidas por nuestro ordenamiento tributario: sociedades de personas, sociedades de capital, empresas individuales y otros entes carentes de personalidad jurídica. Por consiguiente, y a diferencia

---

30 Carbajo Vasco (2018) p. 293.
31 Gil García (2018) p. 336.
32 Servicio de Impuestos Internos, Oficio N° 2438 (23 de junio de 2016).

de lo que sucedía hasta el año 2012, en la actualidad la función que cumple el concepto de EP Doméstico no es determinar la forma bajo la cual un contribuyente no residente declara y paga los impuestos en Chile sobre sus rentas de fuente local.

En cambio, desde 2013, una vez cumplidos los requisitos constitutivos de un EP Doméstico, el contribuyente no residente queda obligado a cumplir con las mismas obligaciones formales y materiales propias del titular de una empresa constituida en Chile, a saber: cumplir con una serie de obligaciones de registro (entre ellas, inscribirse en el RUT) e información (declarar el inicio de actividades, efectuar declaraciones juradas y llevar registros de contabilidad) y pecuniarias (efectuar pagos provisionales, declaraciones y pagos mensuales y anuales, etc.). Bajo este escenario, un contribuyente no residente que cumple con el conjunto de circunstancias que reflejan una presencia esencial y estable en Chile, conforme al concepto de EP doméstico, queda obligado desde entonces a llevar la misma carga administrativa y pecuniaria que asumen las empresas constituidas directamente en el país. Así lo confirma la interpretación administrativa del Servicio de Impuestos Internos, cuando afirma: «Si en los hechos la actividad de la empresa configura un EP de acuerdo a los términos contemplados en el 58 Nº 1 de la LIR […] se encuentra obligada a obtener RUT, iniciar actividades, timbrar documentación y cumplir con todas demás obligaciones asociadas a la tributación que establece el Artículo 38 y 58 Nº 1, de la LIR»[33].

Teniendo en cuenta lo anterior, si el cambio introducido por el PMT buscaba «modernizar» el concepto de EP Doméstico, entonces podemos concluir que el objetivo de introducir un concepto expreso y operativo de EP persigue alinear las normas internas a los objetivos establecidos en el Plan de Acción impulsado por el G-20 y la OECD denominado BEPS (*Base Erosion and Profit Shifting*). Así parece confirmarlo el Mensaje del PMT, cuando señala que la redacción de esta definición se ha hecho «recogiendo las más recientes directrices de la OCDE»[34], lo cual es luego ratificado por el entonces Ministro de Hacienda, cuando afirma escuetamente frente a la Comisión de Hacienda: «Chile ha suscrito la

---

[33] Servicio de Impuestos Internos, Oficio Nº 2438 (23 de junio de 2016).
[34] Biblioteca Congreso Nacional (2020) p. 32.

iniciativa BEPS [...] promovida por la OCDE para evitar la erosión de la base imponible. Esta propuesta va en la misma línea»[35].

En efecto, el EP como punto de conexión entre un Estado y contribuyentes que no son residentes del mismo ha sido objeto del Plan de Acción derivado del Proyecto de la OCDE y del G-20 sobre la Erosión de la Base Imponible y el Traslado de Beneficios (BEPS), dadas las posibilidades que tales contribuyentes evadan artificiosamente la constitución de un EP en dicho Estado[36].

En septiembre de 2013, con el lanzamiento de dicho Plan de Acción, se buscó introducir y desarrollar cambios en la definición de EP para impedir la elusión artificial de su estatuto, centrándose, por un lado, en el uso de la figura del comisionista para sortear la cláusula del agente dependiente del artículo 5.5 del Modelo de Convenio de la OECD y, por otro lado, en las fragmentaciones artificiales con el objeto de beneficiarse de las excepciones de la condición de EP del artículo 5.4 del mismo Modelo[37].

i) Elusión artificial del estatus de EP mediante la figura del comisionista

El primer caso puede resumirse como sigue: como es sabido, los grupos transnacionales se sirven de complejas estructuras para comercializar bienes y prestar servicios en distintas jurisdicciones. Un caso frecuente es aquél en que la matriz del grupo comercializa sus productos en otro Estado mediante contratos negociados y celebrados con sus clientes por una sociedad filial constituida en dicho Estado. Si la legislación tributaria de este último país trata de forma diferente a las ventas hechas por medio de un comisionista de aquéllas celebradas por medio de un distribuidor, el grupo transnacional optará por sustituir los tradicionales

---

[35]   Biblioteca Congreso Nacional (2020) p. 63.
[36]   OCDE/OECD (2016), «Impedir la exclusión fraudulenta del estatus de establecimiento permanente, Acción 7 - informe final 2015» (25 de mayo de 2016). Disponible en: https://www.oecd.org/tax/beps/impedir-la-exclusion-fraudulenta-del-estatus-de-establecimiento-permanente-accion-7-informe-final-2015-9789264257757-es.htm Fecha de consulta: 10 marzo 2020.
[37]   Gil García (2018) p. 337.

contratos en que la filial local actuaba como distribuidor por contratos de comisión. Y, como consecuencia de lo anterior, sin haber habido un cambio sustancial en las funciones desempeñadas en el Estado de la fuente, se producirá un traslado de las ganancias obtenidas en dicho Estado al de la matriz[38].

Ante este escenario, el Informe Final de la Acción BEPS 7 ha concluido que cuando las actividades que un intermediario realiza en un Estado están dirigidas de manera regular al cierre de contratos cuyo cumplimiento corresponde a una entidad extranjera, debe considerarse que esta última entidad tiene una presencia relevante para efectos fiscales en dicho Estado, salvo que el intermediario realice esas actividades en el curso de una actividad económica independiente[39].

Esta situación arriba descrita se verificaba precisamente en Chile respecto del antiguo concepto de EP Doméstico, pues uno de los requisitos delineados en los pronunciamientos administrativos del Servicio de Impuestos Internos consistía precisamente en la necesidad de que la actividad de la matriz extranjera se extendiera a Chile mediante una actividad formal que asumía la *representación total* de aquélla. Por consiguiente, las actuaciones ejecutadas por medio de meros comisionistas, aún cuando éstos tuvieran la condición de filiales de la empresa extranjera, permitían excluir dichas actividades del estatus de EP.

Por este motivo, no es casualidad que la definición de EP Doméstico incorporada al ordenamiento local por el PMT incluya expresamente una referencia a la figura del mandante o comisionista: «También se considerará que existe un establecimiento permanente cuando una persona o entidad sin domicilio ni residencia en Chile *realice actividades en el país representado por un mandatario* y en el ejercicio de tales actividades dicho mandatario habitualmente concluya contratos propios del giro ordinario del mandante, desempeñe un rol principal que lleve a su conclusión o negocie elementos esenciales de éstos sin que sean modi-

---

38   Gil García (2018) p. 337.
39   Gil García (2018) p. 337.

ficados por la persona o entidad sin domicilio ni residencia en Chile»[40] (las cursivas son propias).

De hecho, esta inclusión del comisionista o mandatario como hipótesis de EP Doméstico ya había sido incorporada en la definición administrativa del concepto por medio de la Circular N° 57 de 7 de diciembre de 2017, en la cual se empleaban similares términos a los del nuevo precepto legal: «También, cuando un agente o representante actúe en el país por cuenta o beneficio de tales sujetos, realizando todo o parte de sus actividades, por ejemplo, cerrando negocios con clientes, o bien, desempeñando el rol principal que lleve a la conclusión de los mismos [...]»[41].

Más adelante, dicha Circular reconoce expresamente que —por medio de esta interpretación— el concepto de EP se ha ampliado, «pues [ahora] atiende a que en los hechos exista una representación parcial o total de la persona o entidad sin domicilio o residencia en Chile, sin atender únicamente a la existencia de un mandato para concluir o cerrar negocios[42]». En otras palabras, la noción de EP ha transitado desde un concepto en el cual se exigía la existencia de un mandato formal, a uno en el cual se atiende a si en los hechos existe dicho mandato, con independencia de las formalidades de la relación entre la matriz y su entidad relacionada domiciliada en Chile. Este cambio de perspectiva está precisamente en línea con las conclusiones de la Acción BEPS 7 que ahora consideran una hipótesis de EP a las actividades ejecutadas por medio de un mandatario que —en la práctica— desarrolla actividades propias de la matriz extranjera. Lo mismo cabe señalar de la definición contenida en el PMT.

Tan sólo podrían plantearse dudas respecto a la naturaleza del mandato cubierto por este nuevo concepto de EP, pues la nueva norma legal habla de «representada por un mandatario», lo cual remite naturalmente a la figura del mandato con representación, bajo la cual el mandatario actúa «a nombre del mandatario», pero no es evidente que tal referencia

---

[40]   Ley N° 21.210. Disponible en: http://bcn.cl/2d66w. Fecha consulta: 11 marzo de 2020.
[41]   Servicio de Impuestos Internos, Circular N° 57 (07 diciembre de 2017).
[42]   Servicio de Impuestos Internos, Circular N° 57 (07 diciembre de 2017).

cubra también las actuaciones de mandatarios que carecen de representación, sino que actúan a nombre propio, pero por cuenta del mandante. A nuestro entender, en la medida que el mandato a nombre propio llegue a conocimiento de la administración tributaria del Estado de la fuente, tal situación debiera quedar igualmente cubierta por el concepto de EP, al menos bajo los principios del Plan de Acción BEPS, pero el tenor del nuevo precepto legal no permite arribar con igual seguridad a dicha conclusión en el ámbito del derecho interno chileno.

ii) Elusión artificial del estatus de EP mediante la fragmentación de operaciones

El segundo caso cubierto por la Acción BEPS 7 se refiere a otra práctica frecuente de las empresas transnacionales, que fraccionan de manera artificial sus operaciones entre las distintas entidades del grupo para que algunas de ellas puedan calificar como «actividades auxiliares y preparatorias». De este modo, se amparan bajo una de las excepciones a la constitución de un EP Convencional y, por ende, no tributando en el Estado de la fuente. En efecto, aunque una entidad no residente tenga una sucursal, oficina o representante en el Estado de la fuente, no erigirá un EP en dicha jurisdicción si las actividades económicas que realiza allí tienen naturaleza auxiliar o preparatoria. Para frenar este tipo de prácticas elusivas, el Informe Final de la Acción BEPS 7 propone la introducción de una norma anti-fragmentación, añadiendo el apartado 4.1. al artículo 5 del Modelo de Convenio de la OECD. Con este mismo fin, se plantea el uso del test del propósito principal (*principle purpose test* - PPT), referenciado en el Informe Final de la Acción BEPS 6, para abordar las estrategias consistentes en el fraccionamiento de contratos entre empresas estrechamente vinculadas en el marco de obras o proyectos de construcción[43]. En este punto, el concepto de EP Doméstico incorporado en la legislación por el PMT recoge la excepción contemplada en la definición de EP Convencional, que excluyen el estatus de EP en el caso del desarrollo de actividades auxiliares o preparatorias. Y, probablemente, con el fin de alinear esta iniciativa a las recomendaciones de la Acción BEPS 7,

---

[43]   Gil García (2018) p. 338.

el legislador consideró oportuno poner énfasis en que la excepción sólo cubre la realización «exclusiva» de actividades auxiliares, precaviendo la fragmentación de operaciones bajo una misma entidad, y en el caso de las actividades preparatorias, limitándolas a aquellas necesarias para la puesta en marcha de un negocio o actividad en el país.

Por consiguiente, si conforme a la modificación introducida por el PMT el concepto expreso y operativo de EP Doméstico ha alineado la normativa local a las recomendaciones de la Acción BEPS 7, debemos entender que el principal objetivo de esta reforma ha sido extender el estatus de EP Doméstico a situaciones que podrían haber sido eludidas artificialmente por grupos transnacionales que operan en el país, en particular mediante la designación de las empresas locales como comisionistas de la matriz, o bien mediante la fragmentación de las operaciones comerciales, excluyendo de tributación en Chile a las operaciones que pudieran calificar como de carácter auxiliar o preparatorio al negocio propiamente tal. Teniendo en cuenta la particular naturaleza del EP Doméstico chileno, esto es, la condición de contribuyente del Impuesto de Primera Categoría, puede concluirse —a nuestro entender— que desde una perspectiva meramente local el efecto de esta reforma ha sido ampliar el espectro de contribuyentes de dicho impuesto. Luego, si se tiene en cuenta la compatibilización de dicha norma con los CDIs suscritos por Chile y, en particular, con las normas sobre EP contenidas en los mismos, lo que puede concluirse es que esta reforma tendría por efecto ampliar los casos en que un contribuyente no residente se verá obligado —por aplicación de las normas de derecho interno— a cumplir con las obligaciones propias de un contribuyente de Impuesto de Primera Categoría y, al mismo tiempo, disminuirían los casos en que un contribuyente no residente adquiera el estatus de EP conforme a las normas del CDI respectivo, pero no lo hagan bajo el derecho interno chileno, quedando por defecto sujetos a la aplicación de Impuesto Adicional.

IV. Algunas consideraciones *de lege ferenda*

Finalmente, nos permitimos hacer algunas consideraciones generales respecto a la sistematicidad y consistencia lógica de los cambios introducidos por el PMT, con vista a lo que el legislador podría hacer en el futuro, más temprano que tarde, a juzgar por la recurrencia de los proyectos de reforma tributaria durante —a lo menos— durante los últimos cuatro períodos presidenciales.

1. Terminología empleada en la definición de EP

Una primera cuestión que nos llama la atención es la terminología empleada a la hora de definir el EP Doméstico. Si el objetivo de la reforma era ampliar el campo de aplicación del concepto a casos de elusión del estatus de EP, conforme a las directrices del Plan BEPS, parece extraño que la terminología empleada al definir los casos de exclusión de EP mediante el recurso a un intermediario se centre en aquellos casos que suponen un vínculo formal de representación. Ello pues, como hemos apuntado con anterioridad, no se observa razón para tratar de un modo distinto a las actuaciones que un contribuyente no residente pudiere efectuar por medio de un mandatario con representación de aquellas que ejecutare mediante un mandatario que no poseyera tal calidad, pero igualmente actuase *por cuenta del* contribuyente no residente. Naturalmente es una cuestión que podrá discutirse a nivel de pronunciamientos administrativos o de resoluciones judiciales, y que el ordenamiento tributario cuenta con herramientas suficientes para cubrir un eventual vacío (en particular, las cláusulas antielusivas existentes en la legislación interna y en los CDIs), pero podría haberse evitado esta situación mediante un uso más extensivo del lenguaje.

2. Ubicación de las normas sobre residencia y EP

Una segunda cuestión que nos llama la atención es la distinta ubicación de los conceptos de residencia y EP que ha introducido el PMT. Mientras el concepto de residencia, modernizado, se mantuvo dentro de las normas de aplicación general al ordenamiento tributario, en el Código del ramo, el concepto de EP se introdujo en el apartado propio de la Ley sobre Impuesto a la Renta.

Nos parece evidente que tal decisión responde a que tanto el concepto de EP Doméstico como el EP Convencional se aplican, en principio, respecto de la atribución de potestad respecto de los Impuestos sobre la Renta. De hecho, como hemos afirmado, bajo la ley chilena y a partir del año 2013, el EP Doméstico ha pasado a ser una especie de contribuyente de los impuestos establecidos en la ley del ramo. Sin embargo, estimamos que tal decisión se ha tomado obviando la evolución predecible que tendrá el ordenamiento tributario en Chile en los próximos años, por no hablar de sus países vecinos y sus principales socios comerciales, pero también ignorando que en su origen el concepto de EP no era privativo de los impuestos sobre la renta.

En este sentido, nuestra impresión es que el PMT ha desperdiciado la oportunidad de adelantarse a la evolución del ordenamiento tributario, para lo cual habría sido oportuno localizar el nuevo concepto de EP junto al de residencia, en las normas generales del Código Tributario. Ese es, a nuestro entender, la ubicación lógica y sistemática que debe tener dicho concepto, teniendo en cuenta que es —al igual que el concepto de residencia— un elemento esencial al momento de definir los límites de aplicación de la potestad tributaria del Estado de Chile.

Más aún, situar el concepto de EP Doméstico en el Código Tributario habría facilitado su posterior aplicación —por vía de pronunciamientos administrativos— a otros cuerpos de leyes de carácter tributario, dando una deseable uniformidad y coherencia al ordenamiento tributario local, sin obviar que cada tributo puede luego contemplar matices o diferenciaciones[44]. En particular, creemos que esta circunstancia habría tenido un efecto positivo sobre la futura evolución de los impuestos indirectos —y, en particular, del IVA— respecto de una serie de situaciones que plantea el actual ambiente de negocios y, especialmente, los desafíos que plantea la economía digital con sus operaciones totalmente desmaterializadas y los escenarios de pérdidas recaudatorias que ellos representan para los Estados de la fuente[45]. En efecto, sin desconocer que la tributación directa e indirecta son realidades distintas y, por lo mismo, poseen principios y enfoques en parte divergentes[46],

---

[44]   Cubero Truyo (2018) p. 268.
[45]   Una reflexión interesante puede verse, por ejemplo, en Cockfield, Hellerstein, Millar y Waerzeggers (2013) pp. 91 y ss.
[46]   Schippers y Boender (2015) p. 712.

estimamos que la exigencia insoslayable de sistematicidad del ordenamiento tributario justifica la existencia de conceptos de aplicación común, al menos en parte, en áreas tan sensibles como la de atribución de
potestad tributaria a un Estado.

V. Una reflexión final

Como es frecuente en este tipo de situaciones, nuestra impresión es
que los cambios introducidos por el PMT en las materias analizadas son
un avance significativo en la calidad y coherencia del ordenamiento tributario, pero evidencian vacíos u omisiones que podrían haberse evitado
si el proyecto no hubiera sido fruto de la urgencia de la agenda del gobierno de turno, sino de una reflexión pausada de los técnicos y expertos
de las distintas corrientes políticas representadas en el Congreso.

Bibliografía

ALBALADEJO, Elena (2018): «Algunas disfunciones que pasan desapercibidas en
relación con el concepto de residencia fiscal como criterio de sujeción de las
personas físicas», en LUCAS DURÁN, Manuel y DEL BLANCO GARCÍA, Álvaro
(Dirs.), *Residencia y establecimiento permanente como puntos de conexión en la fiscalidad internacional: reflexiones y propuestas de futuro* (Madrid: Documentos de
Trabajo del Instituto de Estudios Fiscales), pp. 71-82.
BIBLIOTECA CONGRESO NACIONAL (2020): «Historia de la Ley N° 21.210», Informe Comisión de Hacienda (Cámara Diputados). Disponible en https://
www.bcn.cl/historiadelaley/fileadmin/file_ley/7727/HLD_7727_b98774bd-
51225b20395e626133c58b3d.pdf. Fecha de consulta: 10 marzo 2020.
BISOGNO, Marina (2018): «La reforma del concepto de establecimiento permanente: El asunto Expo Milán 2015», en LUCAS DURÁN, Manuel y DEL BLANCO
GARCÍA, Álvaro (Dirs.), *Residencia y establecimiento permanente como puntos de
conexión en la fiscalidad internacional: reflexiones y propuestas de futuro* (Madrid:
Documentos de Trabajo del Instituto de Estudios Fiscales), pp. 286-290.
CARBAJO VASCO, Domingo (2018): «BEPS and the concept of Permanent Establis-
hment, is this the end of the story?», en LUCAS DURÁN, Manuel y DEL BLANCO
GARCÍA, Álvaro (Dirs.), *Residencia y establecimiento permanente como puntos de
conexión en la fiscalidad internacional: reflexiones y propuestas de futuro* (Madrid:
Documentos de Trabajo del Instituto de Estudios Fiscales), pp. 291-303.
CARRASCO, Carlos Marx (2010): «La ciudadanía fiscal», *Fiscalidad. Revista Institu-
cional del Servicio de Rentas Internas* (Quito, SRI), pp. 11-66.

COCKFIELD, Arthur. J.; HELLERSTEIN, Walter; MILLAR, Rebecca y WAERZEGGERS, Christophe (2013): *Taxing Global Digital Commerce* (Alphen aan den Rijn, Kluwer Law International).

CUBERO TRUYO, Antonio (2018): «Aplicabilidad de criterios característicos de la imposición indirecta a la regulación futura de los establecimientos permanentes y mejoras técnicas en su regulación actual», en LUCAS DURÁN, Manuel y DEL BLANCO GARCÍA, Álvaro (Dirs.), *Residencia y establecimiento permanente como puntos de conexión en la fiscalidad internacional: reflexiones y propuestas de futuro* (Madrid: Documentos de Trabajo del Instituto de Estudios Fiscales), pp. 252-269.

CUEVAS, Alberto (2010a): «Establecimientos Permanentes», *Revista Centro de Estudios Tributarios Universidad de Chile*, Nº 1, pp. 37-68.

CUEVAS, Alberto (2010b): «Relación entre los conceptos de Establecimiento Permanente de los Convenios para evitar la Doble Tributación Internacional y de la legislación chilena sobre el Impuesto a la Renta», *Revista Centro de Estudios Tributarios Universidad de Chile*, Nº 3, pp. 125-144.

FFRENCH-DAVIS, Ricardo (1973): *Políticas económicas en Chile, 1952-1970* (Santiago, Ediciones Nueva Universidad, Universidad Católica de Chile).

GARCÍA DE PABLOS, Jesús Félix (2018): «La residencia como forma de distribución del poder tributario de los Estados y de las Comunidades Autónomas en la tributación de las adquisiciones gratuitas», en LUCAS DURÁN, Manuel y DEL BLANCO GARCÍA, Álvaro (Dirs.), *Residencia y establecimiento permanente como puntos de conexión en la fiscalidad internacional: reflexiones y propuestas de futuro* (Madrid: Documentos de Trabajo del Instituto de Estudios Fiscales), pp. 118-136.

GARCÍA PRATS, F. A. (2008): «La figura del establecimiento permanente en el orden tributario mundial», en *El tributo y su aplicación: perspectivas para el siglo XXI* (Buenos Aires), Tomo I, pp. 1253-1280.

GIL GARCÍA, Elizabeth (2018): «Las últimas tendencias en el Establecimiento Permanente como punto de conexión: del asunto "McDonald's" a las propuestas del grupo "Código de Conducta"», en LUCAS DURÁN, Manuel y DEL BLANCO GARCÍA, Álvaro (Directores), *Residencia y establecimiento permanente como puntos de conexión en la fiscalidad internacional: reflexiones y propuestas de futuro* (Madrid: Documentos de Trabajo del Instituto de Estudios Fiscales), pp. 336-348.

GOROSPE OVIEDO, Juan Ignacio (2018): «El concepto de Establecimiento Permanente en la imposición directa y su evolución jurisprudencial», en LUCAS DURÁN, Manuel y DEL BLANCO GARCÍA, Álvaro (Dirs.), *Residencia y establecimiento permanente como puntos de conexión en la fiscalidad internacional: reflexiones y propuestas de futuro* (Madrid: Documentos de Trabajo del Instituto de Estudios Fiscales), pp. 367-382.

LUCAS DURÁN, Manuel y DEL BLANCO GARCÍA, Álvaro (Dirs.), *Residencia y establecimiento permanente como puntos de conexión en la fiscalidad internacional:*

reflexiones y propuestas de futuro (Madrid: Documentos de Trabajo del Instituto de Estudios Fiscales).

MONTAÑO, César (2004): Derecho tributario internacional, el establecimiento permanente (Bogotá, Editorial Temis), citado por FAÚNDEZ UGALDE, Antonio (2018): «El problema del concepto actual de establecimiento permanente en los convenios de doble tributación internacional frente a los nuevos desafíos fiscales en la economía digital», *Revista Chilena de Derecho y Tecnología*, Vol. 7, Nº 1, pp. 155-173.

OCDE/OECD (2016), «Impedir la exclusión fraudulenta del estatus de establecimiento permanente, Acción 7 - informe final 2015» (25 de mayo de 2016). Disponible en: https://www.oecd.org/tax/beps/impedir-la-exclusion-fraudulenta-del-estatus-de-establecimiento-permanente-accion-7-informe-final-2015-9789264257757-es.htm Fecha de consulta: 10 marzo 2020.

OECD (1989): *Recommendation of the Council concerning Tax Treaty Override, OECD/LEGAL/0253* (OECD Legal Instruments, 1989). Disponible en: https://legalinstru ments.oecd.org/en/instruments/OECD-LEGAL-0253 Fecha de consulta: 15 marzo 2020.

RODRÍGUEZ BEREIJO, Álvaro (1976): *Introducción al estudio del Derecho Financiero* (Madrid: Instituto de Estudios Fiscales).

SAINZ DE BUJANDA, Fernando (1993): *Lecciones de Derecho financiero* (Madrid: Servicio de Publicaciones de la Facultad de Derecho de la Universidad Complutense de Madrid, 10ª edición).

SCHAFFNER, Jean (2013): *How fixed is a Permanent Establishment?* (Alphen aan den Rijn, Kluwer Law International BV).

SCHIPPERS M. L. y BOENDER J. M. B. (2015): «VAT and fixed establishments: mysteries solved?», *Intertax*, Vol. 43, Nº 11, pp. 709-723.

VERGARA QUEZADA, Gonzalo (2013): «Factores de Conexión en el Impuesto Adicional», *Revista Centro de Estudios Tributarios Universidad de Chile*, Nº 8, pp. 55-130.

Tercera Parte
IMPUESTO A LAS VENTAS Y SERVICIOS

Análisis crítico de la reforma al IVA no digital

ERNESTO RENCORET ORREGO[*]

I. Antecedentes y Prevenciones

Se nos ha requerido una opinión y análisis crítico de las modificaciones que sufren las normas del D.L. N° 825 de 1974, Ley del IVA, —en adelante indistintamente la Ley— a través de la Ley N° 21.210, de fecha 24 de febrero de 2020.

En la especie, se nos ha solicitado referirnos a aquellas normas modificatorias de la Ley, que no digan relación con las nuevas disposiciones impositivas que tienen por objeto servicios de carácter digital, de forma tal que revisaremos las modificaciones que sufren las normas que regulan las instituciones «tradicionales» del IVA.

Aclarado lo anterior, hacemos presente además que el presente artículo tendrá por objeto la revisión de aquellas modificaciones que el articulista entiende como «sustanciales», evitando así la referencia a modificaciones de orden formal o que no tengan una proyección significativa en la aplicación práctica de la Ley.

Por último, en el desarrollo de este trabajo tendremos presente y nos servirá de guía de análisis, nuestra obra «*Curso de IVA*», de Editorial Libromar, de febrero de 2019, citándola cuando lo estimemos pertinente[1].

---

[*]   Abogado y Magíster en Planificación Tributaria. Socio Estudio «Blanche, Rencoret & Cía.», BRENT Abogados.

[1]   RENCORET ORREGO (2019).

II. Enunciación de las materias de carácter sustancial que son objeto de la Reforma. Entrada en vigencia

A continuación puntualizamos aquellas materias que, a nuestro juicio, merecen ser destacadas por ser de carácter sustancial, en el fondo o en la forma, para la aplicación futura del impuesto a las ventas y los servicios.

1. Respecto de la Actividad inmobiliaria
   a) Precisiones en el hecho gravado básico de «venta»
   b) Eliminación de presunción de habitualidad
   c) Nuevas normas relacionadas con los arrendamientos
   d) Simplificación de la normativa sobre base imponible
   e) Nuevo crédito fiscal «provisional»
   f) Norma de presunción de incorporación al activo fijo para efectos del artículo 27 bis

2. Regulación del «principio de indivisibilidad» tratándose de los «servicios»

3. Modificaciones en hechos gravados especiales no inmobiliarios
   a) Desafectación de entregas gratuitas en el hecho gravado especial de «retiros»
   b) Incorporación de activos fijos en las ventas de universalidades

4. Modificación a las exenciones
   a) Respecto de servicios afectos al impuesto adicional
   b) Respecto de servicios de salud

5. Nueva facultad de tasación

6. Modificación al Crédito Fiscal Proporcional

7. Nueva norma respecto de facturas falsas

8. Nuevas normas de procesos electrónicos y transparencia

Hacemos presente, que las nuevas normas, cuyo análisis se realizará en el siguiente capítulo, entran a regir a partir del día 1º de marzo de 2020.

III. Análisis

1. Respecto de la Actividad inmobiliaria

a) Precisiones en el hecho gravado básico de «venta»

i) Se explicita que el inmueble objeto de la venta debe estar «construido». Una modificación muy insuficiente

Sabemos que el hecho gravado básico con el IVA, referido a los bienes inmuebles, lo encontramos definido en el número 1º del artículo 2, de la Ley, al expresar que se entenderá por venta, «toda convención independiente de la designación que le den las partes, que sirva para transferir a título oneroso el dominio de bienes corporales inmuebles, excluidos los terrenos, [...]».

De esta forma, se ha sostenido que la transferencia de inmuebles que se grava es la de inmuebles por adherencia, pero específicamente las construcciones, cuyas transferencias quedan grabadas cuando las obras se encuentran adheridas a un terreno de propiedad del vendedor. En otras palabras, la venta gravada es la que recae sobre los inmuebles construidos, y no la mera venta de terrenos[2].

La reforma, entonces, solo explicita una idea en la cual todos estaban contestes. Quedando la redacción del hecho gravado así:

«[...] se entenderá por venta, toda convención independiente de la designación que le den las partes, que sirva para transferir a título oneroso el dominio de bienes corporales inmuebles construidos, [...]». «Los terrenos no se encontrarán afectos al impuesto establecido en esta ley».

Nuestras observaciones a esta modificación son, básicamente dos: (i) nos parece que, simplemente, se explicitó una idea respecto de la cual no había ninguna duda, esto es, que el objeto del gravamen lo son las construcciones o, si se prefiere, los inmuebles construidos; y (ii) se desaprovechó la oportunidad para definir lo que para estos efectos debiera entenderse por «construcción», concepto este último cuya elaboración

---

[2]   Así lo confirma por lo demás la Circular Nº 42/2015 de SII, en su capítulo III.

seguirá entregada a la jurisprudencia de Impuestos Internos, de los tribunales y a la opinión de la doctrina.

ii) Se elimina el requisito de «usados» para aplicar norma especial de base imponible en la venta de inmuebles en cuya adquisición no se ha soportado el impuesto. Una modificación adecuada

La letra g) del artículo 16 de la ley regula la base imponible tratándose de la venta de inmuebles, cuando el inmueble es usado y en su adquisición el vendedor habitual no soportó IVA, al tratarse dicha adquisición de una operación no gravada o exenta.

La Ley dispone lo siguiente: «En el caso de venta de bienes corporales inmuebles usados, en cuya adquisición no se haya soportado impuesto al valor agregado, realizada por un vendedor habitual, la base imponible será la diferencia entre los precios de venta y compra. Para estos efectos deberá reajustarse el valor de adquisición del inmueble de acuerdo con el porcentaje de variación que experimente el índice de precios al consumidor en el período comprendido entre el mes anterior al de la adquisición y el mes anterior a la fecha de la venta. Con todo, en la determinación de la base imponible [...] deberá descontarse del precio de compra y del precio de venta, el valor del terreno que se encuentre incluido en ambas operaciones. Para estos efectos, el vendedor podrá deducir del precio de venta como valor máximo asignado al terreno, el valor comercial de éste a la fecha de la operación. Efectuada esta deducción, el vendedor deberá deducir del precio de adquisición del inmueble una cantidad equivalente al porcentaje que representa el valor comercial asignado al terreno en el precio de venta. El Servicio podrá tasar el valor comercial asignado al terreno, de conformidad con lo dispuesto».

La reforma elimina la palabra «usados» de la norma citada, cosa que nos hace mucho sentido, habida cuenta de la dificultad generada por la interpretación administrativa de esta palabra. De esta forma, la norma especial de base imponible será aplicable a toda venta de inmuebles del giro, sean estos nuevos o usados, en cuya adquisición no se hubiere soportado el impuesto.

b) Eliminación de presunción de habitualidad de un año. Modificación positiva

Sabemos que para que una venta se encuentre gravada con el IVA, en cuanto hecho gravado básico, es necesario que el vendedor se dedique en forma habitual a realizar este tipo de operaciones, entendiéndose por «habitual» la circunstancia de haber adquirido o construido el inmueble con ánimo de reventa.

Para facilitar la labor fiscalizadora, la ley establece ciertas «presunciones de habitualidad», entre las cuales se cuenta aquella incluida en el inciso primero del N° 3°, del artículo 2, en cuya virtud se presume la habitualidad cuando entre la adquisición o construcción del bien raíz y su enajenación transcurra un plazo igual o inferior a un año. Esta presunción se reitera a propósito del hecho gravado especial de la letra l), del artículo 8°, respecto de los contratos de arriendo con opción de compra.

La reforma elimina la presunción de habitualidad citada (en ambas normas citadas), lo cual en rigor nos parece adecuado, pues de esta forma el órgano fiscalizador deberá limitarse a utilizar las herramientas reglamentarias, establecidas en el artículo 4°, del D.S. N° 55, de 1977, para los efectos de calificar la habitualidad en las operaciones de venta de inmuebles.

c) Nuevas normas relacionadas con los arrendamientos

i) Se establecen criterios básicos para la configuración del hecho gravado especial de arrendamiento de inmuebles, y se otorga una potestad a SII para su regulación. Una reforma positiva, que se contamina con una norma inconstitucional

La letra g) del artículo 8°, de la Ley del IVA, grava el arrendamiento de inmuebles amoblados e inmuebles con instalaciones o maquinarias que permitan el ejercicio de alguna actividad comercial o industrial.

Ha sido profusa la discusión y la jurisprudencia administrativa acerca del sentido y alcance de las expresiones «inmuebles amoblados» e «inmuebles con instalaciones o maquinarias que permitan el ejercicio de alguna actividad comercial o industrial».

Al efecto, la reforma introduce el siguiente párrafo segundo en la letra g), del artículo 8°:

«Para calificar que se trata de un inmueble amoblado o un inmueble con instalaciones o maquinarias que permitan el ejercicio de alguna actividad comercial o industrial se deberá tener presente que los bienes muebles o las instalaciones y maquinarias sean suficientes para su uso para habitación u oficina, o para el ejercicio de la actividad industrial o comercial, respectivamente. Para estos efectos, el Servicio, mediante resolución, determinará los criterios generales y situaciones que configurarán este hecho gravado».

Es positivo entonces que finalmente se aclare que el arrendamiento se grava cuando el inmueble cuenta con muebles suficientes para el uso habitacional o como oficina del mismo (y no por el mero hecho de contar con algún tipo de bien mueble), o cuando cuenta con las instalaciones o maquinarias, suficientes para el ejercicio de la actividad industrial o comercial para la que se arrienda el bien raíz.

Sin embargo, se incurre en una abierta inconstitucionalidad al entregar al Servicio, la determinación de criterios generales y situaciones «que configurarán este hecho gravado».

El principio de legalidad del tributo, reconocido por nuestra Constitución, impide tal potestad administrativa, pues las hipótesis fácticas de configuración de todo hecho gravado deben estar descritas en la propia Ley.

ii) Se eximen del impuesto los arrendamientos de inmuebles amoblados a turistas extranjeros, cuyas rentas se paguen en moneda extranjera. Un acierto

El N° 17 de la letra E del artículo 12 de la Ley exime los ingresos en moneda extranjera percibidos por empresas hoteleras registradas ante el SII, respecto de sus servicios prestados a turistas extranjeros sin domicilio ni residencia en Chile.

La reforma incorpora a la exención, en general, a los contribuyentes que arrienden inmuebles amoblados, en la medida que los arrendatarios sean turistas extranjeros sin domicilio ni residencia en Chile, y en tanto los arrendadores se encuentren registrados en SII.

Nos parece un acierto esta modificación, por dos razones: (i) para homologar con la franquicia a los establecimientos comerciales hoteleros con los particulares que facilitan sus inmuebles a turistas, y (ii) para controlar una actividad que por su carácter eminentemente privado es de difícil fiscalización.

d) Se simplifica la norma que regula la base imponible del IVA inmobiliario. Nos parece positivo

Sabemos que el inciso 2° y siguientes del artículo 17 establece las normas sobre base imponible del IVA que afecta las ventas de inmuebles (y los contratos de arriendo con opción de compra), en cuya virtud se excluye de dicha base el valor del terreno comprendido en la operación.

Según la normativa vigente, en general, la empresa vendedora puede optar entre alguna de las siguientes dos alternativas para los efectos de rebajar el valor de adquisición del terreno de la base imponible del IVA:

a) Deducir el valor efectivo de adquisición del terreno, debidamente reajustado. Pero si entre la fecha de adquisición del terreno y la enajenación del inmueble han transcurrido menos de 3 años, dicho valor tiene un tope equivalente al doble del avalúo fiscal del inmueble, a menos que el Servicio autorice al vendedor por resolución fundada deducir el valor efectivo de adquisición; o

b) Deducir el avalúo fiscal del inmueble. En este caso, el contribuyente puede solicitar una nueva tasación, sin perjuicio de que el nuevo avalúo también producirá efectos para el pago del impuesto territorial.

La reforma elimina la norma «de tope» referida en la letra a) anterior, de forma tal que, en lo sucesivo, el vendedor dispondrá de la alternativa citada en dicha letra, sin la limitación del doble del avalúo fiscal, independientemente del plazo transcurrido entre la adquisición del terreno y la enajenación del respectivo inmueble.

Nos parece positiva esta modificación, pues la limitación en cuestión hoy por hoy carecía de fundamento.

e) Nuevo crédito fiscal «provisional». Inconstitucional e Ilegal

i) Necesaria revisión de conceptos básicos sobre el Crédito Fiscal[3]

Sabemos que el artículo 23 de la Ley dispone que los contribuyentes del IVA tendrán derecho a un crédito fiscal contra el débito fiscal determinado *por el mismo período*, el que se establecerá en conformidad a las normas que dicho artículo establece.

Continúa preceptuando el N° 1°, del artículo 23, que «Dicho crédito será equivalente al impuesto [...] *recargado en las facturas* que acrediten sus adquisiciones o la utilización de servicios, [...] *respecto del mismo período*»[4].

La norma transcrita reconoce expresamente la adopción del método por sustracción sobre base financiera, en su modalidad de impuesto contra impuesto, para determinar el tributo a pagar en un período dado. El contribuyente debe imputar al impuesto generado en un período, el impuesto que le ha sido recargado por sus proveedores o prestadores de servicios *en ese mismo período*, sin que exista identificación —necesaria— entre los bienes que se venden en un mes con los que se compran en ese mismo mes.

El derecho a crédito fiscal nace aun cuando los bienes comprados no se vendan en el mes de su adquisición, esto es, aun cuando no «produzcan» débito fiscal en dicho período o aun cuando no lo generen nunca por alguna razón justificable, como su pérdida o cambio de destino. Sólo importa, como se verá más adelante, que el contribuyente *afecte* los bienes adquiridos a operaciones que generarán débitos fiscales.

El sistema significa, entonces, que el crédito aparejado a la adquisición o construcción de un bien inmueble —lo mismo reza para los bienes muebles— no se hará valer en contra del débito que genere la venta de ese mismo bien inmueble —o mueble—, sino en contra de los débitos del mismo mes de la adquisición o construcción referida. Lo que exige la Ley es que esta adquisición o construcción se afecte a operaciones gravadas, pero no exige que *efectivamente* se produzcan o

---

3   Rencoret Orrego (2019) pp. 280 y ss.
4   Las cursivas son propias.

verifiquen tales operaciones. La Ley no establece un sistema de crédito en suspenso o diferido. El derecho a crédito nace para el contribuyente en el mes en que se le facture el bien o el servicio y en ese instante defina que esa adquisición estará destinada a producir en el futuro débitos fiscales, sea directamente a través de su venta, sea indirectamente por su colaboración en los procesos productivos o de distribución de los bienes, todas actividades gravadas con el tributo.

Por lo mismo, el Nº 2 del artículo 23 de la Ley, niega la procedencia del derecho a crédito fiscal por la importación o adquisición de bienes o la utilización de servicios que se *afecten* a hechos no gravados por la Ley o a operaciones exentas.

De esta forma, no basta que las adquisiciones del contribuyente del IVA —sea éste un comerciante o una inmobiliaria o constructora— o sus gastos de tipo general, tengan por destino coadyuvar con sus distintas actividades u operaciones. Es menester además que esas actividades u operaciones se encuentren gravadas con el tributo.

Por lo tanto, aun cuando guarden relación con el giro o actividad económica del contribuyente, no pueden dar derecho a crédito fiscal aquellas adquisiciones o servicios utilizados, que se empleen en actividades u operaciones que no generen débitos fiscales, de los que son del caso las operaciones exentas y no gravadas.

Sea como fuere, lo que la Ley exige es que se precise el *ánimo o intención* con que el contribuyente realiza sus inversiones o gastos. Si el ánimo o intención es el de realizar operaciones gravadas, la adquisición otorgará crédito fiscal. Si ese ánimo o intención es el de realizar operaciones exentas o no gravadas, jamás se podrá tener el derecho.

ii) *El nuevo «crédito provisional»*

La reforma agrega un nuevo inciso 2º, en el numero 6º, del artículo 23 de la Ley, del siguiente tenor:

«Cuando los contribuyentes que se dediquen a la venta habitual de bienes corporales inmuebles o las empresas constructoras, no puedan determinar la procedencia del crédito fiscal conforme a los números 1 al

3 de este artículo, en el periodo tributario en que adquirieron o construyeron los bienes, deberán aplicar las siguientes reglas:

a) El impuesto soportado será considerado provisionalmente como crédito fiscal del período correspondiente; y

b) El crédito fiscal provisional deberá ser ajustado en cada periodo en que se realicen operaciones no gravadas o exentas, adicionando, debidamente reajustado, al débito fiscal de dicho período, el monto equivalente al impuesto soportado en la adquisición o construcción de la o las unidades que se transfieren en dichas operaciones».

En virtud de esta modificación, el contribuyente inmobiliario siempre tendrá derecho a crédito fiscal, bastando no tener seguridad del destino de sus adquisiciones.

Aunque intuimos que la intención de favorecer a las constructoras e inmobiliarias que comercializan viviendas financiadas con subsidio habitacional puede ser atendible, entendemos que esta norma genera una discriminación arbitraria entre los contribuyentes del IVA, pues un comerciante o vendedor de bienes muebles, o incluso un prestador de servicios, no tendrá la misma facultad que los contribuyentes inmobiliarios, a quienes de esta forma se les estará otorgando SIEMPRE Y EN PRINCIPIO, crédito fiscal, bastando para ello esgrimir no tener claridad sobre el destino de sus adquisiciones (que implica la increíble circunstancia de no tener claridad del destino de sus negocios). Esta discriminación arbitraria hace que esta norma no se ajuste al principio básico de igualdad ante la ley y no discriminación, pues va más allá de establecer una mera excepción puntual y concreta, extendiéndose a una industria entera, generando un privilegio del que no gozarán los demás contribuyentes.

Pero además, el referido crédito provisional, atenta contra la esencia misma de la institución del derecho a crédito fiscal, lo cual implica que estemos más allá de una mera norma especial. Estamos verdaderamente ante una derogación de los requisitos del derecho a crédito fiscal, todo lo cual importa que esta norma se erija en una norma ilegal, pues atenta contra la normativa institucional del referido derecho, que es elemento de la esencia en la estructura del tributo.

f) Norma de presunción de incorporación al activo fijo para efectos del artículo 27 bis. Confusa e innecesaria

La reforma modifica el inciso 1º, del artículo 27 bis. Esta norma dispone que los contribuyentes del IVA que tengan remanentes de crédito fiscal durante seis o más meses, originados en la adquisición de bienes corporales muebles o inmuebles destinados a formar parte de su Activo Fijo podrán imputar ese remanente acumulado a cualquier clase de impuestos u optar porque dicho remanente les sea reembolsado por la Tesorería General de la República.

La reforma reduce el periodo de remanente de 6 meses a solo 2.

Pero además, agrega la siguiente exigencia respecto de los bienes inmuebles, añadiendo el siguiente párrafo al inciso 1º:

«Tratándose de bienes corporales inmuebles, se entenderán como destinados a formar parte de su activo fijo, desde el momento en que la obra o cada una de sus etapas es recibida conforme por quien la encargó. En caso que el contribuyente haya obtenido devoluciones durante el desarrollo de la obra, deberá al término de la misma, presentar a requerimiento del Servicio el certificado de recepción definitiva, y acreditar su incorporación efectiva al activo inmovilizado».

Entendemos perfectamente el castellano de la nueva norma, no obstante lo cual igual quedamos un tanto confundidos.

Primeramente, entendemos que los inmuebles a que se aplicará la nueva norma serían aquellos consistentes en construcciones nuevas, que se encarga edificar, no siendo aplicable a la adquisición de inmuebles ya terminados.

Enseguida, al parecer se trata de incorporar una «presunción» —de derecho(?)— en el sentido de que se entenderá que la nueva construcción se considerará como activo fijo a partir de su recepción conforme —total o parcial— por quien la encargó. No sabemos si se trata de una recepción fáctica o bastará el acuse de recibo conforme de la factura electrónica que la ley exige para tener derecho a crédito fiscal, o las consecuencias que producirá la diferencia entre la recepción fáctica y la recepción electrónica.

Por último, la parte final de la nueva norma nos preocupa, respecto de la presentación del certificado de recepción definitiva (¿«municipal»?) y la acreditación de la «incorporación efectiva al activo inmovilizado».

¿Qué consecuencias tendrá no poseer (aún) el certificado de recepción definitiva no obstante estar terminada la obra y recibida «de hecho» por quien la encargó?

¿Cómo se acreditará la «incorporación efectiva» al activo fijo del inmueble, que no sea a través de la forma tradicional, cual es su registro contable como tal y el subsecuente tratamiento financiero?

En fin, esperamos que esta modificación no sea un obstáculo más al uso de esta franquicia.

2. Regulación del «principio de indivisibilidad» tratándose de los «servicios». Un importante avance

a) ¿En qué consiste el principio de indivisibilidad de los servicios?[5]

Tal como lo hemos explicado en nuestros trabajos, este tópico está ligado a la base imponible del impuesto a los servicios.

Se trata de determinar cuál sería la base imponible del impuesto, para el caso en que un mismo contribuyente preste varios servicios a la vez a un mismo cliente beneficiario, cobrándole una remuneración única y total por todos ellos, o bien valorizando por separado las diversas prestaciones, siendo del caso que entre los diversos servicios prestados pueden existir prestaciones gravadas con el tributo y también prestaciones no gravadas con el mismo.

Al efecto, recordemos que el inciso 1º del artículo 15 de la Ley establece que la base imponible de los servicios estará constituida por el valor de las operaciones respectivas, sin distinción alguna. Por tal motivo, se podría concluir que si se cobra una suma alzada por una diversidad de servicios, habiendo entre ellos prestaciones no gravadas con el tributo, y sin que el contrato permita diferenciar o valorizar por separado cada

---

5   Rencoret Orrego (2019) p. 241.

prestación, la base imponible del impuesto la constituiría la remuneración global alzada, gravándose de paso las prestaciones no afectas.

Por otro lado, aun cuando se cobraran por separado las diversas prestaciones, habría que observar si los servicios prestados se encuentran concatenados entre sí, de suerte tal que unos sean complementarios o subsecuentes de otros, y estando gravados los principales, los servicios complementarios o accesorios también quedarían afectos. Vale decir, las prestaciones serían «indivisibles» para efectos de la aplicación del tributo.

La jurisprudencia administrativa de SII ha sido profusa en esta materia, y no pocas veces contradictoria.

b) La nueva regulación: primará la divisibilidad de los servicios

La reforma agrega un nuevo inciso 2º, al N° 2, del artículo 2º, del siguiente tenor:

«Tratándose de un servicio que comprenda conjuntamente prestaciones tanto afectas como no afectas o exentas del impuesto establecido en esta ley, solo se gravaran aquellas que, por su naturaleza, se encuentren afectas. En consecuencia, cada prestación será gravada, o no, de forma separada y atendiendo a su naturaleza propia, para lo cual se deberá determinar el valor de cada una independientemente. No obstante, si un servicio comprende un conjunto de prestaciones tanto afectas, como no afectas o exentas, que no puedan individualizarse unas de otras, se afectará con el impuesto de esta ley la totalidad de dicho servicio. Para los efectos de la determinación de los valores respectivos del servicio de Impuestos internos podrá aplicar lo establecido en el artículo 64 del Código Tributario».

Nos parece positiva esta nueva norma, en tanto cuanto entendemos que, por regla general, siempre será posible singularizar los servicios y determinar su naturaleza jurídica propia.

Además, aquella parte del nuevo párrafo que se pone en el caso de diversidad de prestaciones, tanto afectas como no afectas o exentas, cuya distinción no sea posible, quedando afecto la totalidad del servicio, nos parece correcta, habida consideración de lo explicado en el apartado precedente sobre el principio de indivisibilidad.

3. *Modificaciones en hechos gravados especiales no inmobiliarios*

a) Desafectación de entregas gratuitas en el hecho gravado especial de «retiros». Algo innecesario, pero no está demás

De conformidad con los incisos 2º y 3º, de la letra d) del artículo 8º de la Ley, se equiparan a «venta» —gravándose con el impuesto— los retiros de bienes corporales muebles o inmuebles, *sean o no del giro de la empresa*, hechos por un *vendedor*, destinados a rifas y/o sorteos, con fines promocionales o de propaganda, y en general toda entrega o distribución gratuita de dichos bienes, realizada con idéntica finalidad.

En lo que importa para este trabajo, digamos que constituyen un hecho gravado con el impuesto las «donaciones». Pero no cualquier donación. Estas deben ser realizadas con fines de promoción o propaganda; el donante debe tener la calidad de vendedor; y el objeto de la donación pueden ser bienes del giro («mercadería») u otros bienes (por ejemplo, activo fijo).

En consecuencia, no se encuentran gravadas las donaciones no promocionales —por ejemplo, aquellas que se hacen con fines benéficos—, como asimismo tampoco se gravan las donaciones de cualquier tipo que realicen los «prestadores de servicios».

Ahora bien, la reforma agrega el siguiente párrafo: «No se considerarán comprendidas en esta letra, las entregas gratuitas a que se refiere el Nº 3 del artículo 31 de la Ley sobre Impuesto a la Renta que cumplan con los requisitos que para cada caso establece la citada disposición. El contribuyente respectivo no perderá el derecho al uso del crédito fiscal por el impuesto que se le haya recargado en la adquisición de los bienes respectivos ni se aplicaran las normas de proporcionalidad para el uso del crédito fiscal que establece esta ley».

Las entregas gratuitas a que se hace referencia, son consagradas en la propia reforma, que modifica la norma del Nº 3, del articulo 31 de la Ley de la Renta, en cuya virtud se aceptará como «pérdida» del ejercicio, el costo de alimentos para el consumo humano o de mascotas, y otros productos que ella señala[6], cuya comercialización se ha vuelto inviable por las razones y en la forma que allí se establecen, conservando dichos productos sus condiciones para el consumo o uso según corresponda, que sean entregados gratuitamente a instituciones sin fines de lucro, debidamente inscritas ante el Servicio, para su distribución gratuita, consumo o utilización entre personas naturales de escasos recursos beneficiarias de tales instituciones, u otras instituciones sin fines de lucro que las puedan utilizar en el cumplimiento de sus fines. Del mismo modo, se procederá con la entrega gratuita de especies y otros productos farmacéuticos que autorice un reglamento que deberá emitir el Ministerio de Salud para el control de los productos farmacéuticos de uso humano.

Pues bien, estas «entregas gratuitas», que no constituyen sino «donaciones» de carácter «benéfico», la reforma las «desgrava» del impuesto IVA, lo cual nos parece en rigor innecesario pues las únicas donaciones que la Ley afecta con el impuesto son aquellas con fines promocionales o de propaganda, según hemos explicado anteriormente.

Pero nos parece positivo —aunque también innecesario, en rigor— que la nueva normativa aclare que no se pierde el crédito fiscal utilizado en su oportunidad, asociado a estos productos que, tiempo después, son objeto de las referidas donaciones benéficas.

b) Incorporación de activos fijos en las ventas de universalidades. Una ampliación del hecho gravado que permite nuevas certezas

La letra f) del artículo 8º, de la Ley del IVA grava la venta de establecimientos de comercio, y en general la de cualquier otra universalidad que comprenda bienes corporales muebles e inmuebles de su giro. Se trata de una operación equiparada a venta.

---

[6]   Productos de higiene y aseo personal, y productos de aseo y limpieza, libros, artículos escolares, ropa, juguetes, materiales de construcción, entre otros, que correspondan a bienes de uso o consumo, cuyas características y condiciones se determinen mediante resolución de SII.

La universalidad de hecho podría definirse como el conjunto de bienes muebles, de naturaleza idéntica o diferente, que no obstante permanecer separados entre ellos y conservar su individualidad propia, forman un solo todo, una sola cosa, en razón de estar vinculados por el lazo de su común destinación económica. Entre ellas destacan las «explotaciones», entre las que alcanza singular relieve el establecimiento de comercio.

El inciso 2º, del artículo 9, del Reglamento de la Ley señala expresamente que los establecimientos de comercio pertenecen a la categoría de universalidades de hecho.

Sin embargo, no toda universalidad de hecho en su transferencia queda gravada con el impuesto, es indispensable que ella comprenda bienes corporales muebles o inmuebles del giro del vendedor, así lo exige expresamente la letra f) en estudio. En verdad, es esto lo que la ley persigue gravar, los bienes del giro, aquellos respecto de los cuales el vendedor es habitual. La «mercadería».

Pues bien, la reforma agrega la siguiente oración a este hecho gravado especial: «[...] la venta de establecimientos de comercio, y en general la de cualquier otra universalidad que comprenda bienes corporales muebles e inmuebles de su giro, o que formen parte del activo inmovilizado del contribuyente, estos últimos siempre que cumplan los requisitos señalados en la letra m) del presente artículo».

Al efecto, dos observaciones:

(i) A partir de ahora, si se vende un establecimiento de comercio o una universalidad, comprendiendo en la venta bienes del activo fijo, por los cuales se haya tenido derecho a crédito fiscal en su adquisición, tal venta se encontrará gravada, independientemente de que además estén comprendidos en dicha venta bienes del giro; y

(ii) Me parece que gracias a esta reforma, se pone fin a una antigua discusión. Aquella en virtud de la cual, según algunos, el gravamen de la letra m) del artículo 8º de la Ley, referida a la venta de activos inmovilizados, sería aplicable no solo a las «ventas» —en tanto convenciones onerosas traslaticias de dominio— sino se extendería a todos los hechos gravados especiales del artículo 8º que impliquen la transferencia de un activo fijo (por ejemplo, el aporte a una sociedad), y que según otros, dicho gravamen —el que persigue a los activos fijos— no es aplicable a los demás actos jurídicos del artículo 8º, pues el vocablo «venta» que utiliza la letra m), so-lo debe entenderse referido a los actos que cualifican como convenciones onerosas traslaticias de dominio —pues así son definidas las «ventas» por la ley— siendo del caso que los hechos gravados especiales no constituyen «ventas», sino meras asimilaciones a este último concepto.

Pues bien, si la tesis extensiva hubiera sido la correcta, no hubiera sido necesario incorporar esta modificación legal, pues según dicha tesis, la venta de una universalidad que comprendiera bienes del activo fijo debería considerarse dentro de la voz «venta» que grava la letra m), del artículo 8º.

Ergo, a nuestro juicio, los activos fijos solo podrán gravarse con el IVA en aquellas operaciones en que especialmente son considerados como objeto del impuesto, a saber, en aquellas de las letras f) y m) del artículo 8º, y respecto de esta última letra, deberá entenderse por «venta» cualquier convención onerosa traslaticia de dominio según la definición de «venta» del Nº 1º, del artículo 2º de la Ley.

4. Modificación a las exenciones

a) Respecto de servicios afectos al impuesto adicional (IA). Ahora, en general, quedarán afectos al IVA los servicios exentos del IA

La Ley exime del IVA a los servicios que se encuentren afectos al impuesto adicional establecido en el artículo 59 de la Ley de la Renta (Nº 7 letra «E» del artículo 12). Esto es, si de entre las operaciones a que se refiere el artículo 59 de la LIR encontramos operaciones gravadas con el IVA, ellas quedan exentas de este tributo.

Hasta hoy, según esta norma, la exención del IVA debía aplicarse aun cuando la respectiva operación se encontrare exenta del impuesto adicional por alguna norma de la LIR o de otro cuerpo legal (como convenios internacionales), excepto aquellos servicios que —encontrándose exentos del impuesto adicional, según está dicho— fueren prestados en Chile[7].

---

[7]   Así por ejemplo, SII había señalado que «[...] las sumas pagadas al extranjero por licencias que otorgan el uso de programas computacionales en Chile y que se

Pues bien, la reforma modifica la exención del N° 7, de la letra «E» del artículo 12, ampliando la excepción a la exención señalada anteriormente a los servicios «utilizados en Chile».

El efecto práctico de esta reforma, consistirá en que solo quedarán exentos del IVA los servicios —prestados o utilizados en Chile— efectivamente gravados con el IA. Esto es, quedarán gravados con el IVA los servicios exentos del IA, sea que estos se presten o utilicen en Chile[8].

b) Respecto de los servicios de salud. Una mejoría

i) Reflexiones previas sobre el gravamen de los servicios de salud

Las prestaciones de salud se afectan con el IVA cuando ellas son realizadas remuneradamente por un determinado tipo de establecimiento u organización, específicamente, cuando son realizadas por (i) Clínicas, (ii) Hospitales, (iii) Laboratorios o (iv) otros establecimientos particulares de este género[9].

Con todo, la normativa vigente exime del impuesto estas prestaciones cuando (artículo 13, numerales 5, 6 y 7): (i) son realizadas por hospitales dependientes del Estado o de Universidades reconocidas por el Estado; (ii) son realizadas por el Instituto de Previsión Social (IPS), el FONASA o los Servicios de salud (en el entendido de que estas instituciones operen a través de establecimientos de salud del género hospitales, clínicas o laboratorios); y (iii) cuando son realizadas por entidades que en virtud de un contrato o una autorización sustituyen a las instituciones mencionadas en la letra anterior, «respecto de la prestación de los bene-

---

encuentran exentas de impuesto adicional por tratarse de programas estándar, se favorecen con la exención contenida en el artículo 12°, letra E), N° 7, del D.L. N° 825, por tratarse de servicios prestados en el extranjero y no en Chile» (Oficio N° 2515, de 2013).

[8]   De esta forma, para el caso del Oficio citado en nota anterior, habida cuenta de que las licencias de programas computacionales estándar se «utilizan» en Chile, ellas quedarán afectas al IVA.

[9]   No corresponde extendernos aquí sobre este hecho gravado, o sobre el significado de los conceptos de «clínica», «hospital» o «laboratorio», pero resulta fundamental estudiar estas materias para entender en mejor forma el tópico en análisis.

ficios establecidos por ley». Esta última expresión se ha entendido en el sentido que las prestaciones de salud quedan exentas hasta los montos de los aranceles Fonasa, niveles 1, 2 y 3.

Por otra parte, el artículo 21 de la Ley N° 18.933, de 9 de marzo de 1990, dispone lo siguiente: «Las Instituciones de Salud Previsional (ISAPRE) financiarán las prestaciones y beneficios de salud, con cargo al aporte de la cotización legal para salud o una superior convenida […]. Para efectos de la aplicación de lo dispuesto en el número 7 del artículo 13 de la Ley sobre Impuesto a las Ventas y Servicios, se entenderá que dichas Instituciones sustituyen en las prestaciones y beneficios de salud a los Servicios de Salud y Fondo Nacional de Salud».

El SII ha señalado que, de las normas legales mencionadas, cabría concluir que la exención del Impuesto al Valor Agregado establecida en el artículo 13 del D.L. N° 825, beneficia a las Instituciones de Salud Previsional sólo por las prestaciones de salud establecidas por Ley y otorgadas exclusivamente a personas afiliadas a algún régimen previsional. De este modo, la sustitución por la cual actúan estas instituciones respecto del Fondo Nacional de Salud, debe guardar relación para efectos de la exención, con las prestaciones que se otorguen, las que tienen que ser establecidas por Ley y con la calidad de afiliado a un régimen previsional que tenga el beneficiario de éstas.

De este modo, considerando el porcentaje legal de 7% que corresponde a la cotización de salud y el tope de remuneración imponible de 80,2 Unidades de Fomento (para el año 2020) sobre el cual debe aplicarse en forma obligatoria, tanto para los afiliados del antiguo como del nuevo sistema de previsión, se concluye que la exención de Impuesto al valor Agregado por cada trabajador afiliado a un régimen previsional, equivale a 5,614 Unidades de Fomento, encontrándose gravado con Impuesto al Valor Agregado toda cantidad que se cotice adicionalmente y que exceda dicho monto[10-11].

---

10 Oficio Ord. N° 257, de 3 de febrero de 1997.
11 La interpretación administrativa ha extendido el ámbito de aplicación de la exención, a las prestaciones de salud realizadas por entidades privadas, financiadas con bonos FONASA o con bonos de la Isapre, en virtud de un contrato o una autorización entre la entidad y FONASA o la ISAPRE respectiva. La

La Jurisprudencia Administrativa citada, reiterada en varios pronunciamientos, desarrolla la exención que favorece a las Isapres en lo tocante a las cotizaciones de salud, sin reparar en que nuevamente el legislador beneficia con una exención operaciones que, a mi juicio, no se encuentran gravadas, cual es el caso de las cotizaciones de salud previsional, habida cuenta que las ISAPRES no se encuentran clasificadas en los números 3 y 4 del artículo 20 de la Ley de la Renta, y menos se encuentran dentro de los «actos de comercio» del Código Mercantil.

ii) La reforma respecto de los servicios de salud

Generando una mejora en el tratamiento tributario de estos servicios, la reforma aclara bastante las exenciones que benefician a la salud, aunque deja vigente algunos pecados.

Primeramente, se crea una nueva exención a los servicios de salud, incorporándose un nuevo numeral 19), a la letra E, del artículo 12, del siguiente tenor:

«La prestaciones de salud establecidas por ley, financiadas por el Fondo Nacional de Salud (FONASA) y aquellas financiadas por Instituciones de Salud Previsional (ISAPRES), pero hasta el monto del arancel FONASA en que se encuentre inscrito el prestador respectivo. Asimismo, la exención será aplicable a las cotizaciones obligatorias para salud, calculadas sobre la remuneración o renta imponible para efectos previsionales, conforme a lo establecido en el artículo 16 del Decreto Ley 3.500 de 1980».

Y, enseguida, se derogan las letras a), b) y c) del Nº 6, del artículo 13, y el Nº 7 de este último artículo se reemplaza por el siguiente: «Los servicios de salud y las personas naturales o jurídicas que en virtud de un contrato o una autorización los sustituyan en la prestación de los beneficios establecidos por ley».

A partir de las normas «post reforma», podemos concluir lo siguiente:

---

exención se limita hasta el respectivo nivel FONASA. Así lo señalan los Oficios Nº 3.110/98, 2.010/98 y 97/99.

a) Es acertado establecer que «lo exento» serán las prestaciones de salud —en cuanto sean brindadas por clínicas, hospitales (no dependientes del Estado), laboratorios u otros establecimientos similares—, que sean «financiadas» (no «prestadas») por FONASA y por las ISAPRES, que reúnan dos requisitos: (i) que estén establecidas por ley (esperemos el sentido que la autoridad fiscalizadora dará a esta expresión para pronunciarnos) y (ii) hasta el tope del arancel FONASA en que se encuentre inscrito el prestador respectivo.

b) Es acertado mantener la exención que beneficia las prestaciones otorgadas por los organismo públicos «servicios de salud» (en la medida que estos servicios se presten a través de establecimientos equivalentes a hospitales) y por las personas que en virtud de un contrato o una autorización sustituyan a dichos servicios de salud, en la prestación de los beneficios establecidos por ley.

c) Es un desacierto mantener una exención respecto de las cotizaciones obligatorias para salud, pues ni FONASA ni las ISAPRES se encuentran gravadas con el IVA.

5. Nueva facultad de tasación. Otro ejemplo, esta vez más exquisito, de una inconstitucionalidad

La reforma introduce tres nuevos incisos al artículo 20 de la Ley, pasando estos tres nuevos incisos a ser, respectivamente, los incisos 4º, 5º y 6º de dicho artículo. Su texto es el siguiente:

«En aquellos casos en que no pueda determinarse el débito fiscal del contribuyente por falta de antecedentes o cualquiera otras circunstancia imputable al contribuyente, el Servicio, mediante resolución fundada, podrá tasar el impuesto a pagar, tomando como base los márgenes observados para contribuyentes de similar actividad, negocio, segmento o localidad».

«En la determinación del impuesto a pagar, el Servicio deberá estimar un monto de crédito fiscal imputable a un monto estimado como débito fiscal, conforme a los parámetros señalados u otros que permitan hacer una estimación razonable del monto a pagar en cada uno de los periodos tributarios en cuestión. Si la imposibilidad de determinar el débito fiscal proviene de caso fortuito o fuerza mayor, el contribuyente dispondrá de un plazo de 6 meses para reunir los antecedentes que le permitan realizar la declaración de los períodos tributarios involucrados de conformidad al artículo 35 de la Ley sobre Impuesto a la Renta, para lo cual deberá presentar ante el Servicio de Impuestos Internos una petición en la forma que este determine mediante resolución. Los plazos de prescripción se entenderán aumentados por igual tiempo. No podrán acogerse a este procedimiento los contribuyentes que se encuentren formalizados, querellados o sancionados por delito tributario».

«Con todo, cuando el contribuyente fundadamente señale que no está en condiciones de determinar su impuesto a pagar, podrá solicitar al Servicio de Impuestos Internos que efectúe la tasación a que se refiere el inciso cuarto de este artículo».

Consideramos que estas tres normas debieran quedar en los anales del derecho tributario chileno como un ejemplo de inconstitucionalidad, por burda infracción al principio de legalidad del tributo, en cuya virtud solo en virtud de un ley se pueden establecer impuestos, implicando con ello, entre otras consecuencias, que solo es la ley la que puede y debe (i) configurar el hecho gravado con un impuesto y (ii) establecer las bases de cálculo o «base imponible» de un impuesto. Veamos en forma sucinta como las nuevas normas conculcan este principio.

a) Respecto del nuevo inciso 4°, del artículo 20:

- La norma discurre sobre la base que no sea posible determinar el débito fiscal (DF) del mes de un contribuyente por falta de antecedentes. Ello es impropio, pues el DF es solo la sumatoria de los IVAs recargados en ventas y servicios afectos. Lo que corresponde al fiscalizador es precisar cuáles fueron los actos, contratos y/o transacciones del mes, constitutivos de «ventas» o «servicios» afectos. Y el peso de la prueba recae sobre quien afirma que el contribuyente realizó una «venta» o «prestó un servicio», esto es, el fiscalizador, para lo cual dispone de un cúmulo de potestades en el ordenamiento tributario. A mayor abundamiento, si hay falta de antecedentes «para determinar los débitos fiscales» es porque hay falta de antecedentes de que se hayan realizado operaciones gravadas. No puede quedar al mero arbitrio del fiscalizador determinar si se realizaron o no operaciones gravadas, debe proporcionar los antecedentes de que esas operaciones se realizaron, y que el contribuyente no las declaró oportunamente.

- Se establece que SII, mediante resolución fundada, pueda tasar el impuesto a pagar, en circunstancias que jamás el fiscalizador ha podido «tasar impuestos», lo que se tasa son «precios», «valores» o «bases imponibles», jamás impuestos.

- Para realizar esa tasación, se deberán tomar como base los márgenes observados para contribuyentes de similar actividad, negocio, segmento o localidad. En otras palabras no importará la realidad jurídica o económica de que efectivamente existieron operaciones y que ellas estaban o no gravadas, pues de haber existido de verdad esas operaciones, habría sido posible tasar sus precios o valores, y jamás utilizar una ficción relativa a márgenes asociados a negocios equivalentes.

b) Respecto del nuevo inciso 5º, del artículo 20:

- Se le permite a SII estimar un monto de crédito fiscal imputable a un monto estimado como débito fiscal, permitiéndole hacer una estimación razonable del monto a pagar en cada uno de los periodos tributarios en cuestión. Vale decir, se le permite a SII inventar un débito fiscal y un crédito fiscal, por sí y ante sí.

- Para estos efectos, se configura una suerte de «procedimiento administrativo» ante la imposibilidad de determinar el débito fiscal, en situación de «caso fortuito o fuerza mayor», disponiendo el contribuyente de 6 meses para reunir los antecedentes respectivos. Esto parece un poco más razonable, en el entendido que entre fiscalizador y fiscalizado se arribe a la determinación efectiva de las operaciones, y no a presunciones de carácter administrativo.

c) Respecto del nuevo inciso 6°, del artículo 20:

- La guinda de esta «torta de inconstitucionalidad» la establece este inciso, otorgándole al contribuyente, como graciosa concesión, la posibilidad que solicite a SII que efectúe la tasación a que se refiere el inciso cuarto de este artículo, cuando no esté en condiciones de hacerlo él. Habrá que ver de qué forma será utilizado por SII esta norma, para «incentivar» a los contribuyentes a impetrar esta solicitud.

6. Modificación al Crédito Fiscal Proporcional. Lastimosamente se incorporan las operaciones no gravadas

Hemos conceptualizado el crédito fiscal proporcional como la facultad que tienen los contribuyentes del IVA para imputar al débito fiscal *del mes, sólo un porcentaje* de los impuestos que soportan en la adquisición de aquellos bienes o servicios utilizados, que se afectan, destinan o sirven simultáneamente *en el mismo periodo* a la realización de operaciones gravadas y exentas del tributo, en razón de la imposibilidad de distinguir su destino o utilización exclusiva a un tipo de operaciones determinadas.

De este concepto se desprende que para que tenga lugar la aplicación del crédito proporcional en un mes, es indispensable la concurrencia de dos condiciones: (i) que en el mes existan operaciones gravadas y operaciones exentas; y (ii) que en el mismo mes existan «adquisiciones de utilización común», entendiendo por tales aquellas que en el mismo periodo se destinan, colaboran o sirven para generar simultáneamente esas operaciones gravadas y exentas, siendo imposible relacionar dichas adquisiciones en forma exclusiva con un tipo de operaciones determinadas. Será el caso de los «gastos de tipo general» y, muy probablemente, de algunos bienes del activo fijo.

La doctrina y jurisprudencia administrativa tenían una antigua discusión, que a partir de la reforma ya deja de tener interés, acerca de si la existencia de operaciones «no gravadas» incidía o no en la proporcionalización del crédito fiscal.

Esa discusión concluye con la reforma, pues ahora en forma expresa se incorporan las operaciones no gravadas en la determinación del CF Proporcional.

En efecto, la nueva ley modifica el numeral 3º, del artículo 23 del DL 825, quedando su redacción en la siguiente forma:

«En el caso de importación o adquisición de bienes o de utilización de servicios que se afecten o destinen a operaciones gravadas y operaciones exentas o a hechos no gravados por esta ley, el crédito se calculara en forma proporcional, de acuerdo con las normas que establezca el Reglamento».

7. Nueva norma respecto de facturas falsas

a) Breve Repaso Sobre Facturas Falsas

Sabemos que para tener derecho a crédito fiscal, entre otros requisitos, la ley exige la efectividad material de la operación de compra o utilización del servicio.

Esta es la condición implícita en las exigencias de carácter documental que establece el Nº 5º del artículo 23 de la ley, en cuanto dispone que no darán derecho a crédito fiscal los impuestos recargados o retenidos en facturas *no fidedignas o falsas*. Este trabajo no ahondará en este requisito. Solo digamos que la Circular Nº 93 de 2001, se encarga de definir los conceptos señalados, y explicar las condiciones y requisitos relativos a los documentos —hoy por hoy electrónicos— que otorgan el DCF.

Ahora bien, el inciso 2º del Nº 5 del artículo 23, establece que no se aplicarán los requisitos relativos a la documentación sustentatoria del crédito fiscal cuando el pago de la factura se haga dando cumplimiento a los siguientes requisitos: a) Con un cheque nominativo, vale vista nominativo o transferencia electrónica de dinero a nombre del emisor de la factura, girados contra la cuenta corriente bancaria del respectivo comprador o beneficiario del servicio; y b) Haber anotado por el librador al extender el cheque o por el banco al extender el vale vista, en el reverso del mismo, el número del rol único tributario del emisor de la factura y el número de ésta. En el caso de transferencias electrónicas de dinero, esta misma información, incluyendo el monto de la operación, se deberá haber registrado en los respaldos de la transacción electrónica del banco.

Sin embargo, si con posterioridad al pago de una factura, ésta fuere objetada por el Servicio de Impuestos Internos, el inciso 3° del N° 5 nuevamente sanciona al contribuyente con la pérdida del derecho al crédito fiscal que ella hubiere originado, a menos que acredite a satisfacción de dicho Servicio, lo siguiente[12]: a) La emisión y pago del cheque, vale vista o transferencia electrónica, mediante el documento original o fotocopia de los primeros o certificación del banco, según corresponda, con las especificaciones que determine el Director del Servicio de Impuestos Internos; b) Tener registrada la respectiva cuenta corriente bancaria en la contabilidad, si está obligado a llevarla, donde se asentarán los pagos efectuados con cheque, vale vista o transferencia electrónica de dinero; c) Que la factura cumpla con las obligaciones formales establecidas por las leyes y reglamentos, y d) La efectividad material de la operación y de su monto, por los medios de prueba instrumental o pericial que la ley establece, cuando el Servicio de Impuestos Internos así lo solicite.

Finalmente, y no obstante lo dispuesto en los incisos segundo y tercero citados, el inciso penúltimo del N° 5, del artículo 23, advierte que no se perderá el derecho a crédito fiscal si se acredita que el impuesto ha sido recargado y enterado efectivamente en arcas fiscales por el vendedor.

Pues bien, a partir de las normas reproducidas anteriormente, podemos concluir que hay dos situaciones de excepción que permiten al contribuyente hacer uso del crédito fiscal, no obstante que la factura en que se sustenta adolezca de alguno de los defectos a que se refiere el inciso primero del N° 5 del artículo 23, a saber:

1) Cuando el pago de la factura se ha efectuado con los documentos nominativos señalados por la norma, incluyendo la transferencia electrónica, provenientes de la cuenta corriente del comprador o beneficia-

---

[12] Lo normal es que el Servicio objete las facturas que estima *irregulares* aun cuando el contribuyente cumpla las condiciones del inciso 2°, del N° 5 del artículo 23. De ahí que la contraexcepción que establece el inciso 3°, con la consecuente exigencia del cumplimiento de todas las condiciones que dicha disposición establece, pase a constituir la regla general.

rio del servicio, todos a nombre del emisor de la factura, con constancia en los documentos físicos o electrónicos del número de RUT del emisor de la factura y el número de ésta, y tratándose de transferencias electrónicas también el monto de la operación. A requerimiento de Impuestos Internos, adicionalmente también deberá acreditarse que la cuenta corriente bancaria se encuentra registrada en la contabilidad y que la operación ha sido real o efectiva, y, 2) En el caso que se acredite que el impuesto ha sido recargado y enterado efectivamente en arcas fiscales por el vendedor. Esta condición se satisface con la correcta declaración del IVA del respectivo mes por parte del emisor de la factura, aun cuando dicha declaración sea sin pago por arrojar remanente. En todo caso, la operación en cuestión debe haber sido real o efectiva[13].

En el caso de la excepción signada en el número 1, vemos que ella solo puede tener lugar cuando se ha efectuado efectivamente el pago al respectivo proveedor, pues toda su normativa discurre bajo este presupuesto, esto es, el pago de la factura del proveedor. De forma tal que, de no haberse pagado la factura al proveedor, y ser objeto ella de alguna impugnación fiscalizadora, el contribuyente fiscalizado que desee defender el respectivo derecho a crédito fiscal no podrá asilarse en esta excepción, pudiendo defender la *regularidad* del documento con todos los otros medios de prueba legales pertinentes, por aplicación de lo dispuesto en el artículo 21 del Código Tributario.

Y respecto de la excepción del número 2, entendemos que ella puede tener lugar incluso no mediando pago de la factura al proveedor, y aun aplicándose a una documentación que siendo irregular no cumpla ninguna de las condiciones establecidas en la excepción del número 1. Con todo, lo que al menos debiera exigirse en este caso —y en esto estamos con Impuestos Internos— es la efectividad de la transacción económica de que da cuenta la documentación irregular.

Finalmente, digamos que la norma del N° 5 del artículo 23 concluye advirtiendo que «En todo caso, nunca podrá gozar de crédito fiscal el comprador o beneficiario del servicio que haya tenido conocimiento o participación en la falsedad de la factura».

---

[13]   Véase la Circular N° 93 de 2001, capítulo III, N° 2.

b) La modificación a la norma de facturas falsas. Veremos su aplicación

Pues bien, la reforma introduce un nuevo inciso 3º, en el numeral 5º en referencia, del siguiente tenor:

«El contribuyente deberá aportar los antecedentes que acrediten las circunstancias de las letras a) y b) precedentes, dentro del plazo de un mes contado desde la fecha de notificación del requerimiento realizado por el Servicio de Impuestos Internos. En caso que no dé cumplimiento a lo requerido, previa certificación del Director Regional respectivo, se presumirá que la factura es falsa o no fidedigna, no dando derecho a la utilización del crédito fiscal mientras no se acredite que dicha factura es fidedigna».

Más allá de los aspectos formales (el plazo de un mes, y la notificación de un requerimiento) observamos que se trata de una norma que al parecer solo viene a abundar en algo que ya está funcionando en el hecho y en el derecho, en cuanto tanto si el contribuyente no acredita el pago de la factura en la forma señalada en las letras a y b del inciso 2º del Nº 5, la factura no dará DCF mientras no se acredite que es fidedigna.

La pregunta que hacemos entonces es la siguiente: ¿dada la ubicación de este nuevo inciso, debemos entender que se cumplirá con la condición de ser fidedigna la factura, si se procede en la forma ya regulada en el actual inciso 3º, que ahora pasa a ser inciso 4º?

Y, de ser así, ¿querrá decir que aún cuando no se cumpla con estas últimas condiciones, aún se tendrá DCF en la medida que se acredite lo dispuesto en el actual inciso 4º, que pasa a ser 5º?

Y de ser así, ¿para que se introdujo esta modificación?

8. *Nuevas normas de procesos electrónicos, transparencia, emisión de documentos y nuevo procedimiento general para obtener devoluciones de impuestos*

Aunque se trata de una serie de modificaciones de carácter propiamente «formal», entendemos importante destacar las siguientes modificaciones legales:

a) Incorporación al formato electrónico de las boletas de ventas y servicios

Se modifica el inciso 1°, del artículo 54 de la Ley, en el sentido de hacer obligatorio el formato electrónico respecto de las boletas, derogándose la norma que permitía optar al contribuyente por la emisión de este documento en formato de papel.

b) Legalización de un «Registro Centralizado Nacional» de documentos electrónicos y no electrónicos

Se sustituye el artículo 59 de la Ley, por uno nuevo. Sobre esta modificación solo observaremos que, a nuestro juicio, la reforma lo que hace es «legalizar» un sistema que SII había instaurado «de facto» a través de la Resolución N° 61 de 2017, complementada por la Resolución N° 68 de ese mismo año, por medio de la cual creó un nuevo Registro de Compras y Ventas y eximió a los contribuyentes del IVA de la obligación que establecía el antiguo artículo 59 de la Ley y el inciso 1° del artículo 74 del Reglamento, consistente en llevar el Libro de Compras y Ventas.

c) Indicación del IVA, separado del precio, en las boletas

Se modifica el artículo 69 de la Ley, en el sentido de hacer extensiva a las boletas, además de las facturas, la obligación de indicar separadamente del precio el impuesto respectivo. Un importante avance en transparencia.

d) Establecimiento de un procedimiento general para solicitar la devolución o recuperación de los impuestos del DL 825

La reforma incorpora un nuevo «párrafo 6°», al final del Título IV, de la Ley, estableciendo los nuevos artículos 80 al 85, que regulan un nuevo procedimiento general para solicitar las devoluciones o recuperaciones de los impuestos del DL 825. En todo caso, queda fuera de este procedimiento la devolución que regula el artículo 27 bis (devolución de remanente por activo fijo).

Dado el carácter eminentemente formal de estas normas, a continuación nos limitaremos a extractar las principales.

Artículo 81:

- Las solicitudes de devolución o recuperación de impuestos deberán presentarse ante SII. La forma de la presentación queda entregada a una resolución que deberá emitir este organismo.

- SII dispondrá de un plazo de 5 días para:

o Autorizar o denegar la solicitud, mediante resolución fundada; o

o Someter la solicitud a un procedimiento de fiscalización especial previa

 – Aunque resuelva devolver, SII igualmente queda facultado para revisar posteriormente las devoluciones autorizadas.

 – Además, en una norma cuyo alcance no avizoramos, SII queda facultado para denegar la devolución si existieren débitos fiscales no enterados efectivamente.

Artículo 82:

- SII debe comunicar «electrónicamente» a Tesorería «a la brevedad» las decisiones que adopte respecto de las solicitudes.

- Tesorería debe devolver en el plazo de 5 días desde la comunicación anterior.

- Si SII no se pronuncia dentro del plazo del artículo 81, la solicitud se entenderá aprobada, y Tesorería deberá pagar «con el solo mérito de la solicitud [...]».

Artículo 83:

- Este artículo regula el procedimiento de fiscalización especial previa que puede disponer SII.

- El plazo de este procedimiento será de 45 días, con las excepciones que se indican en la norma, incluyendo normas especiales respecto de la petición de devolución del IVA exportador.

- Si SII resuelve proceder a la fiscalización especial previa, debe hacerlo en el plazo de 5 días del artículo 81, para lo cual esta norma le confiere un plazo de 10 días, desde la presentación de la solicitud, para notificar la resolución, la que además deberá requerir al contribuyente los antecedentes del caso (en el hecho, esto implica que SII disponga de un plazo de 10 días para resolver la fiscalización especial previa).

- El contribuyente tendrá 10 días para aportar los antecedentes.

- SII deberá resolver la solicitud dentro del plazo de 25 días desde que reciba «la totalidad de los antecedentes requeridos».

IV. Conclusiones

El análisis realizado en el capítulo precedente, nos permite formular las siguientes conclusiones generales a la reforma al IVA no digital:

1. Las modificaciones legales en estudio no tienen una trascendencia relevante desde una perspectiva sustancial, frente a la estructura jurídico-económica del tributo a las ventas y los servicios.

2. No hay modificaciones de mayor interés a los «hechos gravados», salvo por lo referente a los arrendamientos, que contienen un interesante adelanto legislativo, al configurarse las circunstancias generales que deberán cumplirse para que se incurra en dicho hecho gravado, pero que desgraciadamente se contaminan con una modificación a nuestro juicio inconstitucional, según está explicado en el cuerpo de este trabajo.

3. Empero, la regulación del «principio de la indivisibilidad» de los servicios, y la nueva estructura de exenciones relacionadas con los servicios de salud se erigen, a mi juicio, como las modificaciones de mayor valor en esta reforma.

4. Son lamentables las nuevas normas que resultan ser, a nuestro juicio, inconstitucionales, ilegales, confusas o vagas, como las del nuevo «crédito provisional» en la actividad inmobiliaria, las potestades que se otorgan al SII referidas a los arrendamientos, las relacionadas con la nueva facultad general de tasación o la referida a las facturas falsas, todas ellas revisadas en el presente trabajo y de difícil pronóstico en cuanto a su aplicación práctica por la autoridad fiscalizadora.

5. Por último, preocupante será ver cómo influirá en la proporcionalización del crédito fiscal la consideración formal de las operaciones no gravadas, especialmente en aquellos contribuyentes que operan normalmente «afectos» y que solo ocasionalmente realizan este último tipo de operaciones.

Bibliografía

RENCORET ORREGO, Ernesto (2019): *Curso de IVA* (Santiago, Libromar).

IMPUESTO A LOS SERVICIOS DIGITALES: DEL MUNDO A CHILE

SANDRA BENEDETTO BACK[*]

I. Introducción

La digitalización, como fenómeno cultural, social y económico que es, ha afectado prácticamente todas las áreas de nuestras vidas, y los impuestos no son la excepción. Los nuevos modelos de negocios que se han generado, imposibles o impensables sin la digitalización y sin las tecnologías de la información, han removido las bases teóricas de los sistemas tributarios internacionales así como de la interacción entre ellos. El sistema tributario internacional, principalmente basado en factores de conexión físicos, lleva prácticamente un siglo de funcionamiento y no será fácil cambiarlo. En efecto, muchos de los avances de las últimas décadas han dejado obsoletos reglas y principios que eran incuestionables y que hoy, tanto la academia y como los organismos internacionales están monitoreando[1].

Hoy, pareciera existir un entendimiento general de que las empresas multinacionales que prestan servicios sin una presencia física o jurídica en un determinado territorio deberían estar afectas a impuestos en dichas jurisdicciones. Sin embargo, los países aún no han llegado a un acuerdo en cómo hacer ello posible. La falta de consensos entre las potencias ha empujado, por tanto, a muchos países a tomar medidas unilaterales para capturar estos ingresos fiscales.

La Ley Número 21.210 que «Moderniza la legislación tributaria» (Ley 21.210), publicada en el Diario Oficial el día 24 de febrero de 2020, incluye en su articulado normas que gravan los servicios digitales

---

[*]   Abogado Universidad de Chile, Master's degree in law (LL.M) y Certificate on International Taxation (ITP), Harvard University. Socia PricewaterhouseCoopers Consultores, Auditores SpA.
[1]   Organización para la Cooperación y el Desarrollo Económico (1998a).

en Chile. Estas no son un hecho aislado y responden precisamente a los desafíos que la digitalización ha puesto sobre los sistemas tributarios existentes.

En concreto, la Ley 21.210, modifica el Decreto Ley N° 825 sobre Impuesto a las Ventas y Servicios (Ley IVA), incorporando dentro de los hechos gravados especiales, una serie de nuevas disposiciones que afectarán, con el referido impuesto indirecto, a servicios remunerados realizados por prestadores domiciliados o residentes en el extranjero[2].

Para efectos de claridad, este texto se divide en dos partes. En la primera —la sección II— se analizará brevemente el contexto internacional; los principales factores que han impactado en la discusión sobre la tributación que debe afectar a las empresas multinacionales; algunas iniciativas unilaterales adoptadas para abordar estos aspectos; y, una breve descripción del estado actual de la discusión. En la segunda parte —las secciones III y IV— nos abocaremos al caso particular de Chile, comentando sobre la norma propuesta en el proyecto original; las modificaciones que le fueron introducidas; y su redacción final como un IVA a los servicios digitales.

II. La tributación en la era de internet: el desarrollo de los impuestos digitales

1. La era pre-BEPS[3]

Las normas que componen el sistema tributario internacional actual, tienen su origen en un trabajo encomendado por la Liga de las Naciones a un grupo de economistas a principios de los años 20'[4]. En dicha instancia, se analizaron cuáles debían ser los factores que permitiesen distribuir los derechos de imposición entre el denominado «país de fuen-

---

[2] Ley 21.210.

[3] Como se explicará en esta sección *BEPS* es la sigla en inglés que refiere al proyecto conjunto de la OCDE y G20 de «Erosión a la base imponible y traslado de beneficios» (*Base erosion and profit shifting*).

[4] Liga de las Naciones, Comité Financiero (1923).

te» y el «país de residencia». Aquí, el concepto principal, teorizado por
Avi-Yonah, era que dicha distribución debía basarse en el denominado
«*benefits principle*», es decir, que un contribuyente no residente en el país
de fuente, debería verse sometido a tributación en él, en la medida en
que obtenga beneficios de dicho país, es decir, de sus recursos, infraestructura, normas, entre otros[5].

Considerando que para la época los factores productivos, la movilidad del capital y las comunicaciones eran bastante más estáticos que en
la actualidad, el beneficio obtenido desde el país de fuente se estableció
considerando factores principalmente relacionados con la presencia física. Así las cosas, el reporte de este grupo de economistas, propuso dos
normas para distribuir el derecho a gravar: (i) la norma del nexo, mediante la cual las ganancias obtenidas por una empresa se gravarían exclusivamente en el país de residencia, a menos que existiese un establecimiento permanente en el estado de fuente; (ii) la norma de atribución
basada en el principio del operador independiente (*arm's lenght principle*)
que establece que, una vez determinada la existencia de presencia física
de la empresa en el país de fuente, debe determinarse qué proporción de
las ganancias pueden gravarse en dicho país[6].

Este trabajo, fue posteriormente recogido por la Organización para la Cooperación y el Desarrollo Económico (OCDE) que en 1963
publicó el primer modelo de Convenio para evitar la doble imposición
en las rentas y el capital. Del mismo modo, las Naciones Unidas también desarrolló un modelo de convenio orientado fundamentalmente
a abordar la relación entre países desarrollados y países en desarrollo
utilizando los mismos principios. Tanto el modelo de la OCDE como el
de Naciones Unidas, son ampliamente aceptados a nivel internacional y
han servido de base para una red de más de 3000 convenios bilaterales[7].

Si bien es cierto que la movilidad del capital, las disminuciones de
barreras arancelarias y los avances en los medios de transporte durante
la primera mitad del siglo pasado tuvieron impactos importantes en el

---

5   Avi-Yonah (2000) pp. 34-37.
6   Organización para la Cooperación y el Desarrollo Económico (2018).
7   Organización para la Cooperación y el Desarrollo Económico (2017).

proceso de globalización[8], esto no fue suficiente para afectar radicalmente la forma de hacer negocios transfronterizos ni para remecer las
normas tributarias sobre presencia física en el país de fuente. Así, las
normas ya existentes, con algunos ajustes, pudieron abarcar de mejor
o peor manera, los desafíos de la globalización durante el siglo pasado.

Esto cambió fundamentalmente a finales del siglo pasado y a comienzos del siglo XXI, con impactos que han hecho tambalear los pilares del sistema de tributación internacional. A nuestro juicio, son tres
las principales causas que explican este fenómeno: (i) el aumento de la
relevancia de los intangibles en el mercado internacional; (ii) la masificación de internet; y, (iii) el desarrollo de los bienes digitales[9].

Con respecto a los intangibles, será suficiente a efectos de este capítulo establecer que hacia los 70', las empresas multinacionales ya habían
descubierto dos ventajas que representaban los intangibles: podían ser
reubicados sin mayores costos en cualquier jurisdicción; y, su valoración,
sobre todo a efectos de aplicar el *arm's length principle*, era altamente
compleja lo que suponía un desafío importante para las distintas administraciones tributarias.

Sobre el internet y el acceso a la *world wide web*, si bien sus bases
teóricas y los primeros desarrollos comenzaron en los 70', su uso cotidia-
no y por el público general no fue hasta los 90'. Es más, hacia finales de
los años 90' y hasta el 2001, el mundo vivió la primera crisis económica
como efecto de la masificación de estas tecnologías, la denominada crisis
dot-com, dando cuenta del impacto global de estos avances.

El último factor, es el desarrollo de los denominados bienes digitales. Para estos efectos adoptaremos la explicación de QUAH quien los
explica como una «receta». Según este autor, dicha receta corresponde
a un conjunto de instrucciones con valor económico que compone el
bien digital. La forma en que esta receta está escrita, permite tanto el
consumo del bien digital como su producción[10]. Tomamos el ejemplo
de un programa computacional o *software*: el *software* es un conjunto

---

[8]   ROXAN (2012) pp. 18-19.
[9]   LAGARDEN (2014) p. 331.
[10]   QUAH (2003) p. 6.

de líneas de código, en un lenguaje y en un orden lógico que permiten dar una instrucción a un computador para que realice una determinada función. El *software* es —la— instrucción y al mismo tiempo hace lo que la instrucción dice. Asimismo, el *software* se puede replicar de forma prácticamente infinita y, cada copia tiene igual valor y utilidad que el original, siendo indistinguibles entre sí. De hecho, hoy interactuamos en cada momento con bienes digitales, canciones y películas en *streaming*, videojuegos, libros, nuestras cuentas bancarias, certificados, e-mails y la lista sigue. Pensemos en un diseño computacional o planos, que es un bien digital que puede ser impreso en 3D. Imaginemos el efecto que esta tecnología tendrá en las cadenas productivas y logísticas a nivel internacional una vez que se masifique. Dicho modelo podrá ser producido —impreso— directamente, y no será necesario buscar una manufactura en una tercera jurisdicción para reducir costos.

Estas nuevas tecnologías fueron creando nuevos paradigmas económicos y modelos de negocios, en los que la presencia física en un país no era un factor necesario para obtener beneficios de él. La visión romántica de que para hacer negocios en otro país es necesario armar maletas ya es cosa del pasado. Hoy en día, una red social puede tener millones de usuarios en un determinado país y por lo mismo derivar valor del mismo, sin siquiera tener un simple servidor allí.

La transversalidad y relevancia de estas tecnologías para la economía mundial han hecho que se vean afectadas no sólo aquellas empresas que son principalmente proveedoras de bienes y servicios digitales, sino todo el mercado. No con falta de astucia, la OECD ha indicado que no es posible diferenciar la economía de la economía digital, sino que por el contrario, estamos viviendo un proceso de digitalización de la economía[11].

Esta breve introducción nos lleva a revisar el primer antecedente concreto del actual proceso de cambio a las normas de tributación internacional: las conferencias de Turku (Finlandia 1997) y de Ottawa (Canadá 1998). En ellas, se comenzaron a sentar las bases para analizar los desafíos que generaba el denominado *ecommerce* —comercio

---

[11]   Organización para la Cooperación y el Desarrollo Económico (2015) p. 54.

electrónico—[12]. Las principales conclusiones fueron, en general, el reconocimiento del potencial del comercio electrónico para el desarrollo
del mercado internacional, reafirmando el compromiso de permitir su
expansión; y, en particular en materia impositiva, la adopción de una
serie de principios orientados a guiar a las administraciones fiscales en
la forma de enfrentarse al fenómeno del comercio electrónico. Estos
principios fueron: neutralidad, eficiencia, certeza y simplicidad, efectividad y justicia y flexibilidad, siendo los mismos que sirven de base para
abordar el comercio tradicional. Finalmente, se tomó la determinación
de seguir trabajando en una matriz común para definir futuros rumbos
de acción[13].

El avance de los acuerdos de las conferencias de Turku y Ottawa
fueron revisados en los años 2001[14] y 2003[15] para la implementación de
políticas fiscales para los países de la OCDE. Luego de lo anterior, no
hubo mayores modificaciones. En el año 2010, se consolidó una nueva
versión de los comentarios al modelo OCDE sobre convenios de doble
imposición sobre la renta y el capital, en la cual se incorporaron algunos
párrafos sobre servidores y *software*, las que no modificaron sustancialmente el sistema, sino interpretaron algunas situaciones que parecían no
estar cubiertas anteriormente.

La revolución de la tributación de la economía digital que hoy estamos viendo fue acelerada por dos factores: la crisis financiera de 2008; y,
un grupo de controversias tributarias que afectaron a los grandes nombres de la industria tecnológica a finales de la dicha década.

La crisis financiera o *sub-prime*, dada su magnitud, forzó a los países
desarrollados a repensar la regulación bancaria, financiera y tributaria,
para evitar una serie situaciones que fueron consideradas abusivas. Con-
cordamos con AVI-YONAH en pensar que esta crisis es un antecedente
indirecto del proyecto de BEPS[16], puesto que obligó a los gobiernos a
buscar nuevas fuentes de financiamiento luego de la misma.

[12]   Comisión Europea (1998).
[13]   Organización para la Cooperación y el Desarrollo Económico (1998b) p. 7.
[14]   Organización para la Cooperación y el Desarrollo Económico (2001).
[15]   Organización para la Cooperación y el Desarrollo Económico (2003).
[16]   AVI-YONAH (2019).

En cuanto a las controversias internacionales que afectaron a grandes nombres de la industria como son Google, Amazon, Apple, Vodafone[17], debemos aclarar que ellas nada tuvieron que ver con los modelos de negocios digitales, sino más bien con planificaciones tributarias que combinaron el uso de regímenes tributarios preferenciales, negociaciones con las administraciones tributarias y la utilización de las normas tributarias internacionales vigentes a su favor. El factor común de estos casos fue que afectaron a los titanes de la industria, empresas de relevancia mundial y líderes en el desarrollo tecnológico que hicieron de internet y los bienes digitales, su principal negocio.

2. El proyecto BEPS y las conclusiones de la Acción 1

Al ser los impuestos una de las principales fuentes de financiamiento de los países, cualquier cambio en la distribución de los derechos de tributación implicará una tensión política entre las distintas jurisdicciones, cada una de las cuales intentará proteger sus intereses de acuerdo a la composición de su economía y fuerzas productivas.

La fuerte exposición pública que produjeron los casos de las multinacionales tecnológicas ya referidos, generaron una crítica extendida del público en general. Los ministros de finanzas del G20 hicieron, producto de lo anterior, un llamado a la OCDE para que desarrollara un plan para hacer frente a los problemas de erosión de las bases imponibles de forma coordinada y comprehensiva: BEPS, Erosión a la base imponible y traslado de beneficios[18].

El proyecto BEPS abarcaría los problemas de erosión a la base imponible generados como efecto de la globalización, es decir, principalmente disminuir la base imponible en jurisdicciones de alta tributación y trasladar sus ingresos a otras jurisdicciones más beneficiosas fiscalmente.

El proyecto BEPS contó con un apoyo sin precedente a nivel internacional. Es más, sus límites excedieron a los propios miembros de la OCDE y G20 extendiéndose a la denominada *OECD/G20 Inclusive*

---

17   Ver los siguientes: BBC News (2013); World Finance (2018).
18   Organización para la Cooperación y el Desarrollo Económico (2013) p. 11.

Framework on BEPS, mediante la cual más de 135 países se han comprometido con el cumplimiento de los estándares mínimos del proyecto[19].

El proyecto BEPS resultó en la adopción de 15 acciones, cada una de las cuales abarcó una problemática específica en el ámbito internacional las que fueron abordadas por grupos de trabajo enfocados en desarrollar propuestas. Se realizaron informes provisionales y procedimientos de consulta internacionales intentando comprender a la mayor cantidad de incumbentes. Finalmente, en el año 2015, cada una de las acciones del proyecto BEPS contó con un informe final. Si bien 14 de las 15 acciones resultaron en medidas más bien concretas, una de las 15 acciones no tuvo respuestas conclusivas: la Acción 1.

La Acción 1 se denominó «Abordar los retos de la economía digital para la imposición»[20]. El objetivo de esta Acción fue identificar las principales dificultades que la economía digital imponía a la tributación internacional y desarrollar opciones detalladas para hacerles frente. Esto se haría de forma comprehensiva y considerando tanto la imposición directa como indirecta[21].

Algunos de los problemas que se vislumbraron fueron por ejemplo: la posibilidad de las compañías de tener una presencia digital significativa en la economía de otro país sin estar sujetas a tributación en la misma por la ausencia de un nexo físico; la atribución de valor creado por la generación de datos comerciables; la caracterización del ingreso derivado de los nuevos modelos de negocio; y, el efectivo cobro de IVA con respecto a la provisión transfronteriza de bienes y servicios digitales, entre otros.

La ausencia de conclusiones en la Acción 1 no significa que no hubo progreso. En materia de impuestos indirectos, IVA/GST, el grupo de trabajo 9 del Comité de Asuntos Fiscales propuso adoptar un principio que ya tenía aceptación internacional: el principio de destino, esto es, que el impuesto sea capturado por el país donde el cliente está ubica-

---

[19]   Organización para la Cooperación y el Desarrollo Económico (2019).
[20]   Ibid., p. 14.
[21]   Ibid., pp. 14-15.

do[22]. Con esto, se comenzó a trabajar en las Guías Internacionales de IVA/GST[23].

Otro de los avances fue reconocer que las empresas altamente digitalizadas no generaban problemas particulares ni nuevos de BEPS, sino más bien que sus modelos de negocio exacerbaban dichos problemas, generando mayores desafíos en materia de política fiscal internacional los que debían ser abarcados[24].

También en la Acción 1 se analizaron diversas potenciales soluciones en materia de impuestos directos: modificar las excepciones al concepto de establecimiento permanente; alternativas al umbral que define la existencia de un establecimiento permanente; establecer un impuesto a determinados tipos de transacciones digitales; y, la inclusión de un «impuesto de igualación».

Se concluyó así que, tanto en materia de imposición directa como de imposición indirecta, había temas que debían ser desarrollados para lograr soluciones comprensivas y razonables a nivel internacional.

Finalmente, como resultado concreto, se formó la denominada *Task Force for the Digital Economy* (fuerza de trabajo para la economía digital, la «TFDE» por su sigla en inglés) la cual acordó seguir trabajando para llegar a soluciones de acuerdo basado en los principios de eficiencia, certeza, simplicidad, efectividad y justicia[25], los mismos principios adoptados en la conferencia de Ottawa casi 20 años atrás.

3. El grupo de trabajo para la economía digital y el estado actual de la cuestión

La TFDE ha seguido trabajando en la identificación particular de los modelos de negocios altamente digitalizados, recibiendo propuestas

---

[22]   Ibid., p. 147.
[23]   Organización para la Cooperación y el Desarrollo Económico (2017).
[24]   Organización para la Cooperación y el Desarrollo Económico (2015) pp. 144-146.
[25]   Ibid.

de los diversos países y actores del mercado e intentando proponer soluciones para arribar a un acuerdo.

La TFDE publicó su reporte interino en 2018, en el cual analizó las medidas unilaterales que los países estaban tomando para hacer frente a la situación de los bienes y servicios digitales, como por ejemplo: nuevos impuestos de retención; expansión del concepto de establecimiento permanente; impuestos sobre el volumen del negocio (*turnover taxes*); y, regímenes especiales dirigidos a las grandes empresas multinacionales[26].

Estas propuestas, con distintos niveles de avance, han generado tensiones políticas en el contexto internacional que dan cuenta de que cada uno de los países, y en particular las potencias tecnológicas, tienen intereses relevantes en materia de la tributación de la digitalización de la economía. Y es que, a nuestro juicio, es claro que las administraciones fiscales han notado que estas nuevas tecnologías están cambiando las formas de hacer negocios y generar valor[27].

Como se dijo, los países están adoptando distintas soluciones unilaterales. En materia de *turnover taxes* destaca el caso de Europa, que ya en 2018 comenzó a trabajar en una directiva aplicable a los servicios digitales[28]. La solución interina respaldada por la Comunidad Europea fue la de un impuesto indirecto, distinto del IVA/GST, con una tasa de entre el 2%-3% que afectara sólo a grandes multinacionales que cumpliesen con determinados límites mínimos de ingresos globales ingresos en la jurisdicción correspondiente. Si bien dicha directiva no prosperó, cabe mencionar los casos de Francia, Italia (3%), Austria (5%), Hungría y Turquía (7,5%) que implementaron un impuesto a las grandes multinacionales con alta presencia digital en sus economías, sin contar los casos de propuestas legislativas en curso.

El caso latinoamericano ha estado marcado por propuestas relativas a los impuestos indirectos, en particular el IVA. Al respecto, la Comisión

---

26   Inclusive Framework on BEPS (2018) p. 134.
27   El caso de la controversia entre Francia y Estados Unidos es un claro ejemplo de la forma en que los países se están enfrentando en esta materia. Como referencia ver: Financial Times, Disponible en https://www.ft.com/content/feb755d0-3d2c-11ea-b232-000f4477fbca. Fecha de consulta: 05 de marzo de 2020.
28   European Commission (2017).

para América Latina y el Caribe (CEPAL) ha identificado que al menos la mitad de los países de la región han tomado algún tipo de iniciativa en esta materia. Solo Uruguay y Perú han modificado su legislación respecto del impuesto a la renta[29]. En el medio oriente, Emiratos Árabes y Arabia Saudita han adoptado una solución también en materia de IVA.

En Asia, el caso de India es particularmente interesante al ser segundo país más poblado del mundo. Este país optó por un doble camino al establecer un entendimiento de las normas de nexo considerando la «presencia económica significativa» y, a la vez, introduciendo un impuesto de igualación en 2016[30].

Ante la multiplicidad de soluciones multilaterales la TFDE propone una serie de limitaciones a estas soluciones provisorias en su reporte interino señalando que estas deben ser: «(i) acordes a las obligaciones internacionales del país que las adopta; (ii) temporales; (iii) dirigidas; (iv) orientadas a evitar la tributación excesiva; (v) limitadas en su impacto a los emprendimientos, creación de negocios y negocios emergentes en general, y; (vi) reducidas en costos y complejidad»[31]. Este reporte interino no fue adoptado por los miembros de la *Inclusive Framework*.

A comienzos de 2019, el Secretariado General de la OCDE publicó una nota de política fiscal en la cual se toma la determinación de avanzar en una solución basada en acuerdos, trabajando en dos pilares[32]. El primero, se refiere a la solución definitiva en materia de imposición directa de las empresas y negocios digitales, considerando los problemas de nexo y atribución. El segundo, invita a seguir avanzando en los temas de BEPS en la economía internacional[33].

Actualmente, el Secretariado está trabajando en una propuesta general sobre bases de acuerdo respecto del pilar 1, apuntando a tener una respuesta concreta para fines de 2020[34]. Si bien ya existen algunas determinaciones generales respecto del contenido de esta propuesta, por

---

[29]   Comisión para América Latina y el Caribe (2019) p. 68.
[30]   Inclusive Framework on BEPS (2018) pp. 138-144.
[31]   Ibid., pp. 180-181.
[32]   OECD/G20 Base Erosion and Profit Shifting Project (2019a) p. 1.
[33]   El denominado programa GloBE, que significa *Global anti-Base Erotion*.
[34]   OECD/G20 Base Erosion and Profit Shifting Project (2019a).

ejemplo, la creación de una nueva norma de nexo relativa a la presencia en un determinado mercado[35], debemos aclarar que este tema es objeto de una intensa discusión internacional.

III. Los impuestos digitales en Chile: discusión legislativa y el proyecto original

1. Introducción al panorama nacional

Chile, como país miembro de la OCDE, ha estado presente en las discusiones internacionales que fueron referidas en la sección anterior. A su vez, es importante destacar que Chile es un país con amplia penetración de internet, tanto a nivel mundial como en comparación con sus vecinos[36].

Con respecto a nuestra administración tributaria, el Servicio de Impuestos Internos (SII), no se ha podido mantener al margen de las problemáticas que han generado estas las nuevas tecnologías. En su jurisprudencia administrativa encontramos oficios respecto del tratamiento tributario de los libros electrónicos[37], el contenido digital[38], videojuegos[39], los medios de pago electrónicos[40] e incluso más recientemente, sobre criptomonedas[41], sólo por mencionar algunos. Sin embargo, el SII ha tenido que hacer frente a una legislación antigua, la cual no se encuentra preparada ni fue diseñada para enfrentar los negocios digitales, generando tanto dudas interpretativas como falta de certeza.

---

[35]   OECD/G20 Base Erosion and Profit Shifting Project (2020) p. 12.
[36]   El índice de internet inclusivo posiciona a Chile como el 1 país en Latinoamérica y el 16 a nivel mundial. Ver: The Inclusive Internet Index 2020. Disponible en https://theinclusiveinternet.eiu.com/explore/countries/CL/. Fecha de consulta: 17 de febrero de 2020.
[37]   Ver, por ejemplo: Servicio de Impuestos Internos (2009) y (2011).
[38]   Ver, por ejemplo: Servicio de Impuestos Internos (2017b).
[39]   Ver, por ejemplo: Servicio de Impuestos Internos (2017a).
[40]   Ver, por ejemplo: Servicio de Impuestos Internos (2016).
[41]   Ver, por ejemplo: Servicio de Impuestos Internos (2018).

Adicionalmente, uno de los motivos por los cuales los países han adoptado soluciones unilaterales respecto de los servicios digitales es para capturar ingresos fiscales. Era por ello esperable que, independientemente de la forma, Chile se sumara a esta tendencia por la vía de un cambio legislativo proponiendo la incorporación de un nuevo impuesto[42].

Como hemos adelantado, en nuestra opinión las reformas legales tienden a permanecer en el tiempo; un aumento en la recaudación fiscal, una vez incorporado en el erario nacional, será difícil de eliminar. Lo cual nos hace cuestionar si la adopción de este impuesto por parte de Chile está en línea con las recomendaciones de la TFDE (la temporalidad).

2. El impuesto único del proyecto original

El mensaje que dio inicio a la tramitación de la Ley 21.210, en lo referente al impuesto a los servicios digitales hizo referencia tanto al trabajo desarrollado por la OCDE, por la Unión Europea, y a la situación fáctica de los países que ya estaban tomando medidas unilaterales al respecto[43].

El proyecto original pretendió instaurar un impuesto único a los servicios digitales (IUSD) con las siguientes características: (i) impuesto único y sustitutivo de cualquier otro impuesto; (ii) tasa de un 10% y cuya base imponible corresponde al valor pagado por los usuarios; (iii) aplicable sólo a servicios utilizados en Chile por personas naturales y no a empresas chilenas, respecto de las cuales procedería el Impuesto Adicional; (iv) para su cumplimiento establecía un sistema de retención por los emisores de medios de pago; y, (v) contemplaba la incorporación de una nómina de prestadores de servicios digitales.

La propuesta consideraba cuatro servicios digitales que serían los nuevos hechos gravados, a saber: (i) servicios de intermediación digital;

---

[42] De acuerdo al informe financiero de la norma, se recaudaría un aproximado de USD 2,9 millones al estar la norma en régimen. Mensaje N° 105-367 (2019).

[43] Ibid., p. 50.

(ii) servicios de entretenimiento digital; (iii) servicios de publicidad en el exterior; y, (iv) servicios de almacenamiento de datos.

3. Las características del IUSD

a) Un impuesto único y sustitutivo

El IUSD buscaba ser el único gravamen, directo o indirecto, aplicable sobre este tipo de prestaciones, evitando cualquier espacio común con el Impuesto Adicional (IA) y el IVA. A nuestro juicio, con esto se pretendió establecer un régimen de imposición más claro.

b) Su tasa sería de un 10% y su base imponible el valor pagado por los usuarios

La determinación de la tasa fue uno de los aspectos que mayor controversia causaría. En particular considerando el contraste con las propuestas europeas que, como se dijo, consideraban tasas del 3% al 7,5%, solo aplicable a determinadas entidades las que, además, debía cumplir con un umbral de ingresos[44].

Para el contexto nacional la tasa del 10% suponía en algunos casos una reducción importante y en otros un aumento sustancial. Esto, tomando en cuenta que la tributación que correspondía a los pagos por dichos servicios, de acuerdo los artículos 58, 59 y 60 de la Ley Sobre Impuesto a la Renta (LIR) vigentes, podría haber sido de hasta un 35% para algunos bienes y servicios. Para otros, que se encontraban exentos, el aumento sería del 0% al 10%. En el mismo sentido, y en una visión general, la tasa propuesta también podría considerar como una reducción importante desde el punto de vista del IVA.

La base imponible sería el valor pagado por el usuario sin deducción alguna. Esto, a modo de simplificar el cumplimiento, es una decisión que a nuestro juicio parecía razonable y que, como se verá, se mantendrá en su esencia en el IVA a los servicios digitales. Ahora bien, la norma no

---

[44]   European Parliament (2018).

se hacía cargo de aquellos casos en que se pagaban diferentes prestaciones, problema que subsiste en algunos casos en la redacción final.

c) Sólo aplicaría a servicios utilizados en Chile por personas naturales y no sería aplicable a personas jurídicas

Aun cuando estas prestaciones estuvieran gravadas con IA, el problema radicaba en los pagos efectuados por personas naturales quienes en la práctica no realizaban las retenciones correspondientes y su fiscalización era compleja. Problema que en términos generales no se presentaba en el caso de las personas jurídicas, las que buscaban reconocer como gasto dichos pagos.

Respecto de la utilización en Chile, la norma incluía una presunción en sentido de que «Salvo prueba en contrario, se presumirá que los servicios digitales se utilizan por usuarios personas naturales en Chile cuando los emisores de los medios de pago electrónicos utilizados, sean personas o entidades con domicilio o residencia en Chile, o agencias en Chile de dichas entidades»[45]. La experiencia Europea, en contraste, escogió elementos digitales (geolocalización, SIM o dirección IP) para establecer el nexo. El usar a los emisores de los medios de pago, evitaría problemas de fiscalización, pero generaría otros que analizaremos más adelante. Como se verá, este aspecto fue radicalmente cambiado en el IVA a los servicios digitales.

d) Sistema de retención por los emisores de medios de pago electrónicos

La propuesta original consideró que exigir a una persona natural la declaración y pago del IUSD por cada uno de los servicios que contrate, implicaría una carga de cumplimiento tributario inimaginable. Pensemos por un segundo en alguien que desde el sillón de su casa contrata Netflix, Spotify, Amazon Prime y compra videojuegos y libros en línea en pagos mensuales. Esa persona tendría que declarar el IUSD por cada

---

[45]   Mensaje N° 107-366 (2018) p. 256.

uno de estos pagos. En atención a ello, la propuesta original contempla-ba que fuesen los emisores de los medios de pago electrónicos quienes habrían de retener el impuesto.

Esto tampoco estuvo libre de objeciones. En primer lugar, se con-sideró que era discriminatorio, en el sentido de que cualquier persona con una cuenta o tarjeta bancaria extranjera, podría quedar fuera de la aplicación de dicho gravamen.

A su vez, la entidad del pago no tiene necesariamente la capacidad e información para identificar efectivamente los pagos ni si son estos asimilables a los comprendidos en los hechos gravados de la norma ni tampoco si la totalidad del pago correspondía a los mismos. Tampoco se hacía cargo de aquellos intermediarios en el pago, que no son necesaria-mente emisores de medios de pago.

El SII tendría la obligación de realizar una nómina de agentes rete-nedores, los cuales estarían obligados a retener y enterar en arcas fiscales dentro de los 12 días siguientes al mes en que dicho impuesto debió retenerse efectivamente. A su vez, el proyecto establecía que, hecha la retención, sería la entidad emisora del medio de pago electrónico la res-ponsable de enterar el IUSD en las arcas fiscales.

e) Nómina de prestadores de servicios digitales

Dado que serían los emisores de los medios de pago electrónicos quienes deberían retener y pagar el IUSD, era necesaria la creación de un mecanismo que permitiera a dichas entidades reconocer cuando pa-gos realizados debían ser objeto de la retención que establecía la norma.

Para estos efectos, el SII debía llevar una nómina actualizada de los prestadores de servicios digitales gravados con este impuesto la que se comunicaría a los agentes retenedores. La creación, mantención y actua-lización de dicha nómina no estaría exenta de problemas prácticos y de fiscalización, por ejemplo, en aquellos casos en que se pagase a un pres-tador no identificado previamente; o un prestador cambiase de nombre; o cuando se pagase a un prestador que sí estuviese incluido en la nómina un servicio no afecto.

4. Los Hechos gravados del IUSD

Como se dijo, el IUSD comprendía 4 hechos gravados:

El primero de ellos eran «a) Los servicios remunerados de intermediación digital entre prestadores de cualquier clase de servicios y usuarios de los mismos que permitan concluir las respectivas transacciones por medios electrónicos, sea que la prestación de los servicios, objeto de la intermediación digital se lleve a cabo por medios tradicionales o electrónicos»[46].

Lo que se pretendió gravar aquí fueron los denominados *digital marketplaces* —mercados digitales— los cuales podemos identificar claramente en las plataformas que tienen hoy las *apps stores* de los gigantes de la telefonía y servicios móviles. Sin embargo, este primer hecho gravado excluía aquellas plataformas digitales que permitían la intermediación con respecto de bienes físicos. Como se verá en el capítulo siguiente, este aspecto sería modificado.

El segundo de los hechos gravados serían «b) Los servicios remunerados de entretenimiento de contenido digital, como imágenes, películas, series, videos, música, juegos y cualquier otro servicio de entretenimiento digital, a través de descarga, streaming u otra tecnología»[47]. La incorporación de este hecho gravado, creemos responde principalmente a la dificultad generada en el pago de las remuneraciones por estos servicios en el caso de personas naturales, conforme a lo ya señalado.

El tercero de los hechos gravados hubiesen sido «c) Los servicios remunerados de publicidad en el exterior y de uso y suscripción de plataformas de servicios tecnológicos de internet»[48]. Estimamos que el destinatario de esta norma eran entre otros, tanto las plataformas de búsqueda como las redes sociales, las cuales han logrado monetizar dichos servicios de publicidad.

Finalmente, el último de los hechos gravados del proyecto original eran «d) Los servicios remunerados de almacenamiento de datos cual-

---

[46] Mensaje N° 107-366 (2018) p. 256.
[47] Ibid.
[48] Mensaje N° 107-366 (2018) p. 256.

quiera sea su opción de operación tecnológica, tales como servicios de nube o software como servicios».

La opción respecto de estos dos últimos hechos gravados fue de no referirse a los softwares ni infraestructura tecnológica, algo que cambió radicalmente en el IVA a los servicios digitales como se verá a continuación.

5. *La discusión parlamentaria*

La discusión legislativa no estuvo falta de controversias ni en la Cámara de Diputados ni el en Senado, pero aun cuando hubo bastante discusión respecto de si el mecanismo adoptado era el correcto, tanto los parlamentarios de oposición[49], como los de los partidos de gobierno[50], se mostraron favorables a cobrar impuestos a los servicios digitales. En efecto, este fue uno de los aspectos menos discutidos en la tramitación de la Ley 21.210, lo que es decir bastante considerando que ésta fue objeto de una larga y compleja discusión política que se extendió por más de un año.

El proyecto inicial fue objeto de una serie de indicaciones. La que acá interesa, es aquella enviada por el gobierno con fecha de 3 de julio de 2019[51], en la cual el referido artículo 15 que consagraba el IUSD en el proyecto original fue reemplazado por una norma relativa a incentivos para las provincias de Arica y Parinacota. A su vez, en la referida indicación se incorporó un nuevo hecho gravado especial en el Decreto Ley 825 (Ley de IVA), el cual recogió algunos aspectos del IUSD, pero presentó notorias diferencias con el proyecto original, las que analizaremos en la siguiente sección.

---

[49]   Ver como ejemplo el comentario del Diputado Celis (Partido Por la Democracia) en la Sesión 66ª de la Legislatura 376. Disponible en: https://www.camara.cl/pdf.aspx?prmID=13790%20&prmTIPO=TEXTOSESION. Fecha de consulta: 18 de febrero de 2020.

[50]   Ver como ejemplo comentario del Diputado Melero (UDI) en la Sesión 66ª de la Legislatura 376. Disponible en: https://www.camara.cl/pdf.aspx?prmID=13790%20&prmTIPO=TEXTOSESION. Fecha de consulta: 18 de febrero de 2020.

[51]   Mensaje Nº 105-367 (2019) p. 67.

En nuestro entendimiento, el cambio del IUSD por el IVA a los servicios digitales se explica principalmente por dos razones, la primera fue intentar equiparar las condiciones entre los contribuyentes nacionales y extranjeros. Por ejemplo, si quien presta el servicio es un residente en Chile la remuneración por estos servicios estaría afecta a una carga tributaria total máxima de 44,45%, mientras que si el prestador reside en el extranjero la carga tributaria sería siempre de un 10% bajo el IUSD.

Respecto de la equiparación de condiciones al implementar una solución unilateral en el IVA, estimamos que aún existen una serie de problemáticas no resueltas que generarán nuevas disparidades. Por ejemplo, cuando se llegue a consenso internacional en materia imposición a la renta, los contribuyentes extranjeros quedarían en una posición desfavorable, estando sujetos tanto a imposición directa como indirecta.

El otro motivo que sustentaría el cambio es seguir las recomendaciones de la OCDE en la materia. En este sentido, debemos recordar que la OCDE se ha enfocado en hacer primar una solución de consenso internacional única. Ahora bien, ante la decisión de una jurisdicción de implementar una medida unilateral, las recomendaciones de la OCDE en materia de impuestos indirectos son: simplificar de la declaración de IVA en casos de bienes de bajo valor; establecer un procedimiento de registro simplificado para proveedores extranjeros de servicios digitales; y, aplicar el principio de destinación, es decir, que el derecho a cobrar IVA recaiga en la jurisdicción del cliente, estableciendo un cambio de sujeto o cobro revertido en los casos de prestadores extranjeros[52].

Si bien no podemos negar que ante la decisión de incorporar un impuesto indirecto de manera unilateral, Chile ha seguido en términos generales los lineamientos de la OCDE, debemos recordar que dicho organismo ha establecido que estas medidas deben tener un carácter transitorio de cara a la implementación de la solución consensuada.

---

[52]   Comisión para América Latina y el Caribe (2019) p. 62.

IV. El IVA a los servicios digitales en Chile

Como fue mencionado anteriormente, las indicaciones anteriormente referidas cambian la técnica legislativa de instaurar un nuevo gravamen como era el IUSD, optando por incorporar nuevos hechos gravados dentro de la ley del IVA. Lo anterior implica que cualquier modificación debe hacerse con una coordinación sistémica de las normas de la Ley del IVA y de la LIR y requiere, por tanto, ajustar una serie de disposiciones más allá de la mera inclusión de los nuevos hechos gravados.

A continuación, veremos como la nueva norma se hace cargo de los desafíos que implican incorporar nuevos hechos gravados a la normativa actual, resolviendo algunos de estos de manera exitosa y otros que, bajo nuestro punto de vista, requerirán un mayor desarrollo posterior.

1. Los nuevos hechos gravados

Como se dijo, el impuesto a los servicios digitales se incorporó a la Ley de IVA mediante la adición de un nuevo hecho gravado especial. Debemos aclarar que la Ley de IVA grava las ventas de bienes físicos y la provisión de ciertos servicios, definiendo los conceptos de «venta» y «servicio» específicamente en el artículo segundo de la misma[53]. A su vez el artículo 8 de la Ley IVA establece un listado de hechos que, para efectos de la aplicación de la referida ley, se consideran también como ventas y servicios (hechos gravados especiales).

Es así como se agrega una nueva letra n) al mencionado artículo 8, la que siguiendo la distinción que había hecho el proyecto original, también incluye cuatro hechos gravados especiales. Estos hechos gravados si bien son similares a los contemplados en la redacción original del IUSD, a nuestro juicio amplían su ámbito de aplicación.

Como aspecto común a los cuatro hechos gravados contenidos en la nueva letra n), su encabezado considera que cualquiera de ellos debe ser un servicio remunerado, el que debe ser realizado por un prestador domiciliado o residente en el extranjero, eliminando en este caso la re-

---

[53] Decreto Ley 825 de 27 de diciembre de 1974. Artículo 2.

ferencia a que deben ser prestados a personas naturales exclusivamente y el requisito de ser prestados de forma digital.

a) Intermediación

El n° 1 de la nueva letra n) establece: «La intermediación de servicios prestados en Chile, cualquiera sea su naturaleza, o de ventas realizadas en Chile o en el extranjero siempre que estas últimas den origen a una importación»[54].

Como se puede observar, a diferencia del primero de los hechos gravados que se consideraban en el IUSD, ya no sólo estamos frente al supuesto de los *digital marketplaces*, sino también a la intermediación tanto de ventas de bienes físicos que resulten en una importación o como de servicios prestados en Chile. Aunque la nueva redacción de este hecho gravado permite gravar una mayor gama de servicios, al mismo tiempo trae aparejado una serie de dificultades que se suman a las ya existentes respecto de los *digital marketplaces*.

En este sentido debemos entender que por lo general las *apps stores* y los *digital marketplaces* no cobran a los consumidores finales por su uso, o si lo hacen, no individualizan el valor de dicho servicio con respecto del precio del bien o servicio adquirido. El modelo de negocios generalmente utilizado supone cobrar a quien expone u ofrece sus bienes y servicios digitales en estos *marketplaces*. Con ello, el primer problema que se observa es que, en aquellos casos en que no se individualice la remuneración, dicho hecho gravado será imposible de cuantificar, lo que puede llevar a que, o dicha intermediación no se afecte con impuesto alguno o bien, se afecte la totalidad del pago, incluyendo por tanto el precio del bien o servicio que está siendo adquirido.

Otro problema es que, al ser los *digital marketplaces* simplemente recaudadores de los pagos, el sujeto pasivo del impuesto sería, por ejemplo, el desarrollador de la aplicación móvil por aplicación de los hechos gravados de los n° 2 o n° 3 del artículo 8 n), siendo este

---

54   Cámara de Diputados (2020) «Oficio 15.346 a S.E. El Presidente de la República» de fecha 3 de febrero de 2020.

—el desarrollador— el responsable de recargar y enterar el impuesto. Lo anterior supone un problema de fiscalización que podría llevar a la autoridad tributaria a hacer responsable del impuesto a los *digital marketplaces*. En el caso anterior si dicho desarrollador es residente en Chile, puede presentarse una situación de doble tributación ya que se afectaría con IVA tanto la remuneración que el desarrollador le pague al *marketplace*, como el pago que el usuario residente en Chile le haga al *marketplace*.

Finalmente debemos decir que el IUSD consideraba el concepto de «intermediación digital», terminología que fue eliminada de la redacción final del IVA a los servicios digitales. Una lectura literal de la norma podría llevarnos a concluir que cualquier tipo de intermediación estaría sujeta a este impuesto, lo que supondría dificultades interpretativas en relación con la aplicación del Impuesto Adicional del artículo 59 n° 2 de la LIR. A nuestro juicio, ese no es el sentido de la norma y sería razonable esperar que esto sea debidamente interpretado por la jurisprudencia administrativa.

b) Suministro o entrega de contenido de entretenimiento digital

El n° 2 de la nueva letra n) del artículo 8 establece: «El suministro o la entrega de contenido de entretenimiento digital, tal como videos, música, juegos u otros análogos, a través de descarga, streaming u otra tecnología, incluyendo para estos efectos, textos, revistas, diarios y libros»[55].

Si bien este era el hecho gravado más icónico de la norma, y que por lo mismo le dio nombre a este impuesto («el impuesto Netflix»), la nueva redacción también amplió el espectro de acción con respecto del IUSD. El sentido más obvio en el cual se amplió fue la inclusión específica de contenidos escritos, que no estaban explícitamente en el proyecto original.

El segundo punto que debemos destacar son los verbos rectores del artículo, es decir, «suministro» y «entrega». El IUSD originalmen-

---

[55]   Cámara de Diputados (2020) «Oficio 15.346 a S.E. El Presidente de la República» de fecha 3 de febrero de 2020.

te, consideraba simplemente el servicio remunerado. Al usar tanto los verbos suministrar como entregar, entendemos que la norma pretende considerar tanto aquellos servicios que se contratan por una sola vez, como aquellos que son continuos.

Además creemos que la adición de estos verbos pretende sacar del foco del hecho gravado el concepto de «contenido de entretenimiento digital» y ponerlo en el medio a través del cual se obtiene dicho entretenimiento.

c) La puesta a disposición de software, almacenamiento, plataformas o infraestructura informática

El nº 3 de la referida letra n) contempla que los servicios remunerados realizados por prestadores no domiciliados ni residentes en Chile de «puesta a disposición de software, almacenamiento, plataformas o infraestructura informática»; quedarán gravados con IVA.

Aquí la expansión respecto del cuarto hecho gravado del proyecto original es notoria, ya que en un principio se pretendía solamente gravar el almacenamiento de datos. El nº 3 en comento, es amplio al utilizar el concepto «infraestructura informática», que en términos generales abarcaría, a lo menos, servidores, almacenamiento, redes y seguridad. Con esto, podemos inferir que la decisión del legislador fue incorporar un hecho gravado lo suficientemente abierto para permitir de alguna forma abarcar potenciales desarrollos futuros.

La aplicación de esta norma genera desde ya algunas interrogantes, así como por ejemplo cuando un residente en Chile arrienda un data-center en el extranjero. Debemos aclarar que el arrendamiento de un bien inmueble en el extranjero hoy, es un hecho no afecto ni a IA ni a IVA. Sin embargo, si entendemos que dicho inmueble, al ser un data-center, tiene el carácter de infraestructura informática, aplicaría el IVA a los servicios digitales.

A su vez, como desarrollaremos más adelante el concepto de software ya tenía una regulación en materia de Impuesto Adicional, lo que puede generar interacciones no deseadas entre las normas.

d) La publicidad

El n° 4 y último de los hechos gravados del artículo 8 n) de la Ley de IVA es «La publicidad, con independencia del soporte o medio a través del cual sea entregada, materializada o ejecutada»[56].

La nueva redacción, en contraste con la propuesta en el IUSD, es más amplia porque ya no limita a que la publicidad deba ser en el exterior. A su vez, especifica tres verbos rectores con referencia a la forma en que la publicidad se manifiesta, que son la entrega, materialización y ejecución cuestión no considerada en la redacción del IUSD en el proyecto original.

Lo que cabe preguntarse es cómo interactúa esta norma con el IA del artículo 59 n° 2 de la LIR, y con la nueva redacción de la exención contemplada en el artículo 12 letra e) n° 7 de la Ley de IVA y, por lo tanto, cuestionarse sobre la necesidad de incluir este hecho gravado especial. En este sentido, imaginemos la publicidad en un medio físico, por ejemplo un cartel, puesto en un aeropuerto extranjero de un país que tenga vigente un convenio para evitar la doble imposición con Chile y que promocione un bien o servicio que se preste en Chile. Esta situación, quedaría gravada en términos generales por el Impuesto Adicional, pero la aplicación del convenio podría prevenir a Chile del derecho a gravar dichas rentas, conforme el artículo 7 del mismo. Al no aplicarse el Impuesto Adicional, la exención del artículo 12 letra e) n° 7 de la Ley IVA no procedería por estar este servicio utilizado en Chile, conforme a la actual redacción de la norma. En consideración a lo anterior, no cabe sino entender que en este caso sería aplicable la normativa general del IVA, lo que lleva a cuestionarnos la necesidad de esta disposición. Pareciera ser, entonces, que el objetivo de la norma es facilitar tanto el cumplimiento en aquellos casos en que son personas naturales las que pagan por dichos servicios, como evitar el problema interpretativo que importa el concepto de utilización.

---

[56]   Cámara de Diputados (2020) «Oficio 15.346 a S.E. El Presidente de la República» de fecha 3 de febrero de 2020.

Con respecto a la suscripción a plataformas de servicios tecnológicos que se consideraba en el IUSD, estimamos que esto quedaría a su vez cubierto por el n° 3 anterior.

2. Tasa y Base imponible

Respecto de la tasa, nos remitiremos a aclarar que en Chile el IVA tiene una tasa única del 19% aplicable también a los nuevos hechos gravados especiales del artículo 8 letra n).

Con respecto a la base imponible, cabe reiterar los problemas en la individualización del precio del bien o servicio que ya fueron analizados. A su vez, señalar que para el caso del sistema simplificado que revisaremos posteriormente, existe una norma específica para determinar la base imponible sobre la cual aplicar el IVA.

3. Factores de conexión

Una vez determinado que un servicio es de aquellos que se encuentran afectos al IVA, el artículo 5 de la Ley IVA establece como factor de conexión que el impuesto sólo procederá respecto de aquellos servicios prestados o utilizados en Chile.

Al respecto, la Ley 21.210 incorpora un inciso tercero al artículo 5 que establece una presunción de utilización en Chile en la medida en que se cumplan copulativamente al menos dos cualquiera de las siguientes cuatro situaciones: «i. Que la dirección IP del dispositivo utilizado por el usuario u otro mecanismo de geolocalización indiquen que este se encuentra en Chile; ii. Que la tarjeta, cuenta corriente bancaria u otro medio de pago utilizado para el pago se encuentre emitido o registrado en Chile; iii. Que el domicilio indicado por el usuario para la facturación o la emisión de comprobantes de pago se encuentre ubicado en el territorio nacional; o, iv. Que la tarjeta de módulo de identidad del suscriptor (SIM) del teléfono móvil mediante el cual se recibe el servicio tenga como código de país a Chile»[57].

---

[57]   Cámara de Diputados (2020).

Estimamos que la exigencia de que se cumplan copulativamente dos cualquiera de las circunstancias anteriores tiene por finalidad limitar los casos en los cuales, a través de la utilización de herramientas tecnológicas, se evite el pago del impuesto. Esto, a costa de generar situaciones donde chilenos que se encuentren en el extranjero queden gravados por la contratación de servicios digitales, generando un problema de extraterritorialidad de la norma. Finalmente dicha exigencia de forma tangencial, deja fuera del hecho gravado a aquellos pagos realizados por extranjeros que se encuentran de paso por Chile.

Ahora bien, lo complejo de esta norma es que abarca tantos supuestos para la construcción de la presunción que puede generar situaciones de compleja fiscalización para la autoridad tributaria considerando las fuentes necesarias para la configuración de la presunción (la geolocalización, direcciones IP, datos de tarjetas SIM, contenido de los formularios de facturación).

Sobre la fiscalización, la norma establecida en el sistema simplificado que se comentará más adelante, faculta al SII a utilizar «todos los medios de fiscalización tecnológica de que disponga»[58]. Considerando los datos recabados para configurar la presunción de utilización, estimamos que pueden generarse conflictos con la normativa internacional de protección de datos personales que merecen ser revisados[59].

4. Sujetos pasivos del impuesto y responsables

A diferencia del IUSD en el cual se establecía que el sujeto pasivo del impuesto eran las personas o entidades extranjeras, el IVA a los servicios digitales no requiere una norma específica sobre este punto, ya que en el artículo 3º de la Ley de IVA, se establece que son contribuyentes de IVA «las personas naturales o jurídicas, incluyendo las comunidades y las sociedades de hecho, que realicen ventas, que presten servicios o

---

[58]   Ibid.
[59]   Benedetto e Israel (2020).

efectúen cualquier otra operación gravada con los impuestos establecidos en ella»[60].

Lo anterior no quiere decir que quien es el responsable de la retención, declaración y entero en arcas fiscales del IVA a los servicios
digitales sea una cuestión trivial. El mecanismo del IVA, con los débitos y créditos fiscales permite que, en términos generales, quien soporta
económicamente dicho impuesto sea el consumidor final del bien o servicio, sin embargo quien recarga el IVA y tiene la obligación de entero
en arcas fiscales es quien provee dicho bien o servicio.

Dicho lo anterior, existen tres posibles escenarios referentes al consumidor final en materia de los servicios digitales. Cuando el consumidor
final es una persona jurídica o natural contribuyente de IVA; cuando es
una persona natural no contribuyente de IVA; y, cuando es una persona
jurídica no contribuyente de IVA.

Respecto del primer caso, el artículo 11 de la Ley de IVA ya contiene normas que permiten el cambio de sujeto, en aquellos casos en que
la fiscalización es particularmente difícil como por ejemplo cuando el
prestador del servicio reside en el extranjero. La Ley 21.210, reemplaza
la letra e) del referido artículo 11 estableciendo que para que proceda dicho cambio de sujeto el beneficiario del servicio deberá ser contribuyente de IVA. Con esto, la mecánica del cambio de sujeto será la aplicable
para los beneficiarios o receptores de los servicios digitales, en la medida
en que sean contribuyentes de IVA.

Para el caso de que el receptor o beneficiario del servicio digital sea
una persona natural, la Ley 21.210 ha establecido un sistema simplificado que se abordará en lo sucesivo.

La tercera y última situación es aquella en que el receptor o beneficiario de un servicio digital proporcionado por un prestador extranjero
es una persona jurídica no contribuyente de IVA. En nuestro entendimiento, la Ley 21.210 deja un vacío legal por el cual estos contribuyentes no podrán acogerse a la mecánica del cambio de sujeto ni tampoco
al nuevo régimen simplificado, lo que de una interpretación literal de la

---

[60]   Decreto Ley 825 de 27 de diciembre de 1974. Artículo 3.

norma, supondría que el prestador extranjero se registre en Chile para efectos de dar cumplimiento a este impuesto.

Exigir a un prestador extranjero registrarse en Chile para estos efectos trae consigo otros problemas. El más evidente de ellos es que la Ley de IVA Chilena no contempla un registro exclusivo para efectos de IVA, por lo tanto, en caso que el extranjero se registre en Chile lo será para todos los efectos tributarios aplicables a un residente en Chile. Lo anterior sin contar la carga administrativa que supone dicho registro en nuestro país.

Nuestra aproximación es que la solución supone una modificación legal. Sin embargo, teniendo en consideración las dificultades de modificar una norma tributaria, es dable a esperar que ello no ocurra. Ante esto el SII tendrá el desafío de resolver esta situación por la vía administrativa.

5. Interacción con el Impuesto Adicional

Como se ha adelantado, las normas de la LIR y la Ley de IVA tienen hechos gravados que se intersecan. Así, el IA regulado en los artículos 58 y siguientes de la LIR, establece por regla general un impuesto, cuya tasa general es de un 35% que se aplica a las personas naturales, jurídicas y otras entidades que no son residentes ni domiciliadas en Chile respecto de las rentas de fuente Chilena que obtengan. La tasa antes señalada puede verse disminuida dependiendo de la caracterización del pago conforme a la norma doméstica o por aplicación de un convenio para evitar la doble tributación.

En efecto, el artículo 59 inciso primero e inciso cuarto nº 2 de la LIR gravan con tasa general del 35% las remuneraciones por servicios que sean pagados desde Chile, estableciendo tasas diferenciadas para los casos de trabajos de ingeniería o técnicos, programas computacionales y programas computacionales estándar, entre otros.

Como dichos pagos podrían estar gravados por ambas normas, es decir por IA e IVA, el artículo 12, letra e) nº 7 de la Ley IVA ya mencionado, estableció una exención de IVA a los ingresos «afectos al impuesto adicional establecido en el artículo 59º de la misma ley, salvo que respecto de estos últimos se trate de servicios prestados en Chile y gocen de una exención de dicho impuesto por aplicación de las leyes o de los convenios para evitar la doble imposición en Chile»[61].

A esta exención, la Ley 21.210 agrega el verbo «o utilizados» luego de «prestados». Con esta adición, entendemos que se restringe el ámbito de aplicación de la exención puesto que se agrega un nuevo supuesto de hecho respecto del cual la exención no aplicaría. Es de suyo señalar que el SII ha interpretado administrativamente el concepto de utilización, relacionándolo con el «lugar donde tiene su domicilio o residencia el titular del patrimonio en que se radican los efectos económicos del encargo»[62].

En nuestro entendimiento, lo anterior tiene como consecuencia que una serie de servicios que no se encontraban afectos ni a IA, ni al IVA por aplicación de la referida exención, pasarán ahora a estar gravados con IVA. El caso del software estándar es paradigmático, dado que el artículo 59 de la LIR establece que los pagos que correspondan a software estándar se encuentran exentos del referido IA. Con la nueva redacción de la exención que incluye el concepto de la utilización, si un software estándar es utilizado en Chile, los pagos por dicho concepto quedarán alcanzados por el IVA. Sin duda, habrá otros ejemplos que revisar.

Otra consecuencia de la modificación tiene relación con la exención de IA para aquellas empresas cuyo promedio anual de ingresos del giro no supere las 100.000 unidades de fomento que realicen pagos al extranjero por servicios de publicidad en el extranjero, y por el uso y suscripción a plataformas de servicios tecnológicos de internet. Debemos hacer notar que, al modificarse la exención del artículo 12 letra e) nº 7 de la Ley de IVA agregándosele el verbo «utilizados», dichos pagos quedarán afectos al IVA mientras que antes de la modificación estaban exentos tanto de IA como de IVA.

Al respecto, en nuestra opinión, los contribuyentes de IVA que realicen dichos pagos deberán estar atentos a sus nuevas obligaciones de cumplimiento en materia de IVA a los servicios digitales, ya que como

[61] Decreto Ley 825. Artículo 12.
[62] Oficio 1217-2020.

se ha mencionado, será aplicable la institución del cambio de sujeto para dichos pagos[63].

Para aminorar el efecto en las personas naturales, y confirmando la idea de que para las personas jurídicas los servicios digitales estarán gravados ya sea con IA o con IVA, la norma incorpora un nuevo artículo 59 bis a la LIR, en el cual se exime del IA a los contribuyentes no domiciliados ni residentes en Chile por la prestación de los servicios del artículo 8 letra n) de la Ley del IVA a personas naturales no contribuyentes de IVA. Lo anterior denota que por regla general, el IA prevalece sobre el IVA a los servicios digitales, salvo en el caso de personas naturales no contribuyentes de IVA.

6. Sistema simplificado

Ya se ha dicho que uno de los principales problemas de establecer impuestos a entidades no residentes ni domiciliadas en el país es su cobro y fiscalización. Por lo mismo, se han creado instituciones jurídicas como el cambio de sujeto. El IUSD consideraba que serían los emisores de los medios de pago los obligados a su retención y entero.

Para esto se establece, respecto de servicios prestados a personas naturales no contribuyentes de IVA, un sistema de tributación simplificada incluido en el nuevo párrafo 7º bis de la Ley de IVA (artículos 35 A a 35 I). En dicho párrafo se establecen normas sobre: (i) cumplimiento tributario; (ii) determinación del impuesto; y, (iii) disposiciones relevantes para la fiscalización.

a) Normas sobre cumplimiento tributario

El artículo 35 A establece que dicho sistema aplicará para aquellos contribuyentes no domiciliados ni residentes que presten los servicios del artículo 8 n) a personas naturales no contribuyentes de IVA.

---

[63] Se ha sostenido lo anterior previamente ver: DIARIO FINANCIERO. (2020) p. 10.

Los artículos 35 B, C y H, se refieren a las obligaciones de registro de los contribuyentes, emisión de documentos tributarios y libros tributarios respectivamente. Respecto del registro de los contribuyentes, se establece que será el Director del SII quien determine si se elimina el requerimiento de registro o si este se realiza mediante un trámite simplificado. Sobre la emisión de documentos tributarios, la parte final del artículo 35 C exime a dichos contribuyentes de esta obligación. Finalmente, respecto de la obligación de llevar los libros y registros tributarios, la norma exige su cumplimiento en la medida en que no sean incompatibles con el régimen simplificado, sin embargo, la redacción de la norma no da certeza respecto a las obligaciones en concreto en esta materia.

b) Normas para la determinación y pago del impuesto

Los artículos 35 C, D, E, F y G establecen las normas para la determinación del monto y forma de pago del impuesto. El contribuyente extranjero debe recargar la contraprestación con la tasa del 19%. El monto a enterar estará compuesto por el total de los recargos realizados en un período tributario, el cual, a elección del contribuyente puede ser de uno o tres meses. Conforme lo señala expresamente el artículo 35 C, es importante mencionar que dicho monto recargado, no será considerado como IVA Crédito Fiscal para el prestador de servicios extranjero, lo cual nos genera, para este caso, dudas respecto de que este impuesto tenga la naturaleza de IVA sino que se comporta más bien como un impuesto indirecto al consumo.

A dicho monto, de acuerdo al artículo 35 G, podrán descontarse las devoluciones, descuentos, rescisiones y terminaciones devueltos al contribuyente, ya sea en el mismo período tributario o en los períodos posteriores.

Sobre la declaración y pago, se contemplan normas para hacerlo mediante una sección habilitada para tal efecto en la página web del SII, lo que en general será en moneda extranjera hasta el día 20 del primer mes siguiente al término del período. Dado que algunos pagos al extranjero se pueden pactar en moneda nacional, previa autorización del Director del SII, la norma establece un mecanismo para determinar la paridad cambiaria en aquellos casos en que el impuesto se pague en moneda nacional.

c) Otros aspectos relevantes del sistema simplificado

Respecto de la fiscalización, esta se encuentra comprendida en los artículos 35 E y 35 F. Como se comentó anteriormente, se permite al SII utilizar medios tecnológicos para procurar el cumplimiento adecuado de las normas contenidas en este párrafo 7 bis, facultándosele para solicitar la información disponible sobre vendedores o prestadores de los servicios que se intermedian, de acuerdo a lo dispuesto el artículo 8 letra n).

7. Vigencia y próxima implementación

El artículo vigésimo noveno transitorio de la Ley 21.210, establece, respecto de la vigencia del IVA a los servicios digitales y sus normas complementarias que: «Las modificaciones incorporadas por el artículo tercero de la presente ley a lo dispuesto en los incisos séptimo y octavo del artículo 3º, el inciso tercero del artículo 5º, la letra e) del artículo 11; el artículo 8º letra n), el inciso cuarto del artículo 27 bis y el Párrafo 7 bis, todos ellos del decreto ley Nº 825, de 1974, entrará en vigencia transcurridos tres meses desde la entrada en vigencia de esta ley. En el mismo plazo entrará en vigencia el nuevo artículo 59 bis de la Ley sobre Impuesto a la Renta, incorporado por el artículo segundo de la presente ley»[64]. Debemos mencionar, que las modificaciones al artículo 12 letra e) de la Ley IVA, no tiene una vigencia diferida.

Lo que nos lleva a analizar el artículo primero transitorio de la norma en comento, que establece la vigencia general de la misma para el «primer día del mes siguiente de su publicación en el Diario Oficial»[65]. La lectura conjunta de estas disposiciones nos lleva a concluir que, dado que la Ley 21.210 fue publicada en el Diario Oficial en el día 24 de

---

[64]   Cámara de Diputados (2020).
[65]   Ibid.

febrero de 2020, la vigencia general de la norma será el día primero de marzo de 2020, momento en el cual comenzarán a contarse los tres meses para la entrada en vigencia del IVA a los servicios digitales, es decir, estará vigente a contar del día 1 de junio de 2020.

Con respecto de su implementación, existen una serie de materias que deberán ser objeto de resoluciones administrativas por parte del SII, entre ellas todos los procedimientos necesarios para la implementación del sistema simplificado del nuevo párrafo 7 bis de la Ley de IVA. A su vez, de la misma forma en que se ha hecho en reformas anteriores, el SII podría emitir una circular que explique a los contribuyentes las distintas vigencias establecidas por la nueva normativa.

Bibliografía

Avi-Yonah, Reuven (2000): «Globalization, Tax Competition and the Fiscal Crisis of the Welfare Estate», *Harvard Law School Public Law and Legal Theory Working Paper Series*, Nº 004, pp. 1-97.

Avi-Yonah, Reuven (2019): «The Great Recession and the International Tax Regime». Disponible en http://kluwertaxblog.com/2019/04/23/the-great-recession-and-the-international-tax-regime/. Fecha de consulta: 14 de febrero de 2020.

BBC News (2013): «Google, Amazon, Starbucks: The rise of "tax shaming"». Disponible en https://www.bbc.com/news/magazine-20560359. Fecha de consulta: 14 de febrero de 2020.

Benedetto, Sandra e Israel, Jonatan (2020) «Digital services tax, technological assessments and data protection». Disponible en https://www.international-taxreview.com/article/b1k1c5dmq7b1kr/digital-services-tax-technological-assessments-and-data-protection. Fecha de consulta: 19 de febrero de 2020.

Cámara de Diputados (2020) «Oficio 15.346 a S.E. El Presidente de la República» de fecha 3 de febrero de 2020.

Comisión Europea (1998): «Conferencia ministerial de la OCDE sobre comercio electrónico mundial». Disponible en https://cordis.europa.eu/event/id/10900-oecd-ministerial-conference-on-global-electronic-commerce/es. Fecha de consulta: 13 de febrero de 2020.

Comisión para América Latina y el Caribe (2019): «Panorama fiscal de América Latina y el Caribe 2019: Políticas tributarias para la movilización de recursos en el marco de la Agenda 2030 para el desarrollo sostenible».

Decreto Ley 825 de 27 de diciembre de 1974.

Diario Financiero. (13/02/2020) p. 10.

EUROPEAN COMMISSION (2017): «Legislative Train Schedule: Deeper and fairer internal market with a strengthened industrial base/taxation». Disponible en http://www.europarl.europa.eu/legislative-train/theme-deeper-and-fairer-internal-market-with-a-strengthened-industrial-base-taxation/file-digital-services-tax-on-revenues-from-certain-digital-tax-services. Fecha de consulta: 17 de febrero de 2020.

EUROPEAN PARLIAMENT (2018): «Interim digital services tax on revenues from certain digital services» (diciembre 2018).

INCLUSIVE FRAMEWORK ON BEPS (2018): «Tax Challenges Arising from Digitalisation -Interim Report 2018».

LAGARDEN, Martin (2014): «Intangibles in a Transfer Pricing Context: Where does the Road Lead?», *IBFD International Transfer Pricing Journal*, N° septiembre/octubre 2014.

LIGA DE LAS NACIONES, COMITÉ FINANCIERO: «Reporte sobre doble tributación» E.F.S.73.F.19 (5 de abril de 1923).

MENSAJE N° 107-366 del Presidente de la República a la Presidenta de la H. Cámara de Diputados «Mensaje De S.E. El Presidente De La República Con El Que Inicia El Proyecto De Ley Que Moderniza La Legislación Tributaria» (23 de agosto de 2018).

MENSAJE N° 105-367 del Presidente de la República a la Presidenta de la H. Cámara de Diputados «Formula Indicaciones Al Proyecto De Ley Que Moderniza La Legislación Tributaria (Boletín N° 12.043-05.)» (3 de julio de 2019).

MINISTRO DE HACIENDA Y SENADORES DE LA COMISIÓN DE HACIENDA (2019): «Marco de entendimiento para una reforma tributaria que fomente el emprendimiento y permita financiar una nueva agenda social, con foco en las Pymes y los adultos mayores». Disponible en (https://df.cl/noticias/site/artic/20191108/asocfile/20191108140544/me_vf.pdf. Fecha de consulta: 18 de febrero de 2020.

OECD/G20 Base Erosion and Profit Shifting Project (2019a): «Addressing the Tax Challenges of the Digitalisation of the Economy - Policy Note».

OECD/G20 Base Erosion and Profit Shifting Project (2019b): «Programme of Work to Develop a Consensus Solution to the Tax Challenges Arising from the Digitalisation of the Economy».

OECD/G20 Base Erosion and Profit Shifting Project (2020): «Statement by the OECD/G20 Inclusive Framework on BEPS on the Two-Pillar Approach to Address the Tax Challenges Arising from the Digitalisation of the Economy».

ORGANIZACIÓN PARA LA COOPERACIÓN Y EL DESARROLLO ECONÓMICO (1998): «Electronic Commerce: Taxation Framework Conditions». Disponible en https://www.oecd.org/ctp/consumption/1923256.pdf Fecha de consulta: 19 de febrero de 2020.

ORGANIZACIÓN PARA LA COOPERACIÓN Y EL DESARROLLO ECONÓMICO (1998): «A Borderless World: Realising the Potential of Global Electronic Commerce».

Organización para la Cooperación y el Desarrollo Económico (2001): «Taxation and Electronic Commerce: Implementing the Ottawa Taxation Framework Conditions».

Organización para la Cooperación y el Desarrollo Económico (2003): «Implementation of the Ottawa Taxation Framework Conditions: the 2003 report».

Organización para la Cooperación y el Desarrollo Económico (2013): «Action Plan on Base Erosion and Profit Shifting».

Organización para la Cooperación y el Desarrollo Económico (2015): «Addressing the Tax Challenges of the Digital Eonomy: Action 1: 2015 final report».

Organización para la Cooperación y el Desarrollo Económico (2017): «Tax treaties: update to OECD Model Tax Convention released». Disponible en https://www.oecd.org/tax/treaties/tax-treaties-2017-update-to-oecd-model-tax-convention-released.htm. Fecha de consulta 13 de febrero de 2020.

Organización para la Cooperación y el Desarrollo Económico (2018): «Tax challenges arising from digitalization-intermin report».

Organización para la Cooperación y el Desarrollo Económico (2019): «What is BEPS?». Disponible en https://www.oecd.org/tax/beps/about/. Fecha de consulta 17 de febrero de 2020.

Quah, Daniel (2003): «Digital Goods and the New Economy», *LSE Centre for Economic Performance*, N° 563.

Roxan, Ian (2012): «Limits to Globalization: Some Implications for Taxation, Tax Policy, and the Developing World», *LSE Working Papers*, N° 03/2012.

Servicio de Impuestos Internos: «Ord. N° 608-2009» (29 de septiembre de 2009).

Servicio de Impuestos Internos: «Ord. N° 152-2011» (1 de junio de 2011).

Servicio de Impuestos Internos: «Ord. N° 865-2016» (5 de abril de 2016).

Servicio de Impuestos Internos: «Ord. N° 2000-2017» (6 de septiembre de 2017a).

Servicio de Impuestos Internos: «Ord. N° 2227-2017» (13 de octubre de 2017b).

Servicio de Impuestos Internos: «Ord. N° 963-2018» (14 de mayo de 2018).

The Inclusive Internet Index (2020). Disponible en https://theinclusiveinternet.eiu.com/ explore/countries/CL/. Fecha de consulta: 17 de febrero de 2020.

World Finance (2018): «Top 5 tax scandals». Disponible en https://www.worldfinance.com/wealth-management/top-5-tax-scandals. Fecha de consulta: 14 de febrero de 2020.

Cuarta Parte
OTROS IMPUESTOS DEL SISTEMA TRIBUTARIO CHILENO

LA SOBRETASA DE IMPUESTO TERRITORIAL

Álvaro Magasich Airola[*]

I. Introducción

La Sobretasa de Impuesto Territorial, se constituye en un nuevo tributo, establecido en el artículo 7 bis de la Ley N° 17.235, incorporado por la Ley N° 21.210, publicado en el Diario Oficial, el 24 de febrero del año 2020.

Este nuevo tributo, no formó parte, ni del proyecto original, ingresado al Congreso Nacional, el 23 de agosto de 2018 (Boletín N° 12.043-05), ni del acuerdo, generado en la Cámara de Diputados; entre el Poder Ejecutivo y la dirigencia de la Democracia Cristiana, plasmado en el «Protocolo de Acuerdo», suscrito el 23 de junio de 2019[1]. Se acordó aplicar este nuevo gravamen, luego del estallido social, ocurrido el 18 de octubre de 2019 en el llamado «Marco de entendimiento entre el Gobierno y los senadores de la Comisión de Hacienda»[2] (en adelante «marco de entendimiento») en el cual, dentro de su título 2. «Mayor recaudación progresiva»; se estructura lo que será este nuevo gravamen, señalando: «Se aplicará una sobretasa progresiva a beneficio fiscal respecto del conjunto de los activos inmobiliarios de un contribuyente cuyo avalúo fiscal total exceda de 400 millones de pesos. Esta sobretasa se aplicará en forma marginal por tramos y contemplará que el tramo de avalúo fiscal hasta 400 millones de pesos estará exento, luego para el tramo sobre 400 y hasta 700 millones de pesos, la tasa será de 0,075%, entre 700 y 900 millones de pesos de 0,15%, y sobre los 900 millones

---

[*] Doctor en Derecho por la Universidad de Barcelona. Profesor de la Escuela de Derecho de la Pontificia Universidad Católica de Valparaíso y de la Pontificia Universidad Católica de Chile. Socio del Estudio Magasich & Cía.
[1] Véase Protocolo de Acuerdo (2019).
[2] Marco de entendimiento para una reforma tributaria que fomente el emprendimiento y permita financiar una nueva agenda social, con foco en las Pymes y los adultos mayores (2019).

de pesos de 0,275%. Las PYMES estarán exentas del pago de esta sobretasa. Para las restante empresas afectas, la sobretasa quedará sujeta a las mismas reglas de acreditación y deducibilidad de las contribuciones de bienes raíces, y se fijará una regla de proporcionalidad para el caso de bienes de distinto destino»[3]. Mediante la indicación presidencial Nº 554-367 del 17 de diciembre de 2019, el gobierno introduce al proyecto de ley las enmiendas necesarias, para materializar los acuerdos transcritos, lo cual no fue objeto de ninguna alteración, en su breve paso por las Cámaras, correspondiendo al texto finalmente aprobado.

El presente trabajo, constará de dos partes: la primera, consistirá una aproximación a algunos de los vastos temas constitucionales, que pueden presentarse y, en la segunda parte, procederé a analizar el tributo, siguiendo la clásica ordenación de los elementos y aspectos que lo configuran para, finalmente, señalar algunas conclusiones a modo de resumen.

II. La constitucionalidad de la sobretasa de impuesto territorial

Antes de realizar un análisis dogmático del tributo, es necesario hacer un breve comentario, sobre dos posibles problemas constitucionales. Una tradicional clasificación de los impuestos, es la que atiende al objeto o realidad económica gravada por la ley, distinguiendo entre impuesto a la renta, al patrimonio y al gasto[4]. La Sobretasa de Impuesto territorial, es en esta clasificación, un impuesto patrimonial, el cual recae sobre la riqueza, en una dimensión estática y, específicamente, en una dimensión particular del patrimonio, que son los inmuebles. Como bien dice el «marco de entendimiento», generado entre el gobierno y los senadores, lo que se grava, son los activos inmobiliarios, que superen en su valor los

---

[3] Marco de entendimiento para una reforma tributaria que fomente el emprendimiento y permita financiar una nueva agenda social, con foco en las Pymes y los adultos mayores (2019) pp. 2 y s.

[4] Véase, Sainz De Bujanda, (1982) p. 151; o Massone (2016a) pp. 835-836.

670 UTA, sin considerar la deuda asociada, como podría ser un crédito hipotecario.

De lo anteriormente señalado, surgen, a lo menos, dos cuestionamientos constitucionales[5]: el primero, radica en la aceptación, en nuestra Carta Fundamental, de los impuestos patrimoniales y el segundo, está en la posibilidad que el legislador, establezca tributos, que puedan afectar una riqueza inexistente o menor (se grava 300, cuando la riqueza es 200, dado que el propietario debe 100).

El primer cuestionamiento, se basa en una interpretación del artículo 19 N° 20 de la Constitución Política de la República, que concluiría que los tributos patrimoniales, estarían prohibidos. Se funda, esta conclusión, en el hecho que el texto establecido por la Constitución actual, difiere de las dos Cartas Magnas anteriores (1833[6] y 1925[7]), puesto que sustituye la palabra «haber» por «renta», dejando fuera de nuestro ordenamiento, la posibilidad de establecer tributos, que graven «haberes» en su acepción de patrimonio. Junto a ello, en una interpretación forzada de las actas constitucionales, especialmente, de la 384 celebrada el 14 de junio de 1978, podría concluirse que la intención de la Comisión Constituyente, fue establecer tributos que gravaran «ingresos» y eliminar los que afectaran al patrimonio[8]. En todo caso, la sustitución del término, «los haberes» por «las rentas», no fue consecuencia de las deliberaciones sostenidas por la llamada Comisión Ortúzar, sino que, se

---

5   Existen varias discusiones constitucionales sobre este tributo, estas están someramente expresadas en LIBERTAD Y DESARROLLO (2018) pp. 2-3.

6   Artículo 12 3.º «La Constitución asegura a todos los habitantes de la República [...] 3º La igual repartición de los impuestos y contribuciones a proporción de los haberes, y la igual repartición de las demás cargas públicas».

7   Artículo 10 9.º «La igual repartición de los impuestos y contribuciones en proporción de los haberes o en la progresión o forma que fije la ley: y la igual repartición de las demás cargas públicas».

8   Acta de la comisión constituyente (Comisión Ortúzar). En el acta 384, en la discusión referida a los límites de la carga tributaria, en cuanto los tributos no deben ser injustos o desproporcionados se señaló: el señor DE CASTRO (Ministro de Hacienda) anota que debe hacerse referencia a «ingresos totales»; ... el señor BERTELSEN, propone que la Carta disponga que los impuestos deberán recaer sobre los ingresos, aunque reconoce que existen algunos que gravan el patrimonio, tales como los de herencia y de bienes raíces.

trató de una propuesta realizada por Pedro Ibáñez, ante el Consejo de
Estado, sin que se expresara en las actas las razones que se consideraron
para sustituir el término[9], por lo que esta supuesta intencionalidad (de
excluir los tributos patrimoniales) no queda, para nada, de manifiesta.
Esta interpretación, que deja fuera de nuestro sistema jurídico los tributos patrimoniales, no ha sido aceptada por el Tribunal Constitucional,
el cual en una trascendente sentencia rol N° 718-2007[10], dio distintos
argumentos, para señalar que tal prohibición no existe. El primero es
semántico, en cuanto «renta» y «haber», tienen significados similares, no
antagónicos, «desde el momento que ambos se refieren a un incremento
de los ingresos o a las sumas o beneficios, que se devengan periódicamente». El segundo, corresponde a la historia fidedigna, en cuanto no
existen antecedentes «inequívocos» del motivo, por el cual se modificó dicho término; el tercero, es sistemático, puesto que las normativas
constitucionales, se refieren en varias de sus normas, artículo 19 n° 20,
artículo 65 inciso 2° y 65 inciso cuarto n° 1, a «tributos de cualquier clase o naturaleza» subyaciendo la idea que, en principio, «no existen limitaciones, respecto de la naturaleza de los tributos, en cuanto se cumplan
las limitaciones, establecidas en la propia disposición constitucional».
Por último, un buen argumento está, en que el mismo artículo 19 n° 20,
expresamente, permite la existencia de impuestos, que graven «bienes
o actividades», por lo cual, no puede ser considerado como prohibido,
lo expresamente permitido. Se podrían complementar, las argumenta-
ciones, contra esta supuesta intención de la Comisión Constituyente,
en base a una importante corriente dogmática, la cual entiende que las
actas de la comisión, que redactó la constitución, no tienen la calidad de
historia fidedigna, no siendo por ello un antecedente a considerar, en la
atribución de significados a los textos constitucionales[11]. En resumen,
actualmente no existen argumentos suficientes, como para sostener que
la constitución prohíbe la existencia de tales tributos.

---

[9]   Acta del Consejo de Estado que revisó la propuesta constitucional de la llamada
       comisión Ortúzar. Véase acta 64, celebrada el 23 de enero de 1979.
[10]   Tribunal Constitucional. 26 de noviembre de 2007. Rol N° 718-2007 (*LTM
       622726*).
[11]   Sobre el tema, véanse, Bassa y Viera (2008) pp. 140-146; Bassa (2013) pp. 16-
       17.

El segundo punto de discusión constitucional, está referido a la posibilidad que el legislador, en uso de su libertad configuradora de las normas que establecen tributos, pueda configurar un tributo que grave manifestaciones de riqueza inexistentes, lo que sucede en el evento de que los activos inmobiliarios, tengan deudas asociadas o en evento que el tributo afecte a quien carece de capacidad económica. A diferencia de otros países, la legislación chilena, no ha consagrado, expresamente a nivel constitucional, el principio de capacidad económica; razón por la cual, este principio, ha recibido un trato irrelevante[12], sin que exista un constructo dogmático sobre su sentido y alcance. En España, donde está consagrado, expresamente en el artículo 31 nº 1 de su Constitución, alguna parte de la doctrina y en su Tribunal Constitucional, lo entienden como un límite a la potestad configuradora de los tributos, en dos sentidos: una absoluta, que atiende a que lo gravado son índices directos o indirectos de riqueza o, como dice Falcon y Tella, lo que interesa es la «existencia» de capacidad, siendo índices directos de esta, la renta y el patrimonio; y otra relativa, donde lo que importa, es medir «la intensidad con que se manifiesta la capacidad»[13], exigiendo que la riqueza sea real, quebrándose este mandato «si se gravase una riqueza no ya potencial sino "inexistente o ficticia" [SSTC 221/1992, de 11 de diciembre (*Tol 110155*), FJ 4º y STC 214/1994, de 14 de julio (*Tol 82619*), FJ 5º]»[14]. En esta última perspectiva, un tributo en el que se considere una riqueza inexistente, podría ser cuestionado. Sin embargo, en Chile, esta regulación, al no estar expresamente incorporada como mandato ordenador y, menos aún, con el sentido y alcance que esta posee, en el derecho comparado, el legislador tiene amplias facultades, en la configuración de los hechos imponibles, razón por la cual la regla, al establecer como condición aplicativa, un activo, sin considerar sus deudas, lo que puede significar el gravamen de una riqueza «inexistente o ficticia», no merece reproche jurídico, de hecho, lo mismo sucede en el Impuesto Territorial y, con mayor intensidad, en la llamada sobretasa,

---

12   Masbernat (2010) pp. 304-305.
13   Sobre el tema, véanse: Falcon y Tella (2016) pp. 75-76; Ferreiro (2010) pp. 192-193; y en parecido sentido, Casado (1982) p. 227.
14   Falcon y Tella (2016) p. 74.

que se aplica a los predios no edificados o abandonados; caracterizados, justamente, por la ausencia de un índice de riqueza[15].

No obstante, lo señalado en el párrafo anterior, un efecto distinto puede tener la aplicación de la regla a un caso concreto, donde no se revisará la constitucionalidad de la norma, abstractamente, sino que se considerarán los efectos que esa regla produce en esa determinada situación. El impuesto territorial y la sobretasa, son tributos que afectan, directamente, un índice de capacidad económica, el patrimonio y específicamente a sus activos inmobiliarios. No entraremos en la discusión de la validez y riesgos de los tributos patrimoniales, ni en la causa subyacente de este tributo, en cuanto a si es una especie de retribución, por los servicios que alguien podría recibir como propietario (teorías del beneficio o equivalencia) o, más bien, se trata de una afectación a capacidades económicas, como una especie de impuesto personal, sobre el patrimonio (teoría de capacidad económica)[16]. Es efectivo que la fuente directa de la riqueza, con la cual el propietario pagará estos tributos, será la que provenga de su renta, la cual, mayoritariamente, no se origina desde el inmueble, cuestión que, en todo caso, no implica sostener que la mera existencia de un patrimonio, no dé cuenta de alguna capacidad económica[17]. El problema que puede ocasionarse, en algunos casos, es que la capacidad económica del sujeto obligado, no sea suficiente para soportar el pago de un tributo, determinado por un valor objetivo, el cual poco dice respecto a la renta o fuente, que soporta estos impuestos. El fallo dictado por el Tribunal Constitucional rol N° 718-2007, fijó una postura. Según está sentencia, la acción de constitucionalidad permite al tribunal; ya no sólo referirse a la contradicción abstracta de un precepto, con las normas constitucionales, sino que, de igual forma, permite revisar la contradictoriedad, que los efectos o aplicación en un caso concreto de una norma, puede tener con la Constitución. En otras palabras, si en el caso concreto, de la aplicación del impuesto, en este supuesto, del

---

[15]　Si se aceptara que el principio de capacidad económica rige en el ordenamiento jurídico chileno habría que revisar varios tributos, como la sobretasa por sitio eriazo establecido en el artículo 8 de la ley de impuesto territorial y algunos ambientales, todos los cuales no gravan manifestaciones de riqueza.

[16]　Musgrave y Musgrave (1992) pp. 512-515; Neumark (1974) pp. 178-179.

[17]　Neumark (1974) pp. 178-179.

Territorial o de la sobretasa por predio, sin edificar o abandonado o, la nueva sobretasa, resulta contrario a cualquiera regla constitucional especialmente, la establecida en el artículo 19 n° 20, que ordena que, «en ningún caso la ley podrá establecer tributos manifiestamente desproporcionados e injustos», sino que será el Tribunal Constitucional, quien en esa situación particular, (relativa), determine la inaplicabilidad de la regla[18].

III. Análisis de los elementos que configuran la sobretasa del impuesto territorial

Este tributo se inserta dentro de la Ley N° 17.235, llamada Ley de Impuesto Territorial. Este cuerpo legal, regula varios tributos, uno, cuyo objeto son los bienes inmuebles que la ley denomina de la Primera Serie o «Bienes Raíces Agrícolas», que comprende todo predio, cualquiera sea su ubicación, destinado, preferentemente, a la producción agropecuaria o forestal, o que, económicamente, sea susceptible de dichas producciones en forma predominante. Otro que recae sobre los bienes raíces de la Segunda Serie o «Bienes Raíces no Agrícolas», constituido por aquellos predios, que no son Bienes Raíces Agrícolas[19] y, de igual forma, sobre las inmuebles no agrícolas, ubicados en zonas urbanas, que posean la calidad de no edificados, abandonados o pozos lastreros[20]. Son estas obligaciones tributarias distintas, con hechos imponibles, bases y tasas diferentes, pero que se ligan, principalmente con exenciones y con su gestión operativa administrativa. Esta misma estructura, es mantenida por este nuevo tributo, diferenciándose, en lo que respecta al destino del tributo, hecho gravado, base y tasa, pero vinculado, jurídicamente, en su gestión a los otros tributos.

---

[18] EVANS (2010) pp. 168-177.
[19] Se exceptúan las minas, las maquinarias e instalaciones, aun cuando ellas estén adheridas, a menos que se trate de instalaciones propias de un edificio, tales como ascensores, calefacción, etc.
[20] Para una comprensión del Impuesto Territorial véase ASTE (2018); o ROJAS (2001).

Cabe resaltar que este nuevo impuesto, es de naturaleza «personal», diferente al carácter real de los otros impuestos contenidos en la Ley de Impuesto Territorial. Una clásica distinción de los impuestos, diferencia entre aquellos que son reales: «es aquel que tiene por fundamento un presupuesto objetivo [...] puede ser "pensado" y por consiguiente definido por la norma, sin hacer referencia a ningún sujeto determinado»[21]; siendo su modelo, el impuesto que afecta a la propiedad de bienes raíces y, los personales que, «por el contrario, tienen como fundamento un presupuesto objetivo el cual "no puede ser pensado", más que en referencia a una persona determinada», como aquellos que gravan una renta global[22]. Los tributos contemplados en la Ley de Impuesto Territorial, son reales, se establecen en consideración al inmueble, que se identifica con el rol de avalúo fiscal. Este nuevo tributo, en cambio, se establece respecto a un atributo de la personalidad, como lo es el patrimonio y, específicamente, sobre el valor total de los activos inmobiliarios, que se ubiquen en él. La importancia de entender, que el tributo se concibe, en relación con un sujeto y no autónomamente, radica en que la obligación tributaria se configura, nace y se persigue, respecto de dicho sujeto. Distinto es el caso de los tributos reales, donde la obligación se configura, nace y se persigue con cierta independencia del sujeto, como sucede con el impuesto territorial[23]. Esta distinción conlleva efectos, que diferencian, sustancialmente, a este nuevo tributo del impuesto territorial; tanto en materia de obligados al pago y responsabilidad, como por modificaciones de avalúos, considerados retroactivamente lo cual quedará de manifiesto más adelante.

---

[21] Sainz de Bujanda (1982) p. 151.

[22] Sainz de Bujanda (1982) p. 151.

[23] Un caso donde se denota este hecho está en la modificación del valor de avalúo retroactivamente, en el impuesto territorial se perseguirá como obligado al propietario actual que puede ser distinto a quien, respecto a los años que se cobra, figuraba como dueño (sin perjuicio del eventual derecho a repetir contra quien era el propietario en el tiempo que se debió pagar dicho tributo). En el nuevo impuesto esto no es posible, ya que el gravamen se refiere al patrimonio de un sujeto determinado, por lo que, en ese evento, el SII deberá determinar si se configuró el tributo en los distintos dueños y deberá perseguir a cada uno de ellos por sus respectivas deudas.

Como se adelantó en la introducción, procederé a realizar el análisis de este nuevo tributo, utilizando como categorías de los elementos que configuran los tributos.

1. *Sujeto activo*

Es acreedor de esta obligación el Fisco. En materia de impuesto territorial, la regla era que lo recaudado por el impuesto territorial, no ingresa a las arcas generales de la Nación, sino que lo cede, en beneficio Municipal[24], por dos vías: un 60% —y en el caso de las comunas de Santiago, Providencia, Las Condes y Vitacura el 65%— de lo recaudado, financia el Fondo Común Municipal[25], que, a su vez, se reparte solidariamente entre los municipios. La diferencia que corresponde al 40% o 35%, constituye un ingreso directo para el municipio, bajo cuya jurisdicción se encuentre el inmueble. El recién estrenado artículo 7 bis, se sale absurdamente de esta regla, señalando expresamente, en su inciso primero, que este impuesto es a beneficio fiscal, alejándose de las corrientes descentralizadoras del país, cuestión esencial para el desarrollo de Chile.

2. *Sujeto pasivo*

El número 1 del artículo 7 bis, se refiere a quienes tendrán calidad de contribuyentes, señalando que serán tales las personas naturales, jurídicas y las entidades sin personalidad jurídica, que sean propietarios de activos inmobiliarios, cuyos avalúos fiscales, en conjunto superen las 670 UTA. En relación al deudor de esta obligación, surgen, a lo menos, dos cuestiones a analizar:

---

[24]   La Ley Nº 18.695, Orgánica Constitucional de Municipalidades dispone en los artículos 13 letra f) y 15 que el impuesto territorial corresponde a uno de los ingresos municipales.

[25]   Véanse los artículos 35 letra a) y 37 del Decreto Ley Nº 3.063, sobre rentas municipales.

a) La primera, relativa a la aplicación de las reglas, contenidas en los artículos 25 y 26 del título sexto de la Ley de Impuesto Territorial, a este nuevo impuesto. Estas normas establecen a otros sujetos, distintos al propietario, como responsables del pago del tributo, sea como obligados directos (artículo 26), usufructuario, arrendatario o mero tenedor, o como garantes solidarios de la obligación, que sucede respecto a los comuneros y a los administradores, gerentes y directores de sociedad o personas jurídicas, sin perjuicio del derecho de estos a recuperar lo pagado, debido a que, como prescribe la norma, su obligación es, «sin perjuicio de la responsabilidad que afecte al propietario». Sostenemos como respuesta, que estas normas son aplicables, en la medida que sean pertinentes con el nuevo tributo. La aplicabilidad se defiende por razones de texto. El número 5 del artículo 7º bis, indica que, el nuevo impuesto, tendrá el mismo tratamiento tributario, que aquel establecido en esta ley, con lo cual, extiende la aplicación genérica de las demás reglas, incluidas las del artículo 25 y 26. No obstante, la aplicación de estas normas se encuentra limitadas por la naturaleza del tributo. En los tributos reales, como lo es el Territorial, la obligación se estructura, desde el inmueble, por lo que es posible extender la responsabilidad, a quien ocupe dicho inmueble. En los tributos personales, la estructura de la obligación, es desde el sujeto que posee un determinado patrimonio (activos inmobiliarios avaluados, conjuntamente, en más de 670 UTA), por lo que no es extensible la sobretasa, a quien ocupa un inmueble, lo cual lleva a concluir la inaplicabilidad del artículo 25. Distinto son los supuestos del artículo 26, los que establecen como responsables solidarios, a los comuneros y a los directores, administradores y gerentes de personas jurídicas. Respecto a los comuneros, esta norma sería aplicable, limitadamente, en el caso en que el contribuyente sea una «entidad sin personalidad jurídica», como se explica en el párrafo siguiente. En cambio, si el contribuyente, corresponde a una persona jurídica, es plenamente aplicable la responsabilidad solidaria de sus administradores, como lo establece el artículo 26.

b) La segunda, referida a la consideración como obligado de una entidad, sin personalidad jurídica. Efectivamente, el artículo 7 bis, al igual como lo establece la Ley de Impuesto a las Ventas y Servicios y la Ley de Impuesto a la Renta, establece como contribuyente de este tributo, a una entidad que no tiene la calidad de persona[26], como podría ser una comunidad. Se trata de situaciones en que la «entidad», se encuentra reconocida como tal, por el Servicio de Impuestos Internos, lo que se manifiesta en términos muy concretos, en el hecho que dicha entidad posea un RUT. Si no posee RUT, no se encuentra formalizada como tal, por ejemplo, una comunidad formada por dos o más sujetos, que adquieren conjuntamente una propiedad por compra, y no han realizado el inicio de actividades, entonces el obligado será cada propietario y no la comunidad, respecto de su proporción, conforme lo establece el número dos del artículo 7 bis. Un problema técnico, respecto al reconocimiento de esta clase de contribuyentes, es el de responsabilidad. La regla general, en nuestra legislación, en el caso que exista pluralidad de deudores, es la responsabilidad, simplemente conjunta o mancomunada, donde cada deudor, está obligado por su parte y el acreedor, deberá dirigirse contra cada uno de los deudores, en la parte de la obligación que le corresponda[27], cuestión que resta eficacia a la obligación. La legislación tributaria para lograr la aplicación efectiva del tributo, en estos casos, establece la solidaridad entre las personas que integran estas «entidades sin personalidad jurídica» (artículo 6º Ley de Impuesto a la Renta y artículo 3º Ley de Impuesto a las Ventas y Servicios). En este caso no se estableció, expresamente, tal regla para este impuesto. Sin embargo, como señalábamos anteriormente, creemos que se aplica el artículo 26, el cual, si bien está pensado para un impuesto que afecte un inmueble con dos o más propietarios, puede hacerse extensivo a las personas, que conforman una entidad sin personalidad jurídica, por razones de espíritu y sistemáticas, quedando estos solidariamente obligados al pago del impuesto.

---

[26] Si esta entidad tiene o no la calidad de contribuyente es una cuestión en la que no entraremos. En todo caso esta definición, dependerá de la acepción que demos al concepto de contribuyente, en cuanto se lo consideramos desde el hecho imponible o desde quien tiene la calidad de deudor o desde el sujeto afectado cuya capacidad económica queda afectada. Véase MASSONE (2016b) pp. 1318-1331.

[27] ABELIUK (2009) pp. 414-415.

3. Hecho imponible

El artículo 7 bis, establece como hipótesis normativa, cuya ocurrencia da nacimiento a la obligación tributaria, la titularidad como propietario de activos inmobiliarios que, conjuntamente tengan un avalúo fiscal superior a las 670 UTA. Para un análisis más acabado, distinguiremos los distintos elementos y aspectos que lo configuran, específicamente, el elemento objetivo y sus aspectos cuantitativos y temporales, además del elemento subjetivo:

a) Elemento objetivo

Corresponde a las distintas circunstancias objetivas, descritas en la norma, «aislado de cualquier vinculación personal»[28]. En el caso de la existencia de activos inmobiliarios o inmuebles, la ley no distingue la clase de inmueble, esto es, si es de la Primera Serie, Agrícola o de la Segunda serie, No Agrícola. Relacionado con ello, aunque, la ley no se pronuncia expresamente, se trata de bienes raíces nacionales, esto es ubicados en el territorio nacional y, como tales, sujetos al sistema de avalúo fiscal.

i) Aspecto cuantitativo

En este tributo, una circunstancia trascendente que fija la ley, es la cuantía o el volumen «riqueza» que se grava. En este caso, el legislador estableció un tope mínimo, que determina el nacimiento de la obligación tributaria, esto es, que el avalúo total de los activos inmobiliarios, supere las 670 UTA. La intención de fijar este alto valor, está enunciado en el «marco de entendimiento», es decir, se trata de tener un sistema tributario más progresivo, obligando a contribuir a quienes poseen mayor riqueza, manifestado en eximir de este tributo, a quienes poseen un patrimonio inmobiliario inferior al tope antes indicado.

---

[28]   FERREIRO (2010) p. 256.

ii) Aspecto temporal

Devengo y exigibilidad: el devengo, lo entendemos como aquel momento en que se entiende realizado el hecho imponible y, por lo mismo, corresponde al momento del nacimiento de la obligación. El problema, en algunos tributos, es que el hecho puede consistir, en un estado o situación que se mantiene en el tiempo, como es el caso de los tributos patrimoniales, por lo cual, el legislador tendrá que decir, en qué momento conectará el nacimiento de la obligación, con el hecho operativo[29]. El número 4 del artículo 7 bis, nos indica ese momento y establece que, la obligación nacerá el 1º de enero de cada año y considerará los inmuebles inscritos en el Conservador de Bienes Raíces, a nombre del contribuyente, el 31 de diciembre del año anterior. El impuesto devengado, cada 1º de enero, corresponderá al impuesto de dicho año. Esto implicará que, quien sea propietario de inmuebles, con avalúo total superior a las 670 UTA, cada 31 de diciembre, tendrá la obligación de pagar el tributo, independiente de la permanencia en su patrimonio de dichos activos. De esta forma, si el día 2 enero de un año, deja de ser propietario, tendrá la carga de pagar el tributo, por todo el año, como expresamente lo expresa el inciso 2º del número 4. «En consecuencia, en caso de que el contribuyente enajene un bien raíz durante el año, no se afectará la aplicación de la sobretasa devengada, el 1º de enero del año respectivo».

La exigibilidad correspondiente al tiempo o período en que debe cumplirse con la prestación, dar una suma de dinero, se hace coincidir con el período y momento, que se ha establecido para el pago del Impuesto Territorial, conforme señala el artículo 22 de dicha ley, lo que implica, distribuir el tributo en cuatro cuotas, que se deben pagar por regla general, en los meses de abril, junio, septiembre y noviembre de cada año. Operativamente, el Servicio de Impuestos Internos, emitirá los giros de esta sobretasa, semestralmente, con los comprobantes para el pago de las dos cuotas, que corresponden a dicho período.

Se debe indicar que el giro de la sobretasa, es un acto administrativo tributario, por el cual el Servicio de Impuestos Internos, emite una or-

---

[29]   En este tema véanse: Ferreiro (2010) pp. 254-255; Falcón y Tella (2016) pp. 163, 171-179; Pérez Royo (2016) pp. 160-161.

den de pago del impuesto[30]. Este, como todo acto administrativo, debe cumplir con las obligaciones formales establecidas en la Ley N° 19.880 y en la legislación tributaria. En el caso del artículo 18 de la Ley de Impuesto Territorial, este obliga a que esta decisión formal estatal, contenga lo indispensables para la identificación del obligado y de los predios, sus avalúos, el avalúo total sometido a imposición, (su descripción) y el impuesto. Si no cumple estos requisitos, podrá entenderse, que dicho acto carece de motivación, y siendo ello un requisito de la esencia de los actos administrativos, establecido por la el artículo 7 de la Constitución y reconocido, recientemente por el artículo 8 bis Código Tributario, podrá ser sancionado con su ineficacia.

b) Elemento subjetivo

Para la configuración del hecho imponible, debe existir un ligamen entre el elemento objetivo; con un sujeto, siendo esto lo que denominamos elemento subjetivo. La regla establece que, en este tributo se aplicará, «respecto de los bienes raíces de que sean propietarios, conforme al registro de propiedad de bienes raíces del respectivo Conservador de Bienes Raíces». En otras palabras, el vínculo exigido por la ley, entre el elemento objetivo y el sujeto, es que este tenga la calidad de propietario, conforme esté inscrita, a su nombre, la propiedad en el registro de propiedad del Conservador de Bienes Raíces respectivo. En una primera aproximación, la regla parece acorde con la legislación general, si el modo de adquirir que opera, es la tradición (artículo 670 Código Civil), que al recaer sobre bienes raíces, se verifica por la inscripción del título en el Registro del Conservador (artículo 686 Código Civil), por lo que, a lo menos formalmente, propietario e inscripción son coincidentes. El problema surge en caso de que el modo de adquirir el dominio, sea la sucesión por causa de muerte[31]. El artículo 955 del Código Civil, establece

---

[30]   Sobre los actos administrativos tributarios y los giros véase: Zurita (2013) pp. 32 y ss., 331 y ss.

[31]   Parecida situación se produce respecto de la mujer casada en sociedad conyugal, quien, al momento de disolverse la sociedad conyugal, se le adjudica su parte en el inmueble, sin perjuicio que al ser este título derivativo, lo adquiere por el modo de adquirir que operó al momento que el marido lo adquirió.

que «la sucesión de los bienes de una persona, se abre al momento de su muerte», siendo este el hecho y momento que «habilita a los herederos para tomar posesión de los bienes de la herencia y se los transmite en propiedad»[32], en otras palabras, serán propietarios de los inmuebles, los herederos del causante, como efecto de operar, el modo de adquirir sucesión por causa de muerte. En estos casos las inscripciones que obligan los artículos 687 y 688 del Código Civil, que anotan, la posesión efectiva y la propiedad raíz, a nombre de los asignatarios, no son expresión del modo de adquirir, sino que se exigen, a fin de mantener la historia fidedigna de la propiedad raíz[33]. En este evento y el de la mujer casada en sociedad conyugal, durante un tiempo, a lo menos, inscripción y propiedad no coincidirán, por lo que procederá la pregunta sobre la persona o entidad que se le atribuye el avalúo, a fin de determinar la procedencia o no del impuesto. Existen dos posibles interpretaciones; una que privilegia la calidad de propietario, caso en el cual el avalúo debe prorratearse entre sus dueños; y otra, que privilegia el aspecto formal de la inscripción, evento en que el activo inmobiliario, como parte del patrimonio hereditario proindiviso, seguirá tributando como continuación del causante, hasta que se divida o adjudique los activos. Se trata de una especie de aplicación extensiva del artículo 5º de la Ley de Impuesto a la Renta, que deja ficticiamente supérstite al causante, mientras no se asignen las cuotas de los comuneros, en el patrimonio común o hasta tres años, contados desde el fallecimiento. Nos inclinamos por la primera alternativa. Entendemos que este nuevo tributo, es un impuesto patrimonial y, como tal, afecta a quien tenga incorporado en su patrimonio, el activo inmobiliario, el día 31 de diciembre de cada año. Si la persona fallece, desaparece el patrimonio, dejando de configurarse respecto de él, el hecho imponible. Dicho de otro modo, al fallecer el sujeto, desaparece la riqueza o capacidad económica gravada, que constituye la causa de la obligación. En este evento y, mientras no se efectúe la división, a cada uno le corresponderá, en proporción a la cuota abstracta hereditaria, sobre dicho inmueble. Por otro lado, al ser este tributo personal, la manera de asignar el tributo a quien no es propietario, sería mediante

---

[32] ELORRIAGA (2005) p. 57.
[33] ELORRIAGA (2005) p. 101.

una ficción, que, como tal, es de derecho estricto y, en el caso, no está contemplada por la ley. Terminar señalando que el artículo 5 de la Ley de Impuesto a la Renta, tampoco es aplicable, no sólo por ser norma de derecho estricto, sino porque la misma regla, indica que se aplica a las obligaciones de la «presente ley», excluyendo su aplicación a otras obligaciones tributarias.

4. Supuesto de no sujeción y exenciones

No es este el lugar para pronunciarnos sobre estos conceptos, no obstante, considero necesario indicar que, los supuestos de no sujeción, corresponden a situaciones donde no ocurre el hecho gravado, lo que puede ocurrir naturalmente; o porque la ley expresamente los establece, lo cual sirve para aclarar o determinar (o interpretar), el hecho imponible. En cambio, la exenciones, son normas que contienen un mandato, consistente en privar total o parcialmente de eficacia al hecho imponible. Existen autores que consideran que, un hecho no sujeto y una exención absoluta, no tienen mayores diferencias, actuando ambos sobre el hecho imponible, excluyendo casos o limitando su eficacia[34]. Sin entrar en la discusión de lo que es uno y otro y sus efectos, es importante establecer que el artículo 7 bis, excluye de la base imponible del tributo, los avalúos provenientes de determinados inmuebles, siendo estos los siguientes:

a) Artículo 7º bis, número 1, inciso 2º

Bienes inmuebles que sean de propiedad de un contribuyente, que tribute conforme al artículo 14 letra D de la Ley de Impuesto a la Renta. Esto implica, que se trate de un contribuyente, adscrito al régimen para las micro, medianas y pequeñas empresas, lo cual se encuentra regulado en dicha norma. Esta exclusión de la base, es la manifestación del acuerdo «marco de entendimiento», la que indicaba que las PYMES estarían exentas de este tributo. Cabe señalar que el hecho operativo

---

[34]   Véanse: FERREIRO (2010) pp. 266-267; PÉREZ ROYO (2016) pp. 162-166; MASSONE (2016b) pp. 1591, 1604-1607.

establecido en la regla, no sólo requiere la concurrencia de un elemento subjetivo (el titular del inmueble está adscrito al sistema PYME, de la Ley de Impuesto a la Renta), sino que también considera el destino del inmueble, exigiendo que estos estén total o parcialmente destinados al «negocio o giro de la empresa», requisito que excluye a los inmuebles que, perteneciendo a una PYME, no estén destinados al negocio o giro. La pertenencia o no de un activo al giro de la empresa, es una frágil línea que podrá dar lugar a conflictos y que tendrá que será necesario revisar caso a caso.

b) Artículo 7º bis, número 1, inciso 2º

Bienes inmuebles en que inviertan los fondos de pensiones conforme a la letra n) del artículo 45 del D.L. Nº 3.500 de 1980. Esta norma evita el gravamen a las inversiones, que hacen los fondos de pensiones, en activos inmobiliarios, con el objetivo de no afectar su rentabilidad y con ello, las cuentas de ahorro individual de sus afiliados.

c) Artículo 7º bis, número 2, inciso 2º

Bienes inmuebles con avalúos, total o parcialmente exentos, en la misma proporción en que se encuentre exento. Esta regla, extiende el efecto de las exenciones establecidas, para efectos de los demás impuestos, contenidos en la Ley de Impuesto Territorial. A este nuevo tributo, quizás siguiendo la lógica de razonamiento por semejanza, donde existe la misma razón (motivo de la exención) debe existir la misma norma (exención).

5. Base imponible

Entendemos por base imponible, la medición o valoración del hecho imponible. En este nuevo impuesto, corresponderá a lo que la ley denomina el «avalúo fiscal total» que, conforme lo dispone el número 2 del artículo 7 bis, es la suma de los avalúos fiscales de cada uno de los bienes raíces, que sean de propiedad de un mismo contribuyente. Si se es copropietario con otros, deberá considerarse en el «avalúo fiscal total», el valor que corresponda a la proporción, en el avalúo fiscal equivalente, a la cuota de dominio que le corresponda. Como señalábamos, quedan fuera de la base y, por ello, de tributación, los inmuebles que expresa mente se excluyeron en el artículo 7º bis y los que están exentos, según el cuadro anexo de Ley de Impuesto Territorial o por cualquier ley especial. Por último, la regla aclara, en el sentido que será parte del «avalúo fiscal total», el valor íntegro del avalúo particular de los inmuebles, es decir, no se excluye de la base el tramo exento, que se contempla en los inmuebles agrícolas y no agrícolas, con destino habitacional.

El patrimonio y, específicamente, el dominio sobre un bien inmueble, como objeto de gravamen, por un lado, si bien representa un estado o situación, con cierta permanencia en el tiempo, también es una realidad cambiante, en cuanto, puede desaparecer del patrimonio; y por otro, se trata de un objeto expuesto a variaciones de valores, como efecto del mercado. Por lo anterior, es que importa determinar cómo y cuándo, se valorará el hecho sometido a tributación.

Respecto al avalúo de los bienes raíces, en general, este lo determina el Servicio de Impuestos Internos, en base a las tablas que la misma agencia elabora (artículo 4º Ley de Impuesto Territorial) y lo hará en cada proceso de reavalúo general, determinando el valor, por a lo menos para 4 años (artículo 3º Ley Impuesto Territorial), o bien en un reavalúo particular, que durará por el tiempo que falta, hasta el próximo avalúo general, y que se efectúa por modificaciones a los inmuebles (construcciones demoliciones, fusiones divisiones etc.) o por errores en la tasación, conforme a las instrucciones y tablas vigentes para ese proceso de reavalúo[35].

En lo que guarda relación, con el momento de valorar el hecho gravado, propiedad sobre bienes inmuebles, el legislador estableció que se hará, en un instante, en una especie de «foto» del momento, lo que acontecerá cada 31 de diciembre del año anterior, al que se devenga el impuesto. Lo que suceda antes o después, en el patrimonio inmobiliario

---

[35]   Sobre base imponible véanse: Resolución Exenta SII Nº 144, de 31 de diciembre de 2019, con sus anexos; Resolución Exenta SII Nº 28, de 9 de marzo de 2018; Aste (2018) pp. 540 y ss.; Yáñez (2014) pp. 261 y s.; Rojas (2001) pp. 117 y ss.

del sujeto, queda fuera de la «foto» y, por lo mismo, no se ingresa en la medición del tributo.

La valoración de los inmuebles, que conforman el patrimonio inmobiliario, podrá ser modificada, como efecto de las tasaciones generales y en las modificaciones de avalúos particulares. Además, el avalúo fiscal total existente al 31 de diciembre de cada año, será reajustado, conforme al IPC, según lo establece el artículo 9 de la Ley de Impuesto Territorial, lo que implica, la actualización semestral del valor de avalúo, el 1º de enero y 1º de julio de cada año, bajo la misma dinámica del Impuesto Territorial.

Si los predios sufrieran modificaciones, en su avalúo o, se incorporará alguna exención, se corregirá la diferencia de sobretasa, mediante la emisión de roles de avalúo suplementario (mayor avalúo) o de reemplazo (disminución del avalúo). Estos roles se emitirán, para ser pagados en junio o diciembre, conforme sean regulados, en el modificado artículo 19 de la Ley de Impuesto Territorial. Existe la posibilidad, que se modifiquen avalúos de bienes que integran el «avalúo fiscal total» de un sujeto y se aplique retroactivamente; tanto a favor (rebaja avalúo), como en contra (alza de avalúo), lo que podría afectar a situaciones pretéritas. El artículo 19 en su inciso final, hace operativa, la aplicación retroactiva, en dos sentidos: a) estableciendo que el cálculo de la sobretasa se hará, considerando el avalúo del semestre, en el que se realice el giro; b) reconociendo la limitación general de 3 años de aplicación retroactiva, establecida en el artículo 13 de la Ley de Impuesto Territorial, pero aclarando, que este plazo se contará, desde la notificación del rol o giro semestral suplementario o de reemplazo. En la aplicación retroactiva del tributo, resalta nuevamente, el carácter personal de este nuevo impuesto, en cuanto, el alza o rebaja del avalúo, afecta a quien figure como propietario, cada 31 de diciembre, de ese modo, si dentro de estos tres años, hay dos o tres propietarios (determinado cada 31 de diciembre) el cálculo del tributo y los eventuales giros, deben referirse a cada uno de estos sujetos en particular.

Por último, el artículo 7 bis, en el inciso final reitera, innecesariamente, la existencia de dos facultades que la ley entrega al Servicio de Impuestos Internos, la del artículo 70 de la Ley de Impuesto a la Renta, relativo a la presunción, simplemente legal de renta de los gastos e inversiones, a menos que se pruebe el origen de los fondos y, la del artículo 64 del Código Tributario, respecto a los valores usados en actos y contratos.

6. *Tasa o tipo impositivo*

En el «marco de entendimiento», se establece dentro del título «mayor recaudación progresiva», que «se aplicará una sobretasa progresiva a beneficio fiscal respecto del conjuntos de los activos inmobiliarios [...]»[36]. Cumpliendo este convenio, el legislador estableció dos medidas; destinadas a hacer más progresiva la carga tributaria, esto gravando con mayor intensidad, a quienes aparecen con mayor riqueza, primero al construir el hecho gravado, con un amplio mínimo no gravado y luego, al establecer como medida del tributo, una tasa progresiva por tramo. La tasa de un tributo, es la medida (cifra o porcentaje), que se aplica a la base imponible, a fin de obtener el monto de la prestación, a que se ve obligado el deudor de la obligación tributaria. En este impuesto se establece como tal, una tasa progresiva por tramos o escalones, que implica que a medida que aumenta la base imponible, aumenta el porcentaje de gravamen, que se aplica a esta, y se establece por tramos, en cuanto a cada tramo del escalón, se le aplica un porcentaje distinto, como se dice, en esta clase de impuestos: «existen en realidad diversos tipos de gravámenes aplicables a cada tramo o escalón de la base imponible»[37]. Los tramos del tributo, están descritos en el número 3 del artículo 7 bis y son

---

[36] Sin perjuicio que no es el tema de este artículo, hacer presente dos cuestiones conceptuales: a) la problemática de la redistribución fiscal y de la progresividad de la carga tributaria, no son sinónimos, la progresividad fiscal es solo un instrumento de la redistribución; y b) que la progresividad de la carga tributaria, no sólo se logra mediante la introducción de «tasas progresivas», hay otros mecanismos, como pueden ser los mínimos exentos, la de tratos conforme al tipo de renta, etc. Véanse Musgrave y Musgrave (1992) pp. 89-104; Neumark (1974) pp. 232-271, especialmente, p. 234.

[37] Falcon y Tella (2016) p. 237.

los siguientes: a) de 670 UTA hasta 1.175 UTA, 0,075%[38]; b) de 1.175 UTA hasta 1.510 UTA, 0,015%[39]; y c) sobre 1.510 UTA, 0,275%[40]. Por último, indicar que estos tramos se reajustarán en cada proceso de reavalúo, que realice el Servicio de Impuestos Internos, conforme al artículo 3 de la Ley de Impuesto Territorial; que será cada 4 años, en el mismo porcentaje, en que se aumente el avalúo de los inmuebles pertenecientes a la serie no agrícola.

7. *Revisión actos administrativos*

El artículo 7 bis, indica que contra los actos administrativos relacionados con este tributo, caben dos tipos de reclamos: el general del artículo 123 y siguientes del Código Tributario, que permitirá contravenir las resoluciones que puedan determinar este tributo y sus giros; y el reclamo de avalúo, que será procedente contra las resoluciones que fijen el avalúo fiscal de un bien raíz, que forme parte del «avalúo fiscal total», conforme a los artículos 149 y siguientes del Código Tributario. Poner énfasis, en que cualquiera que sea la forma de manifestación de la voluntad de la administración, el acto administrativo debe ser motivado, lo que constituye un aspecto esencial, por lo que su falta, podrá ser atacada pidiendo su ineficacia[41].

---

[38] Otra manera de expresarlo, es que en este tramo cada $ 100.000.000 de avalúo deberá pagarse $ 75.000.

[39] En otros términos, en este tramo, cada $ 100.000.000 de avalúo deberá pagarse $ 150.000.

[40] Esto implica que, en este tramo, cada $ 100.000.000 de avalúo, deberá pagarse $ 275.000, por lo que cada mil millones de avalúo, en este tramo se pagará anualmente la suma $ 2.750.000.

[41] La anulación de un acto administrativo por falta de motivación, ha sido resuelta en variadas sentencias, entre ellas: Tribunal Tributario y Aduanero de Valparaíso. 4 de abril de 2019. RIT GR-14-00111-2017; Sentencia Corte Suprema. 19 de junio de 2017. Rol Nº 3.598-2017. «Pey Tumanoff, Roxana contra Mario Fernández Baeza Vicepresidente de la Rep-ublica y Otro»; y sentencia Corte Suprema; Rol Nº 12.969-2018. «Concha Briceño, Ximena Andrea contra Carabineros de Chile».

8. Efectos de la sobretasa, en relación a los demás tributos

El artículo 7 bis, en su número 5, precisa que este impuesto, tendrá el mismo tratamiento tributario, que aquel establecido en esta y otras leyes tributarias, para el impuesto territorial. Además, resuelve la hipótesis de tratamientos distintos de los diferentes inmuebles, que pueden ser parte del «avalúo fiscal total», proporcionando el efecto, en relación a la participación del avalúo particular, en el «avalúo fiscal total». Así, si un predio representa el 45% de «avalúo fiscal total» y su tratamiento en la Ley de Impuesto a la renta, es de crédito, a diferencia del saldo que será como gasto, el contribuyente considerará el 45% del impuesto, a la sobretasa como crédito, el resto como gasto.

9. Vigencia de la ley

El artículo cuadragésimo tercero transitorio de la Ley N° 21.210, establece que la sobretasa a los bienes raíces se devengará «el 1° de enero del año 2020 o, si fuere posterior, a la fecha de publicación la presente ley en el Diario Oficial». En el caso, siendo la ley publicada el día 24 de febrero 2020, debe entenderse devengado el tributo con esa fecha. Por lo que este tributo deberá pagarse el año 2020, en las cuotas de abril, junio, septiembre y noviembre, y se hará, conforme indica la misma norma transitoria, considerando los bienes raíces inscritos a nombre del contribuyente al 31 de diciembre de 2019.

IV. Conclusiones

A modo de resumen, podemos concluir lo siguiente: a) el nuevo impuesto, en lo que respecta a su naturaleza patrimonial y afectación de riquezas menores o inexistentes, se estima constitucional, abstractamente, en cuanto nuestra Carta Magna, no prohíbe la existencia de impuestos patrimoniales, como tampoco consagra un principio de capacidad económica absoluta, capaz de limitar el objeto gravado. No obstante, conforme a sentencias del Tribunal Constitucional, sí será posible de revisar la constitucionalidad de la aplicación concreta del tributo, a un caso concreto, vía recurso de inaplicabilidad, resolviendo, en el evento que el efecto aplicativo producido, sea contrario a alguna regla constitucional. La inaplicabilidad de la norma a dicho caso, como podría ser, el hecho, que resulte el tributo manifiestamente desproporcionado e injusto. Recalcar una vez más el carácter personal del tributo, lo que implica que los obligados, la base imponible, sus modificaciones de avalúo y sus posibles aplicaciones retroactivas, se ordenan sobre el sujeto propietario y no sobre el inmueble.

Bibliografía

Actas de la Comisión Ortuzar: Biblioteca del Congreso Nacional, https://www.leychile.cl/Consulta/antecedentes_const_1980.

Actas del Consejo de Estado: https://www.leychile.cl/Consulta/antecedentes_const _1980.

Abeliuk Manasevich, René (2009): *Las Obligaciones*, Tomo I (Santiago, Editorial Jurídica de Chile).

Aste Mejías, Christian (2018): *Los otros impuestos en la legislación chilena. IVA, Impuesto sobre Herencias y Donaciones, Impuesto de Timbres y Estampillas e Impuesto Territorial* (Santiago, LegalPublishing).

Bassa Mercado, Jaime y Viera Álvarez, Cristian (2008): «Contradicciones de los Fundamentos Teóricos de la Constitución Chilena con el Estado Constitucional: Notas para su reinterpretación», *Revista de Derecho (Valdivia)*, Vol. XXI —Nº 2— diciembre, pp. 131-150.

Bassa Mercado, Jaime (2013): «La pretensión de objetividad como una estrategia para obligar. La construcción de cierta cultura de hermenéutica constitucional hacia fines del siglo XX», *Estudios Constitucionales*, Año 11, Nº 2, 2013, pp. 15-46.

Casado Ollero, Gabriel (1982). «El principio de capacidad y el control constitucional de la imposición indirecta (II). El contenido constitucional de la capacidad económica», *Revista Española de Derecho Financiero*, Nº 34, pp. 185-235.

Evans Espiñeira, Eugenio (2010): *Los Tributos en la Constitución* (Santiago, Editorial Jurídica de Chile, 2ª edición).

Elorriaga De Bonis, Fabian (2005): *Derecho Sucesorio* (Santiago, Lexis Nexis).

Falcon y Tella, Ramón (2016): *Derecho Financiero y Tributario (Parte General)* (Madrid, Servicios de Publicaciones Facultad de Derecho, Universidad Complutense de Madrid, 6ª edición).

Ferreiro Lapatza, José Juan (2010): *Instituciones de Derecho Tributario* (Madrid, Marcial Pons).

Libertad y Desarrollo (2018): «Impuesto territorial, una discusión recurrente», *Temas Públicos*, Nº 1348-2, abril de 2018.

MARCO DE entendimiento para una reforma tributaria que fomente el emprendimiento y permita financiar una nueva agenda social, con foco en las Pymes y los adultos mayores (2019): Santiago, 8 de noviembre.

MASBERNAT MUÑOZ, Patricio (2010): «El principio de capacidad económica como principio jurídico material de la tributación: su elaboración doctrinal y jurisprudencial en España», *Revista Ius et Praxis*, Universidad de Talca, año 16, N° 1, pp. 303-332.

MASSONE PARODI, Pedro (2016a): *Principios de Derecho Tributario*, Tomo I (Santiago, Legal Publishing, 4ª edición).

MASSONE PARODI, Pedro (2016b): *Principios de Derecho Tributario*, Tomo II (Santiago, Legal Publishing, 4ª edición).

MUSGRAVE, Richard y MUSGRAVE, Peggy (1992). Hacienda pública, teórica y aplicada (trad. Juan Francisco Corona Ramón, Juan Carlos Costas Terrones y Amelia Díaz Álvarez, Madrid: Mc Graw-Hill, 5ª edición).

NEUMARK, Fritz (1974): *Principios de la imposición* (Madrid, Instituto de Estudios Fiscales).

PÉREZ, ROYO, Fernando (2016): *Derecho Financiero y Tributario Parte General* (Cizur Menor, Thomson Reuters Civitas, 26ª edición).

PROTOCOLO DE ACUERDO (2019): Santiago, 23 de junio.

ROJAS RETAMAL, Roberto (2001): *El impuesto territorial* (Santiago, Conosur).

SAINZ DE BUJANDA, Fernando (1982): *Lecciones de derecho financiero* (Madrid, Universidad Complutense).

YÁÑEZ HENRÍQUEZ, José (2014): «Impuesto territorial», *Revista de Estudios Tributarios*, N° 11, pp. 253-281.

ZURITA ROJAS, Milenko (2013): *El acto administrativo tributario* (Santiago, Editorial Libromar).

MODIFICACIONES A LA LEY Nº 20.732, SOBRE REBAJA EL IMPUESTO TERRITORIAL CORRESPONDIENTE A PROPIEDADES DE ADULTOS MAYORES VULNERABLES ECONÓMICAMENTE

Álvaro Magasich Airola[*]
María Pilar Navarro Schiappacasse[**]

I. Introducción

La reforma tributaria impulsada por el Gobierno, Boletín Nº 12.043-05, ingresada al Congreso Nacional el 23 de agosto de 2018, que se transformó en la Ley Nº 21.210, originalmente no contenía ninguna norma que se relacionase con el impuesto territorial.

Este proyecto de ley estuvo entrampado cerca de un año en su primer trámite constitucional ante la Cámara de Diputados, debido a que no se contaba con los votos para aprobarlo en la Comisión de Hacienda de dicha Cámara, ni luego en Sala. La tramitación se destrabó tras la suscripción de un Protocolo de Acuerdo suscrito el 23 de junio de 2019 entre el Poder Ejecutivo, la dirigencia de la Democracia Cristiana y representantes de las PYMES y de Adultos Mayores.

El texto del Protocolo estableció diversos cambios que era necesario introducir en la propuesta legal para que la Democracia Cristiana concurriera con su voto favorable, entre los cuales se incluyó la introducción de «un sistema que beneficie a los adultos mayores de la clase media que siendo propietarios de viviendas tengan un tratamiento preferente

[*]   Doctor en Derecho por la Universidad de Barcelona. Profesor de la Escuela de Derecho de la Pontificia Universidad Católica de Valparaíso y de la Pontificia Universidad Católica de Chile. Socio del Estudio Magasich & Cía.
[**]   Doctora en Derecho por la Universidad de Barcelona. Investigadora Postdoctoral del Instituto de Ciencias Sociales de la Universidad de O'Higgins.

para los efectos de determinar sus contribuciones de bienes raíces. En consecuencia, se ampliarán significativamente los actuales beneficios entregados a los adultos mayores en la Ley 20.732»[1].

Encontrándose la iniciativa en segundo trámite constitucional se exigió por parte de una senadora, profundizar en la regulación de la franquicia[2]. Sin embargo, fue después del estallido social (18 de octubre de 2019) que se suscribió el marco de entendimiento entre el Gobierno y los senadores de la Comisión de Hacienda[3], en el que se establecieron las bases de lo que se tradujo en la actual exención. Señalaba dicho texto que se «eximirá del pago de contribuciones a los adultos mayores cuyo ingreso mensual los ubique en el tramo exento del Impuesto Global Complementario (IGC). Adicionalmente, a los adultos mayores del segundo tramo del IGC, se le reducirá a la mitad el pago de sus contribuciones. Para obtener estos beneficios se harán aplicables los requisitos de la ley N° 20.732 de 2014 que rebaja el impuesto territorial a propiedades de adultos mayores vulnerables económicamente»[4].

En este contexto, mediante indicaciones presidenciales, se introdujeron al proyecto de ley las enmiendas necesarias para materializar los acuerdos transcritos[5], de forma tal que en la actualidad existen dos beneficios tributarios: uno que implica la exención del 100% de la cuota

---

[1] Véase Protocolo de Acuerdo (2019) pp. 4 y s., punto 1.3.

[2] Véase al respecto «Con foco en los adultos mayores: Las condiciones de Ximena Rincón (DC) para aprobar Reforma Tributaria del gobierno». Disponible en https://www.eldesconcierto.cl/2019/09/14/con-foco-en-los-adultos-mayores-las-condiciones-de-ximena-rincon-dc-para-aprobar-reforma-tributaria-del-gobierno/. Fecha de consulta: 16 de diciembre de 2019.

[3] Marco de entendimiento para una reforma tributaria que fomente el emprendimiento y permita financiar una nueva agenda social, con foco en las Pymes y los adultos mayores (2019).

[4] Marco de entendimiento para una reforma tributaria que fomente el emprendimiento y permita financiar una nueva agenda social, con foco en las Pymes y los adultos mayores (2019) p. 1 y s.

[5] Gobierno presentó ante la Cámara de Diputados, en primer trámite constitucional, la indicación N° 105-367, de 3 de julio de 2019, que incorpora una norma al proyecto de ley, que terminaría siendo el artículo 28, que introduce modificaciones al artículo 1° de la Ley N° 20.732, que rebaja el impuesto territorial correspondiente a propiedades de adultos mayores vulnerables económicamente. A su turno, ante el Senado, en segundo trámite, presentó la indicación N° 554-

del impuesto territorial y otro que supone la rebaja del 50% del impuesto territorial determinado para el período, en ambos casos, debiendo cumplirse ciertos requisitos.

El presente trabajo analizará los cambios que introdujo la reforma tributaria del año 2020 a la rebaja de contribuciones a los adultos mayores establecida en la Ley N° 20.732. En la primera parte se revisarán los principales aspectos dogmáticos del impuesto territorial; en la segunda, se estudiará la franquicia establecida por la Ley N° 20.732 y se expondrán las modificaciones que se incorporaron, y finalmente, se determinará si las enmiendas efectuadas por la reforma tributaria constituyen o no un avance significativo en la protección de los adultos mayores.

II. Aspectos dogmáticos del impuesto territorial en Chile

El impuesto territorial se encuentra regulado en el sistema tributario chileno a través del Decreto con Fuerza de Ley N° 1, que contiene el texto refundido, coordinado, sistematizado y actualizado de la Ley N° 17.235.

Si bien en el lenguaje coloquial este tributo es conocido indistintamente como contribuciones de bienes raíces o impuesto territorial[6], ambas expresiones desde un punto de vista técnico no son sinónimas, pues aunque corresponden al género tributo, presentan elementos que los diferencian, de modo que no dan cuenta de la misma especie de gravamen. En concreto, el tributo regulado en la Ley N° 17.235 tiene el carácter de un impuesto, pero no de una contribución especial, debido a que no se cobra en atención a alguna obra o actuación del Estado que haya aumentado la plusvalía del bien raíz de que se trate[7].

367, de 17 de diciembre de 2019, que en sus números 123 y siguientes introduce el texto definitivamente aprobado.

[6]   Así, por ejemplo, el Centro de Estudios Financieros de la Universidad de Los Andes (2018) p. 3, que los emplea como sinónimos.

[7]   En España la Ley de Haciendas Locales establece en sus artículos 28 y 29 el hecho imponible de las contribuciones especiales. Como ha señalado la doctrina, se requiere para que se verifique el hecho gravado de un doble supuesto: que el sujeto pasivo obtenga un beneficio o aumento de valor de sus bienes y que el hecho

El objeto gravado con el impuesto territorial son los bienes raíces, que la ley clasifica de Primera o Segunda Serie, en atención a la destinación preferente del bien raíz. Así, según lo dispuesto en el artículo 1º de la Ley Nº 17.235, la Primera Serie o «Bienes Raíces Agrícolas» comprende todo predio, cualquiera que sea su ubicación, cuyo terreno esté destinado preferentemente a la producción agropecuaria o forestal, o que económicamente sea susceptible de dichas producciones en forma predominante. La Segunda Serie o «Bienes Raíces no Agrícolas», está constituida por aquellos predios que no son Bienes Raíces Agrícolas[8]. De esta categorización que efectúa la ley se derivan importantes consecuencias tributarias, pues la forma de calcular el avalúo de la propiedad variará en uno y otro caso, la tasa del impuesto también es diversa, y para los fines de este trabajo, debe señalarse que las franquicias tributarias de la Ley Nº 20.732 dependen, entre otros factores, de la calificación del bien raíz para los efectos del impuesto territorial.

La base imponible de este tributo es el avalúo del bien raíz, para cuya determinación, se establecen reglas distintas según la calificación del predio. Así, se ha señalado que el avalúo de la propiedad no es otra cosa que la fijación del precio del bien raíz para los efectos de determinar el monto del impuesto[9].

En Chile, el órgano competente para avaluar los bienes raíces es el Servicio de Impuestos Internos, operación que tendrá lugar en un proceso de reavalúo general, que determina el valor por a lo menos 4 años, o bien, en un reavalúo particular, que lo hace por tiempo que falta hasta el próximo avalúo general, y que se realiza con ocasión de la variación o corrección de algún elemento que afecte el valor tributario de un determinado predio. La doctrina ha manifestado que la ley no prohíbe o limita que el avalúo fiscal coincida con la tasación comercial de los in-

---

imponible se haya producido por una actividad por parte de la Administración consistente en la realización de obras o el establecimiento o ampliación de servicios de carácter local, estando ambos presupuestos ligados por una relación causa efecto. GALÁN y SÁNCHEZ (2006) p. 399.

[8]   Se exceptúan las minas, las maquinarias e instalaciones, aun cuando ellas estén adheridas, a menos que se trate de instalaciones propias de un edificio, tales como ascensores, calefacción, etc.

[9]   Véase RODRÍGUEZ (1945) p. 47.

muebles, pese a lo cual no parece razonable ni prudente que tales bienes se valoren en un monto igual o superior al que determina el mercado inmobiliario[10]. En efecto, de utilizarse el valor comercial de un momento y mantenerlo ficticiamente fijo, podría ocurrir que se grave una riqueza que sea superior a la real o que se grave una mera expectativa que quizás nunca se llegue a concretar. De esta forma, si bien el legislador no limita al ente fiscalizador a la hora de fijar el avalúo del predio, este al determinarlo, debiera hacerlo en un valor bastante inferior al valor comercial, de modo de evitar prudentemente un gravamen injusto o desproporcionado, conducta que, por regla general, es la que ha seguido la agencia tributaria nacional.

En el caso de los bienes raíces agrícolas o de la Primera Serie, el impuesto recae sobre el avalúo de los terrenos y sobre el valor de las casas patronales que excedan cierto monto. Se incluyen en esta serie aquellos inmuebles o parte de ellos, cualquiera que sea su ubicación, que no tengan terrenos agrícolas o en que la explotación del terreno sea un rubro secundario, siempre que en dichos inmuebles existan establecimientos cuyo fin sea la obtención de productos agropecuarios primarios, vegetales o animales, caso en el cual el impuesto se aplicará no solo sobre el valor del terreno, sino que incluirá el avalúo de todos los bienes[11]. A su vez, en los bienes raíces no agrícolas o de la Segunda Serie la base imponible del impuesto territorial se determina incluyendo el valor de los terrenos, las construcciones y, en el caso de los edificios o copropiedad inmobiliaria, las instalaciones comunes[12-13].

Como se ha señalado, la ley ordena al Servicio de Impuestos Internos a categorizar los elementos a tener en consideración para establecer el avalúo fiscal de un predio. Sin emitir pronunciamiento sobre la conveniencia o no de este método establecido por el legislador —que por lo demás ha sido validado por la jurisprudencia del Tribunal Cons-

---

[10]   Evans (2010) p. 180.
[11]   A este respecto, resulta aplicable lo dispuesto en la Resolución Exenta SII N° 144, de 31 de diciembre de 2019, con sus anexos.
[12]   Para estos efectos, se puede consultar la Resolución Exenta SII N° 28, de 9 de marzo de 2018.
[13]   Para el análisis de la base imponible del impuesto territorial véanse Aste (2018) pp. 540 y ss.; Yáñez (2014) pp. 261 y s.; Rojas (2001) pp. 117 y ss.

titucional[14]— sí se considera necesario poner de manifiesto que este procedimiento ha sufrido cambios relevantes en tres ocasiones en un período de tiempo acotado[15], especialmente en la manera de considerar y aplicar circunstancias particulares que corrigen el avalúo modélico del predio (coeficientes correctores), afectando la seguridad y certeza jurídica económica mínima que se requiere.

En lo que se refiere a la tasa del impuesto, conforme el artículo 7° de la ley sobre impuesto territorial esta será de: i) 1% al año respecto de los bienes raíces agrícolas; ii) 1,4% al año en el caso de los bienes raíces no agrícolas y iii) 1,2% al año en la parte de la base imponible que no

---

[14]   Por todas, la sentencia del Tribunal Constitucional. 26 de noviembre de 2007. Rol N° 773-2007 (*LTM 622725*), considerandos 42° y ss., que declara que el artículo 4° de la Ley N° 17.235 faculta al Servicio de Impuestos Internos para impartir las instrucciones técnicas necesarias para materializar las tasaciones de los bienes raíces, y en lo que se refiere a aquellos de carácter no agrícola, la norma establece que el ente fiscalizador debe confeccionar tablas de las construcciones y de los terrenos. Asimismo, se exige legalmente que fije los valores unitarios que corresponden a cada tipo de bien, considerando parámetros fijados por el legislador. De esta forma, la ley ha fijado los parámetros o pautas precisas a que debe sujetarse la tasación de la propiedad, la que es materializada por dicha repartición pública. En este sentido, la resolución en comentario afirma que sería inimaginable que pudiera efectuarse la tasación solo —y de manera autosuficiente— por el legislador, dada la naturaleza de las operaciones que deben efectuarse, las que en todo caso el legislador se ha encargado de señalar en sus aspectos generales y esenciales. Así las cosas, la norma impugnada respeta el principio de reserva legal, pues es la propia ley la que ha permitido que la base imponible sea determinable, al otorgar los parámetros o lineamientos a que debe sujetarse la autoridad administrativa para singularizar la tasación, de modo de evitar la utilización de criterios discrecionales. Es más, indican los sentenciadores que no existe reproche constitucional para que la Administración cumpla una labor meramente técnica o administrativa para la adecuada determinación de la base imponible del tributo, siempre y cuando la ley establezca los criterios y parámetros a los cuales deba sujetarse.

[15]   Ello aconteció en el año 2006, mediante las instrucciones impartidas por la Resolución Exenta SII N° 8, de 18 de enero y sus anexos, y, especialmente, con la Circular 10 de 10 de febrero de 2006; en el 2012, a través de la Resolución Exenta SII N° 132, de 31 de diciembre, y los anexos en ella incluidos, y finalmente la Resolución Exenta SII N° 28 de 9 de marzo de 2018 y sus anexos, que refunde y complementa las Resoluciones Exentas SII N° 128, de 29 de diciembre de 2017; N° 7, de 18 de enero de 2018 y N° 16, de 14 de febrero de 2018.

exceda de $37.526.739 del 1° de enero de 2003 y 1,4% al año en la parte que lo exceda, cuando se trate de bienes raíces no agrícolas destinados a la habitación. No obstante, lo que indica la regla, sus incisos 3° y 4° prescriben que si con motivo de un reavalúo el «giro total nacional del impuesto aumenta más de un 10% en el primer semestre de la vigencia del nuevo avalúo, en relación con el giro total nacional que ha debido calcularse para el semestre inmediatamente anterior, aplicando las normas vigentes en ese período, las tasas del inciso anterior se rebajarán proporcionalmente de modo que el giro total nacional del impuesto no sobrepase el referido 10%, manteniéndose la relación porcentual que existe entre las señaladas tasas. Las nuevas tasas así calculadas regirán durante todo el tiempo de vigencia de los nuevos avalúos»[16]. Asimismo, cada vez que se practique un reavalúo de la Serie No Agrícola, el monto señalado en el literal iii) precedente se reajustará en la misma proporción en que varíen en promedio los avalúos de los bienes raíces habitacionales. Las tasas que resulten serán fijadas por Decreto Supremo del Ministerio de Hacienda.

Respecto al elemento subjetivo del hecho gravado, según lo dispuesto en artículo 25 de la ley, es necesario distinguir entre el contribuyente y el obligado al pago, debido a que ambas personas son consideradas sujetos pasivos del impuesto. El contribuyente, es decir, quien está vinculado al supuesto de hecho de la norma tributaria, es el propietario del inmueble; no obstante, junto a este se establece que es responsable del pago del tributo el usufructuario o el ocupante de la propiedad[17], quien si bien es

---

[16]   Al respecto, el Decreto Supremo N° 458, del Ministerio de Hacienda, de 2 de abril de 2018, fija a contar del 1° de enero del año 2018, la tasa de impuesto territorial: a) en 1,088% al año, aplicable a los bienes raíces no agrícolas y b) en 0,933% al año, aplicable a los bienes raíces no agrícolas destinados a la habitación en la parte de la base imponible que no exceda el monto indicado en el artículo 7° de la Ley N° 17.235 y en 1,088% al año, en la parte de la base imponible que lo exceda. A su turno, el Decreto Supremo N° 1, del Ministerio de Hacienda, de 12 de febrero de 2016, fija la tasa del impuesto territorial aplicable a los bienes raíces agrícolas contar del 1° de enero de 2016, en 0,086% al año y de 1,204% al año, aplicable a los bienes raíces no agrícolas correspondientes a sitios no edificados, propiedades abandonadas y pozos lastreros, ubicados en las áreas urbanas.

[17]   Especifica la disposición que tendrá tal calidad el usufructuario, el arrendatario o el mero tenedor del bien raíz.

deudor frente al acreedor de la obligación, tiene el derecho a recuperar lo pagado, debido a que como prescribe la norma, su obligación es «sin perjuicio de la responsabilidad que afecte al propietario».

Siguiendo con el análisis dogmático se puede afirmar que el impuesto territorial es de aquellos denominados «de giro», pues no debe ser pagado previa declaración del contribuyente o del responsable del tributo[18], y la consecuencia que de ello se sigue es que, según lo dispuesto en el artículo 200 del Código Tributario, el plazo de prescripción de la acción de fiscalización del Servicio de Impuestos Internos, en este caso, es de tres años, contado desde la expiración del plazo legal en que debió efectuarse el pago.

Este tributo sigue la regla absoluta en Chile en orden a que el ejercicio de la potestad tributaria: el Presidente de la República tiene iniciativa legal exclusiva en esta materia y el Legislativo aprueba la ley, sin que existan otros entes con capacidad de dictar normas que regulen tributos. Lo particular de este impuesto radica en que lo recaudado no ingresa a las arcas generales de la Nación, sino que se destina íntegramente a los Municipios[19]. Con todo, un 60% de lo recaudado por este tributo —y en el caso de las comunas de Santiago, Providencia, Las Condes y Vitacura el 65%— financia el Fondo Común Municipal[20], que a su vez, se reparte solidariamente entre los municipios. De esta forma el 40% o 35% de lo recaudado con el impuesto, según el caso, constituye un ingreso propio para cada Municipalidad. Esta es la razón que explica que las Municipalidades, junto con los contribuyentes, sean legitimadas activas para impugnar el avalúo de una propiedad determinado en un proceso de reavalúo general, según dispone el artículo 149 del Código Tributario.

Lo previamente señalado resulta sumamente relevante, pues toda política pública que se concrete en una ley que afecte el impuesto territorial —por ejemplo, introduciendo franquicias o eliminándolas—,

---

[18]   Véase la Circular SII N° 73, de 2001, punto 3.7.

[19]   La Ley N° 18.695, Orgánica Constitucional de Municipalidades dispone en los artículos 13 letra f) y 15 que el impuesto territorial corresponde a uno de los ingresos municipales.

[20]   Véase los artículos 35 letra a) y 37 del Decreto Ley N° 3.063, sobre rentas municipales.

afecta directa o indirectamente los ingresos municipales. Esto es, precisamente, lo que acontece en el caso de las franquicias establecidas en la Ley N° 20.732, que suponen una eliminación o minoración de la cuota tributaria a pagar.

III. La rebaja de contribuciones a los adultos mayores establecida por la Ley N° 20.732

La Ley N° 20.732 que rebaja el impuesto territorial correspondiente a propiedades de adultos mayores vulnerables económicamente, Boletín N° 9.199-05, ingresado el 17 de diciembre de 2013, y publicado en el Diario Oficial el 5 de marzo de 2014, introdujo un beneficio tributario para los adultos mayores contribuyentes del impuesto territorial que cumpliesen con los requisitos establecidos en la citada ley, consistente —hasta antes de la entrada en vigor de las modificaciones incorporadas mediante la reforma tributaria del año 2020— en que estos pagarán por concepto de este tributo como máximo al año un 5% de su ingreso anual por las propiedades que sean calificadas como bienes raíces no agrícolas con destino habitacional[21].

Según las estimaciones iniciales del Gobierno la franquicia tributaria beneficiaría a 34.000 adultos mayores —si bien la expectativa que

---

[21]   Para llevar este monto a las cuotas de abril, junio, septiembre y noviembre de cada año, el Servicio de Impuestos Internos ha señalado que es necesario dividir el 5% del ingreso por dos, de modo de considerar un 2,5% del ingreso anual del contribuyente para cada semestre. Véase a este respecto la Circular SII N° 20, de 2014, p. 6. Originalmente el proyecto de ley establecía un tope de 10% del total del ingreso, que se homologaba al porcentaje máximo que debe pagar una persona beneficiada con crédito con aval del Estado en relación con sus ingresos. Sin embargo, este porcentaje fue modificado en virtud de una indicación presidencial que acogió los planteamientos de los parlamentarios cuando el proyecto de ley se encontraba en primer trámite constitucional en la Comisión de Hacienda de la Cámara de Diputados. Biblioteca del Congreso Nacional (2014) pp. 13, 16, 18. Con todo, no se debe perder de vista que los adultos mayores más necesitados no pagan impuesto territorial, pues respecto de los bienes raíces no agrícolas habitacionales la Resolución Exenta SII N° 28, de 2018, resolutivo 4° contempla un mínimo exento ascendente a $33.199.976 del 1° de enero de 2018.

se generó en la población fue mayor— pero con los cambios que se introdujeron durante la tramitación del proyecto de ley este universo se amplió a 43.780, con lo cual se favorecería a casi el 25% de los adultos mayores afectos al pago de impuestos[22]. Asimismo, la estimación inicial de menor recaudación por concepto de impuesto territorial fue de $ 5.080 millones en su primer año de implementación, la que, en definitiva por las enmiendas efectuadas en el Congreso Nacional, disminuyó a $5.014 millones anuales[23].

1. Requisitos para acceder al beneficio

De conformidad con lo dispuesto en el inciso 5º del artículo 1º de la Ley Nº 20.732, el beneficio se aplica respecto de la tercera y cuarta cuota del impuesto territorial del año siguiente a aquel en que se cumplan los requisitos para su obtención, y a la primera y segunda cuota del año subsiguiente, y así sucesivamente. La franquicia se aplicó por primera vez a partir de las cuotas 1 y 2 del año 2014[24], y tiene lugar, de conformidad con el inciso 2º del artículo en comentario, con posterioridad a considerar la exención general habitacional y las rebajas a que diera

---

[22]   El universo potencial, sin considerar los requisitos exigidos por la Ley Nº 20.732, ascendía a 191.000 contribuyentes. Biblioteca del Congreso Nacional (2014) pp. 4, 16 y s., 57 y s. A modo de ejemplo, durante la discusión el Ministro de Hacienda señaló que «una persona que recibe una pensión básica solidaria mensual de $ 82.058 paga una cuota de $ 31.350 por concepto de contribuciones por una propiedad con avalúo fiscal de $ 30.000.000. De aprobarse el proyecto, la cuota máxima será de sólo $ 24.617, lo que significa que pagará $ 6.733 menos por cuota, es decir, tendrá un beneficio anual de $ 26.930. Si la persona con pensión básica solidaria tiene una propiedad de $ 35.000.000 de avalúo fiscal hoy paga $ 45.100 por cada cuota de sus contribuciones. Con el beneficio la cuota máxima será de sólo $ 24.617, lo que implica que pagará $ 20.483 menos por cuota, esto es, tendrá un beneficio anual de $ 81.930. Una persona con un ingreso mensual de $ 125.000 que tiene una propiedad con avalúo fiscal de $ 45.000.000 paga $ 72.600 por concepto de contribuciones. Con el proyecto la cuota máxima será de sólo $ 37.500, lo que significa una rebaja de $ 35.100 por cuota, es decir, tendrá un beneficio anual de $ 140.400».

[23]   Biblioteca del Congreso Nacional (2014) pp. 11, 17.

[24]   Circular SII Nº 20, de 2014, p. 7.

lugar el Decreto con Fuerza de Ley N° 2, de 1959 o la Ley N° 9.135, según corresponda.

Para acceder al beneficio es necesario cumplir copulativamente con los requisitos indicados en los numerales 1.- a 6.- del artículo 1° de la Ley N° 20.732, que los podemos dividir, en subjetivos, esto es, que consideran las circunstancias personales del contribuyente, establecidos en los numerales 1.- y 2.-; y objetivos, en cuanto consideran las características del inmueble, numerales 3.- a 6.-. A continuación se examinarán las exigencias establecidas en la Ley N° 20.732, con anterioridad a los cambios introducidos por la reforma tributaria, para gozar de la franquicia.

a) Requisitos subjetivos

1.- Numeral 1: Edad. A fin de focalizar el beneficio en los adultos mayores, el contribuyente beneficiario debe tener al menos 60 años de edad si es mujer o 65 años de edad si es hombre, en el año anterior a aquel en que se haga efectiva la rebaja.

2.- Numeral 2: Nivel de ingresos. El sentido del beneficio es que se aplique a los adultos mayores vulnerables económicamente. Por ello la norma exige que los ingresos (y no sus rentas) anuales del contribuyente no excedan de la cantidad equivalente al tramo exento de pago del impuesto global complementario, esto es, 13,5 unidades tributarias anuales[25], considerando para este efecto el valor de la unidad tributaria anual en el mes de diciembre del año anterior a aquel en que se hace efectiva la rebaja[26].

---

[25]   Los conceptos «renta» e «ingresos» no son sinónimos. Las instrucciones del Servicio de Impuestos Internos nada dicen respecto a esta diferente nomenclatura y el punto tampoco fue objeto de debate durante la tramitación de la Ley N° 20.732. Se estima que, a pesar de esta deficiente técnica legislativa, el legislador cuando se refiere a ingresos lo hace como sinónimo de renta, debido a la *ratio legis*, de esta normativa, que consistió en extender el beneficio tributario a más adultos mayores, y por la remisión que hace el texto a la «cantidad equivalente al tramo exento de pago del impuesto global complementario», medida que se establece en base a la renta.

[26]   Se criticó la consideración a los ingresos y capacidad económica, ya que se afirmó que independientemente de la condición socioeconómica, los adultos mayores

Son estos requisitos (edad e ingresos bajo el nivel contributivo), los que transforman a un sujeto en un adulto mayor vulnerable. De esto se desprende que lo relevante del beneficio está en la capacidad contributiva demostrada, lo que se refleja en los ingresos anuales declarados para efectos del impuesto global complementario. En el fondo, el legislador toma en cuenta el concepto de «renta disponible para el pago»[27] a la hora de determinar si el impuesto debe o no ser pagado por el contribuyente adulto mayor, cuestión que resulta lógica, si se considera que la fuente económica desde la cual se paga el impuesto territorial es la renta de los sujetos.

b) Requisitos objetivos

1.- Numeral 3: Propiedad del inmueble[28]. Se exige que el inmueble por el que se hace efectiva la rebaja se encuentre inscrito a su nombre (propietario) exclusivamente en el Registro de Propiedad del Conservador de Bienes Raíces respectivo[29], o en conjunto con su cónyuge o hijos que hayan sucedido a su cónyuge fallecido, con al menos dos años de antigüedad al 31 de diciembre del año anterior a aquel en que se haga

---

obedecen a una condición social, por lo que merecen un trato especial por parte del Estado. Por lo demás, se afirmó que el monto de ingresos fijado no toma en cuenta los mayores costos en medicamentos por enfermedades catastróficas, entre otras consideraciones, que modifican su capacidad económica. Biblioteca del Congreso Nacional (2014) p. 30.

[27]   Concepto empleado por Tipke (2002) pp. 30 y ss., para quien los impuestos solo pueden ser pagados a partir de la renta acumulada, esto es, aquella renta percibida que no es objeto de consumo, por lo que pasa a ser patrimonio, y en el caso de la fiscalidad empresarial, por el superávit derivado de la actividad económica de la empresa, lo que en Chile se denomina utilidad. En tal contexto, ha de gravarse la renta disponible para el pago de los impuestos, lo que en los impuestos con fines fiscales se logra haciendo realidad el principio de capacidad económica.

[28]   Técnicamente la relación entre el sujeto y lo gravado (exento) es considerado como el aspecto subjetivo, no obstante, para efectos de exposición, lo consideraremos como elemento que caracterizan al inmueble.

[29]   En este sentido el órgano fiscalizador ha admitido que el beneficiario tenga la calidad de nudo propietario. Véase el Oficio SII N° 9, de 2018.

efectiva la rebaja[30]. Respecto del cónyuge sobreviviente, este puede ser propietario o usufructuario.

2.- Numeral 4: Destino de la propiedad. Es necesario que el respectivo inmueble se encuentre destinado efectivamente a la habitación[31]. Ahora bien, si se examina detenidamente la norma, se constata que esta no exige expresamente que el bien raíz sea de aquellos de Segunda Serie.

3.- Numeral 5: Tope del avalúo fiscal propiedad particular. Se requiere que el inmueble respectivo tenga vigente un avalúo en el semestre del cobro del impuesto territorial por el que se hace efectiva la rebaja que no exceda de la cantidad de $75.000.000 (setenta y cinco millones de pesos), al 1° de julio de 2013, cantidad que se reajustará semestralmente[32].

---

[30]   Pese a que la ley prevé, por regla general, que la propiedad ha de estar un determinado tiempo en el patrimonio de quien hará uso del beneficio para evitar traspasos de propiedades con el solo fin de acceder a la franquicia, durante la tramitación de la Ley N° 20.732 se expresó la preocupación de que podía existir un incentivo perverso a traspasar la propiedad a quien perciba una pensión baja, en caso de que el dueño no pueda hacer uso del beneficio por tener una pensión alta. Biblioteca del Congreso Nacional (2014) p. 72. De todos modos, el Servicio de Impuestos Internos cuenta con distintas facultades legales para evitar este tipo de actuaciones: puede tasar el valor del inmueble a valor de mercado, puede iniciar una fiscalización por justificación de inversión si considera que el adquirente no ha declarado las rentas con las cuales adquirió en bien raíz, y puede recurrir a las figuras el abuso de las formas jurídicas y la simulación, reguladas en los artículos 4° ter y 4° quáter del Código Tributario para hacer frente a maniobras elusivas o evasivas. Por lo demás, no se debe perder de vista que el mayor valor en la enajenación de bienes raíces está afecto a impuesto a la renta, y se contempla una norma especial antielusión que se aplica cuando la enajenación se produce a un relacionado. Finalmente, las personas naturales tienen un monto máximo de ingreso no renta correspondiente a 8.000 unidades de fomento que disminuye con cada enajenación en el que se produzca este mayor valor.

[31]   Si bien se señaló durante la tramitación de la ley que el beneficio operaría de forma automática, con lo cual, no se exigiría que el adulto mayor viva en la propiedad, pues acreditar este hecho sería muy difícil y el Servicio de Impuestos Internos no maneja esta información, lo cierto es que respecto del cónyuge sobreviviente, para que haga uso de este beneficio se exige que lo habite, según da cuenta Biblioteca del Congreso Nacional (2014) pp. 14, 57, 68.

[32]   El reajuste se efectuará según lo dispuesto en el artículo 9° de la Ley N° 17.235, por lo que corresponde a $89.016.375 en moneda del segundo semestre de 2018. Originariamente la propuesta del ejecutivo consideró inmuebles cuya tasación no excediese de $100.000.000 (cien millones de pesos), pues el criterio utilizado

4.- Numeral 6: Tope avalúo fiscal propiedades globales. Que la suma de los avalúos fiscales de los bienes raíces de propiedad del contribuyente, independientemente de su serie o destino, no exceda de $100.000.000 (cien millones de pesos), reajustada en la misma forma señalada en el numeral anterior, considerando para estos efectos el avalúo vigente en el semestre del cobro del impuesto territorial respectivo[33]. Con todo, si el contribuyente tuviese más de una propiedad que califique para el beneficio, este se aplicará a la que tenga el avalúo fiscal mayor.

Si bien la norma expresamente señala que deben cumplirse copulativamente las exigencias, es decir, todos y cada uno de los requisitos enumerados por el artículo 1º de la Ley Nº 20.732, la Corte Suprema ha establecido una interpretación particular para subsanar problemas acaecidos con ocasión del aumento del avalúo de bienes raíces no agrícolas habitacionales producto de un reavalúo general, cuando las propiedades con anterioridad a este hecho reunían los requisitos, quedando luego del mismo excluidas del beneficio, por exceder el máximo de avalúo permitido. En este contexto, y fallando contra texto expreso de la ley, argumentando razones de *ratio legis* que apuntaron a beneficiar a los adultos mayores vulnerables, declaró que respecto al tope particular y global de avalúo fiscal, basta con que se cumpla uno de ellos —requisito del numeral 5 o del número 6— para que sea procedente el beneficio establecido en la Ley Nº 20.732[34].

---

fue mantener el mismo tope que se utilizó para aplicar la sobretasa al impuesto territorial de 0,275% que se estableció transitoriamente en el año 2010 para financiar la reconstrucción del país tras el terremoto de 2010. Con todo, dicho monto se rebajó a través de la indicación formulada mientras el proyecto de ley se encontraba en la Comisión de Hacienda de la Cámara de Diputados, y que fue aprobada por la unanimidad de los miembros. Biblioteca del Congreso Nacional (2014) pp. 13, 15 y s. 18 y s.

[33]   Lo que asciende a $118.688.500 en moneda del segundo semestre de 2018.

[34]   Véanse las sentencias de la Corte de Apelaciones de Santiago. 3 de enero de 2019. Rol Nº 77.252-2018 (*LTM 16306654*) y de la Corte Suprema. 2 de mayo de 2019. Rol Nº 2.765-2019 (*LTM 16306654*). Este fallo del máximo tribunal chileno no da cuenta de una jurisprudencia consolidada, pues la misma situación de hecho descrita (aumento de avalúo del bien raíz producto de un proceso de reavalúo general) fue resuelta en sentido diverso por la sentencia de la Corte de Apelaciones de San Miguel. 16 de abril de 2015. Rol Nº 124-2015, confirmada

Es interesante este fallo, en el sentido que intenta subsanar un déficit legal, cual es la exigencia de un hecho objetivo, como es la valoración de la propiedad raíz objeto del beneficio. Esto en la práctica se traduce en la pérdida de este beneficio por parte de adultos mayores vulnerables que no poseen capacidad de pago suficiente, esto es, que no cuentan con «renta disponible para el pago» (ingresos inferiores a 13,5 UTA) para contribuir al sostenimiento de las cargas públicas, lo que se manifiesta, y es particularmente relevante en un impuesto como el territorial, que no grava un incremento de patrimonio, ni el gasto, sino la mantención de bienes en el patrimonio[35].

Respecto a los requisitos mencionados, la ley se hace cargo de situaciones especiales que pudieren suscitarse en la práctica. Es así como, en primer lugar, el inciso 3° del artículo 1° de la Ley N° 20.732 considera el hecho de que un inmueble respecto del cual se quiera aplicar la rebaja en las contribuciones sea de propiedad de dos cónyuges. En este caso, para los efectos del límite del requisito consignado en el numeral 6.-, deberá sumarse al avalúo de dicho inmueble el de los otros bienes que los cónyuges posean en forma conjunta y/o separada. Además, cada cónyuge deberá cumplir el límite de ingresos anuales indicado en el numeral 2.-, y si uno de ellos lo supera, el beneficio se entregará a aquel cuyos ingresos no lo supere, en forma proporcional[36].

íntegramente por la Corte Suprema. 14 de mayo de 2015. Rol N° 5.723-2015. Si bien el tribunal *a quo* consideró que el recurso de protección fue interpuesto extemporáneamente, igualmente se pronunció sobre el fondo y declaró que la contribuyente incumplía las exigencias de la Ley N° 20.732, por lo que el recurrente no podía acceder al beneficio.

[35]   De hecho, el Mensaje presidencial de la Ley N° 20.732 reconoce expresamente el carácter de impuesto patrimonial que tiene este tributo. Véase Biblioteca del Congreso Nacional (2014) p. 4.

[36]   El importe anual del impuesto territorial que corresponda al inmueble respecto del cual los cónyuges son copropietarios, se dividirá en función del porcentaje de derechos o cuotas que cada uno de ellos tenga en el bien común. El Servicio de Impuestos Internos ha entendido que solo puede haber dos comuneros: ambos cónyuges, quienes en conjunto deben ser dueños del 100% del inmueble, con la salvedad del caso de dominio conjunto con su cónyuge o hijos que hayan sucedido a su cónyuge fallecido. Asimismo, ha señalado que en el caso de que el régimen económico matrimonial sea la sociedad conyugal, salvo que la mujer haya adquirido el bien en virtud de su patrimonio reservado, no se considerará

En segundo lugar, el inciso 4º del artículo 1º de la citada ley considera el caso de un cónyuge sobreviviente que habite el inmueble a título de usufructuario o comunero en conjunto con hijos de 24 años de edad o mayores[37]. En este caso también se aplica el beneficio en forma proporcional. La particularidad es que no se exige que el dominio se haya adquirido hace dos años[38], tampoco se suman los avalúos de bienes raíces que los hijos puedan poseer, y si los hijos son menores de 24 años, y se encuentran estudiando, el cónyuge sobreviviente tiene derecho a la totalidad del beneficio, y no en forma proporcional[39].

Desde un punto de vista operativo, el inciso 6º del artículo en comentario dispone que el Servicio de Impuestos Internos cada año deberá verificar el cumplimiento de los requisitos, haciendo una propuesta de rebaja del impuesto territorial, la que deberá ser aceptada por el contribuyente[40]. Si el ente fiscalizador no considerase a un contribuyente en la propuesta, o si este no estuviese de acuerdo con la efectuada, podrá solicitar que se considere el beneficio de esta ley en cualquier Oficina de

---

que los cónyuges son comuneros. Véase Circular SII Nº 20, de 2014, pp. 2 y s., 6.

[37]   Véase la Circular SII Nº 20, de 2014, p. 3.

[38]   Véase la Resolución Exenta SII Nº 53, de 2014, resolutivo 3º.

[39]   Con todo, se exige que el avalúo de la propiedad respecto de la cual se pretende hacer uso del beneficio tenga el tope indicado ($75.000.000 reajustables) y no que la proporción de los derechos del cónyuge sobreviviente en la propiedad corresponda a un avalúo fiscal de $75.000.000, como trató de argumentar ante la Corte de Apelaciones un contribuyente, cónyuge sobreviviente. Al respecto, véase la sentencia de la Corte de Apelaciones de Santiago. 1º de septiembre de 2015. Rol Nº 55.666-2015.

[40]   Para tal efecto, el propietario podrá aceptar expresamente la propuesta ingresando al sitio web del Servicio, opción «Acogerse a beneficio adulto mayor Ley 20.732», o entregarla, junto con una fotocopia de la misma, ambos ejemplares debidamente firmados, en cualquier oficina del SII hasta el 15 de julio de cada año o, en su defecto, el día hábil siguiente, de modo de que dicha rebaja se considere en el Rol Semestral de Contribuciones.
Ahora bien, la Circular SII Nº 41, de 2014, p. 1 y la Resolución Exenta SII Nº 53, de 2014, resolutivo 1º, instruyen que la propuesta se entenderá aceptada una propuesta si, transcurridos los plazos previamente señalados, el propietario no manifiesta su disconformidad por escrito a través del formulario 2118 (F2118), o si realiza cualquier gestión, trámite o actuación, que suponga aceptación de ella.

Avaluaciones del Servicio de Impuestos Internos[41]. Por lo demás, dicha repartición pública ha instruido que si detecta que el beneficiario no cumple con los requisitos exigidos por la ley «se procederá a eliminar el beneficio a contar del 1ero. de enero del año siguiente»[42].

Por último, el inciso final del artículo 1° de la Ley N° 20.732 establece expresamente que si el giro del impuesto no considerase la rebaja, el contribuyente podrá reclamar del mismo conforme las reglas del procedimiento general de reclamaciones, establecido en los artículos 123 y siguientes del Código Tributario[43].

Para concluir este acápite, cabe señalar que resulta patente que hay dos elementos que son claves para los efectos de que un adulto mayor tenga acceso a esta franquicia tributaria: sus ingresos y el avalúo fiscal de los bienes raíces que tenga en su patrimonio, pues respecto de este último, se establecen montos máximos de avalúo para el bien raíz respecto del cual se hará uso el beneficio y respecto del total de los bienes raíces de los cuales es dueño el contribuyente, y en ciertos casos, su cónyuge. De esta forma el beneficio tributario es de carácter mixto, pues pese a que toma en cuenta la condición particular del contribuyente (ser adulto mayor y el nivel de ingresos), considera las características del bien inmueble respecto del cual se hará uso del beneficio (avalúo fiscal particular y global)[44].

---

41 Véanse las Resoluciones Exentas SII N° 33, de 2014 y N° 53, de 2014, resolutivo 2°. Con todo, no se puede dejar de apuntar que la práctica de ciertos contribuyentes ha sido recurrir de protección frente a la negativa de la Subdirección de Avaluaciones del Servicio de Impuestos Internos de entender que el contribuyente cumple con los requisitos exigidos por la ley.

42 Circular SII N° 20, de 2014, p. 4.

43 Se ha instruido que la revisión administrativa del giro ha de tener lugar conforme las reglas del artículo 123 bis del Código Tributario. Véase al respecto Circular SII N° 2, de 2017, especificando que también procede la presentación de una solicitud administrativa de conformidad con lo dispuesto en el artículo 6°, número 5, letra B) del Código del ramo.

44 Utilizando la terminología que la doctrina emplea para clasificar las exenciones, se puede afirmar que la franquicia será real u objetiva cuando despliega su eficacia con independencia de la persona respecto de quien el presupuesto de hecho se realiza, pues solo considera los elementos objetivos del presupuesto de hecho; será personal o subjetiva si está determinada por una particular consideración al

2. Problemas que intentan ser subsanados con la reforma tributaria de 2020

Como se indicó, la introducción de cambios que profundizasen la franquicia tributaria establecida en la Ley N° 20.732 no estaba contemplada en el proyecto original de la reforma tributaria ideada por el Gobierno, sino que se incluyó tras el acuerdo alcanzado entre el Ejecutivo y los diputados pertenecientes al partido Demócrata Cristiano. De esta forma se introdujeron ante la Cámara de Diputados modificaciones a la legislación vigente que buscaban aumentar el universo de adultos mayores que pudieran hacer uso del beneficio, en atención a los requisitos restrictivos establecidos primitivamente y a la falta de consideración del aumento del avalúo de la propiedad producto de un proceso de tasación general. Además, tras los cambios incorporados ante el Senado, junto a estos objetivos, se propone equiparar la posición del conviviente civil a la del cónyuge.

En términos generales, durante el primer trámite constitucional, la modificación propuesta por la indicación presidencial consideraba lo siguiente: a) que el beneficio se aplicaría respecto de bienes inmuebles de la Serie No Agrícola con destino habitacional; b) que de ser procedente la exención, se aplicaría al valor de las cuotas tercera y cuarta del impuesto del segundo semestre y la primera y segunda del primer semestre, las que se verían disminuidas a la cantidad menor entre el 50% de dichas cuotas y el 5% de los ingresos anuales del contribuyente de dicho impuesto; c) que la determinación de los ingresos anuales, consideraría aquellos obtenidos al cierre del año calendario anterior al que correspondan a las cuotas terceras y cuartas, en unidades tributarias anuales al mes de diciembre de dicho año; d) se aumentan los montos máximos de los avalúos fiscales de los bienes raíces para acceder a la franquicia. En este sentido, se aumenta el avalúo fiscal máximo particular del inmueble, pues se indica que no podrá exceder de $128.000.000 al 1° de julio de 2018 y el avalúo global de los bienes inmuebles del beneficiario de

---

sujeto del impuesto, siendo aplicables solo a este y no a otras personas que estén relacionadas o lleguen a relacionarse con el presupuesto de hecho. Massone (2016) p. 1592.

$100.000.000 a $171.000.000; e) se especifica que los montos máximos de los avalúos fiscales se reajustarán semestralmente[45], así como también cada vez que se practique un reavalúo de bienes inmuebles no agrícolas con destino habitacional, el que se reajustará en la misma proporción en que varíen en promedio los avalúos de dichos inmuebles[46]. Esto último soluciona un problema que se presentó durante los dos reavalúos generales de esta clase de bienes efectuados durante la vigencia de esta franquicia[47]; y f) por último, y aunque no es una modificación directa a la franquicia de la Ley N° 20.732, la reforma tributaria del año 2020 incorpora una exención real del 100% del impuesto territorial, que se mantendrá en el texto aprobado en segundo trámite constitucional, agregando un numeral 21) a la letra B) del Anexo I del impuesto, aplicable a los Establecimientos de Larga Estadía de Adultos Mayores —calificados mediante decreto por el Ministerio de Hacienda— que atiendan principalmente a personas vulnerables y dependientes, conforme a la certificación otorgada por el Servicio Nacional del Adulto Mayor, en la parte destinada a atender a dichas personas[48].

Ahora bien, el proyecto recién expuesto, tras la suscripción del marco de entendimiento, mientras la iniciativa se encontraba en su segundo trámite constitucional ante el Senado, sufrió varias modificaciones, que buscaron ampliar el universo de adultos mayores beneficiados y pro-

---

[45]   Se establece un reajuste semestral de esta cantidad, a partir del 1° de enero de 2019, de conformidad con lo dispuesto en el artículo 9° de la Ley N° 17.235.

[46]   Para tales efectos, en primer trámite constitucional se estableció que el Servicio de Impuestos Internos debería publicar en el Diario Oficial el porcentaje de variación promedio de los avalúos fiscales de dichos inmuebles, dentro del mes siguiente a la realización del proceso de reavalúo. Sin embargo, esta exigencia no se mantuvo en el texto aprobado en el segundo trámite.

[47]   Véase las sentencias dictadas por la Corte de Apelaciones de San Miguel. 16 de abril de 2015. Rol N° 124-2015; Corte de Apelaciones de Santiago. 3 de enero de 2019. Rol N° 77.252-2018 (*LTM 16306654*), y Corte Suprema. 2 de mayo de 2019. Rol N° 2.765-2019 (*LTM 16306654*).

[48]   Se exige que los establecimientos no generen rentas por actividades distintas al objetivo señalado y que su administrador sea una persona jurídica sin fines de lucro, propietaria del inmueble, o bien, que lo ocupe a título gratuito. Si una vez concedida la exención el Servicio constata y declara fundadamente el incumplimiento de los requisitos, podrá dejar sin efecto la exención, y girar los impuestos que corresponda por el o los años en que se verificó el incumplimiento.

fundizar en la franquicia, todo, en un contexto de estallido social en que se exigía mejorar las condiciones de este segmento de la población. Tales enmiendas se plasmaron en la una segunda indicación enviada por el Poder Ejecutivo, que fundamentalmente consistió en introducir un nuevo beneficio a los mayores adultos que tuviesen ingresos anuales entre las 13,5 y 30 UTA, y generar una liberación total del impuesto para aquellos cuyos ingresos anuales estuvieran en el tramo exento del Impuesto Global Complementario.

De esta forma quedó fijado el texto definitivo de la exención establecida en la Ley N° 20.732, la que en términos generales establece:

a) Beneficios

Como se indicaba, en vez de una franquicia, se establecieron dos en el inciso 1° del artículo 1° de la Ley N° 20.732. La primera, correspondiente a la letra a. del inciso primero del artículo 1°, importa una rebaja del 100% del impuesto territorial determinado para el período de aplicación de este beneficio, el que se aplica a aquellos adultos mayores cuyos ingresos anuales no excedan al 31 de diciembre del año anterior de la cantidad equivalente al tramo exento de pago de impuesto global complementario[49]; la segunda, expresada en la letra b. del inciso primero del artículo 1°, consagra una rebaja del 50% de la cuota determinada para el período en el que se hace efectivo el beneficio, para lo cual el contribuyente debe tener ingresos, al 31 de diciembre del año anterior, que superen la cantidad equivalente al tramo exento del impuesto global complementario, pero que no excedan del límite superior del primer tramo afecto al citado impuesto[50], siendo esta última franquicia, la reforma más trascendente introducida en esta etapa legislativa.

---

[49]   El valor de la unidad tributaria anual se considera al que tenía en el mes de diciembre del año anterior a aquel en el que se hace efectiva la rebaja.

[50]   En este caso, el valor de la unidad tributaria anual también toma como referencia la que tenía esta unidad de referencia en el mes de diciembre del año anterior a aquel en el que se hace efectiva la rebaja.

b) Requisitos de procedencia

Un nuevo inciso 2° del citado artículo 1° establece los requisitos para acceder a la rebaja (impropiamente señalado en singular) establecida en el inciso 1°, pese a que como se ha señalado, son dos y no una las rebajas que contempla dicha norma. En este sentido, las exigencias del inciso 2° se aplican tanto a la rebaja del 100% como a la del 50%.

i) *Requisitos subjetivos*

Se mantiene la edad, 60 años para las mujeres y 65 años para los varones; y un nivel de ingresos anuales, individual, para el beneficio de la exención del 100%, inferior a 13,5 UTA y para el beneficio del 50%, entre 13,5 y 30 UTA. La ley regula la situación de cónyuges copropietarios, proporcionado el beneficio conforme a su participación en el dominio común y los ingresos de cada uno.

ii) *Requisitos objetivos*

– Propiedad del inmueble: se mantiene las exigencias de que el inmueble se encuentre inscrito a su nombre o del cónyuge y en caso de fallecimiento, la propiedad podrá estar inscrita en el Registro de Propiedad del Conservador de Bienes Raíces, como propietario o usufructuario, a nombre del sobreviviente y los hijos que hayan sucedido al causante. La norma innova al incluir al conviviente civil. Además, se deroga la exigencia de antigüedad de la inscripción de dos años, exigiendo que esté inscrita al 31 de diciembre del año anterior a que se haga efectiva la rebaja. En este punto cabe hacer presente la deficiente técnica legislativa en cuanto, en el inciso quinto del artículo 1° de la Ley N° 20.732, se mantiene la referencia al plazo de dos años, que como se indica fue eliminada por esta modificación.

– Destino del inmueble: se exige de que se trate de un inmueble no agrícola con destino habitacional.

– Tope de avalúo fiscal (particular y global) y reajustabilidad: el numeral 4 del artículo 1° recoge la modificación establecida en el primer trámite constitucional consistente en el avalúo máximo del bien raíz respecto del cual se hace efectiva la rebaja ($ 128.000.000 al 1 de julio de 2018), su reajuste y la posibilidad de modificación de esta cantidad con ocasión del reavalúo general de bienes raíces no agrícolas con destino habitacional. Finalmente, el numeral 5.- conserva la enmienda introducida en primer trámite constitucional referente a la suma de los avalúos fiscales de los bienes raíces del contribuyente ($ 171.000.000 al 1 de julio de 2018), cantidad que se reajustará en la misma forma establecida en el numeral 4[51].

Como se señaló, la reforma tributaria intenta equiparar la posición jurídica del cónyuge con la del conviviente civil, toda vez que este último inicialmente no estuvo contemplado en la Ley N° 20.732. Sin embargo, el legislador considera de manera imperfecta al conviviente civil para aplicarle las reglas propias de la copropiedad sobre el bien raíz que tiene el beneficio. En este sentido, no se lo menciona expresamente como un posible sujeto copropietario, pese a lo cual debe entenderse que puede serlo. Ello, en atención a que sí se lo incluye para los fines de determinar el procedimiento para proceder a la rebaja de la cuota, ya que el inciso 4° del artículo 1° de la Ley N° 20.732 prescribe que «[l]a parte de dicho importe anual que corresponda asignar al cónyuge o conviviente civil cuyos ingresos no excedan de los límites señalados en las letras a. y b. del inciso primero, se beneficiará con la rebaja que corresponda de acuerdo con dichas letras. En consecuencia, la rebaja que corresponda a cada uno deberá ser descontada de la cuota anual de impuesto territorial correspondiente al inmueble beneficiado».

IV. Valoración de los cambios introducidos a la Ley N° 20.732 por la reforma tributaria

Un aspecto fundamental en esta materia, y que por lo demás fue expresado de manera reiterada durante la tramitación de la Ley N° 20.732

---

[51]   El artículo trigésimo séptimo transitorio de la Ley N° 21.210 establece que, excepcionalmente, la rebaja al impuesto territorial en conformidad a la modificación realizada por la reforma tributaria regirá a partir de la primera cuota de impuesto territorial del año 2020.

radica en el hecho de que los cambios que se efectúen en el impuesto territorial tienen un costo fiscal cero[52]. Ello, pues el efecto se producirá en
los patrimonios de los Municipios, disminuyendo la recaudación directa,
respecto de aquellos en los cuales se encuentren aquellos predios cuyos
dueños sean adultos mayores, por beneficiarse de la rebaja de contribuciones establecida en la Ley N° 20.732, e indirecta, al disminuir uno de
los ingresos del Fondo Común Municipal, las que según estimaciones,
alcanzarían en el proyecto del año 2013 una disminución recaudatoria
de un poco más de $ 5.000 millones anuales[53]. Tanto fue así que du-
rante la tramitación de la Ley N° 20.732 se solicitó al Gobierno buscar
alternativas para compensar a los Municipios por este menor ingreso[54],
lo que explica que se propusiera reemplazar esta exención, por un subsidio, que implicaba un costo fiscal que no afectaba los ingresos de los
municipios directa e indirectamente en el Fondo Común Municipal[55].

La solución de pérdida de ingresos municipales que nuevamente se
genera con la reforma del año 2020 podría haber sido compensada, modificando el impuesto territorial de diversas formas, siendo una de ella
el aumento de la recaudación de este tributo, vía eliminación de algunas
exenciones o aumento de las tasas o alterando la progresión. Lamentablemente esto no se hizo, por lo que efectivamente esta ley significará
una menor recaudación para los municipios[56]. Otra posibilidad de solu-

---

[52]   Biblioteca del Congreso Nacional (2014) pp. 10, 12, 35.
[53]   Biblioteca del Congreso Nacional (2014) pp. 11, 17.
[54]   Biblioteca del Congreso Nacional (2014) pp. 12 y ss., 27, sin embargo, se afirmó
        desde el Gobierno que los Municipios habían recibido mayores ingresos como
        consecuencia del reavalúo de las propiedades comerciales aplicable desde el 1° de
        enero del año 2013, por $12.800 millones semestrales, lo que en un año calen-
        dario ascendería a $25.600 millones. Asimismo, se señaló que a contar del 1° de
        enero de 2014 regiría el reavalúo de los bienes raíces no agrícolas habitacionales,
        lo que implicaría nuevamente aumentar las finanzas municipales.
[55]   Biblioteca del Congreso Nacional (2014) pp. 28, 38.
[56]   No se desconoce que la Ley N° 21.210 elimina ciertas exenciones al impuesto
        territorial que eran aplicables a los predios forestales. Con todo, el mayor ingreso
        proyectado según el informe de la DIPRES N° 110-2019, sería de $2,7 millones
        en 2021, $2,83 millones en 2022 y $2,93 en los años siguientes. Dichas sumas no
        alcanzan a cubrir el menor ingreso municipal generado a partir del año 2014 con
        la entrada en vigor de la Ley N° 20.732.

ción habría consistido en que lo recaudado por el nuevo tributo denominado sobretasa, incorporado en el artículo 7º bis de la ley sobre impuesto territorial fuese destinado de forma expresa a beneficio municipal[57]; sin embargo, la ley expresamente lo estableció a favor del Fisco.

Es evidente que esta reforma es un avance en el cuidado de nuestros adultos mayores, principalmente en tres sentidos: al aumentar los topes particulares y globales de los avalúos, permitiendo que más adultos mayores vulnerables accedan a esta justa medida; al mejorar el beneficio, extendiéndolo no solo a aquellos se encuentran bajo el mínimo contributivo, sino que considera como beneficiarios a quienes se ubican en el primer tramo de riqueza afecto a gravamen (hasta 30 UTA); y al extender la aplicación de este beneficio a los convivientes civiles.

No obstante lo señalado, el beneficio no alcanza a todos los mayores adultos vulnerables (mujeres mayores de 60 y hombre de más de 65, que obtienen ingresos anuales inferiores a 30 UTA), en razón que somete su aplicación a un requisito objetivo como es el valor de avalúo de la propiedad, el que a nuestro juicio debe ser aumentando de forma considerable o simplemente eliminado.

Para graficar lo señalado, se pondrá un ejemplo. Piénsese en doña Sara y don Hernán[58], la primera, minusválida, con una jubilación de $ 650.000 mensuales y el segundo con una de $250.000 mensuales, ambos, adultos mayores vulnerables, que viven en sus respectivas casas. Ella ocupa una propiedad heredada de su padre, quien la adquirió en la década del 30 del siglo pasado, que actualmente tiene un avalúo de $ 241.000.000 y una contribución anual de $2.100.000, aproximadamente; él, habita una parcela ubicada en faldeos cordilleranos que adquirió a inicios de los años 70, avaluada en $ 200.000.000 y una contribución anual de $ 1.800.000, aproximado. Dado el avalúo de sus propiedades, superior al fijado por la ley, ninguno de los dos tiene derecho a este beneficio, constituyéndose este tributo en una pesada carga, injusta y desproporcionada: injusta, en cuanto estos mayores adultos deberán

---

[57] Que grava a las personas naturales o jurídicas y entidades sin personalidad jurídica respecto de los bienes raíces que sean propietarios en aquella parte del avalúo global que exceda a las 670 UTA.

[58] Ambos son situaciones reales.

soportar un impuesto que otros con mayores ingresos no tendrán que pagar, y desproporcionada, porque obliga a contribuir a quien no tiene el mínimo contributivo y lo hace extrayendo en un caso, el 27% y en el otro más del 60% de sus ingresos.

El impuesto territorial es un tipo de impuesto patrimonial, esto es, no grava la riqueza que ingresa al patrimonio ni el gasto, sino la mantención de la misma, manifestada en la propiedad de un bien raíz. No es el momento de entrar en la discusión acerca de si el patrimonio que no genera ingresos puede ser considerado como un índice de capacidad de pago[59], pero para los efectos analizados, lo relevante es establecer que la fuente de solución de esta clase de tributos es la renta y, en este caso, el mismo activo (bien raíz) no la genera. Por tanto, será la renta que proviene de ingresos generales del contribuyente la que soportará y solucionará el tributo. De esta forma, si el inmueble es utilizado por el propio contribuyente, como lo hace la Sra. Sara y don Hernán, no genera renta, por lo que estos adultos mayores tendrán que pagar el impuesto con sus ingresos, o sea, desde su pensión.

Esto implica que el elemento substancial a tener en consideración para beneficiar a los adultos mayores vulnerables es el ingreso personal. Sin embargo, la exención queda sujeta a un elemento objetivo como es el valor de la propiedad, el que nada se relaciona con la fuente de pago del tributo, desnaturalizando el beneficio. Este ligamen de la franquicia tributaria a un elemento objetivo provoca que adultos mayores vulnerables (con ingresos inferiores a los mínimos contributivos) como son los casos expuestos, dejan de tener tal calidad para la ley, transformándose en sujetos con capacidad contributiva —aunque objetivamente no la poseen—, obligándolos a pagar un impuesto que por equidad y por justicia social, no debieran soportar, afectando y complicando aún más sus ya complejas condiciones de vida.

En resumen, los cambios introducidos por la reforma tributaria van en la dirección correcta, extendiendo el beneficio a más adultos mayores vulnerables económicamente mejorando sus condiciones de vida, al permitirles disponer parte de sus ya limitados ingresos, a otros fines. No

---

[59]   NEUMARK (1974) p. 178.

obstante, hay dos defectos que se deben hacer presente y sería esperable que se mejoraran en los próximos cambios legislativos: la menor recaudación municipal que esta exención produce y la no aplicación de este beneficio a adultos mayores vulnerables, como la Sra. Sara y Don Hernán, quienes sin tener capacidad económica suficiente para contribuir al sostenimiento de las cargas públicas, son obligados a hacerlo por una condición de aplicabilidad de la exención, objetiva, cual es, el valor de avalúo del inmueble.

Bibliografía

ASTE MEJÍAS, Christian (2018): *Los otros impuestos en la legislación chilena. IVA, Impuesto sobre Herencias y Donaciones, Impuesto de Timbres y Estampillas e Impuesto Territorial* (Santiago, LegalPublishing).

CENTRO DE ESTUDIOS FINANCIEROS DE LA UNIVERSIDAD DE LOS ANDES (2018): «Impuesto territorial: ¿justo y necesario?», *Tema de Análisis*, Nº 2, 19 p.

«Con foco en los adultos mayores: Las condiciones de Ximena Rincón (DC) para aprobar Reforma Tributaria del gobierno». Disponible en https://www.eldesconcierto.cl/2019/09/14/con-foco-en-los-adultos-mayores-las-condiciones-de-ximena-rincon-dc-para-aprobar-reforma-tributaria-del-gobierno/. Fecha de consulta: 16 de diciembre de 2019.

EVANS ESPIÑEIRA, Eugenio (2010): *Los Tributos en la Constitución* (2ª edición, Santiago, Editorial Jurídica de Chile).

GALÁN RUIZ, Javier y SÁNCHEZ GARCÍA, Lorenzo (2006): «Las contribuciones especiales», en GALÁN RUIZ, Javier, PRIETO MARTÍN, Carlos y HERRERA MOLINA, Pedro, Manuel (Coordinadores) *Tributos locales y autonómicos* (Cizur Menor, Aranzadi) pp. 395-421.

BIBLIOTECA DEL CONGRESO NACIONAL (2014): «Historia de la Ley Nº 20.732». Disponible en: https://www.bcn.cl/historiadelaley/fileadmin/file_ley/4355HLD_4355_37a6259cc0c1dae299a7866489dff0bd.pdf. Fecha de consulta: 02 de octubre de 2019.

MARCO de entendimiento para una reforma tributaria que fomente el emprendimiento y permita financiar una nueva agenda social, con foco en las Pymes y los adultos mayores (2019): Santiago, 8 de noviembre.

MASSONE PARODI, Pedro (2016): *Principios de Derecho Tributario*, Tomo II (Santiago, LegalPublishing, cuarta edición).

NEUMARK, Fritz (1974): *Principios de la imposición* (Madrid, Instituto de Estudios Fiscales).

PROTOCOLO DE ACUERDO (2019): Santiago, 23 de junio.

RODRÍGUEZ PERRY, Ambrosio (1940): *El impuesto territorial*. Memoria para optar al título de licenciado de Ciencias Jurídicas y Sociales de la Universidad de Chile. Santiago: Universidad de Chile.

ROJAS RETAMAL, Roberto (2001): *El impuesto territorial* (Santiago, Conosur).

TIPKE, Klaus (2002): *Moral tributaria del Estado y de los contribuyentes* (trad. de Pedro M. Herrera Molina, Madrid, Marcial Pons).

YÁÑEZ HENRÍQUEZ, José (2014): «Impuesto territorial», *Revista de Estudios Tributarios*, N° 11, pp. 253-281.

LOS CAMBIOS AL ESTATUTO JURÍDICO DE LAS «VIVIENDAS ECONÓMICAS» CONTEMPLADAS EN EL D.F.L Nº 2, DE 1959 Y SU CARÁCTER DE CONTRATO LEY

María Pilar Navarro Schiappacasse[*]

I. Introducción

El Decreto con Fuerza de Ley Nº 2, de 31 de julio de 1959, sobre Plan Habitacional —en adelante D.F.L. Nº 2[1]—, fue dictado durante la administración de Jorge Alessandri Rodríguez[2]. Esta normativa surge a raíz de lo dispuesto en el artículo 207 de la Ley Nº 13.305, que facultó al Poder Ejecutivo para crear un plan habitacional mediante las exenciones e incentivos que creyera convenientes[3]. La crítica que se efectúa, sin embargo, radica en que no se delegó al Presidente de la República la facultad de establecer contratos leyes[4], que es el estatuto jurídico que esta normativa establece para implementar una política de fomento ha-

---

[*] Doctora en Derecho por la Universidad de Barcelona. Investigadora Postdoctoral del Instituto de Ciencias Sociales de la Universidad de O'Higgins.

[1] Cabe señalar que el Decreto Nº 1.101, del Ministerio de Obras Públicas, de 1960 es el que fija el texto definitivo del D.F.L. Nº 2.

[2] Esta normativa se enmarca en la «política habitacional» de aquellos años, cuyo objetivo fue superar el déficit habitacional que existía en Chile, mediante el otorgamiento de incentivos directos e indirectos de índole tributario. En un principio, las franquicias tributarias fueron establecidas a favor tanto de las empresas constructoras como de los propietarios de las «viviendas económicas». Rojas (2001) pp. 302 y s. En la actualidad, subsisten las franquicias, exenciones y beneficios que se aplican solo a estos últimos.

[3] La citada disposición autorizó al Presidente de la República para que, dentro del plazo de un año, contado desde la fecha de vigencia de dicha ley, procediese a dictar disposiciones sobre realización de un Plan Habitacional de Viviendas Económicas, entre las cuales se podían considerar franquicias de carácter tributario, según da cuenta su número 1, letra b).

[4] En este sentido, Magasich (1971) p. 161.

bitacional a través de una serie de franquicias, exenciones y beneficios de carácter tributario[5].

El D.F.L. N° 2 establece un régimen tributario excepcional aplicable a las «viviendas económicas», a través del cual se buscó incentivar la inversión del sector privado en el área inmobiliaria a fin de que, por una parte, contribuyera a solucionar un problema de interés general para el país, como era el habitacional[6], y por otra, actuara como un factor reactivador de la economía nacional[7]. Ahora bien, durante los más de 60 años de vigencia de esta normativa diversas leyes han modificado las franquicias, exenciones y beneficios de carácter tributario, suprimiéndolas o limitando su alcance, lo que ha acontecido cuando se ha considerado que su utilización (de las franquicias, exenciones y beneficios) ha sido excesiva o contraria a la política tributaria general[8]. En este escenario, se ha planteado la discusión, principalmente en el Congreso Nacional, acerca del alcance de las modificaciones legales introducidas al estatuto tributario aplicable a los inmuebles acogidos a las normas del D.F.L. N° 2, particularmente, a propósito de la tramitación de la Ley N° 20.455[9],

---

5   En este sentido, Huenchullán (1967) p. 73; Magasich (1971) pp. 161 y s.; Figueroa (1996) p. 15; Rojas (2001) p. 306; Mendoza (2000) p. 211; López Santa María (2010) pp. 144, 167 y s., y Massone (2016) p. 279.

6   Magasich (1971) p. 160.

7   Como ha señalado la Cámara Chilena de la Construcción, el déficit habitacional se explicaba por el acelerado crecimiento demográfico y el escaso desarrollo de la construcción en la década de 1950. En este escenario, la política habitacional se enfocó especialmente en los sectores más modestos de la población. Biblioteca del Congreso Nacional (2010) p. 180. Para Magasich (1971) p. 164, es en el desarrollo del Plan Habitacional donde con mayor fuerza se pueden apreciar los resultados favorables de los contratos leyes, pero afirma que la actividad vinculada a las viviendas económicas decayó ostensiblemente cuando aparecieron disposiciones que limitaron o que amenazaron limitar sus efectos.

8   Para análisis de los beneficios que originalmente se contemplaron y de algunas de las leyes que han limitado los mismos, véanse Huenchullán (1967) pp. 13 y ss., y Araya (2013) p. 129.

9   Previo a la reforma operada por la reforma tributaria del año 2020, la última modificación importante a este estatuto tributario especial había sido realizada por la Ley N° 20.455, de 31 de julio de 2010, dictada con ocasión de la necesidad de recaudar recursos para la reconstrucción del país tras el terremoto del 27 de febrero de ese mismo año. Dicho cambio pretendió restablecer el sentido con que

pues a diferencia de otro tipo de franquicias tributarias, estas son establecidas a través de un «contrato ley».

Dicha categoría contractual ha sido un mecanismo a través del cual el Estado ha orientado la actividad privada hacia metas predeterminadas para el logro de fines económicos o sociales concretos —que supusieron la inversión de fuertes capitales con resultados muchas veces inciertos—, asegurando el mantenimiento de determinadas exenciones tributarias. En consecuencia, con el establecimiento de este estatuto especial, en el sector privado se disiparon las dudas sobre los efectos de eventuales futuros cambios a las normas tributarias aplicables, que no afectarían a los contratos leyes celebrados, por lo que se generó certeza jurídica[10].

Por tanto, pareciera que, aprobado un permiso de edificación de las viviendas económicas, y reducido este a escritura pública, siendo esta firmada por el Tesorero Comunal respectivo, en representación del Estado, y por el interesado, de manera inmutable, se entenderán incorporadas al contrato, de pleno derecho, las franquicias, exenciones y beneficios contempladas en el citado D.F.L. De esta forma, futuras modificaciones legales, afectarían a viviendas cuyos contratos leyes se suscriban una vez que estén vigentes las normas que cambian el régimen tributario de las «viviendas económicas», pero no a aquellas que ya gozaban de dicho carácter[11].

Inicialmente, el proyecto de la Ley N° 21.210, que Moderniza la legislación tributaria, Boletín N° 12.043-05, ingresada al Congreso el 23 de agosto de 2018 no contempló ningún tipo de modificación a esta normativa. Sin embargo, tras las movilizaciones sociales originadas en todo Chile a partir del mes de octubre de 2019, y encontrándose

---

dicha norma fue creada hace más de 50 años, pues su sentido original se vio superado en la práctica por el uso que se le había dado a las franquicias, exenciones y beneficios. Según la proyección del informe financiero los cambios supondrían mayores ingresos por $520 millones de pesos en 2010; $1.040 millones de pesos en 2011; 2.080 millones de pesos en 2012, y $3.120 millones de pesos en 2013. Biblioteca del Congreso Nacional (2010) pp. 5, 8 y s., 203.

10   En este sentido, MAGASICH (1971) pp. 163 y s.

11   MAGASICH (1971) p. 162 y HUENCHULLÁN (1967) p. 103, quien indica que podrían gravarse las viviendas con tributos distintos a aquellos que gozan del estatuto excepcional.

el proyecto de ley en su segundo trámite constitucional en el Senado, el Gobierno suscribió un marco de entendimiento para destrabar la tramitación de la ley, tal como previamente lo hiciera cuando la iniciativa legal estaba en la Cámara de Origen. Este nuevo acuerdo fue suscrito por el Ministro de Hacienda y por los integrantes de la Comisión de Hacienda del Senado el día 8 de noviembre de 2019 y buscó allegar mayores recursos al erario nacional a fin de financiar la «nueva agenda social, manteniendo el foco en el emprendimiento y el crecimiento y en el apoyo de los adultos mayores y el desarrollo de las Pymes»[12].

En este contexto, dentro de las medidas que buscaban una mayor recaudación progresiva se indicó en el punto 2, letra d) que «[s]e incluirán los inmuebles que se reciban por herencia dentro del límite actual de dos inmuebles para aplicar los beneficios tributarios a los DFL 2 para personas naturales, modificando lo indicado en la ley 20.455 de 2010»[13].

El presente trabajo revisará las problemáticas que surgen a partir de este cambio, tal como aconteció con las modificaciones establecidas por la Ley N° 20.455. Para tales fines, en primer lugar, se examinarán los requisitos exigidos para que una persona pueda gozar de las franquicias tributarias de las viviendas económicas acogidas a las normas del D.F.L. N° 2. En segundo lugar, se determinará en qué consisten los beneficios antedichos. En tercer lugar, se analizará la naturaleza jurídica de los contratos que dan lugar a este estatuto jurídico excepcional, haciendo referencia a las problemáticas que de ella se siguen. Finalmente, se hará referencia a las principales conclusiones a las que se arribó.

---

[12]   Marco de entendimiento para una reforma tributaria que fomente el emprendimiento y permita financiar una nueva agenda social, con foco en las Pymes y los adultos mayores (2019) p. 1.

[13]   Marco de entendimiento para una reforma tributaria que fomente el emprendimiento y permita financiar una nueva agenda social, con foco en las Pymes y los adultos mayores (2019) p. 2.

II. Las franquicias tributarias
contempladas en el D.F.L. N° 2

El D.F.L. N° 2 contempla ciertas franquicias, exenciones y beneficios de índole tributario. Al respecto, es necesario señalar que desde el punto de vista impositivo estas expresiones no son sinónimas[14], pese a lo cual, salvo que se precise lo contrario, se emplearán indistintamente para hacer referencia al tratamiento tributario excepcional aplicable a las viviendas económicas.

1. Requisitos de procedencia

El texto actual del D.F.L. N° 2 contempla límites de carácter objetivo, subjetivo y cuantitativo para que una persona pueda gozar del tratamiento tributario privilegiado aplicable a las viviendas económicas, los cuales se analizan a continuación.

En primer lugar, en lo que se refiere a la exigencia de carácter objetivo, cabe señalar que estas franquicias, exenciones y beneficios no se aplican a todas las viviendas construidas en Chile, sino solo a aquellas que el D.F.L. N° 2 califica como «económicas». Según lo dispuesto en su artículo 1°, se entiende por tales «las que se construyan en conformidad a sus disposiciones, tengan una superficie edificada no superior a 140 metros cuadrados por unidad de vivienda y reúnan los requisitos,

---

[14]   En efecto, se ha señalado que la franquicia tributaria favorece solo a aquellos contribuyentes o zonas indicados expresamente en la ley que establece esta situación de excepción; mientras que el beneficio tributario tiene un carácter más general, en la medida en que los contribuyentes que pueden transformarse en potenciales beneficiarios cumplan con los requisitos, antecedentes y obligaciones que dispone la normativa legal. Araya (2013) pp. 1 y s. Por su parte, la exención ha sido definida por el Tribunal Constitucional como una ventaja fiscal de la que por ley se beneficia un contribuyente y en virtud de la cual es exonerado del pago total o parcial del tributo. Por todas, la sentencia del Tribunal Constitucional, Rol N° 3361-17, de 5 de abril de 2018 (*LTM 12832795*), considerando 5°. Así, en la exención —a diferencia del supuesto de no sujeción— el hecho gravado se realiza, pero se exime total o parcialmente al contribuyente de cumplir con la obligación principal, no así respecto de las obligaciones accesorias, a menos que el legislador expresamente lo exceptúe.

características y condiciones que determine el Reglamento Especial que dicte el Presidente de la República»[15].

Ahora bien, legalmente se exige que el destino de este tipo de inmuebles sea habitacional. Sobre el particular, el Servicio de Impuestos Internos ha instruido que la vivienda económica alude al concepto básico de vivienda, «la cual corresponde al *edificio destinado a la habitación o morada de una persona física o una familia, constituyendo el lugar o sede de su vida doméstica*»[16]. En consecuencia, para el ente fiscalizador si una vivienda económica deja de tener como destino principal el habitacional, queda privada de los beneficios del D.F.L. Nº 2[17].

No obstante, la prohibición señalada, la legislación de urbanismo y construcción admite la realización de ciertas actividades en las viviendas económicas, sin que pierdan sus beneficios tributarios. Al respecto, los incisos 5º y siguientes del artículo 162 de la Ley General establecen que podrá instalarse un pequeño comercio —con ciertas restricciones en cuanto al tipo de actividad que desarrolla, estando impedido, por ejemplo, el expendio y/o venta de bebidas alcohólicas—, siempre que su destino principal subsista como habitacional. Se permite también el

---

15   Con todo, el límite de las 140 m² reconoce una excepción en el inciso 2º del artículo 10 del Decreto Nº 18, de 1984, Reglamento Especial de Viviendas Económicas, que dispone que «a las "viviendas económicas" que se construyan en las provincias de Chilóe (sic) y Palena de la X Región, y en las Regiones XI y XII, podrán agregarse construcciones, exteriores a la vivienda misma, que no incluyan instalaciones para servicios higiénicos, cuya superficie no sobrepase 16 metros cuadrados. Esta construcción adicional exterior no será computable para los efectos de aplicar a dicha vivienda los beneficios, franquicias y exenciones que contempla el D.F.L. Nº 2, de 1959». Ahora bien, se considera que esta norma vulnera el principio de reserva legal según el cual la ley debe establecer los tributos y las exenciones a los mismos, quedando reservado al reglamento el desarrollo de «aspectos de detalle técnico que, por su propia naturaleza, el legislador no puede regular, pero que éste debe delimitar con suficiente claridad y determinación». Por todas, la sentencia del Tribunal Constitucional, Rol Nº 718-07, de 26 de noviembre de 2007 (*LTM 622726*), considerando 25º.

16   Circular SII Nº 37, de 2003, cursivas en el original. Criterio que ha reiterado en instrucciones posteriores.

17   Para la Administración tributaria una vivienda deja de tener como principal destino el habitacional, por ejemplo, cuando en ella funciona un apart-hotel o apart-departamento. Véase el Oficio SII Nº 2517, de 1993.

funcionamiento de pequeños talleres artesanales o el ejercicio de una actividad profesional, manteniendo también el destino habitacional principal. Asimismo, se admite la instalación de un jardín infantil, sin necesidad de cambio de destino —lo que haría caducar de pleno derecho las franquicias, exenciones o beneficios—, pero en este caso el uso de una vivienda económica como jardín infantil será incompatible con cualquier otro uso, sea habitacional, de pequeño comercio o para taller. De otra parte, el artículo 165 de la Ley posibilita que en grupos de viviendas económicas puedan existir locales destinados a establecimientos comerciales, servicios públicos o de beneficio común, siempre y cuando «estas destinaciones no excedan del 20% del total de la superficie edificada, porcentaje que puede llegar al 30%»[18]. El inciso final del artículo 165 de la Ley General de Urbanismo y Construcciones prescribe que los porcentajes antes indicados no regirán en las zonas en que el Plan Regulador admite los destinos a que se refiere la norma, por tanto, en tales casos, se puede destinar un espacio mayor.

Ahora bien, podría ocurrir que un edificio ya construido, que inicialmente no cumpliera con los metros exigidos, con posterioridad, luego de ser alterado o reparado, se transformase en una vivienda que cumple con las exigencias para ser considerada vivienda económica. En este caso, el inmueble se podrá acoger a las franquicias, exenciones y beneficios tributarios y se considerará como vivienda económica para todos los efectos legales, siempre que reúna las características, requisitos y condiciones que determina la normativa aplicable. Por tanto, si los reúne, el permiso de alteración o reparación, una vez aprobado por la Dirección de Obras Municipales, deberá reducirse a escritura pública, cumpliendo con las exigencias del artículo 18 del D.F.L. N° 2[19].

Hasta antes de la reforma de la Ley N° 20.455, se decía que las franquicias que contemplaba el D.F.L. N° 2 eran de carácter real, pues se establecían en relación con la propiedad, sin tomar en cuenta a la

---

[18]   Circular SII N° 37, de 2003. Estos locales, de acuerdo con lo dispuesto en el artículo 24 del D.F.L. N° 2, no gozan de las franquicias y exenciones establecidas en los artículos 14, 15 y 16, las que se analizarán *infra* en el apartado III.

[19]   Inciso 4° del artículo 162 de la Ley General de Urbanismo y Construcciones.

persona del dueño[20]. Esto era así, pues una vez aprobado el permiso de edificación que contemplase «viviendas económicas», este debía ser —y aún debe ser— reducido a escritura pública, siendo firmado por el Tesorero Comunal respectivo y por el interesado. Lo relevante en este punto era —y sigue siendo— que la escritura tenía el carácter de contrato, incorporándose en él, de pleno derecho, las franquicias, exenciones y beneficios del D.F.L. N° 2, de 1959[21]. Este panorama cambió con la entrada en vigor de las normas de la Ley N° 20.455 que modificaron el D.F.L. N° 2.

En segundo lugar, en lo que se refiere a los límites de carácter subjetivo, cabe señalar que antes de la Ley N° 20.455 cualquier persona podía ser beneficiada con este estatuto tributario privilegiado; sin embargo, tras la entrada en vigor de dicha ley, este se restringió solo a las personas naturales. De esta forma, las personas jurídicas, pese a adquirir viviendas que estuviesen acogidas al D.F.L. N° 2, por haber reducido a escritura pública el permiso de edificación, no podrán gozar de ellas.

Como excepción a la regla señalada, cabe indicar que ciertas personas jurídicas, como son las corporaciones y fundaciones de carácter benéfico, que adquieran por sucesión por causa de muerte o donación viviendas económicas y derechos reales constituidos en ellas, mantienen la exención en los términos del artículo 1° en relación con el artículo 16 del D.F.L. N° 2, norma que no fue modificada por la Ley N° 21.210.

Por último, y, en tercer lugar, cabe mencionar que antes de la Ley N° 20.455 no solo no existía una limitación de carácter subjetivo, esto es, de las personas que podían hacer uso de este beneficio, sino que tampoco se limitaba el número de propiedades que cada persona podía tener acogidas a las normas del D.F.L. N° 2. En la actualidad, en cambio, las

---

[20]   En este sentido, la sentencia de la Corte Suprema, de 18 de julio de 1972, considerando 4° que —refiriéndose a las franquicias, exenciones y beneficios establecidos en los artículos 8°, 9°, 10, 11, 12, 13 y 15 del D.F.L. N° 2— declaró que «fueron establecidos en consideración al propósito del legislador y a la naturaleza de determinados hechos materiales y actos jurídicos, sin atender a la calidad o categorías de personas con ellos favorecidas, es decir, como lo dice acertadamente la sentencia de alzada, con criterio objetivo».

[21]   Artículo 18 del D.F.L. N° 2, vigente antes de la reforma operada por la Ley N° 20.455. Para un análisis de este punto véase *infra* el apartado IV.

personas naturales solo pueden acoger al beneficio del D.F.L. N° 2 un máximo de dos viviendas[22]. De esta forma, si una persona es dueña de un número de propiedades que excede dicho tope, las franquicias, exenciones y beneficios se aplican a las dos propiedades más antiguas. Adicionalmente, la ley ha establecido que, si se tiene un inmueble en comunidad, se considera como una vivienda económica para los efectos del cómputo del número máximo.

No obstante el límite de dos unidades por persona, el inciso 2° del artículo 18 del D.F.L. N° 2, bajo la sola regulación de la Ley N° 20.455 expresamente establecía que cuando personas naturales adquiriesen por sucesión por causa de muerte viviendas económicas o cuotas de dominios sobre ellas, no se considerarían para el límite máximo de dos viviendas[23]. De esta forma, la limitación del máximo de dos viviendas se aplicaba cuando hubiesen sido adquiridas —nuevas o usadas— por acto entre vivos[24]. Ahora bien, como se señaló, pese a que inicialmente la reforma tributaria de 23 de agosto de 2018 no contempló ninguna modificación que alterase el estatuto tributario aplicable a las viviendas económicas en el protocolo de acuerdo suscrito entre el Gobierno y los Senadores se acordó eliminar el inciso 2° del artículo 18 del D.F.L. N° 2, lo que se materializó mediante la indicación presidencial número 554-367, de 17 de diciembre de 2019, que introdujo el artículo sexto de la

---

[22] Durante la tramitación de la Ley N° 20.455 se intentó aumentar de dos a tres los inmuebles que cada persona podía acoger a estos beneficios. Asimismo, se propuso limitar las franquicias, exenciones y beneficios a viviendas cuyo avalúo fiscal no fuese superior a 4.500 unidades de fomento. Ninguna de estas propuestas prosperó. Lo buscado con el cambio en la regulación fue evitar el abuso, pues a esa fecha dos personas poseían 1.025 viviendas económicas acogidas a las normas del D.F.L. N° 2; tres tenían 911 y veintidós eran dueñas de 2.125. Véase los argumentos en Biblioteca del Congreso Nacional (2010) pp. 46 y s., 83, 89, 417.

[23] Durante la tramitación de la Ley N° 20.455 se explicó el fundamento de esta norma: por causa de muerte se adquieren los mismos derechos que el causante tenía sobre la propiedad, de forma tal que, si el causante contaba con este beneficio tributario, el causahabiente lo recibiría sin mediar ningún hecho propio, pues estaba en presencia de un hecho no voluntario. Biblioteca del Congreso Nacional (2010) pp. 49, 299, 402, 485 y ss., 500.

[24] Araya (2013) p. 134.

Ley N° 21.210. De esta forma, las viviendas o cuotas de dominios sobre ellas que se adquieran por sucesión por causa de muerte, a partir de la entrada en vigor de esta modificación, se considerarán para el límite máximo de dos viviendas.

2. El régimen transitorio de las Leyes N°s 20.455 y 21.210

En lo que se refiere a las modificaciones de la Ley N° 20.455, por disposición legal expresa, es necesario distinguir entre la publicación de la Ley N° 20.455, que tuvo lugar el 31 de julio de 2010 y el momento de la entrada en vigor de las modificaciones introducidas por dicha ley al D.F.L. N° 2, lo que ocurrió, según la interpretación del Servicio de Impuestos Internos, el 1° de noviembre octubre de 2010. Con todo, en esta materia, se produce una divergencia interpretativa entre lo que señala la autoridad fiscal y lo que apunta la doctrina, pues a propósito de la regla que permite aplicar el régimen antiguo en el caso de las promesas y contrato de arrendamiento con opción de compra, el ente fiscalizador ha entendido que la entrada en vigencia de la ley tuvo lugar el 31 de julio de 2010, mientras que para la doctrina ello ocurrió el 1° de enero de 2011.

El artículo quinto transitorio de la Ley N° 20.455 contiene las normas sobre vigencia temporal de estos cambios[25], precepto que ha sido

---

[25]   La norma prescribe «[l]as disposiciones de la presente ley que modifican el decreto con fuerza de ley N° 2, de 1959, comenzarán a regir luego de tres meses contados desde su publicación y no afectarán los beneficios y derechos que dicha norma otorga a los contribuyentes que, a la señalada fecha, sean propietarios de "viviendas económicas". No obstante, las disposiciones de la presente ley no se aplicarán a las adquisiciones de "viviendas económicas" que se efectúen en virtud de un acto o contrato cuya celebración se hubiere válidamente prometido con anterioridad a la fecha de entrada en vigencia de la presente ley, en un contrato celebrado por escritura pública o por instrumento privado protocolizado; y que, al momento de su suscripción, se haya dado cumplimiento a lo previsto en el inciso primero del artículo 18 del decreto con fuerza de ley N° 2, de 1959. Del mismo modo, las disposiciones de la presente ley tampoco se aplicarán a las adquisiciones de las mismas viviendas que se efectúen en virtud de un contrato de arrendamiento con opción de compra celebrado con anterioridad a la fecha de entrada en vigencia de la presente ley, siempre que dicho contrato se haya celebrado por escritura pública o instrumento privado protocolizado».

interpretado por Servicio de Impuestos Internos[26], distinguiendo tres momentos.

El primero, referido a aquellas personas que eran propietarias de viviendas económicas con anterioridad a la entrada en vigor de las modificaciones al D.F.L. N° 2 introducidas por la Ley N° 20.455, esto es, los propietarios al 31 de octubre de 2010[27]. Tales personas, para el ente fiscalizador, tienen «derechos adquiridos», por tanto, «intangibles». En consecuencia, las personas jurídicas dueñas de viviendas económicas o que tuvieran cuotas de dominio sobre estas antes de entrar en vigor las modificaciones de la Ley N° 20.455, continuarán gozando de sus franquicias, exenciones y beneficios tributarios; sin embargo, ello no acontecerá respecto de las que adquieran en el futuro, a las que se aplicarán las limitaciones vistas.

Ahora bien, las viviendas económicas adquiridas con anterioridad a la entrada en vigencia de la Ley N° 20.455, se contarán para el límite máximo si con posterioridad adquiere otros inmuebles. De esta forma, si una persona era dueña de seis inmuebles acogidos a estas franquicias antes del 1° de noviembre de 2010, estos mantienen los beneficios; pero si luego compra otro, se contará como un séptimo bien raíz y, por tanto, no podrá acogerse a las franquicias, exenciones y beneficios del D.F.L. N° 2 mientras el contribuyente mantenga a lo menos dos bienes raíces acogidos a esta franquicia adquiridos con anterioridad a la de este.

De ello se sigue que la persona natural puede «liberar cupo», enajenando las propiedades que estime convenientes, a fin de contar con la totalidad (2) o con una parte (1) del cupo, utilizándolo en viviendas que adquiera con posterioridad a la entrada en vigor de las modificaciones de la Ley N° 20.455[28]. En tal evento, se determinarán la o las viviendas

---

[26]   Circular SII N° 57, de 2010.

[27]   Para considerar a una persona como dueña de un determinado inmueble, y establecer la fecha en la que adquirió el dominio, ha de estarse a la regla civil en esta materia, razón por la cual es necesario determinar la persona a cuyo nombre está inscrita y la fecha de la inscripción de la propiedad en el Registro de Propiedad del Conservador de Bienes Raíces respectivo.

[28]   El Oficio SII N° 946, de 2016, ha establecido que la persona natural puede elegir cuál de las viviendas económicas ya beneficiadas con las franquicias, exenciones

económicas que podrán gozar del estatuto excepcional en atención a la fecha de adquisición, llenándose el o los cupos, según corresponda, considerando la fecha de adquisición, de mayor a menor antigüedad.

El segundo período comprende el lapso que va desde la publicación de la Ley N° 20.455 y hasta antes de la entrada en vigor de las modificaciones al D.F.L. N° 2. En este caso, los bienes inmuebles, mantendrá el estatuto jurídico previo a la reforma, siempre que estén comprometidos e inscritos antes de que entre en vigor la nueva legislación; de lo contrario, se sujetarán a las nuevas limitaciones.

Finalmente, el tercer período tiene lugar a partir de la entrada en vigor de las modificaciones al D.F.L. N° 2, lo que aconteció el 1° de noviembre de 2010. Las personas que adquieran viviendas económicas a contar de este momento tendrán las limitaciones impuestas por la Ley N° 20.455.

Ahora bien, la norma transitoria analizada contempla una situación excepcional, que tiene lugar si se adquiere una vivienda económica una vez que los cambios al D.F.L. N° 2 impuestos por la Ley N° 20.455 se encuentran vigentes. En este escenario, se podrán adquirir estas viviendas sin que les sean aplicables las nuevas limitaciones, siempre que ello tenga lugar en cumplimiento de un contrato de promesa válidamente celebrado, que conste en una escritura pública o instrumento privado protocolizado antes de la entrada en vigor de la Ley N° 20.455, lo que para el Servicio de Impuestos Internos implica que esto debió tener lugar hasta el día 30 de julio de 2010 y que al momento de su suscripción se haya dado cumplimiento a lo prescrito en el artículo 18 del D.F.L. N° 2. Asimismo, las disposiciones de la Ley N° 20.455 tampoco se aplicarán a las adquisiciones de las mismas viviendas que se efectúen en virtud de un contrato de arrendamiento con opción de compra celebrado con anterioridad a la fecha de entrada en vigencia de la presente ley, siempre que dicho contrato se haya celebrado por escritura pública o instrumento privado protocolizado[29]. En el fondo, el ente fiscalizador hace

---

y beneficios tributarios del D.F.L. N° 2 enajena a fin de liberar cupo, sin atender a la antigüedad, pues la ley no contempla dicha exigencia.

[29] Circular N° 57, de 2010, la que instruye también la situación particular del contrato de arriendo con opción de compra, al que hace aplicables los mismos requi-

coincidir la fecha de publicación de la ley (31 de julio de 2010), con su entrada en vigor.

Una vez establecido el criterio antes indicado por parte del Servicio de Impuestos Internos, que distingue estos tres momentos y que les asigna el efecto señalado, se solicitó su reconsideración y, tras una nueva revisión, lo mantuvo[30].

Cabe señalar que la doctrina criticó esta interpretación, pues consideró que a falta de una norma transitoria que con carácter general estableciese la entrada en vigor de la ley, debía estarse a la norma supletoria del artículo 3° del Código Tributario y, por tanto, entender que las leyes que modifican los elementos que integran la base imponible rigen desde el 1° de enero del año siguiente, de lo que se desprendía que los contratos de promesa y arriendo con opción de compra celebrados hasta antes de esa fecha (1° de enero de 2011) se encontraban acogidos a las normas del D.F.L. N° 2, por aplicación de la excepción[31]. Esta interpretación se ve reforzada si se tiene presente que el artículo quinto transitorio alude en su primera parte a un plazo contado desde la publicación de la ley, y luego, cuando establece la regla aplicable a las promesas y al *leasing*, hace referencia a un momento distinto, que es el de «entrada en vigencia de la ley». Luego a falta de una regla expresa —pues la ley por cada modificación señala una fecha de entrada en vigor—, parece razonable atender a las reglas generales del Código Tributario en esta materia.

Ahora bien, el cambio que se introdujo por la Ley N° 21.210 al D.F.L. N° 2 —que determinó que la eliminación del inciso 2° del artículo 18 del D.F.L.—, según dispone el artículo segundo transitorio de la

---

sitos establecidos para los contratos de promesa, pero omitiendo toda mención al cumplimiento de las exigencias del artículo 18 del D.F.L. N° 2, pues la norma transitoria no menciona esta exigencia. Ahora bien, el texto original del proyecto de la Ley N° 20.455 no contempló esta situación excepcional. Sin embargo, parlamentarios sostuvieron la importancia de incluirla, mediante sus intervenciones y la presentación de una indicación declarada inadmisible, por lo que el Poder Ejecutivo finalmente la introduce a través de una indicación. Véase Biblioteca del Congreso Nacional (2010) pp. 48 y ss., 305.

[30] Oficio SII N° 1945, de 2010.
[31] Aste (2016) pp. 496 y s.

reforma tributaria de 2020[32], no afectará a aquellas adquiridas «por sucesión por causa de muerte con anterioridad a la entrada en vigencia de la ley». Si se examina el artículo primero transitorio, la norma prescribe que las «modificaciones establecidas en esta ley que no tengan una fecha especial de vigencia, entrarán en vigencia a contar del primer día del mes siguiente de su publicación en el Diario Oficial». Por tanto, este cambio no se aplica a las viviendas adquiridas por sucesión por causa de muerte antes del 1º de marzo de 2020, superándose así, la crítica vista señalada en el párrafo precedente, pues la ley establece con carácter general su entrada en vigencia.

III. Las «viviendas económicas» y su estatuto tributario especial

Las viviendas económicas reguladas en el D.F.L. Nº 2 tienen asociadas una serie de franquicias, exenciones y beneficios tributarias. Para que los contribuyentes puedan acceder a ellas, es necesario informar al Servicio de Impuestos Internos. Esta obligación tributaria de carácter accesoria recae sobre los Notarios y Conservadores de Bienes Raíces[33], de forma tal que mientras no se cumpla con esta obligación, el contribuyente no podrá acogerse o hacer efectivo el estatuto preferencial contemplado en esta normativa; cumplida esta, el contribuyente podrá gozar de él y reclamar retroactivamente de los beneficios de dicha adquisición[34].

El artículo 20 del D.F.L. Nº 2 prescribe que estos beneficios regirán a contar de la fecha del certificado de recepción municipal de la vivienda económica, certificado en el que deberá dejarse constancia de haberse cumplido con todos los trámites que hacen procedentes el goce de los

---

[32]   Esta ley fue publicada en el Diario Oficial con fecha 24 de febrero de 2020.
[33]   Esto, según dispone el inciso 4º del artículo 1º del D.F.L. Nº 2. Al respecto, véase lo que se instruyó en la Resolución Ex. SII Nº 13, de 1º de febrero de 2011, referida a la forma en que los Notarios y Conservadores de Bienes Raíces han de cumplir con esta obligación.
[34]   Circular SII Nº 57, de 2010.

beneficios tributarios[35]. Asimismo, la Dirección de Obras Municipales respectiva debe cumplir con una obligación accesoria, consistente en comunicar este hecho al Servicio de Impuestos Internos, el que, de oficio y sin más trámite, procederá a dar curso a las franquicias, exenciones y beneficios tributarias correspondientes; sin ella, no se da curso los beneficios.

A continuación, se examinará el estatuto jurídico excepcional que establecen las normas del D.F.L. N° 2. Se hace la prevención de que en este apartado cuando se aluda a una «exención», se estará refiriendo específicamente a aquel supuesto en el cual el hecho gravado se ha producido, se ha cuantificado, se ha aplicado la tasa y se ha establecido el impuesto a pagar, si fuese procedente, pese a lo cual, en virtud de la ley, el obligado al pago se ve liberado del cumplimiento de la carga[36], total o parcialmente.

1. Impuesto Territorial

De conformidad con lo dispuesto en el artículo 14 del D.F.L. N° 2, en relación con lo establecido en el cuadro Anexo III número 2) de la Ley sobre Impuesto Territorial, las viviendas económicas —pero no los terrenos en los que se construyen— están exentas en un 50% del citado impuesto, por un lapso determinado, el que varía dependiendo de la superficie edificada del inmueble[37]. De esta forma, cuando la superficie edificada, por unidad de vivienda, no excede de 70 m², la exención es por 20 años; si la superficie edificada excede de 70 m², pero no sobrepasa los

---

[35]   La Corte Suprema, Rol N° 144-2018, de 6 de noviembre de 2019 (*LTM 16421479*), considerando 8° ha manifestado que el estatuto jurídico de la vivienda económica queda fijado al momento de suscribirse el contrato entre el Estado y el particular. Luego, la recepción definitiva de la obra exigida en el artículo 20 del D.F.L. N° 2 se requiere para permitir el ejercicio de los beneficios ya adquiridos, pero no es un requisito que determine la procedencia de las franquicias, exenciones y beneficios tributarios.

[36]   ZAVALA (2010) p. 46.

[37]   La norma prescribe que estas viviendas estarán exentas de todo impuesto fiscal que grave la propiedad raíz, con excepción de aquellos que correspondan a pagos de servicios, tales como pavimentación, alcantarillado, alumbrado y otros.

100 m², es por 15 años, y si la superficie es superior a 100 m², pero no sobrepasa los 140 m², es por 10 años. Esta exención regirá a contar de la fecha del certificado de recepción emitido por la Municipalidad correspondiente o de la Dirección de Arquitectura, según dispone el artículo 14 del D.F.L. N° 2.

2. Impuesto a la Renta

Las rentas que produzcan las viviendas económicas no se considerarán para los efectos de los impuestos Global Complementario y Adicional, y estarán, además, exentas de cualquier impuesto de categoría de la Ley de Impuesto a la Renta, según dispone el artículo 15 del D.F.L. N° 2.

Del tenor literal de lo dispuesto en el citado artículo pudiera estimarse que el beneficio tributario establecido es una exención y que, por tanto, las rentas producidas debieran considerarse para los efectos de lo dispuesto en el número 3 del artículo 54 de la Ley sobre Impuesto a la Renta. Esto es, incluirla dentro de la renta bruta para el solo efecto de aplicar la escala progresiva del Impuesto Global Complementario, pero dándose de crédito contra el impuesto que resulte de aplicar la escala al conjunto de rentas consideradas para determinar el Impuesto Global Complementario. Sin embargo, el D.F.L. N° 2 establece un supuesto de no sujeción, concretamente, un ingreso no renta, pues indica que las rentas que se produzcan no se considerarán para los efectos tanto del Impuesto Global Complementario, cuanto del Adicional, señalando el artículo 54 número 3 de la Ley sobre Impuesto a la Renta que estas rentas no se deben considerar dentro de la renta bruta del Impuesto Global Complementario. Por lo demás, este carácter se desprende de la propia interpretación del Servicio de Impuestos Internos[38].

El Servicio de Impuestos Internos ha entendido que esta franquicia es amplia, en cuanto alcanza a todos los impuestos a la renta, pero a la vez restrictiva, pues solo comprende las rentas que «produzcan» las

---

[38]   En este mismo sentido, véase el Oficio SII N° 3230, de 1975.

viviendas económicas[39], término que ha interpretado de manera constante considerando que alude, en su sentido natural y obvio, a todas
aquellas rentas que periódicamente el contribuyente genere producto
de la explotación de dichas viviendas, manteniéndolas estas bajo su
propiedad. Ello ocurre, por ejemplo, con las rentas generadas a partir
de la celebración de un contrato de arrendamiento de la propiedad; en
cambio, no considera que la expresión «produzcan» comprenda las rentas derivadas de la enajenación o cesión de los referidos inmuebles, las
cuales quedan sujetas a las normas generales de la Ley de la Renta, pues
faltaba la periodicidad[40]. Dicho criterio ha sido seguido también por la
Corte Suprema[41].

La enajenación de un bien raíz producto del ejercicio de la opción
a que da lugar el contrato de *leasing* tiene un tratamiento tributario
distinto, en virtud de lo dispuesto por el inciso 2º del citado artículo
15[42]. En efecto, la jurisprudencia del ente fiscalizador ha señalado que
«el tratamiento tributario de la renta obtenida por la enajenación de una
vivienda económica acogida a las disposiciones del DFL Nº 2, de 1959,

---

[39] Oficio SII Nº 774, de 1995.

[40] Criterio que parece iniciarse con la Circular SII Nº 43, de 1982, la que, no obstante, no hace mención a la periodicidad, concepto que aparece en los Oficios SII
Nᵒˢ 4920, de 2000 y 774, de 1995. En contra, Figueroa (1996) pp. 16 y s., para
quien por aplicación de las normas del D.F.L. Nº 2 el mayor valor que se pudiera
producir en la enajenación de una vivienda económica debiese ser un ingreso no
renta, por aplicación de lo dispuesto en el artículo 17 número 29 de la Ley sobre
Impuesto a la Renta, en atención a que la configuración actual del concepto
«renta» no contempla como requisito la periodicidad que sí consignó la antigua
Ley Nº 15.564.

[41] Véanse las sentencias de la Corte Suprema, Roles Nᵒˢ 1828-2000, de 13 de noviembre de 2000, considerando 12º y 1822-2000, de 27 de marzo de 2001, considerando 13º, que declaran que la expresión «produzcan» viene del verbo «producir», que consiste en engendrar, procrear, criar, dar, rendir fruto los terrenos
o los árboles, rentar, redituar interés, utilidad o beneficio una cosa, entre otras.
Por tanto, la expresión da cuenta de un beneficio de orden periódico, que implica
excluir la venta de las viviendas económicas.

[42] El citado inciso del artículo 15 del D.F.L. Nº 2 dispone que «[i]gual tratamiento
tendrán las rentas provenientes de la enajenación de "viviendas económicas" que
se obtengan en cumplimiento de un contrato de arrendamiento con opción de
compra, salvo que el tradente sea la empresa que construyó dichas viviendas».

efectuada a través de un contrato de arrendamiento con opción de compra, en que el tradente, persona natural o jurídica, no es la empresa que la construyó, sobre la que consulta, constituye un ingreso no renta para los fines tributarios, ello en conformidad con lo dispuesto en el inciso segundo del artículo 15 del DFL N° 2, de 1959, sobre Plan Habitacional; en concordancia con lo dispuesto en el N° 29, del artículo 17 del texto de la LIR, vigente en la actualidad»[43]. Lo relevante en este punto radica en que expresamente el inciso 2° mencionado establece que estas rentas tendrán el mismo tratamiento tributario que las establecidas en el inciso anterior, de forma tal que la interpretación administrativa refuerza la idea de que ambas han de ser consideradas ingreso no renta[44].

Expresamente el inciso final del artículo 15 del D.F.L. N° 2, establece que las exenciones se aplican también si el inmueble es ocupado por su dueño.

Finalmente, existen dos beneficios que permiten rebajar del Impuesto Global Complementario o del Impuesto de Segunda Categoría, según corresponda, ciertos pagos relacionados con obligaciones con garantía hipotecaria. La Ley N° 19.622 se refiere específicamente a la posibilidad de rebajar de las rentas afectas a los impuestos referidos las cuotas que se paguen en el año comercial que corresponda, por las obligaciones con

---

[43]   Véase el Oficio SII N° 933, de 2018. Con carácter general la Circular SII N° 53, de 1997, ha instruido que tanto las rentas obtenidas mediante la explotación del bien dado en arrendamiento con opción de compra, mientras este estuvo dado en arrendamiento, como las obtenidas en su enajenación tienen el carácter de rentas exentas, no existiendo la obligación de agregarlas en la renta bruta del Impuesto Global Complementario, por disposición expresa del inciso 4° del numeral 3° del artículo 54 de la Ley sobre Impuesto a la Renta. Pese a que el Servicio de Impuestos Internos alude a que se está ante una renta exenta, le asigna los efectos propios de un ingreso no renta. Ahora bien, el ente fiscalizador en el Oficio SII N° 933, de 2018 ha instruido que este mayor valor no se considera para los efectos del límite de las 8.000 unidades de fomento establecido en el artículo 17 número 8, letra b) de la Ley sobre Impuesto a la Renta.

[44]   En consecuencia, lo dispuesto en los incisos 1° y 2° del artículo 15 del D.F.L. N° 2 debe ser puesto en relación con el artículo 17 número 29 de la Ley sobre Impuesto a la Renta que dispone que no constituyen renta: «29°.- Los ingresos que no se consideren renta o que se reputen capital según texto expreso de una ley».

garantía hipotecaria que hayan contraído con ciertas instituciones para adquirir viviendas económicas nuevas —esto es, adquiridas por primera vez para ser usadas—, cuando estas se constituyan en garantía hipotecaria de dichas obligaciones, estableciéndose topes a la deducción[45]. El beneficio, asimismo, aplica a las cuotas que se paguen en cumplimiento de nuevas obligaciones con garantía hipotecaria contraídas para pagar créditos de igual naturaleza que fueron destinados a la adquisición de este tipo de viviendas, siempre que los documentos que dan cuenta del nuevo crédito estén exentos del Impuesto de Timbres y Estampillas[46]. Por su parte, el artículo 55 bis de la Ley sobre Impuesto a la Renta, con carácter general, esto es, no reducido a la adquisición de una vivienda económica, posibilita rebajar de la renta bruta imponible anual los intereses efectivamente pagados durante el año calendario respectivo, devengados en créditos con garantía hipotecaria destinados a adquirir o construir una o más viviendas o en créditos de igual naturaleza destinados a pagar los créditos señalados. También contempla topes al beneficio. Ambas franquicias son incompatibles.

3. Impuesto a las Asignaciones Hereditarias y Donaciones

El artículo 16 del D.F.L. N° 2 contempla una exención en materia de Impuesto a las Asignaciones Hereditarias y Donaciones, aplicable cuando el causante o el donatario haya construido la vivienda o la haya adquirido en primera transferencia. En el caso de la sucesión por causa de muerte, es necesario además que el causante la haya adquirido o construido con anterioridad a lo menos 6 meses a la fecha del falleci-

---

[45]   La franquicia buscó otorgar un impulso efectivo a la reactivación del país a través de un estímulo a la venta de viviendas nuevas disponibles, ya que la economía se había desacelerado en el año 1998, lo que generó una importante reducción en la venta de viviendas nuevas y una acumulación importante de viviendas disponibles, recién construidas o en construcción. Así, se permitió la rebaja de todo el dividendo, con montos declinantes según la fecha de adquisición de la vivienda. Biblioteca del Congreso Nacional (1999) p. 3.

[46]   Agregado mediante la Ley N° 19.840.

miento[47]. De esta forma, para que sea procedente la exención al citado impuesto, el causante debió mantener en su patrimonio las «viviendas económicas» sin solución de continuidad, y hasta la época de su fallecimiento.

El beneficio consiste en que no se considera el valor del avalúo fiscal de la propiedad dentro de la masa hereditaria, pues el artículo 14 del D.F.L. N° 2 señala que estas viviendas serán excluidas de la aplicación del Impuesto de Herencias, Asignaciones y Donaciones.

En este sentido, el Servicio de Impuestos Internos ha señalado que «primera transferencia» debe entenderse como la inscripción en el Registro correspondiente del Conservador de Bienes Raíces del título traslaticio de dominio que permita efectuar la tradición del dominio por primera vez, debiendo dicho título constar en escritura pública y cumplir con todos los requisitos de forma y de fondo que la ley establece[48].

---

[47]   Los incisos 2° y 3° del artículo 21 del D.F.L. N° 2 prescriben que la exención del Impuesto a las Donaciones regirá a contar de la fecha del certificado de recepción de la respectiva construcción. Luego, existe una modalidad especial prevista respecto de la exención del Impuesto a las Asignaciones Hereditarias, pues ella se aplicará incluso a aquellas viviendas económicas que se encuentran en construcción al diferirse la herencia o el legado. En el fondo, como señala HUEN-CHULLÁN (1967) p. 95, el beneficio puede comenzar a regir antes de obtener la recepción definitiva de la construcción.

[48]   Circular SII N° 160, de 1976. Pese a que esta instrucción define el concepto para los efectos de una exención que era aplicable al Impuesto de Timbres y Estampillas, sin hacer mención a lo dispuesto en el artículo 16 del D.F.L. N° 2, el Oficio SII N° 272, de 2009, señaló que el mismo sentido y alcance debe dársele para la exención del Impuesto a las Asignaciones Hereditarias y Donaciones. Asimismo, dicho Oficio precisa que para entender que hay una transferencia de dominio se requiere que exista un título traslaticio de dominio y un modo de adquirir. En este mismo sentido, el Oficio SII N° 2729, de 2016, concluyó que es evidente que el requisito de primera transferencia no concurre «si el propietario de un inmueble adquirido en primera transferencia lo enajena y luego lo adquiere nuevamente».

4. Impuesto de Timbres y Estampillas

Finalmente, la última exención se encuentra en materia de Impuesto de Timbres y Estampillas. En este sentido, se señala en el artículo 12 del D.F.L. N° 2 que la escritura que se extienda con motivo de la construcción o transferencia de «viviendas económicas» estará afecta solamente al 25%[49] de los impuestos correspondientes[50], hasta el plazo de dos años siguientes a su recepción[51].

5. Pérdida de las franquicias, exenciones y beneficios

El Servicio de Impuestos Internos es la autoridad competente para fiscalizar que las viviendas económicas cumplan con los requisitos para acceder a los franquicias, exenciones y beneficios que contempla el D.F.L N° 2, según lo dispuesto en el artículo 167 de la Ley General de Urbanismo y Construcciones.

En este contexto, el contribuyente perderá las franquicias, exenciones y beneficios si la vivienda económica fuese destruida o se iniciase su demolición o transformación de modo que pierda sus características

---

[49]   Cabe señalar que la Ley N° 20.780 en su artículo 6° elevó la tasa máxima del Impuesto de Timbres y Estampillas de 0,4% a 0,8%; en tanto que el artículo 7° reemplazó la expresión «50%», contenida en el artículo 12 del D.F.L. N° 2, por la de «25%», de suerte tal que la tasa de Impuesto de Timbres y Estampillas aplicable a créditos destinados a la adquisición de viviendas económicas se mantuviera en 0,2% (25% de 0,8%). En este mismo sentido, Cuevas (2019) p. 45.

[50]   A este respecto, el ente fiscalizador en el Oficio SII N° 2915, de 2006 ha señalado que el beneficiado con la exención no solo se refiere «al deudor directo que contrajo la obligación primitiva, sino alcanzará a toda persona, incluyendo por cierto al codeudor solidario y aval del primitivo crédito, en tanto concurran los restantes requisitos copulativos que exige el artículo 24 N° 17 y lo dispuesto en la Circular N° 71, de 2002».

[51]   Esta disposición debe ponerse en relación con lo establecido en el número 2 del artículo 24 del Decreto Ley N° 3.475, que hace a la exención del Impuesto de Timbres y Estampillas que beneficia a los documentos que den cuenta de operaciones, actos o contratos exentos en virtud del Decreto Supremo N° 1.101, del Ministerio de Obras Públicas, de 1960, que fija el texto definitivo del D.F.L. N° 2.

de tal[52], si se autoriza —transcurridos cinco años desde la fecha del certificado de recepción definitiva— un cambio de destinación de la vivienda, de habitacional a otros[53], o si se efectúa una reforma en la propiedad que determina que se exceda del máximo permitido de superficie construida[54]. El afectado podrá apelar de la resolución del Servicio de Impuestos Internos ante la Secretaría Regional correspondiente del Ministerio de la Vivienda y Urbanismo, dentro del plazo de 30 días, contados desde su notificación, la que resolverá en definitiva.

Sin perjuicio de lo dispuesto en las normas transitorias y lo que se señalará *infra*[55], tras las enmiendas analizadas, los beneficios de las viviendas económicas se aplican a las personas naturales, como regla generalísima, que tengan hasta dos de estos viviendas económicas o cuotas de dominio sobre ellas. Si bien pudiera pensarse que lo previamente señalado supone que la vivienda deja de tener la calidad de económica cuando una persona está impedida de gozar de sus beneficios, se estima que tal interpretación no es correcta.

Ello, en atención a que en la actualidad estas franquicias, exenciones y beneficios tributarios tienen un carácter mixto (personal y real). En consecuencia, cuando el dueño que no tenía derecho a este régimen tributario privilegiado respecto de un bien raíz, por ejemplo, por haber sobrepasado su cupo, enajene la vivienda económica que no le otorgaba las franquicias, exenciones y beneficios propias del D.F.L. N° 2, y el adquirente cumpla con las exigencias de tal normativa, o bien, como segunda opción, libere un cupo enajenando una vivienda económica que le permitía acceder a este estatuto impositivo excepcional, el nuevo

---

[52]   Inciso 3° del artículo 18 del D.F.L. N° 2. En dicho evento, la Dirección de Obras Municipales, al otorgar el permiso, deberá comunicar el hecho al Servicio de Impuestos Internos, para que proceda a dejar sin efecto las franquicias, exenciones y beneficios.

[53]   Lo que hará caducar de pleno derecho las franquicias, beneficios o exenciones que se encuentren subsistentes, según dispone el artículo 162 inciso 8° de la Ley General de Urbanismo y Construcciones.

[54]   La Administración tributaria, mediante el Oficio SII N° 560, de 2005 ha instruido desde cuándo se pierde la franquicia y cuál es la autoridad competente para declarar esta situación.

[55]   Véase el apartado IV.

propietario o el mismo contribuyente, según el caso, podrá gozar de las franquicias impositivas indicadas respecto de una vivienda que hasta antes de tales hechos mencionados no las otorgaba. Esto solo puede ser posible en atención a que la vivienda no pierde su condición de «económica».

IV. Los cambios al D.F.L. Nº 2 y la problemática derivada de su carácter de contrato ley

Durante la tramitación de la Ley Nº 20.455 se discutió la posibilidad y constitucionalidad de modificar el régimen aplicable a las viviendas económicas que hubieran reducido a escritura pública el permiso de edificación con anterioridad a la entrada en vigor de la citada ley[56]. Si bien desde el Gobierno se enfatizó que el nuevo estatuto no afectaba los derechos previamente adquiridos, la duda se suscitó en orden a si lo que primaba para los efectos de la aplicación de las franquicias, exenciones y beneficios tributarios era la calidad del inmueble, esto es, la condición de vivienda económica acogida a las normas del D.F.L. Nº 2 —lo que podía crear un mercado de compraventa de bienes raíces con el beneficio[57]—, o bien, lo determinante era la persona propietaria del referido inmueble, no habiendo problemas, por tanto, para limitar en el futuro la posibilidad de acceder a los beneficios[58].

---

[56]   Con todo, hubo quien manifestó que no habría ningún problema de constitucionalidad si se privaba de los beneficios a las personas con efecto retroactivo, en la medida en que se hubiera utilizado el beneficio con fines enteramente diversos a los determinados en la ley que le dio origen. Biblioteca del Congreso Nacional (2010) p. 403.

[57]   Ello fue señalado en Biblioteca del Congreso Nacional (2010) pp. 399 y ss., 412 y s., 416, 487 y s., 489 y s. Se afirmó que en tanto contrato ley, sus normas debían modificarse por acuerdo entre las partes, y no por una ley, señalándose que esto fue lo que aconteció con la regulación del *royalty* minero, y el estatuto del Decreto Ley Nº 600. En dicho caso, la solución que se dio fue la voluntariedad para modificar el régimen.

[58]   Véase al respecto, Biblioteca del Congreso Nacional (2010) pp. 398 y s., 402.

Existe bastante consenso en la doctrina chilena en orden a que las normas del D.F.L. N° 2 establecen un contrato ley[59]. El propio Gobierno afirmó que esta era la naturaleza jurídica de esta normativa durante la discusión de la Ley N° 20.455[60]. En cambio, no existe acuerdo acerca de los efectos que se derivan de tal carácter: algunos parlamentarios consideraron que estas franquicias, exenciones y beneficios no diferían de cualquier otra, y en cuanto tal, no existían derechos adquiridos[61]; otros, en virtud de su carácter de contrato ley, afirmaron que establecía beneficios de forma permanente[62]. El Poder Ejecutivo sostuvo que las limitaciones de la Ley N° 20.455 regirían hacia el futuro, por lo que quien fuese propietario de viviendas de este tipo al momento de entrar en vigor la ley, seguiría gozando de sus beneficios tributarios[63]. Sin embargo, esta afirmación no soluciona el problema de fondo.

En definitiva, las consecuencias derivadas de la naturaleza de contrato ley no fueron zanjadas en la discusión parlamentaria, señalándose que serían los tribunales de justicia los que, en su momento, deberían dilucidar el punto[64]. Con todo, se advirtió que el riesgo que se corría en tal escenario no era menor, pues serían los órganos jurisdiccionales quienes declararían el efecto que se deriva de un contrato ley[65], por lo que si determinaban la invariabilidad de sus normas, no se alcanzaría el fin buscado por las reformas examinadas, a saber, recaudar más, limitando los beneficios que confieren las normas del D.F.L. N° 2.

La problemática radica en que las franquicias, exenciones y beneficios establecidas en el D.F.L. N° 2, y que en la actualidad se encuentran

---

[59]   Huenchullán (1967) p. 103; Magasich (1971) pp. 161 y s.; Figueroa (1996) p. 15; Mendoza (2000) p. 211; Rojas (2001) p. 306; López Santa María (2010) pp. 144, 167 y s., y Massone (2016) p. 279.

[60]   En este sentido, la intervención del Subsecretario de Hacienda en la Comisión de Hacienda de la Cámara de Diputados en primer trámite constitucional, del Director del Servicio de Impuestos Internos y de un senador oficialista. Véase Biblioteca del Congreso Nacional (2010) pp. 35, 48, 416.

[61]   Biblioteca del Congreso Nacional (2010) p. 36.

[62]   Biblioteca del Congreso Nacional (2010) p. 181.

[63]   Intervención del Subsecretario de Hacienda en el segundo trámite constitucional ante el Senado. Biblioteca del Congreso Nacional (2010) p. 324.

[64]   Biblioteca del Congreso Nacional (2010) p. 412.

[65]   Biblioteca del Congreso Nacional (2010) pp. 488 y s.

vigentes son, en algunos casos, de carácter permanente[66] —hasta que no medie una causal de caducidad legal, declarada por autoridad competente[67] o se destruya el inmueble—, y se aplican desde el momento en que la vivienda económica ha sido construida[68].

1. El contrato ley como categoría contractual y sus consecuencias legales

Conviene precisar que cuando se afirma que un determinado acto tiene el carácter de contrato ley, se está señalando que dicho contrato un estatuto jurídico especial. En este sentido, la particularidad de los contratos leyes —y que los diferencia de una franquicia tributaria normal—, radica en la imposibilidad de alterar por la mera voluntad del legislador las consecuencias o efectos del precepto normativo, requiriendo del asentimiento de los particulares que concurrieron a convenir[69]. De esta forma, el Estado a través de los contratos leyes «garantiza la mantención de exenciones de impuestos respecto de determinados bienes o rentas, garantía que se traduce en que ellos no pueden ser afectados por leyes de impuestos presentes o futuras y mientras se cumplan las condiciones estipuladas en el contrato»[70]. En algunos casos este régimen excepcional se establece en forma indefinida; en otros, tiene carácter temporal[71]. Con el establecimiento de esta categoría contractual y con la suscripción de dichos contratos leyes, el Estado persigue una finalidad de orden

---

[66]   Cabe señalar que existe una limitación temporal expresa respecto de la exención al Impuesto Territorial y de la exención del Impuesto de Timbres y Estampillas. Asimismo, cuando se hace referencia a la primera transferencia se desprende que las restantes enajenaciones no gozarán de esos beneficios.

[67]   MENDOZA (2000) p. 211.

[68]   Esta regla no es absoluta, pues la exención del artículo 12 del D.F.L. N° 2 contempla una exención aplicable a la construcción de viviendas económicas. Asimismo, en la exención del Impuesto a las Asignaciones Hereditarias se aplicará incluso a aquellas viviendas económicas que se encuentran en construcción al deferirse la herencia o el legado.

[69]   SILVA CIMMA (2009) p. 138. En el mismo sentido, y aplicando estas consideraciones al D.F.L. N° 2, ROJAS (2001) pp. 306 y s.

[70]   MAGASICH (1971) p. 156.

[71]   LÓPEZ SANTA MARÍA (2010) p. 168. MASSONE (2016) p. 278.

general, con mira a un bien común que interesa a toda la colectividad, buscando alcanzar metas económicas o sociales, consagrando estatutos jurídicos de excepción en diversas materias, dentro de las cuales se encuentra la reducción de impuestos[72]. De esta forma, se genera una certeza para el inversor, pues el Poder Legislativo no podrá modificar o derogar las leyes vigentes en las cuales se establecen estas franquicias.

Las consideraciones previamente señaladas han sido recogidas por la jurisprudencia. Es así como se ha señalado que «la institución de los "contratos leyes" ha sido diseñada para atraer inversiones privadas que contribuyan al desarrollo de determinadas actividades que se estima insuficientemente abordadas. Para esos efectos, el Estado celebra un convenio con los particulares, sometido a la aprobación legislativa o fundado en ella, mediante el cual el Estado, en ejercicio de su potestad de imperio, otorga a los particulares garantías y seguridades con el carácter de intangibles o de no modificables»[73].

Sobre el particular, un sector de la doctrina civil[74] no pone en duda intangibilidad de los contratos leyes, pero relativiza su efecto al señalar que los contratos ordinarios (no contratos leyes) también son intangibles para el legislador, por lo que una ley que estableciese lo contrario sería inconstitucional por vulnerar el derecho de propiedad. Si bien esta

---

[72]   Magasich (1971) p. 160. López Santa María (2010) p. 167.

[73]   Sentencia del Tribunal Constitucional, Rol Nº 1452-2009, de 5 de agosto de 2010 (*LTM 623471*), considerando 36º. Esta idea también se recoge en la sentencia de la Corte de Apelaciones de Punta Arenas, Rol Nº 3-2015 (tributario y aduanero). 6 de julio de 2015, considerando 5º, que declara que el contrato ley «es un convenio que pueden suscribir los contratantes con el Estado, en los casos y sobre las materias que mediante ley se autorice. Por medio de él, el Estado puede generar garantías y otorgar seguridades, otorgándoles a ambas la calidad de intangibles. Es decir, mediante tales contratos-ley, el Estado en ejercicio de su ius imperium, crea garantías y otorga seguridades y, al suscribir el contrato-ley, se somete plenamente al régimen jurídico previsto en el contrato y a las disposiciones legales a cuyo amparo se suscribió éste». Idea que luego reiteran las Sentencias del Tribunal Tributario y Aduanero de Magallanes y Antártica Chilena. RIT GR-09-00009-2016. 16 de enero de 2017 (*LTM 16204480*), considerando 16º y RIT GR-09-00007-2016. 28 de febrero de 2017 (*LTM 16208022*), considerando 17º.

[74]   López Santa María (2010) p. 171.

postura afirma pudiera parecer que la figura de los contratos leyes ha perdido relevancia, reconoce que el criterio de la Corte Suprema en esta materia no es uniforme, por lo que puede llegar a tener importancia su mantención[75]. Otra postura enfoca la problemática desde la perspectiva del Derecho público y afirma que tanto en la actual Constitución, cuanto en la moderna doctrina de Derecho administrativo, el contrato ley no tiene asidero. Ello, pues no sería otra cosa que un contrato administrativo que genera derechos y obligaciones para las partes y para el Estado, careciendo este de potestad para revocarlos o modificarlos unilateralmente, por aplicación de los principios de Derecho administrativo y de lo dispuesto en los artículos 6°, 7° y 19 número 24 de la Constitución[76].

Por tanto, cualquiera sea la postura que se siga, la consecuencia que se deriva es la intangibilidad, la que implica que los cambios legales posteriores que limiten o eliminen los beneficios consagrados en el D.F.L. N° 2 no serán aplicables a aquellas viviendas económicas cuyo permiso de edificación se redujo a escritura pública con anterioridad al cambio.

Lo anteriormente expuesto encuentra su fundamento legal en lo dispuesto en el artículo 18 del D.F.L. N° 2, el que en su texto vigente con anterioridad a la Ley N° 20.455 disponía que «[a]probado un permiso para edificación de "vivienda económica", dicho permiso será reducido a escritura pública que firmarán el Tesorero Comunal respectivo, en representación del Estado, y el interesado. Esta escritura tendrá el carácter de un contrato, en el cual se entenderán incorporadas de pleno derecho las franquicias, exenciones y beneficios del presente decreto con fuerza de ley, y, en consecuencia, la persona natural o jurídica acogida a sus disposiciones, así como sus sucesores o causa-habientes a cualquier título, gozarán en forma permanente de los privilegios indicados, no obstante cualquier modificación posterior que puedan sufrir parcial o totalmente las disposiciones referidas». En la actualidad la disposición prescribe que se gozará en forma permanente de los privilegios indicados «con las

---

[75] En la doctrina tributaria FIGUEROA (1985) pp. 242 y s. considera que si el Estado unilateralmente modificase el contenido de un contrato ley estaría vulnerando el derecho de propiedad.

[76] MASBERNAT (2002) p. 320.

limitaciones establecidas en el artículo 1o»[77]. De ello se sigue que, con anterioridad a este cambio, no había una referencia expresa en el artículo 18 del D.F.L. a limitaciones en el gozo de sus beneficios[78].

Bajo la antigua redacción, la jurisprudencia de la Corte Suprema consideró que en virtud de lo dispuesto en el artículo 18, por la suscripción del contrato ley debían entenderse incorporadas, por el solo ministerio de la ley, las franquicias, exenciones y beneficios de lo que se derivaba, entre otros aspectos, el carácter objetivo de ellas[79].

En este sentido, resulta interesante el fallo del máximo tribunal dictado a propósito del cambio operado por el artículo 131 de la Ley No 15.575 a los beneficios establecidos por la Ley No 14.171 en virtud de un contrato ley. En dicha oportunidad declaró que la cláusula contenida en tales instrumentos «bajo la garantía del Estado» no podía considerarse una simple expresión sin relevancia práctica, pues es «el Estado de Chile, que bajo su honor, y con la expresión de voluntad manifestada legalmente por sus personeros, garantiza a los nacionales y extranjeros que adquieren determinados documentos que las cláusulas que en el bono se contienen serán respetadas, que se pagará al portador del bono el valor del capital allí indicado, en la moneda convenida y con el interés del 7% anual y que este documento gozará de las franquicias señaladas en el artículo 10 de la Ley No 14.171, o sea, que estarán sus beneficios libres de todo gravamen fiscal»[80]. A continuación, el fallo agregó que el cambio legal «sólo podrá afectar a los tomadores de tales bonos que los adquieran con posterioridad a su vigencia, pero no puede dársele efecto retroactivo y hacerla regir para los tomadores o tenedores de bonos dó-

---

[77]   El artículo sexto transitorio de la Ley No 20.455 establece que las modificaciones al artículo 18 del D.F.L. No 2 se aplicarán, respecto de los beneficios de que pueden gozar los adquirentes de viviendas económicas, a aquellas que se adquieran a contar de la fecha establecida en el artículo quinto transitorio de la citada ley. Véase lo señalado a este respecto en el apartado II.2. del presente trabajo.

[78]   La norma transcrita no es idéntica a la redacción original del año 1959, pues, además, la letra c) del artículo 3o de la Ley No 20.741 reemplazó la expresión «para edificación de "vivienda económica"» por la actual «de edificación que contemple "viviendas económicas"».

[79]   Sentencia de la Corte Suprema, de 18 de julio de 1972, considerando 5o.

[80]   Sentencia de la Corte Suprema, de 3 de octubre de 1966, considerando 4o.

lares que los tuvieran bajo la garantía del Estado de que estaban exentos de todo gravamen fiscal»[81], tras lo cual declara inaplicable en el juicio lo dispuesto en el artículo 131 citado.

Con todo, no se puede dejar de apuntar un aspecto que ha pasado desapercibido para la doctrina nacional. La Corte Suprema primero se refiere a que el Estado garantiza que las condiciones establecidas en el bono serán respetadas a «los portadores», pero luego afirma que las enmiendas legales afectarán a quienes «los adquieran» con posterioridad a su vigencia. De ello se sigue que aquellas modificaciones que se introdujeron al D.F.L. Nº 2 podrían ampararse en la jurisprudencia constitucional del máximo tribunal chileno. Esto se ve reforzado por lo declarado por dicha magistratura en un fallo posterior, al afirmar que «el legislador pudo y puede dictar leyes que impongan en lo futuro contribuciones, derogando la exención [establecida en la Ley Nº 14.171]; mas no puede privar a los poseedores de bonos que lo son cuando se dicta la ley, del derecho de dominio que tienen sobre ellos, derecho en el que está incluida la franquicia tributaria»[82].

En esta misma línea se encuentra la interpretación dada por el Servicio de Impuestos Internos, que ha hecho aplicables los cambios operados por la Ley Nº 20.455 a inmuebles cuyo permiso de edificación se redujo a escritura pública en el año 1963, oportunidad en la que se acogió a las normas del D.F.L. Nº 2 vigentes en ese momento, concluyendo que lo que importa para efectos tributarios es la fecha de adquisición del bien para los efectos de determinar si se aplican las restricciones establecidas en el año 2010, no así la fecha de la reducción a escritura pública del permiso de edificación[83]. Sin embargo, este criterio se encuentra en abierta contradicción con lo prescrito en el artículo 54 número 3 de la Ley sobre Impuesto a la Renta que excluye de la obligación de incluir en la renta bruta del Impuesto Global Complementario a aquellas rentas exentas de este impuesto «en virtud de contratos suscritos por autoridad competente, en conformidad a la ley vigente al momento de la concesión de las franquicias respectivas». Por tanto, el legislador centra el én-

---

81 Sentencia de la Corte Suprema, de 3 de octubre de 1966, considerando 6º.
82 Sentencia de la Corte Suprema de 8 de julio de 1967, considerando 33º.
83 Véase el Oficio SII Nº 2434, de 2010.

fasis en la oportunidad en que el contrato ley se suscribió, prescindiendo de los cambios posteriores, al menos, en materia de Impuesto Global Complementario.

Es escasa la literatura tributaria que se ha pronunciado sobre esta problemática. La postura del comentario que se conoce, considera que las viviendas económicas incorporan de pleno derecho el estatuto legal vigente al momento de suscribirse el contrato ley[84].

Hasta ahora, no se conocen sentencias dictadas por el Tribunal Constitucional o por la Corte Suprema que se hayan pronunciado acerca de un caso en el cual un contribuyente no pudiese gozar de las franquicias, exenciones y beneficios establecidas en el D.F.L. N° 2 en un supuesto en el que, según las limitaciones establecidas por la Ley N° 20.455 —a las cuales habrá que agregar la establecida por la Ley N° 21.210—, hubieran sido introducidas con posterioridad a la reducción a escritura pública del permiso de edificación[85]. Cuando esto ocurra, será intere-

---

[84] En este sentido, SELAMÉ en una carta al Director del Diario El Mercurio el día 10 de mayo de 2010, en la que plantea que el proyecto de la Ley N° 20.455 parece desconocer el carácter de contrato ley a que da lugar lo dispuesto en el artículo 18 del D.F.L. N° 2, según el cual se entienden incorporadas de pleno derecho sus franquicias, exenciones y beneficios. De esta forma, quien lo firma y todos los futuros adquirentes de las mismas, tienen un derecho permanente a gozar de estas, no obstante cualquier modificación posterior que pueda sufrir dicho estatuto legal. Estatuto de blindaje que, por lo demás, cuenta con expreso reconocimiento jurisprudencial. «En consecuencia, ningún efecto tributario podrá reconocerse a las pretendidas limitaciones que impone el Proyecto respecto de aquellos inmuebles ya construidos y de aquellos cuya escritura de permiso de edificación se encuentre ya suscrita, ya que el régimen tributario incorporado al contrato ley, continuará pasando de pleno derecho a quienes los adquieran, independiente de si se trata de personas naturales o jurídicas y del número de viviendas que posean».

[85] Pese a ello, la sentencia de la Corte Suprema, Rol N° 144-2018, de 6 de noviembre de 2019 (*LTM 16421479*), considerando 33° se ha pronunciado de un caso en el cual se hicieron valer beneficios del D.F.L. N° 2 respecto de un contrato ley suscrito con anterioridad a los cambios introducidos por la Ley N° 20.455, declaró que «de la lectura y análisis de las normas antes transcritas, resulta evidente que la escritura pública a la que se reduce el permiso de edificación [lo que tuvo lugar el 31 de agosto de 2009], constituye un contrato en el que se encuentran incorporadas de pleno derecho las franquicias, exenciones y beneficios del Decreto con Fuerza de Ley N° 2 del año 1959 y que, quienes se acojan a dichas

sante ver si es que se sigue la línea planteada por el legislador chileno: que los beneficios se pueden limitar desde un punto de vista subjetivo. De lo contrario, los objetivos buscados con las reformas impositivas de los años 2010 y 2020, consistentes en limitar el mal uso de la franquicia y aumentar la recaudación, se verán truncados.

2. *La problemática constitucional. Una mirada a la Constitución de 1925*

Conforme lo señalado en el acápite anterior, pudiera aún quedar alguna duda relativa a la constitucionalidad de este tipo de figuras en Chile.

En el pasado, las razones que se dieron para considerar que la categoría «contrato ley» no se ajustaba a la Constitución de 1925 fueron básicamente tres. En primer lugar, se señaló que la potestad tributaria recaía en el Poder Legislativo, y que era ilimitada e inalienable. En segundo término, se manifestó que vulneraba la soberanía del Estado, en virtud del principio de sometimiento del actuar de los órganos públicos a la Constitución, siendo nulos aquellos actos que se apartan de sus reglas, como acontecería en este caso, al no poder dictar leyes impositivas que afecten determinados actos, bienes o rentas. Finalmente, se cuestionaba la supremacía de estos contratos por sobre leyes tributarias posteriores a su suscripción, lo que suponía hacer prevalecer un interés particular sobre uno general. Todo lo anterior impediría al particular tener un derecho adquirido[86].

La discusión, sin embargo, fue zanjada por la Corte Suprema, que desestimó estos argumentos[87]. Lo relevante en este punto es que declara expresamente —respecto de un contrato ley— que la que las normas de la Constitución «no contienen prohibición alguna que impida al Estado obligarse por ley seguida de convención a no hacer algo; y si puede

---

disposiciones, gozarán en forma permanente de los privilegios indicados, no obstante cualquier modificación posterior que puedan sufrir parcial o totalmente las disposiciones referidas».

86   Novoa (1993) pp. 362 y s.
87   Por todas, la sentencia de la Corte Suprema de 8 de julio de 1967.

imponer tributos, o no imponerlos, facultades ambas comprendidas en la soberanía, puede, ejerciéndola, obligarse a no imponerlos»[88]. En este sentido, indica que «no será jamás admisible que el Poder Público Chileno dañe su prestigio nacional o internacional celebrando convenciones o contratos, autorizados por ley genérica o específica y, sin embargo, eventualmente inválidos: esta invalidez la ha rechazado antes esta Corte y la rechaza ahora por las razones jurídicas que en los respectivos recursos se han expresado y *además* por ser la Moral del Estado contratante y la buena fe de los particulares, si no (sic) "la única ley y razón" de la validez de los actos que aquél ejecuta, una nobilísima norma para medir el prestigio estatal y una elevada razón de equidad natural»[89].

Es relevante señalar que la Ley Nº 17.450, de 16 de julio de 1971, de reforma de la Constitución de 1925, estableció una modificación al artículo 10 número 10 incisos finales, que luego sería derogada por el Acta Constitucional Nº 3, de 13 de septiembre de 1976. Dichos incisos prescribieron que: «En los casos en que el Estado o sus organismos hayan celebrado o celebren con la debida autorización o aprobación de la ley, contratos o convenciones de cualquier clase en que se comprometan a mantener en favor de particulares determinados regímenes legales de excepción o tratamientos administrativos especiales, éstos podrán ser modificados o extinguidos por la ley cuando lo exija el interés nacional.

En casos calificados, cuando se produzca como consecuencia de la aplicación del inciso anterior, un perjuicio directo, actual y efectivo, la ley podrá disponer una compensación a los afectados»[90].

La Constitución actual no contempla una norma similar a la que se acaba de transcribir, y pese a su falta, la doctrina ha entendido que la validez y existencia de los contratos leyes es incuestionable y que de ma-

---

[88]   Sentencia de la Corte Suprema de 8 de julio de 1967, considerando 26º.

[89]   Sentencia de la Corte Suprema de 8 de julio de 1967, considerando 37º, cursiva en el original.

[90]   Para un análisis de la norma, véase MAGASICH (1971) pp. 165 y ss. Con todo, FIGUEROA (1985) p. 251 consideró que esta regulación introducía un factor de incertidumbre para quien estaba interesado en suscribir un contrato ley.

nera implícita se encuentran consagrados a través de la garantía constitucional de la propiedad[91].

De todos modos, se ha manifestado que la existencia de este tipo de contratos genera no pocos problemas[92]: se fuerza a un próximo Gobierno a seguir el criterio económico y financiero de aquel de turno que estableció legalmente el contrato ley y bajo cuyas normas se suscribieron, lo que puede derivar en que se impida a futuros representantes ejercer sus facultades y entrabar el cambio y evolución que la sociedad requiere[93]. Asimismo, se ha señalado que por hechos imprevisibles se puede generar una notable variación en las circunstancias financieras del país, lo que lleva a preguntarse si el Estado permanecería atado por los contratos leyes e impedido de obtener tributos que pudieran ser indispensables para la subsistencia de la Nación. Esto último fue precisamente lo que ocurrió en Chile a propósito de las reformas introducidas por las Leyes N°s 20.455 y 21.210: un terremoto del 27 de febrero de 2010, y la necesidad de financiar la agenda social profunda que se debió implementar tras el estallido social que se inició el 18 de octubre de 2019.

Sin embargo, como se vio *supra*, pareciera ser que la antigua jurisprudencia de la Corte Suprema en esta materia avala que el legislador pueda limitar los beneficios establecidos por un contrato ley, siempre y cuando la restricción rija respecto de futuros adquirentes. Con todo, esta interpretación está reñida, al menos en materia de Impuesto Global Complementario, con lo prescrito en el artículo 53 número 3 de la Ley sobre Impuesto a la Renta, que excluye de la consideración en la determinación de la renta bruta a aquellas rentas obtenidas en virtud de un contrato ley «en conformidad a la ley vigente al momento de la concesión de las franquicias respectivas».

---

[91] FIGUEROA (1985) p. 254.

[92] NOVOA (1993) pp. 361 y s. En el mismo sentido, SILVA CIMMA (2009) pp. 138 y s. Aunque sin señalar argumentos, MASSONE (2016) p. 278 también considera que la validez de este tipo de contratos puede ser cuestionable, pero reconoce que los Gobiernos los han respetado.

[93] Sin embargo, la Corte Suprema manifestó que lo propio de las leyes es que no estén supeditadas a la vida física o política de quienes invisten el poder que la dicta, sino que afecta al Estado, que no tiene límite temporal. Véase la sentencia Corte Suprema, de 8 de julio de 1967, considerando 18°.

V. Conclusiones

El D.F.L. Nº 2, de 1959, establece un estatuto tributario excepcional, aplicable a las viviendas económicas, que buscó solucionar el problema habitacional que existía en el país en la década de los cincuenta. Con el correr de los años sus franquicias, exenciones y beneficios impositivos, mediante diversas leyes dictadas, se han ido eliminando o acotando. Las últimas reformas que siguieron este camino fueron las introducidas por la Ley Nº 20.455, dictada con la finalidad de financiar la reconstrucción, tras el terremoto del 27 de febrero de 2019, y la Ley Nº 21.210, que buscó solventar el mayor gasto público generado con ocasión de las profundas reformas sociales que el Estado debió enfrentar tras el estallido social que se inició el 18 de octubre de 2019.

De esta forma, franquicias, exenciones y beneficios que inicialmente se concibieron como objetivas, pues se establecían en atención a que el inmueble tuviese la calidad de vivienda económica, mutaron a un carácter mixto, ya que incluyeron consideraciones de carácter personal y cuantitativa.

El problema no resuelto en Chile se refiere a las consecuencias jurídicas que se derivan de cambios normativos que afecten el estatuto del contrato ley, cuando este ya ha sido suscrito por el Estado y un particular. En efecto, según dispone su artículo 18 del D.F.L. Nº 2, cuando el permiso de edificación se reduce a escritura pública, siendo suscrita esta por el Tesorero Comunal, en representación del Estado, y por el interesado, de pleno derecho se entienden incorporadas en el contrato las franquicias, exenciones y beneficios consagradas en esta normativa, gozando de forma permanente de ellas, no obstante cualquier modificación posterior. Entonces, según lo analizado, la dificultad surge a partir de las reformas de la Ley Nº 20.455 —que especifica que estos beneficios están limitados por la calidad de las personas (naturales regla generalísima) y el máximo de viviendas que se pueden acoger (dos)—, y la reforma tributaria del año 2020 —que para efectos del cómputo del límite de inmuebles antes referido incluye aquellos adquiridos por sucesión por causa de muerte—, pues tensionan el principio de intangibilidad de estos contratos.

La jurisprudencia ha reconocido la validez de los contratos leyes, y a la hora de examinar cambios legales posteriores a su estatuto jurídico, la Corte Suprema, en su momento, consideró que estos eran aplicables solo a quienes adquirieran los bienes —bonos en los casos analizados— con posterioridad a la entrada en vigor de la enmienda legal respectiva. Este mismo criterio ha seguido el Servicio de Impuestos Internos.

Ahora bien, esta interpretación judicial tiene una dificultad de índole legal, al menos respecto de la franquicia establecida por el D.F.L. Nº 2 en materia de Impuesto Global Complementario. Ello, pues el artículo 54 número 3 de la Ley sobre Impuesto a la Renta considera que no deben incluirse en la renta bruta de ese impuesto las obtenidas en virtud de contratos suscritos por autoridad competente, «en conformidad a la ley vigente al momento de la concesión de las franquicias respectivas». Por tanto, la norma centra el análisis en la normativa vigente al momento de suscribirse el contrato ley, sin considerar los cambios legales posteriores.

Teniendo presente que hoy la facultad para conocer del control de constitucionalidad está radicada en el Tribunal Constitucional —y no ya en la Corte Suprema—, podría ocurrir que se produjese una variación en la interpretación que de manera constante sostuvo en el pasado el máximo tribunal chileno. Si llegase a considerar que el estatuto del contrato ley se fija al momento de su suscripción, sin que le afecten enmiendas legales posteriores, la búsqueda de mayor recaudación con los cambios analizados, se vería frustrada y se generaría un mercado especial de los inmuebles acogidos a las normas del D.F.L. Nº 2, con anterioridad a la entrada en vigencia de la Ley Nº 20.455.

Bibliografía

Araya, Gonzalo (2013): *Franquicias y beneficios tributarios*, Tomo I (Santiago, Thomson Reuters).

Aste Mejías, Christian (2016): *Curso sobre Derecho y Código Tributario*, Tomo I (Santiago, Thomson Reuters, séptima edición).

Biblioteca del Congreso Nacional (1999): «Historia de la Ley Nº 19.622». Disponible en https://www.bcn.cl/historiadelaley/nc/historia-de-la-ley/6557/. Fecha de consulta: 10 de diciembre de 2019. Versión utilizada de 94 p.

BIBLIOTECA DEL CONGRESO NACIONAL (2010): «Historia de la Ley N° 20.455». Disponible en http://www.bcn.cl/historiadelaley/nc/historia-de-la-ley/4630/. Fecha de consulta: 10 de diciembre de 2019. Versión utilizada de 586 p.

CUEVAS OZIMICA, Alberto (2019): *Manual sobre el impuesto de timbres y estampillas.* (Santiago, Thomson Reuters).

FIGUEROA VALDÉS, Patricio (1985): *Las garantías constitucionales del contribuyente en la Constitución Política de 1980* (Santiago, Editorial Jurídica).

FIGUEROA VELASCO, Patricio (1996): «Franquicias tributarias de las viviendas económicas», *Gaceta Jurídica*, N° 192, pp. 14-17.

HUENCHULLÁN PINO, Arturo (1967): *Exenciones, franquicias y beneficios de carácter tributario en la legislación sobre viviendas económicas* (Santiago, Editorial Jurídica de Chile).

LÓPEZ SANTA MARÍA, Jorge (2010): *Los contratos. Parte general* (actualizada por Fabián Elorriaga de Bonis, Santiago, LegalPublishing, quinta edición).

MAGASICH HUERTA, Jorge (1971): «El poder tributario y los contratos leyes sobre exenciones tributarias», *Revista de Ciencias Jurídicas*, N° 2, pp. 149-168.

MARCO de entendimiento para una reforma tributaria que fomente el emprendimiento y permita financiar una nueva agenda social, con foco en las Pymes y los adultos mayores (2019): Santiago, 8 de noviembre.

MASBERNAT MUÑOZ, Patricio (2002): «Garantías constitucionales del contribuyente: crítica al enfoque de la doctrina nacional», *Ius et Praxis*, Vol. 8, N° 2, pp. 299-357.

MASSONE PARODI, Pedro (2016): *Principios de Derecho Tributario*, Tomo I (Santiago, Thomson Reuters, cuarta edición).

MENDOZA ZÚÑIGA, Ramiro A. (2000): «Franquicias tributarias para viviendas. Acerca de la vigencia, conveniencia e interpretación del DFL 2 (1959)», *Revista Chilena de Derecho*, Vol. 27, N° 2, pp. 209-223.

NOVOA MONREAL, Eduardo (1993): «Alcances del Contrato-Ley. 1967», en EL MISMO, *Una Crítica del Derecho Tradicional* (Santiago, Centro de Estudios Políticos Latinoamericanos Simón Bolívar) pp. 360-363.

REVISTA DE DERECHO Y JURISPRUDENCIA (1966): Sentencia de la Corte Suprema de 3 de octubre de 1966, N° 8, Tomo LXIII, Sección Primera, pp. 353-361.

REVISTA DE DERECHO Y JURISPRUDENCIA (1967): Sentencia de la Corte Suprema de 8 de julio de 1967, Tomo LXIV, Segunda Parte, Sección Primera, pp. 228-235.

REVISTA DE DERECHO Y JURISPRUDENCIA (1972): Sentencia de la Corte Suprema de 18 de julio de 1972, Tomo LXIX, Segunda Parte, Sección Primera, pp. 121-124.

ROJAS RETAMAL, Roberto (2001): *El impuesto territorial* (Santiago, Conosur).

SELAMÉ, Francisco (2010): «DFL 2 y reforma tributaria», Cartas al Director del Mercurio, lunes 10 de mayo. Disponible en http://www.ichdt.cl/files/dfl_2_carta1.pdf. Fecha de consulta: 2 de diciembre de 2019.

Silva Cimma, Enrique (2009): *Derecho administrativo chileno y comparado. Introducción y fuentes* (Santiago, Editorial Jurídica, quinta edición).

Zavala Ortiz, José Luis (2010): *Manual de Derecho tributario* (Santiago, Thomson Reuters).

LA CONTRIBUCIÓN PARA EL DESARROLLO REGIONAL DESDE LA TEORÍA DE LA DESCENTRALIZACIÓN FISCAL

Patricio Masbernat[*]

I. Introducción

El actual proceso de reforma constitucional y tributaria en Chile ha puesto énfasis en diversos asuntos de relevancia, uno de ellos, el problema institucional del Estado unitario, respecto del que muchos sostienen debe ser superado con una regionalización orientada a nuevos objetivos de desarrollo. Esto ha sido aconsejado hace muchos años por instituciones como la OCDE[1] o la CEPAL[2]. El avance a la par de los ámbitos constitucional y legal (administrativo y tributario) parecen constituir la barrera a superar para una verdadero avance en esta materia[3]. En estas últimas décadas, han existido múltiples esfuerzos, a nivel constitucional y a nivel legal, para terminar con la excesiva centralización en Chile. Sin embargo, en dos aspectos esenciales falta por avanzar: la entrega de competencias (potestades) a entes genuinamente descentralizados;

---

* Profesor de la Universidad Autonoma de Chile; Doctor en Derecho por la Universidad Complutense de Madrid. Miembro de la Academia Brasileira de Direito Tributário. ORCID ID.: http://orcid.org/0000-0001-7137-9474. Este artículo forma parte del proyecto «Red de Excelencia: Director of the Excellence Network DER 2017-90874-REDT-GOTA-INTAXCOOP & GOV: The Global Observatory on Tax Agencies: Towards on the International Tax Cooperation and Global Governance (PI Dra. Eva Andres, Universidad de Barcelona; P. Masbernat, Investigador)».

1   OECD (2009).
2   Valenzuela (1997); Ropert (2011).
3   Von Baer & Rozas sostienen: «La descentralización fiscal, por su parte, requiere habilitar un marco constitucional para ella, tales como la autorización para el establecimiento y aplicación de ciertos tributos a nivel regional, del endeudamiento regional y normas que precisen la afectación de determinados impuestos al erario de los gobiernos subnacionales». Von Baer & Rozas (s/d).

y, la autonomía financiera de dichos entes[4]. La autonomía financiera se observa en la autonomía de las unidades subnacionales descentralizadas tanto a nivel de los ingresos como de gastos. Los ingresos, pueden venir de ventas de bienes públicos, endeudamiento, tributos, etc.

Este capítulo tiene por objeto exponer los esfuerzos de descentralización fiscal a nivel de regiones presentes en la reforma tributaria debatida en Chile entre los años 2018 a 2020 (Boletín N° 12.043-05, ingresada el 23 de agosto de 2018) y consagrada en la Ley N° 21.210, publicada el 24 de febrero de 2020 («Artículo trigésimo segundo. Establécese la siguiente contribución para el desarrollo regional»), particularmente el tributo regional propuesto, enmarcándola en la teoría general tributaria relativa al tema. Esto requerirá esbozar aspectos teóricos generales, referirse a la división y competencias territoriales, a los recursos financieros de las regiones, a las propuestas que se han efectuado, además de abordar los asuntos relacionados de la reforma tributaria mencionada. Esto, con el objeto de entregar un marco más completo del tema como asimismo elementos para su evaluación.

II. El federalismo fiscal como marco de referencia de la descentralización fiscal regional

Para BIRD, existen tres aspectos críticos de cualquier sistema fiscal del gobierno: la política de ingresos (¿Qué tributos —además de otros gravámenes— se imponen?); la administración de ingresos (¿Cómo se administran y recaudan los impuestos?); y la gestión de ingresos (¿Cómo se gastan los ingresos obtenidos y quién obtiene qué?)[5].

Agrega una serie de otras preguntas: ¿Cuándo existe descentralización fiscal?; ¿Cuándo los gobiernos regionales o locales tienen el poder de decidir si lo imponen o no; o si tienen el poder de determinar la base

---

[4]   BOISIER destaca que «[l]a descentralización es un concepto tanto teleológico como instrumental. Es fin y medio simultáneamente y ello ha contribuido a un cierto nivel de confusión conceptual en el debate descentralizador». Puede entenderse de tres perspectivas: funcional, territorial y política. BOISIER (2004) pp. 27-40.

[5]   BIRD (2018) p. 190.

imponible; o de fijar la alícuota de impuestos; o de determinar la responsabilidad de contribuyentes particulares; o si tienen la potestad de recaudar y hacer cumplir el impuesto; o si reciben los ingresos?; ¿O en el caso en que existen ciertas combinaciones de las condiciones anteriores? Si bien el fenómeno es multidimensional y siempre presenta características locales (o nacionales), existiría descentralización fiscal (solo) si las unidades subnacionales tienen control sobre sus ingresos[6].

La descentralización fiscal es, inicialmente, un proceso por el cual se produce el reparto de potestades fiscales entre entes públicos a distintos niveles territoriales, lo que va unido al reparto de potestades vinculadas a la provisión de servicios públicos, y con el desarrollo de autonomía de gobierno[7]. Estos procesos de reparto de potestades no son siempre bien planificados, y muchas veces adolecen de múltiples inconsistencias[8], tales como la competencia fiscal entre los entes subnacionales que se genera para disputar la atracción de bases imponibles.

De este modo, suele existir mayor competencia fiscal en la medida de que exista más autonomía política del ente territorialmente descentralizado. Los países centralizados o regionalizados suelen considerar una tributación local o municipal, y otra regional. La descentralización fiscal es un fenómeno que acompaña la descentralización territorial. De la estructura territorial multinivel se refleja una estructura de financiamiento multinivel[9].

La competencia fiscal (generalmente más o menos lesiva) es una derivada presumiblemente negativa de la descentralización fiscal. En el contexto de países federales o no federales pero con algún nivel de descentralización fiscal, se puede producir competencia fiscal agresiva, de modo planificado o de modo espontáneo. Por ejemplo, es espontáneo en la medida en que los entes territoriales puedan aplicar determinados impuestos o variar las alícuotas o la composición de las bases imponibles; y es planificado cuando se diseñan mejores condiciones fiscales (normalmente de excepción) a zonas más deprimidas económicamente,

---

6   Bird (2008) p. 190.
7   Lago & Vaquero (2016) p. 11.
8   Berry (2009) pp. 89 y ss.
9   Färber (2018) p. 149.

incluido el sistema de zonas preferenciales de tributos o derechos aduaneros.

Para FABER (si bien su enfoque es desde el Estado Federal pero es útil a cualquier proceso de descentralización fiscal) en un adecuado sistema de reparto de potestades fiscales se darían algunas condiciones: los niveles descentralizados de gobierno deberían tener el poder de gravar fuentes impositivas móviles que se basen en un principio de equivalencia regional o local (por ejemplo, tasas y tarifas de usuarios locales); los niveles más altos de gobierno deberían gravar aquellas bases impositivas que no se corresponden con ciertos bienes y servicios públicos e impuestos que se utilizan para políticas distributivas o redistributivas; a los gobiernos locales no se les debe asignar fuentes móviles de impuestos. Y para las unidades descentralizadas (o subnacionales), la potestad tributaria debiera decir relación con: bases impositivas relativamente inmóviles; las bases impositivas debieran repartirse de manera uniforme entre las jurisdicciones; las fuentes impositivas asignadas a niveles descentralizados de gobierno no deberían variar a lo largo del ciclo económico, y los ingresos tributarios deberían ser bastante estables. Por ejemplo, añade: los impuestos a las ganancias corporativas deben estar más centralizados que los impuestos a las ganancias personales debido a la mayor movilidad del capital empresarial; los impuestos generales del consumo presentan opciones limitadas de descentralización; los impuestos con fines especiales (alcohol, tabaco, gasolina, etc.) a menudo se centralizan como resultado de su recaudación en los pocos lugares de producción en un país dada la necesidad de simplificar su administración tributaria; los impuestos a la propiedad inmueble son típicamente impuestos locales, para los cuales los municipios tienen más posibilidad de decidir la alícuota[10].

A nivel global, más difundido que el federalismo es el fenómeno de los entes locales, corporaciones locales, gobiernos locales, municipios, municipalidades o ayuntamientos. A nivel intermedio, se encuentra el fenómeno de la regionalización, que guarda una diferencia de grados con los sistemas federales (que también muestran distintos grados de

---

[10]   FÄRBER (2018) pp. 150-154.

profundización). La *descentralización-regionalización fiscal* puede ser bien ilustrada por el federalismo fiscal, y si bien usa en general argumentos técnicos y herramientas similares, el segundo los lleva a una mayor expresión. En efecto, para entender el fenómeno de la *descentralización-regionalización fiscal* hay entender el fenómeno del federalismo fiscal, y el federalismo como forma del Estado, sobre todo si consideramos las palabras de PEGORARO, en el sentido de que cualitativamente existe una sola diferencia entre los sistemas federales y regionalizados: la garantía de que los entes subnacionales estén habilitados para participar en la revisión constitucional[11].

1. El reparto de competencias o potestades en sistemas federales

El federalismo hace referencia a una forma de Estado, e implica la existencia de dos niveles constitucionales de autogobierno: nacional o federal y estadual o provincial, etc. englobados en el término de «unidades constitutivas» o «unidades subnacionales», que cada país las denomina de diferente modo (provincias, autonomías, estados-estaduales, etc.).

El federalismo fiscal dice relación con el fenómeno fiscal y financiero en el contexto del Estado Federal[12]. Hace referencia a la forma en que se manejan (o quien decide sobre) los asuntos fiscales de las unidades constitutivas, *i.e.*, los ingresos y gastos públicos. Esta materia incide en el manejo presupuestario del gobierno federal y de las unidades constitutivas.

Existe una serie de competencias de la Federación o de la Unión (entendida como el poder político del Estado Nacional, las funciones ejecutivas, legislativas, judiciales, contraloras, etc.), otros específicos del

---

[11] PEGORARO (2002) p. 393.
[12] Se ha sostenido que: «La teoría del federalismo fiscal constituye una sección de las finanzas públicas que estudia la forma en que se asignan las responsabilidades entre los distintos niveles de gobiernos para la provisión de servicios públicos y para la generación de su financiamiento». CONSEJO FEDERAL DE INVERSIONES (2014) p. 12.

Gobierno Federal (el poder ejecutivo de la Unión o de la Federación) y las potestades de los gobiernos de las unidades constitutivas.

El sistema federal se establece a partir del modelo dual o del modelo integrado, definido de uno u otro modo de acuerdo a la mayor o la menor extensión de las competencias legislativas de la Federación o de las unidades constitutivas, sean ellas competencias exclusivas, compartidas y concurrentes entre ambos niveles de gobierno (nacional y estadual): (a) En el sistema dual, se entiende que «los estados se juntaron para formar la Unión, pero manteniendo su soberanía, de suerte que el poder central es un producto de los estados. Las funciones y competencias del gobierno federal y las funciones y competencias de los gobiernos estatales [o estaduales] están clara y estrictamente definidas y separadas, de modo que cualquier invasión de competencias a la esfera estatal o federal es anticonstitucional»[13]; (b) El modelo integrado implica que la Federación o Unión mantienen una serie de competencias sobre las unidades constitutivas. De algún modo esto puede entenderse a partir de un Estado que se divide en unidades constitutivas a las cuales paulatinamente se les va otorgando mayores competencias. Obviamente esta es la orientación que se podría acoger en Chile.

El sistema federal puede ser simétrico o asimétrico, de acuerdo a si la relación entre el Gobierno Federal y las unidades constitutivas es igual o diferenciada, o si entre ellas existen diferentes estatutos jurídicos.

Por otro lado, los sistemas federales pueden presentar un modelo competitivo o cooperativo. Es cooperativo si entre las unidades constitutivas se establecen relaciones de solidaridad, y «se centra en los procesos de financiación, diseño, prestación y administración de servicios públicos, y que identifica como norma dominante en la provisión de tales servicios la coparticipación de todos los poderes»[14]. Es competitivo si cada unidad constitutiva persigue sólo sus fines e intereses[15].

---

[13]   CÁRDENAS (2004) p. 483.
[14]   LÓPEZ-ARANGUREN (1999) p. 17.
[15]   CÁRDENAS destaca los elementos del modelo: 1) Existen estados y gobiernos locales autónomos que son responsables independientemente unos de otros del bienestar de la gente que vive en sus territorios; 2) En cada territorio, los costos de los bienes y servicios públicos son iguales a los ingresos recaudados de los con-

Como se señaló, en el contexto del Estado Federal, las competencias pueden ser exclusivas, compartidas y concurrentes[16]. La competencias exclusivas son aquellas que corresponden únicamente a la Federación o únicamente a las unidades constitutivas de modo excluyente. Las competencias concurrentes son aquellas que corresponden tanto a la Federación como a las unidades constitutivas, se superponen y por tanto debiera favorecerse la armonización y coordinación del ejercicio de ellas. Las competencias compartidas, a su vez, deben ejercerse en conjunto por la Federación y por cada una o todas las unidades constitutivas, en algunos casos en un solo acto o en otros casos mediante dos actos decisorios que se encuentren integrados.

Ahora, estas competencias (potestades) presentan un carácter político, por ello debe describirse normativamente el modo en que se generan y ejecutan. Algunas competencias aparecen descritas en las Constituciones Políticas, y derivan de la forma de estado federal, otras son derivadas de decisiones legislativas o políticas mutables a través del tiempo, donde la mayor cantidad de normas aparecen negociadas de modo cooperativo y competitivo en acuerdos normativos que implican mayor flexibilidad que los acuerdos constitucionales.

En esta materia, se distingue la estructura normativa del uso de dicha estructura normativa, y esto se trata básicamente de un asunto político contingente, es decir, de los grupos que gobiernan los Estados federales y las unidades constitutivas (estados estaduales o provincias o como se

---

tribuyentes. Los costos no son externalizados ni traspasados al gobierno central o a los contribuyentes por todo el país; 3) Las externalidades o desbordamientos de costos o beneficios de una jurisdicción a otra son muy reducidos, y no hay colaboración entre los poderes estatales o locales para restringir la competencia; 4) Hay una buena información a disposición de los consumidores-contribuyentes acerca de los servicios y costos proporcionados por todos los gobiernos estatales y locales por todo el país; 5) Hay movilidad de los consumidores-contribuyentes, y una propensión a considerar a los servicios públicos y lo que cuestan como criterios importantes en las decisiones sobre establecimiento de residencia. La competencia entre poderes obliga a los gobiernos locales a ser más eficientes, a mejorar la calidad de los servicios de que son responsables y a reducir costos. El modelo fomenta también la búsqueda de políticas públicas innovadoras. CÁRDENAS (2004) p. 486.

[16]   BAZAN (2013) pp. 37-88.

les denomine). Es decir, la compleja realidad que viven los estados federales exige una constante negociación en materia de decisiones estatales
y federales que inciden en cómo se entienden las extensiones de cada
competencia (o potestad, aquí se usan como equivalentes).

Finalmente, el federalismo implica un conjunto de dificultades ana-
líticas, dado que representa un sinnúmero de fenómenos y de experiencias nacionales muy diferentes entre sí. En efecto, los países con sistema
federal constituyen un grupo heterogéneo tanto en su historia como en
sus instituciones y prácticas institucionales.

2. El federalismo fiscal

No existe un único modelo de federalismo fiscal. En efecto, se muestra tan dispar como lo son las estructuras de los países federales. Los
sistemas de descentralización pueden ser por separación de impuestos
o sistemas impositivos separados (*v.g.*, Australia) o de impuestos super-
puestos o compartidos (*v.g.*, España, EE.UU, Alemania o Canadá).

Por ejemplo, el federalismo fiscal norteamericano es reconocido por
la libertad que gozan los gobiernos estatales[17]; el federalismo fiscal ca-
nadiense se destaca por el significativo grado de autonomía financiera
de los gobiernos subnacionales (a los que se le otorgan potestades tributarias para la generación de recursos propios); el federalismo fiscal
mexicano es un sistema caracterizado por la creciente descentralización
del gasto que se combina con una gran centralización de la recaudación tributaria en el gobierno federal (por lo que las transferencias son
vitales); en Alemania, la Constitución asigna de manera conjunta una
serie de impuestos particularmente importantes para la Federación, los
Länder y, hasta cierto punto, a los municipios[18]; en Australia se imple-

---

[17] Una explicación amplia en: Khraiche & Flaherty (2006) pp. 325-354. También, en el Informe Final del Consejo Federal de Inversiones (2014).

[18] Consejo Federal de Inversiones (2014) explica: «El impuesto sobre la renta,
el impuesto de sociedades y el IVA están divididos entre la Federación y los
Länder en su conjunto. Los municipios tienen derecho a una parte del impuesto
sobre la renta y el IVA. Por consiguiente, estos impuestos son denominados "impuestos conjuntos"».

menta un modelo de federalismo cooperativo que se caracteriza por la actuación conjunta de los distintos niveles de gobierno en varias áreas de intervención (siendo asimétrico a favor del gobierno federal), etc.[19].

Las experiencias de los países son diferentes en relación a factores tales como: niveles de gobiernos (aunque normalmente son observables tres niveles: estado federal; comunidades autónomas, regiones, territorios, estados estaduales, etc.; municipios); potestades de gastos o egresos; potestades de gestión de servicios públicos (sanidad, educación, etc.); potestades cedidas o compartidas en diferentes porcentajes a nivel de diferentes impuestos (impuestos a la renta de personas físicas; impuestos de sociedades; impuestos especiales; cotizaciones de seguridad social; etc.); participaciones en impuestos; transferencias entre entidades subnacionales; diferente forma de recaudar los impuestos entre los diferentes niveles; uso de diferentes impuesto en cada nivel; recargos diferenciados a nivel subnacionales de impuestos federales o nacionales; diferente forma de imputar el pago de impuestos entre los impuestos nacionales y subnacionales; etc.

LAGO & VAQUERO[20] distinguen tres familias de modelos de descentralización tributaria: ·

(a) Modelos de autonomía fiscal. Las unidades subnacionales presentan una amplia libertad en legislación y gestión (EE.UU y Canadá). La hacienda central o federal y las subcentrales suelen compartir objetos imponibles, no existiendo, de entrada, bases imponibles armonizadas.

(b) Modelos de compartición de rendimientos (Alemania y Australia). Las unidades subnacionales tienen baja autonomía fiscal y un papel preponderante de las transferencias.

(c) Modelos de recargos (Dinamarca, Noruega y Suecia). Se pueden efectuar recargos estaduales en los impuestos de la hacienda federal, con una administración fuertemente centralizada.

Ahora, el núcleo del problema del federalismo fiscal se encuentra en la recaudación tributaria, los ingresos no tributarios, las transferencias, el gasto en la federación, y las relaciones entre la federación y las uni-

---

[19]   CONSEJO FEDERAL DE INVERSIONES (2014).
[20]   LAGO & VAQUERO (2016) p. 21.

dades constitutivas que soportan el sistema. Entonces, el federalismo fiscal trata acerca de un asunto muy complejo, que implica en general la estructura de ingresos y gastos de la Federación y las unidades constitutivas, y todas las relaciones derivadas de ello, incluidas las transferencias y el endeudamiento.

De acuerdo a los autores citados, especialmente LAGO & VAQUERO, sería posible trazar un esquema de asuntos insertos en el federalismo fiscal, como sigue:

(A) En cuanto a los ingresos en general. (i) En un sistema federal, los ingresos públicos son de cuatro clases: ingresos de recursos propios (generados mediante el ejercicio de competencias propias, sean o no gestionados por el titular de la competencia); ingresos compartidos; ingresos no propios (producidos como consecuencia del ejercicio de competencias delegadas o cedidas); los provenientes de transferencias financieras desde el gobierno federal. (ii) También pueden distinguirse, entre ingresos tributarios y no tributarios. Los ingresos no tributarios están constituidos por endeudamiento o transferencias desde el Gobierno federal a las unidades constitutivas; o entre ellas desde las más ricas a las más deprimidas económicamente. (iii) La titularidad de las competencias sobre ingresos pueden ser o exclusivas o concurrentes. A su vez, las potestades exclusivas pueden ser gestionadas por su titular o gestionadas por delegación o cesión. En materia tributaria, pueden tratarse de: tributos exclusivos (nacional o estadual); tributos en concurrencia (potestades tributarias compartidas); alícuotas subnacionales sobre tributos nacionales; participación o coparticipación tributaria sobre impuestos nacionales, con criterios de asignación del rendimiento tributario de tipo devolutivo o redistributivo; asignación de fondos (aportes o transferencias federales) mediante aportes no condicionados o aportes condicionados bajo modalidad de contrapartida federal o para fines específicos.

(B) En cuanto a la responsabilidad en el gasto. Los gastos públicos pueden ser de competencia del gobierno central o de las unidades constitutivas o descentralizarse por el Gobierno Federal (gastos transferidos). Los gastos orientados a la producción de bienes públicos constituyen la acción imprescindible del Estado, y normalmente pertenecen al gobierno federal (defensa exterior o seguridad interior, administración de justicia, grandes infraestructuras, etc.). Otra área de bienes públicos de menor intensidad, pueden descentralizarse (sanidad, educación, seguridad social, infraestructuras locales, etc.). Nuevamente hay dos posibilidades en relación a la titularidad de las competencias sobre gastos: exclusivas o concurrentes. Hay dos posibilidades acerca del ejercicio de potestades exclusivas: gestionadas por su titular o gestionadas por delegación o cesión.

(C) En cuanto a la estructura de los regímenes tributarios y las atribuciones de los impuestos. Los impuestos pueden estructurarse a niveles de Federación, unidades constitutivas o municipios. Cada una puede tener competencias exclusivas o concurrentes para establecer los tributos o para configurar los elementos esenciales de ellos. En ambos casos, podrá o no existir deber normativo o voluntad política de armonizar dichos tributos. Es posible que exista una norma habilitante para configurar todo o parte del tributo de competencia exclusiva. Es posible que la recaudación sea compartida o delegada.

(D) En cuanto al reparto tributario y las transferencias intergubernamentales. Se puede establecer delegaciones de la recolección del tributo y que parte de ello se destine a la unidad constitutiva, o que sea directamente la Federación la que recolecte el tributo en todo el territorio nacional y derive parte de esos recursos a las unidades constitutivas.

(E) En cuanto a la gestión económica de la federación. Esto se refiere al manejo de las políticas económicas, tales como las políticas cambiarias y monetarios, que son relevantes para efectos tributarios. Usualmente se trata de políticas determinadas centralmente por la Federación.

(F) En cuanto a los acuerdos y las relaciones institucionales. Se refiere a los convenios existentes entre la Federación con una o más unidades constitutivas, y que dicen relación con aspectos específicamente tributarios o de carácter económico que inciden en el ámbito tributario.

Por otro lado, en el estudio del federalismo fiscal hay una consideración esencial por las regulaciones con implicancias económicas y la competencia para imponerlas[21]. Una de las preocupaciones de los sistemas

---

[21]   Esto se observa en Europa: «Las disparidades en el tratamiento fiscal provocan las mayores distorsiones en el Mercado Único: Rebajas en los impuestos»,

federales se encuentra en la conservación de la unidad de mercado, y el control de las barreras que impliquen la distorsión de mercado (políticas proteccionistas, en contra de la libre concurrencia de mercado, formulación de incentivos y discriminaciones a favor de las empresas locales o para atracción de inversiones, etc.). La competencia fiscal, derivada de la descentralización fiscal, atenta tanto contra la unidad de mercado como contra la eficiencia de la economía. También atenta contra la equidad y la no discriminación (imparcialidad), que son valores esenciales en el marco del orden fiscal nacional.

Evaluativamente, lo negativo del federalismo fiscal es que mientras más poderes tributarios se creen, más impuestos se establecerán, lo que se traducirá en una mayor carga fiscal, y una creatividad estatal en la creación de figuras impositivas bajo diversos *nomen iuris* y regímenes jurídicos (incluso bajo estatuto de parafiscalidad), bajo cualquier excusa. Esta sería una «primera trampa». A su vez, la competencia fiscal entre los estados o provincias constituye una «trampa sobre la trampa», en los términos de búsqueda de mayores recursos financieros.

Ahora, DE MELLO explica que existen dos campos de competencia fiscal (por atraer las bases imponibles) en estados federales, una horizontal y otra vertical[22].

En primer término, la competencia horizontal se verifica entre las unidades subnacionales. A su vez, existen al menos tres variantes: en impuestos indirectos o al consumo, combustibles y tabacos, y semejan-

---

IDvLex: 216970, disponible en http://libros-revistas-derecho.vlex.es/vid/disparidades-provocan-distorsiones-216970, fecha de consulta: 10 de enero de 2020; «La UE trata de acabar con todos los incentivos fiscales desleales», IDvLex: 16533000, disponible en: http://el-pais.vlex.es/vid/acabar-incentivos-fiscalesdesleales-16533000, fecha de consulta: 10 de enero de 2020; «Alemania, Francia e Italia exigen a la UE que elimine la ingeniería fiscal», IDvLex: 547066910 [http://el-pais.vlex.es/vid/alemania-francia-italia-exigen-547066910]; Comisión de las Comunidades Europeas, «2004/C 33 E/003E-1638/02 de Bart Staes a la Comisión Asunto: Postura del Comisario Busquin sobre la competencia en materia fiscal en el mercado interior europeo», IDvLex: 24874683, disponible en: http://eu.vlex.com/vid/bart-postura-comisario-busquin-fiscal-24874683, fecha de consulta: 10 de enero de 2020; etc.

22 DE MELLO (2008).

tes; en impuestos a la renta de personas físicas; en impuesto a la renta de sociedades o empresas.

En segundo término, la competencia vertical se ocasiona entre el Gobierno Federal o Gobierno subnacional, cuando comparten las bases imponibles[23]. También presenta al menos las mismas tres variantes: en impuestos indirectos, combustibles y tabacos, y semejantes; en impuestos a la renta de personas físicas; en impuesto a la renta de sociedades o empresas.

Observando algunos casos, es posible mencionar que la competencia fiscal puede darse con diferentes impuestos y a diferentes niveles de descentralización territorial, esto es, a nivel subnacional y a nivel local.

A nivel de municipios en Chile, la competencia fiscal se produce a través de los impuestos locales a las actividades empresariales, aprovechando el amplio margen para fijar las alícuotas (o la parafiscalidad) para reducirlas al máximo y atraer a las empresas o bases imponibles.

En España, las comunidades autónomas tienen ciertas potestades para determinar aspectos de los impuestos cedidos total o parcialmente, presentándose disparidades entre las comunidades en materia de Impuesto sobre Transmisiones Patrimoniales, Actos Jurídicos Documentados e Impuesto sobre Sucesiones. Por otro lado, el Impuesto sobre la Renta de las Personas Físicas incorpora un tramo autonómico susceptible de ser alterado, además de algunas deducciones.

---

[23]   WILSON sostiene respecto de la competencia vertical que: «The basic problem is that each level of government imposes a tax on the same tax base. Whereas one state's tax increases the tax base available to another state under horizontal competition, now the tax imposed by one level of government diminishes the size of the tax base available to the other level of government. In the case of capital taxation, for example, a rise in the federal government's tax rate reduces national savings, thereby lowering the amount of capital available to each state government. A rise in a single state's tax rate has a similar, but smaller, effect, reducing the tax base available to the federal government». WILSON (1999) p. 289. Lo interesante es que esto puede generar un exceso de impuestos, con el objetivo de los estados de incrementar las prestaciones de derechos sociales (*welfare*).

En Brasil[24], la competencia fiscal agresiva («guerra de impuestos»[25]) se produce con ocasión de un impuesto semejante al IVA denominado ICMS, Impuesto a la Circulación de Mercaderías y Servicios, que es exigido en las varias fases de la circulación de una mercadería, desde la producción hasta su venta al consumidor final. De Mello explica que «la competencia impositiva entre los estados ha sido depredadora, dando como resultado una erosión de la base del impuesto a lo largo del tiempo»[26].

III. Las potestades descentralizadas de las regiones

De acuerdo a la Constitución Política de Chile (artículo 3 y artículo 110) es un Estado unitario, y la administración del Estado podrá ser funcional y territorialmente descentralizada, desconcentrada en su caso, de conformidad a la ley. El Estado promoverá el fortalecimiento de la regionalización del país y el desarrollo equitativo y solidario entre las regiones, provincias y comunas. Chile se divide en regiones, y éstas en provincias. Para la administración local, las provincias se dividirán en comunas. Regiones y municipalidades pueden ser objetos de políticas descentralizadoras, pues las provincias no son más que órganos desconcentrados de las regiones.

La Constitución no define lo que hay que entender por descentralización ni regionalización. Por otro lado, las municipalidades son consideradas a nivel constitucional como órganos descentralizados, con autonomía organizativa, institucional y normativa respecto de los demás poderes del Estado. No así las regiones y, empero, se les otorga personalidad jurídica de derecho público a los gobiernos regionales. A nivel regional, en lo relativo al gobierno y a la administración del Estado: para las regiones la Constitución prevé que el consejo regional será encargado de aprobar el proyecto de presupuesto y que el gobierno regional deberá repartir los fondos de inversiones sectoriales de asignación regional.

---

24 SERRA Y ALFONSO (2007) pp. 29-52.
25 DE MELLO (2008).
26 DE MELLO (2008).

Como se indicó, uno de los elementos de la descentralización territorial es la autonomía financiera. A nivel regional la Constitución considera elementos políticos de descentralización pero muy pocos elementos de competencias y de financiamiento (artículo 111 y siguientes de la Constitución). Ellas se desarrollan, tanto para regiones como municipios, en Leyes Orgánicas Constitucional (LOC): la LOC sobre Gobierno y Administración Regional (LOCGAR) y la LOC de Municipalidades (LOCM) a especificar competencias. Ahora, en la última versión de la LOCGAR, se prevé la transferencia acotada de competencias del Presidente de la República a las regiones, en los artículos 21 bis a 21 quinquies.

IV. Los recursos financieros de las regiones

Esta materia es tratada básicamente en la Constitución Política (CP) y la LOCGAR[27].

Como se ha visto, de acuerdo a la LOCGAR, la administración superior de cada región del país se radica en un gobierno regional (artículo 13), que tiene por objeto el desarrollo social y cultural (artículo 18) y económico (fomento de actividades productivas, artículo 19), y el ordenamiento territorial (artículo 17). Para el ejercicio de sus funciones, los gobiernos regionales gozan de personalidad jurídica de Derecho Público, tienen patrimonio propio y están investidos de las atribuciones que dicha ley les confiere.

La LOCGAR (artículo 16) establece las funciones del Gobierno Regional, que detallan algunas actividades de claro carácter o incidencia financieros: Elaborar y aprobar las políticas, planes y programas de desarrollo de la región, así como su proyecto de presupuesto, los que deberán ajustarse a la política nacional de desarrollo y al presupuesto de la Nación; Resolver la inversión de los recursos que a la región correspondan en la distribución del Fondo Nacional de Desarrollo Regional

---

[27] Disponible en: https://www.leychile.cl/Navegar?idNorma=243771. Sobre los recursos financieros a nivel de los Gobiernos Regionales, puede verse información adicional en Pantoja (2004) Capítulo XI.

(FNDR); Decidir la destinación a proyectos específicos de los recursos de los programas de inversión sectorial de asignación regional, que contemple anualmente la Ley de Presupuestos de la Nación; Ejercer las competencias que le sean transferidas por los organismos o servicios de la administración central; Construir, reponer, conservar y administrar en las áreas urbanas las obras de pavimentación de aceras y calzadas, con cargo a los fondos que al efecto le asigne la Ley de Presupuestos; Elaborar y aprobar los planes de inversiones en infraestructura de movilidad y espacio público asociados al o a los planes reguladores metropolitanos o intercomunales existentes en la región, con consulta a las respectivas municipalidades.

La LOCGAR (artículo 20) también incorpora disposiciones de carácter financiero, al disponer que para el cumplimiento de sus funciones, el gobierno regional tendrá las siguientes atribuciones: Adquirir, administrar y disponer de sus bienes y recursos, conforme a lo dispuesto por la ley; Convenir, con los ministerios, programas anuales o plurianuales de inversiones con impacto regional; Disponer, supervisar y fiscalizar las obras que se ejecuten con cargo a su presupuesto; Aplicar las políticas definidas en el marco de la estrategia regional de desarrollo; Aprobar los planes regionales de desarrollo urbano, los planes reguladores metropolitanos e intercomunales y sus respectivos planos de detalle, los planes reguladores comunales, los planes seccionales y los planes de inversiones en infraestructura de movilidad y espacio público; Formular y priorizar proyectos de infraestructura social básica y evaluar programas; Proponer criterios para la distribución y distribuir, cuando corresponda, las subvenciones a los programas sociales; Aplicar, dentro de los marcos que señale la ley respectiva, tributos que graven actividades o bienes que tengan una clara identificación regional y se destinen al financiamiento de obras de desarrollo regional.

Para efectuar tales funciones, el artículo 115 constitucional incisos 2° a 6° consagra los mecanismos de financiamiento del Gobierno Regional, que implican los siguientes elementos: asignaciones o transferencias vía Ley de Presupuesto e inversiones sectoriales de asignación regional cuya distribución entre regiones responderá a criterios de equidad y eficiencia; una proporción del FNDR; impuestos especiales de acuerdo al artículo 19 N° 20 de la CP.

El Capítulo V de la LOCGAR regula el Patrimonio y el Sistema Presupuestario Regionales. En primer término, el artículo 69 dispone que el patrimonio del gobierno regional estará compuesto por: bienes muebles e inmuebles que le transfiera el Fisco; bienes muebles e inmuebles que adquiera legalmente a cualquier título y los frutos de tales bienes; donaciones, herencias y legados que reciba, de fuentes internas o externas; ingresos que obtenga por los servicios que preste y por los permisos y concesiones que otorgue respecto de sus bienes; ingresos que perciba en conformidad al artículo 19 N° 20 inciso final de la Constitución; recursos que le correspondan en la distribución del FNDR; las obligaciones que contraiga en el desarrollo de sus actividades; los derechos y obligaciones que adquiera por su participación en las asociaciones según el artículo 104 inciso 5° constitucional; los demás recursos legales.

De acuerdo a las disposiciones constitucionales y a la LOCGAR, los recursos de los Gobiernos regionales pueden provenir de: la Ley de Presupuestos de la Nación; el FNDR; los que provengan de lo dispuesto en el artículo 19 N° 20; endeudamiento público; otros ingresos propios.

Veamos cada uno de esos aspectos:

(A) La LOCGAR dispone que la Ley de Presupuestos asignará a cada gobierno regional los recursos necesarios para solventar sus gastos de funcionamiento (artículo 72), e incluirá uno o más ítem de gastos correspondientes a la inversión sectorial de asignación regional (artículo 80).

(B) El artículo 19 N° 20 en sus incisos 3° dispone como regla general la no afectación de los tributos a fines o patrimonios que no sean los generales de la nación, pero a su vez establece una excepción en su inciso 4°, al disponer que «la ley podrá autorizar que determinados tributos puedan estar afectados a fines propios de la defensa nacional. Asimismo, podrá autorizar que los que gravan actividades o bienes que tengan una clara identificación regional o local puedan ser aplicados, dentro de los marcos que la misma ley señale, por las autoridades regionales o comunales para el financiamiento de obras de desarrollo».

(C) La LOCGAR (artículo 74) dispone que el FNDR es un programa de inversiones públicas, con finalidades de desarrollo regional y compensación territorial, destinado al financiamiento de acciones en los distintos ámbitos de desarrollo social, económico y cultural de la región, con el objeto de obtener un desarrollo territorial armónico y equitativo. Este Fondo se constituirá por una proporción del total de gastos de inversión pública que establezca anualmente la Ley de Presupuestos. La distribución del mismo se efectuará entre las regiones, asignándoles cuotas regionales, con una serie de criterios legales definidos.

(D) Endeudamiento público. El artículo 65 constitucional dispone que sólo por ley cuyo origen debe estar en la Cámara de Diputados, y mediando mensaje que dirija el Presidente de la República (a quien le corresponde la iniciativa exclusiva), pueden establecerse tributos de cualquiera naturaleza, que incidan en la administración financiera o presupuestaria del Estado, o «contratar empréstitos o celebrar cualquiera otra clase de operaciones que puedan comprometer el crédito o la responsabilidad financiera del Estado, de las entidades semifiscales, autónomas, de los gobiernos regionales o de las municipalidades [...]».

(E) Otros ingresos propios. La LOCGAR (artículo 79) dispone que los ingresos propios que genere el gobierno regional y los recursos que por ley o por convenio con una o más regiones, no se distribuirán entre éstas conforme a los criterios enunciados en el artículo 76, pero podrán sumarse a la cuota del FNDR que corresponda a la respectiva región, para todos los efectos de esta Ley. Por último, de acuerdo a la LOCGAR, los Gobiernos Regionales pueden adquirir recursos por otras vías, tales como bienes muebles e inmuebles que le transfiera el Fisco; bienes muebles e inmuebles que adquiera legalmente a cualquier título y los frutos de tales bienes; donaciones, herencias y legados que reciba, de fuentes internas o externas, de acuerdo a la legislación vigente.

La LOCGAR (artículo 73) dispone que el presupuesto del gobierno regional constituirá, anualmente, la expresión financiera de los planes y programas de la región ajustados a la política nacional de desarrollo y al Presupuesto de la Nación. Dicho presupuesto se regirá por las normas de la Ley Orgánica de Administración Financiera del Estado, y considerará a lo menos los siguientes programas presupuestarios: (a) Un programa de gastos de funcionamiento del gobierno regional, y (b) Un programa de inversión regional, en el que se incluirán los recursos del FNDR que le correspondan y los demás que tengan por objeto el desarrollo de la región, y los ingresos tributarios de acuerdo al artículo 19 N° 20 constitucional.

En cuanto al procedimiento de aprobación del presupuesto regional, esta misma norma legal dispone que el proyecto de presupuesto del gobierno regional será propuesto por el intendente al consejo regional para su aprobación; y que luego será enviado al Ministerio de Hacienda, en conformidad con los plazos y procedimientos que éste establezca de acuerdo a la Ley Orgánica de Administración Financiera del Estado. Se dispone una etapa previa de evaluación y discusión, entre el nivel central y cada una de las regiones.

Hay dos otros instrumentos esenciales en este ámbito: el Programa Público de Inversión en la región (artículo 71, entre otros); los convenios de programación (artículo 81, entre otros).

Respecto de los recursos financieros a nivel municipal o local[28], sólo unas breves palabras. La Administración Comunal de cada comuna o agrupación de comunas corresponde a las Municipalidades, de acuerdo al artículo 118 constitucional. Las municipalidades son corporaciones autónomas de derecho público, con personalidad jurídica y patrimonio propio, cuya finalidad es satisfacer las necesidades de la comunidad local y asegurar su participación en el progreso económico, social y cultural de la comuna. Se rigen esencialmente por la LOCM, que determina sus funciones y atribuciones. Dicha ley determinará la forma y el modo en que los ministerios, servicios públicos y gobiernos regionales podrán transferir competencias a las municipalidades, como asimismo el carácter provisorio o definitivo de la transferencia.

El artículo 122 constitucional establece, asimismo, tres elementos mediante los cuales se integra el patrimonio municipal: (a) Transferencias estatales vía Ley de Presupuestos de la Nación para atender sus gastos; (b) Transferencias de los gobiernos regionales respectivos; (c) Una ley orgánica constitucional que contempla un mecanismo de redistribución solidaria de los ingresos propios entre las municipalidades del país con la denominación de fondo común municipal. Las normas de

---

28   FERNÁNDEZ (2007) pp. 109-141; Capítulo VIII pp. 49-54.

distribución de este fondo serán materia de ley; (d) Un cuarto elemento
son los ingresos propios, vía Ley de Renta Municipales.

Por su parte, la LOCM, en su párrafo 3º especifica la composición
del patrimonio y financiamiento municipales (particularmente su artículo 13), que desde la perspectiva tributaria incluye: los derechos que
cobren por los servicios que presten y por los permisos y concesiones
que otorguen; los ingresos que perciban con motivo de sus actividades
o de las de los establecimientos de su dependencia; los ingresos que
recauden por los tributos que la ley permita aplicar a las autoridades
comunales, dentro de los marcos que la ley señale, que graven actividades o bienes que tengan una clara identificación local, para ser destinados a obras de desarrollo comunal, comprendiéndose dentro de ellos,
tributos tales como el impuesto establecido en la Ley sobre Impuesto
Territorial, el permiso de circulación de vehículos consagrado en la Ley
de Rentas Municipales, y las patentes a que se refieren los artículos 23
y 32 de dicha ley y artículo 3 de la Ley sobre Expendio y Consumo de
Bebidas Alcohólicas. La Ley de Rentas Municipales establece y regula
las diferentes clases de rentas municipales, incorporando los tributos
locales también llamados patentes municipales, sobre el ejercicio de toda profesión, oficio, industria, comercio, arte o cualquier otra actividad
lucrativa secundaria o terciaria, o de actividades primarias o extractivas
en ciertos casos.

V. Reseña de informes acerca de la fiscalidad regional

Como se ha mostrado, el problema fiscal de la descentralización de
las regiones es más amplio que el delgado campo de uno o más tributos.
Hemos descrito que ha existido una inquietud por este tema desde hace
tiempo[29].

---

[29]   GRANADOS & RODRÍGUEZ (2013). Este documento, al igual que lo que plantea
el Congreso Nacional actualmente, se refiere a establecer un impuesto específico
en beneficio de los municipios y de los gobiernos regionales (compartido en una
proporción a determinar), sobre aquellas actividades empresariales y proyectos
de inversión que por su naturaleza generen externalidades negativas en el territorio donde se ubican.

Del mismo modo que a nivel municipal, a nivel de Congreso y de Gobierno se ha analizado la posibilidad de elaborar una Ley de Rentas Regionales, y se ha propuesto por algunos parlamentarios un aumento progresivo del aporte fiscal a las regiones, tales como: el pago de patentes de las grandes empresas por sus operaciones fuera de Santiago y no en las casas matrices (lo mismo que los permisos de circulación); poner fin a las exenciones en el pago de patentes comerciales a industrias extractivas de áridos, pesca y forestal; destinar un porcentaje de la recaudación por IVA (considerando una gradualidad que empezaría en 0,25 puntos porcentuales hasta llegar a 1 punto del IVA); traspaso de los impuestos mineros territoriales al sistema regional, cuya distribución implique la entrega del 20% de dichos ingresos para los municipios donde estén localizadas las faenas mineras, otro 20% para las comunas cercanas, 10% a los fondos regionales de innovación en ciencia y tecnología, y un 50% a un fondo de convergencia (similar al actual FNDR, que distribuya recursos entre regiones); la inclusión de impuestos por el uso de puertos, patentes eléctricas o por la tala de grandes plantaciones forestales, que se sumarían a la actual recaudación por casinos, derechos de agua o las patentes mineras; etc.[30]. El Senador Guillier, además, menciona la necesidad de un impuestos regionales a los recursos naturales o royalty[31].

---

[30] EL MERCURIO, Economía y Negocios, (30/09/2018) p. D2, «Proyecto de rentas regionales: la jugada de Hacienda que podría destrabar reforma tributaria en el Congreso», disponible en: http://www.economiaynegocios.cl/noticias/noticias. asp?id=508728, fecha de consulta: 10 de enero de 2020. En sentido semejante, Poder y Liderazgo, «Mejora a las leyes regionalizadoras aquí y ahora», lunes 12 de junio de 2017, Sección Actualidad, Columnas, [https://www.poderyliderazgo.cl/mejora-las-leyes-regionalizadoras-aqui-ahora/].

[31] De acuerdo al Proyecto de Resolución N° 145-2014, presentado por 34 diputados, se plantea la necesidad de dotar de mayores recursos a las regiones y de mayor autonomía, y el fortalecimiento de sus capacidades para garantizar un desarrollo sustentable en el tiempo. La Comisión Asesora presidencial en materia de descentralización también hace referencia a la necesidad de presentar una serie de proyectos que permitan trasferir competencias, recursos y capacidades técnicas a los gobiernos regionales. Estos cambios son adicionales a los planes especiales de desarrollo de zonas extremas y el Plan de Territorios Rezagados, que persiguen ayudar comunas que, por sus características geográficas y aislamiento, no cuentan con el soporte básico que el Estado debe garantizar para sus habitantes.

El estudio de Aghón & All., también presenta interesantes elementos[32]. Este estudio se refiere a temas de ingresos vía tributos, endeudamientos y transferencias de gobierno central, etc. Para efectos del presente trabajo, podemos destacar los siguientes elementos:

(A) Exención tributaria (de un porcentaje del impuesto a la renta de primera categoría o impuesto a las utilidades de empresas) por reinversión de utilidades de empresas en territorios con bajos niveles de desarrollo. Asimismo, se sugieren «incentivos tributarios para las empresas que generen beneficios estables al capital humano calificado y la mano de obra especializada disponible en territorios con bajos niveles de desarrollo, mejorando en estos la calidad de vida, la estabilidad y los mecanismos de formación y retención del capital humano». De modo complementario, se propone «generar un modelo de monitoreo del desarrollo territorial, que permita identificar territorios rezagados de manera sistémica, controlar su evolución (positiva o negativa) y servir de base para la aplicación de los incentivos tributarios a empresas».

(B) Beneficios estables para territorios afectados por actividades empresariales con externalidades negativas, no obstante existan compensaciones y mitigaciones temporales de los proyectos sometidos a estudios de impacto ambiental. El estudio propone «asignar en forma permanente un porcentaje de la recaudación del impuesto a la renta de primera categoría de aquellas actividades empresariales que por su naturaleza generan externalidades negativas (impactos sin compensación económica) para ser destinadas a inversiones estratégicas del desarrollo de las comunas, comunidades y territorios afectados». Complementariamente, se deben «generar metodologías de armonización de los intereses de las comunidades y territorios afectados por iniciativas o proyectos de importancia estratégica e interés regional o nacional, que faciliten la construcción de acuerdos de los diversos actores involucrados».

(C) Ley de Rentas Regionales, para permitir ingresos regionales estables, y que permita a los Gobiernos Regionales captar recursos por concepto de derechos, tributos, tasas, ingresos y cobros de servicios de clara identificación y beneficio regional. Asimismo, se sugiere integrar

---

[32]   Aghón (2001) pp. 37-39.

fórmulas de coparticipación del Gobierno Regional en algunos tributos de carácter nacional. Respecto del impuesto a la renta de primera categoría de las empresas, recaudada y distribuida desde el nivel central, se sugiere transferencias a las regiones de acuerdo al número de habitantes y km2 del territorio. Finalmente, no se excluyen las transferencias del Gobierno Central.

Uno de los estudios más extensos en esta materia, lo llevó a cabo la Comisión Asesora Presidencial en Descentralización y Desarrollo Regional[33], que emitió un informe en el año 2014[34], y de cuyos múltiples elementos que expone, podemos mencionar los siguientes:

(A) Reformas constitucionales en materia de descentralización fiscal (*v.g.*, el artículo 115 constitucional[35]), que permita el establecimiento y aplicación de ciertos tributos a nivel regional, el endeudamiento regional y normas que precisen la afectación de determinados impuestos (incluso impuestos a la renta generadas por empresas que desarrollan

---

[33] Más información al respecto, ver Senado de la Republica de Chile, «*Informe final de Comisión de Descentralización fue entregado en el Congreso*», (7 de octubre de 2014), disponible en: http://www.senado.cl/informe-final-de-comision-de-descentralizacion-fue-entregado-en-el-congreso/prontussenado/2014-10-07/112343.html, fecha de consulta: 10 de enero de 2020. El Informe de la Comisión Asesora Presidencial en Descentralización y Desarrollo Regional, denominado «Propuesta de Política de Estado y Agenda para la Descentralización y el Desarrollo Territorial de Chile. Hacia un país desarrollado y justo», (7 de octubre de 2014) disponible en: https://www.senado.cl/senado/site/artic/20141007/pags/20141007112343.html; y https://www.senado.cl/senado/site/mm/20141007/asocfile/20141007112343/descentralizacioninforme.pdf, fecha de consulta: 10 de enero de 2020.

[34] Informe de la Comisión Asesora Presidencial en Descentralización (2014).

[35] La Comisión Asesora (2014), citada en nota anterior, sugiere incorporar unas normas como las siguientes: «La ley de presupuestos de la Nación asignará los recursos necesarios para el funcionamiento e inversión de los gobiernos regionales bajo criterios objetivos y predefinidos que respondan exclusivamente a criterios de equidad demográfica y socioeconómica. / Sin embargo, la ley podrá establecer transferencias especiales por razones de aislamiento o emergencia, las que en ningún caso podrán establecer discriminaciones arbitrarias entre las distintas regiones del país».

su actividad económica en dichos territorios) al erario de los gobiernos subnacionales, regionales y locales[36].

Este informe sugiere la consagración de la interdicción de la arbitrariedad presupuestaria (incorporando criterios de asignación presupuestaria predefinidos, objetivos y cuantificables, por ejemplo, cantidad de población y su condición socioeconómica, fórmulas de compensación de rezagos en infraestructura o conectividad, variables geopolíticas predefinidas y otras a precisar), para evitar el riesgo de que la autoridad fiscal incurra en discrecionalidad arbitraria en la asignación presupuestaria en las transferencias no condicionadas desde rentas generales a los gobiernos regionales, para favorecer a los gobiernos regionales afines y castigar a los opositores.

Hoy, la Constitución establece que la deuda pública debe ser autorizada por ley, previa iniciativa exclusiva del Presidente de la República. Se propone autorizar el endeudamiento de gobiernos regionales y municipales, bajo ciertos límites y condiciones que impidan el riesgo de transferir el pago de la deuda al erario nacional. Esto implica modificar una serie de normas constitucionales, tales como los artículos 65 N° 3, 63, N° 7 y N° 8.

Por otro lado, se aconseja que la Constitución incorpore contenidos mínimos de una futura Ley de Rentas Regionales, especialmente para disminuir el riesgo de crédito, tales como: la posibilidad de prendar los flujos anuales de la ley de presupuesto hacia el gobierno regional o municipalidad, para garantizar el pago de las obligaciones contraídas; establecer límites máximos de endeudamiento como un porcentaje del presupuesto anual del gobierno regional y municipal respectivo; condicionar o circunscribir el endeudamiento al financiamiento de proyectos de inversión distintos del gasto corriente; establecer la obligación de mantener una clasificación de riesgo actualizada.

A juicio del Informe, la creación de un poder tributario regional, exigirá su regulación, especialmente en aspectos tales como: tipo de tributo que puede establecerse a nivel regional («ya sean aquellos de tipo terri-

---

[36] INFORME DE LA COMISIÓN ASESORA PRESIDENCIAL EN DESCENTRALIZACIÓN (2014) pp. 11, 28, 30 y 31.

torial, como contribuciones o patentes, o sobretasas a impuestos nacionales, como el IVA o impuesto a la renta de personas y empresas»[37]); los rangos máximos del impuesto o sobretasa regional respectiva; el procedimiento de aprobación del impuesto regional (aprobados por el Consejo Regional, a propuesta del ejecutivo del gobierno regional), con una excepción al principio de reserva de ley o bien se exija ratificación legal para los impuestos regionales[38]; la afectación parcial de ciertos tributos a las regiones en donde esté situada la actividad productiva generadora de la renta gravada, mediante ley debiera contemplarse que una parte a definir de los tributos (Impuesto Corporativo) que pagan las empresas se destine a las regiones en las que se desarrolla la correspondiente actividad productiva o comercial (lo que podría implicar modificar el artículo 19 Nº 20 constitucional).

(B) El financiamiento de la Administración de las Áreas Metropolitanas provendrá de recursos propios de los Gobierno Regionales y Municipalidades; de recursos centrales asociadas a competencias que les sean traspasadas; impuestos, royalties, tasas o gravámenes que se apliquen a actividades insertas en el territorio (puertos, u otras), recursos derivados de solidaridad intermunicipal e ingresos por mejoras y plusvalías urbanas[39].

(C) El Informe propone dos pilares esenciales de la Descentralización Fiscal: la Ley de Rentas Regionales; y, el Fondo de Convergencia[40]. Respecto de la Ley de Rentas Regionales, plantea un óptimo de gasto

---

[37] INFORME DE LA COMISIÓN ASESORA PRESIDENCIAL EN DESCENTRALIZACIÓN (2014) p. 31.

[38] A juicio de la COMISIÓN ASESORA PRESIDENCIAL (2014, citado en nota anterior), esto implica modificar el artículo 65 Nº 1 inciso 4 constitucional, del siguiente modo: «Corresponderá, asimismo, al Presidente de la República la iniciativa exclusiva para: [...] 1º. Imponer, suprimir, reducir o condonar tributos de cualquier clase o naturaleza, establecer exenciones o modificar las existentes, y determinar su forma, proporcionalidad o progresión, salvo respecto a aquellos establecidos por los gobiernos regionales y municipalidades conforme a sus atribuciones, [...]».

[39] INFORME DE LA COMISIÓN ASESORA PRESIDENCIAL EN DESCENTRALIZACIÓN (2014) p. 49.

[40] INFORME DE LA COMISIÓN ASESORA PRESIDENCIAL EN DESCENTRALIZACIÓN (2014) p. 58.

subnacional autónomo de un 35% de la recaudación fiscal total (cerca del doble de la fecha del Informe), a través de traspaso de impuestos mineros territoriales al sistema regional, endeudamiento subnacional, aumento de ingresos vía transferencias centrales, aumento de recaudación por patentes, multas, tasa portuaria territorial e impuesto especial a grandes empresas forestales. Sobre el Fondo de Convergencia Regional, el Informe lo describe como la primera fase en el diseño e implementación de una política de cohesión social y territorial, y su objetivo es reducir brechas territoriales en zonas rezagadas, definidas por ley. Propone que se establezca un estándar nacional (garantía estatal de desarrollo) como piso de dichos territorios. Además, se plantea desagregar regionalmente los presupuestos ministeriales, eliminar provisiones y transferirlas al FNDR, transferir a regiones del control y patrimonio de empresas públicas. A nivel tributario, se sugiere establecer: incentivos para la inversión regional mediante impuestos diferenciados y beneficios tributarios; medidas para asegurar precios y subsidios convergentes en electricidad, agua y pasaje escolar; control por parte de las regiones de sus bienes de interés común; promulgar una Ley espejo de inversiones en transporte; incorporar servicios municipales garantizados; transformar el fondo común municipal en un fondo común de solidaridad; y una nueva ley sobre denominación de origen, indicaciones geográficas y sellos de calidad.

(D) Se propone la creación de una Ley de Rentas Regionales[41], que debiera establecer al menos que las regiones tendrán un patrimonio propio administrado de forma autónoma por el Gobierno Regional, y, además, las normas de endeudamiento de los Gobiernos Regionales. Como se indicó, esta Ley permitirá aumentar al doble el porcentaje de gasto subnacional en relación al nacional (llevándolo al 35%). Los instrumentos que usará, serán los siguientes:

(i) Coparticipación en la recaudación fiscal nacional.

(ii) Aumento de los ingresos municipales, por devolución exenciones del impuesto predial, actualización del catastro y nuevas tasas municipales.

---

[41]   Informe de la Comisión Asesora Presidencial en Descentralización (2014) pp. 59-60.

(iii) Traspaso de los impuestos mineros territoriales al sistema regional y su aumento: patente minera e impuesto específico minero.

(iv) La Ley de Rentas Regionales agrupa la recaudación actual de casinos, acuícola, agua, patente minera y agrega patente eléctrica municipal, tasa portuaria territorial y cobro por tala a grandes plantaciones forestales.

(v) Endeudamiento directo y/o emisión de bonos. El límite de la deuda sería de 7% del presupuesto anual.

(vi) Medidas de fortalecimiento de las finanzas municipales, explicadas en el Informe, en relación a: exención del impuesto territorial y gestión del catastro de propiedades; eliminación del tope de patentes comerciales y establecimiento de una patente mínima de U.T.M 1; fin a exenciones en el pago de patentes comerciales a industrias extractivas de áridos, pesca y forestal; modificar las reglas de distribución del capital de la Ley de Rentas Municipales; y otras modificaciones a esa misma ley.

(vii) Creación de la Patente Eléctrica que debe pagar cada central de generación en el o los municipios donde se localiza.

(viii) Creación de una norma que exija el soterramiento del cableado aéreo en zonas urbanas.

(ix) Creación de una Tasa Portuaria Territorial a las empresas portuarias concesionarias y no concesionarias, según tipo de carga a aplicar por tonelada.

(E) Empoderamiento de los gobiernos regionales en la promoción del desarrollo económico y manejo de sus recursos naturales, entrega de recursos y creación de capacidades para cumplir este propósito, entrega de más instrumentos para el fomento e incentivos tributarios; asegurar que los recursos naturales sean patrimonio de las regiones y sometidos a su gestión; disponer de incentivos permanentes para atraer inversiones; facilitar asociaciones y empresas mixtas; generar mega inversiones; y, entre otras, apoyar redes productivas locales y clúster[42].

Se sugiere establecer incentivos a localización de actividades productivas en regiones: disminución gradual de los impuestos de primera

---

[42]   Informe de la Comisión Asesora Presidencial en Descentralización (2014) pp. 62-63.

y segunda categoría en regiones en la misma proporción de su aumento en la región Metropolitana. Dicho beneficio podría aplicarse gradualmente, y concentrarse preferentemente en regiones extremas, de alto rezago socio-económico o en zonas específicas de regiones, o en regiones o zonas específicas que enfrentan recesión económica, para las que el beneficio puede ser transitorio. El Informe añade que este beneficio debe focalizarse en las personas naturales, y en las pequeñas y medianas empresas, por lo que deben excluirse las empresas extractivas de gran escala, y las empresas que constituyen cadenas con presencia nacional. En caso de que se optare lograr este objetivo por leyes tributarias regionales en defecto de una ley nacional, el Informe llama a establecer criterio de armonización para evitar «guerras fiscales» con reducción de impuestos no justificadas.

Finalmente, el Informe llama a estudiar otros incentivos para regiones y desincentivos para la región Metropolitana, tales como: impuestos verdes, límites a la edificación en zonas saturadas de la región Metropolitana, entre otros.

VI. El tributo regional incorporado en la reforma tributaria[43]

La Reforma Tributaria consagrada en la Ley N° 21.210 (D.O. 24/02/2020), en su Artículo Trigésimo Segundo establece un tributo, que denomina como «contribución para el desarrollo regional» (CDR), a aplicarse desde el presente año[44], con los siguientes elementos:

---

[43]   Informe de la Comisión Mixta encargada de proponer la forma y modo de superar la discrepancia producida entre el Senado y la Cámara de Diputados, respecto del proyecto de ley que moderniza la legislación tributaria, Sala de la Comisión Mixta, a 28 de enero de 2020. Boletín N° 12.043-05, Disponible en www.congreso.cl, visitado 20/01/2020.

[44]   El artículo trigésimo octavo transitorio de la Ley 21.210, establece que la CDR se aplicará a los nuevos proyectos de inversión cuyo proceso de evaluación de impacto ambiental se inicie a contar del 24/02/2020. Si esos procesos de evaluación de impacto ambiental, recaen sobre la ampliación de un proyecto de inversión,

(A) Contribuyente de CDR. Se aplica a los contribuyentes afectos al impuesto de primera categoría de la ley sobre impuesto a la renta sobre la base de renta efectiva determinada según contabilidad completa (artículo 1).

(B) Hecho gravado (artículo 1). Proyectos de inversión que se ejecuten en Chile y que cumplan con todos los siguientes requisitos, en cualquier región en que se encontrare[45].

(i) Que comprendan la adquisición, construcción o importación de bienes físicos del activo inmovilizado por un valor total igual o superior a US$10.000.000, considerando el tipo de cambio de la fecha de adquisición de cada activo inmovilizado que forme parte del proyecto de inversión. Se considerarán bienes físicos del activo inmovilizado del proyecto de inversión aquellos que se destinen al proyecto de inversión en virtud de un contrato de arriendo con opción de compra. En todos estos casos, para el solo efecto de esta norma, se tendrá presente el valor total del contrato a la fecha de su suscripción.

(ii) Que deban someterse al sistema de evaluación de impacto ambiental regulado en el artículo 10 de la ley N° 19.300, sobre bases generales del medio ambiente y su reglamento.

(iii) Se incorporan dos normas interpretativas: se entiende que conforma un mismo proyecto de inversión el conjunto de estructuras e instalaciones donde se localizan los bienes físicos del activo inmovilizado que, de acuerdo a la naturaleza del proyecto, constituyen una unidad coherente comercial y geográficamente; se entiende que el proyecto de inversión constituye una unidad coherente comercial y geográficamente cuando, entre otras circunstancias, las estructuras e instalaciones comparten un área geográfica delimitada, y se encuentran próximas física-

---

sólo se aplicará sobre los bienes del activo fijo inmovilizado que comprenda la respectiva ampliación.

[45] Eso genero diversos debates, por ejemplo: excluir a Región Metropolitana de Santiago, lo que generaría competencia fiscal nacional en su favor; excluir a regiones, para generar competencia fiscal en su favor; buscar mecanismos para que los montos recaudador por CDR se queden en regiones y no terminen en Santiago, etc.

mente para funciones complementarias, o están destinadas a ejecutar un mismo contrato u operación.

(C) Exenciones.

(i) Se encontrarán exentos los proyectos de inversión destinados exclusivamente al desarrollo de actividades de salud, educacionales, científicas, de investigación o desarrollo tecnológico, y de construcción de viviendas y oficinas. El otorgamiento de esta exención debe ser tramitada ante el Ministerio de Hacienda. Dicho Ministerio podrá, mediante decreto supremo, precisar las características de los proyectos de inversión exentos, así como la forma y procedimiento en que deberán presentarse y los antecedentes que deban acompañarse para esos efectos (artículo 1).

(ii) El mero reemplazo o reposición de bienes físicos del activo inmovilizado comprendidos en un proyecto de inversión no devengará contribución alguna, salvo que importe una ampliación del proyecto que deba someterse a un nuevo proceso de calificación ambiental, en cuyo caso se aplicarán las reglas de determinación del tributo regional (artículo 2 inciso final).

(D) Finalidad jurídica del tributo. Es concebido como una «contribución para el desarrollo regional» (artículo 1)[46]. Sin embargo, dado que implica un aumento de la carga tributaria de las inversiones, podría derivar en una disminución de inversiones y perjudicar el desarrollo[47].

---

[46] Este tributo expresa una necesidad destacada por diputados y senadores de regiones, de acuerdo a la Historia de la Ley 21.210, particularmente en el Primer Trámite Constitucional Boletín Nº 12043-05 (Cámara de Diputados. 1.15 y 1.16. Discusión en Sala. Fecha 21 de agosto, 2019. Diario de Sesión en Sesión 66. Legislatura 367. Discusión General. Modernización de la Legislación Tributaria). Asimismo en el Senado, se pone de relieve la necesidad de presentar pronto los proyectos de Ley de Rentas Regionales y de Responsabilidad Fiscal Regional (Segundo Trámite Constitucional: Senado. 2.6. Discusión en Sala. Fecha 14 de enero, 2020. Diario de Sesión en Sesión 94. Legislatura 367. Discusión General). Ver: Biblioteca del Congreso Nacional (2020) *Passim*.

[47] Redacción de Reporte Minero, «CM expuso sus observaciones al Proyecto de Ley de Reforma Tributaria», Reporte Minero, 27 de septiembre de 2019. Disponible en: https://www.reporteminero.cl/noticia/noticias/2019/09/cm-expuso-sus-observaciones-al-proyecto-de-ley-de-reforma-tributaria. Visita: 27 de febrero de 2020.

(E) Destino financiero del tributo (artículo 9). El monto recaudado ingresará al Tesoro Público para financiar proyectos de inversión y obras de desarrollo local o regional, y se distribuirá así:

(i) A lo menos una tercera parte podrá aplicarse a complementar los recursos del Fondo Nacional de Desarrollo Regional (DL N° 573 de 1974) denominado «Fondo de Contribución Regional»[48].

(ii) Hasta dos terceras partes podrán destinarse a las regiones en las cuales los proyectos de inversión afectos se emplacen y ejecuten, bajo la denominación «Fondo de Contribución Regional»[49]. Luego, hasta la mitad de los recursos asignados a cada una de estas regiones deberán ser puestos a disposición de las comunas donde se emplacen los proyectos de inversión que dan origen a las contribuciones pagadas[50]. Estos recursos deberán ser adjudicados mediante concursos convocados por los Gobiernos Regionales, conforme a Reglamento del Ministerio de Hacienda, el que podrá poner límites a los montos asociados a cada iniciativas de inversión regional o local.

(F) Base imponible. De acuerdo al artículo 2, se aplicarán las siguientes reglas:

(i) Corresponderá al valor de adquisición de todos los bienes físicos del activo inmovilizado que comprenda un mismo proyecto de inversión, pero sólo en la parte que exceda de US$10.000.000.

(ii) El valor de adquisición de los bienes físicos del activo inmovilizado será convertido al tipo de cambio vigente a la fecha de la factura del proveedor.

---

48   El Informe de la Comisión de Hacienda de la Cámara de Diputados (p. 58, Sala de la Comisión, 06/09/2019) explica que se crea un «Fondo de Contribución Regional» que, «de acuerdo a la distribución que determina el proyecto de ley, podrá destinarse a complementar los recursos del Fondo Nacional de Desarrollo Regional. También podrá destinarse a las regiones del país que cuenten con proyectos de inversión afectos a la contribución de la tasa del 1% donde se emplacen y ejecuten».

49   Esta norma podría violar el artículo 19 N° 20 constitucional, al no cumplir con el requisito para afectar los tributos.

50   Es decir, se trata de una regla incierta que no da certeza de que se cumpla la promesa de destinar los recursos a las zonas que los producen ni de una justa distribución.

(iii) Los bienes importados se considerarán al valor CIF según tipo de cambio vigente a la fecha de la factura del proveedor extranjero, los derechos de internación y gastos de desaduanamiento.

(iv) Si el proyecto se ejecuta en varias etapas, la CDR se aplicará una vez que, en cualquiera de las etapas, se iguale o supere la suma de US$10.000.000, considerando la totalidad de los bienes físicos del activo inmovilizado adquiridos para la realización del proyecto de inversión. Si se alcanza o supera ese monto, la tasa se aplicará sólo sobre el valor de los bienes físicos del activo inmovilizado que se adquieran en cada nueva etapa y destinados a ampliar el proyecto[51].

(v) El valor total del proyecto de inversión en que, bajo cualquier forma contractual, participen distintos contribuyentes, se determinará sumando el valor de adquisición de todos los bienes físicos del activo inmovilizado comprendidos en él. En estos casos, la CDR se aplicará a prorrata de cada uno de los contribuyentes de acuerdo a la proporción que les corresponda entre el valor de adquisición de los bienes físicos del activo inmovilizado respecto de cada contribuyente y el valor de adquisición del total de los bienes físicos del activo inmovilizado comprendidos en el proyecto de inversión.

(vi) El mero reemplazo o reposición de bienes físicos del activo inmovilizado comprendidos en un proyecto de inversión no devengará la CDR, salvo que importe una ampliación del proyecto que deba someterse a un nuevo proceso de calificación ambiental.

(G) Tasa: 1%.

(H) Forma de pago. Pagó único, *i.e.*, una sola vez (artículo 1).

---

[51]   El Colegio de Contadores sostuvo en su informe al Senado (2019) que: «En el proyecto no se precisa si la base de la contribución es solo bienes del activo inmovilizado depreciable, ya que tal como está la redacción se debiera incluir en la base el terreno, inmueble por naturaleza que ya realiza la contribución de bienes raíces la cual en parte importante va a beneficio regional». Frente a ello propone: «Al referirse a activos inmovilizados, que se especifique que son aquellos activos inmovilizados depreciables, si lo que se busca es dejar afuera de la contribución la adquisición del terreno que ya paga contribución de bienes raíces». Colegio de Contadores de Chile (2019) p. 49.

(I) Devengo. De acuerdo al artículo 3, este tributo se devengará en el primer ejercicio en que el proyecto genere ingresos operacionales, sin considerar la depreciación, siempre que se haya obtenido la recepción definitiva de obras por parte de la respectiva Dirección de Obras Municipales, o en caso de que la referida recepción no sea aplicable al proyecto, que se haya informado a la Superintendencia del Medio Ambiente de la gestión (SIA), acto o faena mínima del proyecto o actividad que dé cuenta del inicio de su ejecución, conforme a la respectiva Resolución de Calificación Ambiental y el artículo 25 ter de la ley N° 19.300[52].

(J) Declaración y pago. De acuerdo al artículo 4, la CDR deberá ser declarada y pagada en la Tesorería General de la República, en las oficinas bancarias autorizadas por el Servicio de Tesorerías o mediante cualquier medio electrónico, en el mes de abril del ejercicio siguiente al devengo de la CDR, junto con la declaración anual de impuesto a la renta. El contribuyente podrá convertir el valor de la CDR en UTM y dividirla en cinco cuotas anuales y sucesivas, pagando la primera cuota en la forma y plazo indicado y las cuotas restantes en los sucesivos años tributarios junto con la declaración anual de impuesto a la renta[53].

(K) Suspensión o término de los pagos. Esta materia la regula el artículo 5.

---

[52] El Colegio de Contadores añade en su informe que: «Por su parte en el artículo 3, indica que el devengo de la contribución regional se devengará en el primer ejercicio en que el proyecto genere ingresos operacionales, sin considerar la depreciación. Al respecto los ingresos nunca tendrán incluida la depreciación y por tanto queda la duda si se refiere a resultado operacional y lo que busca expresar es cuando la empresa comience a generar EBITDA financiero». Frente a ello propone: Precisar en el proyecto si la contribución se empieza a pagar cuando se comience a generar ingresos operacionales o resultados operacionales (EBIT), ya que si fuera ingresos operacionales no tendría sentido lo que se indica actualmente en el artículo 3 «sin considerar la depreciación». Idem, p. 49.

[53] De acuerdo al artículo 10 del artículo 33 «Nuevo» incorporado por Oficio N° 105-367 de 3/7/2019 del Ministerio de Hacienda, por el cual se Formula Indicaciones al proyecto de reforma tributaria (Boletín N° 12.043-05), se establece un tratamiento tributario especial a la CDR, entre otras reglas, en términos de otorgar derecho a un crédito, a las empresas que la paguen, equivalente al 50% del monto de la contribución o la cuota respectiva, que se imputará contra el impuesto de primera categoría que corresponda al ejercicio en que se efectúa su pago. Esta regla no prosperó finalmente.

(i) Si se paraliza el proyecto por orden de autoridad, una vez iniciadas sus operaciones, el contribuyente podrá suspender el pago de las cuotas pendientes. Una vez reiniciado, en el mismo ejercicio o en el siguiente, deberá continuar el pago de las cuotas pendientes.

(ii) Si se paraliza definitivamente por caso fortuito o fuerza mayor, se extinguirá la obligación de pagar las cuotas pendientes.

(iii) En cualquier caso, el contribuyente no tendrá derecho a devolución de la CDR o de las cuotas ya pagadas.

(L) Responsabilidad por el pago de la CDR (artículo 6).

(i) Si, pendiente el pago de las cuotas, el proyecto de inversión es transferido, transmitido o traspasado, el tercero será solidariamente responsable por el pago de las cuotas pendientes.

(ii) En caso de fusiones, transformaciones, divisiones, disoluciones o cualquier otro acto jurídico u operación que implique un cambio total o parcial del titular del proyecto de inversión que originó la obligación de pago de la contribución, la entidad original y la nueva serán solidariamente responsables del pago de las cuotas pendientes.

(M) Entrega de información y fiscalización.

(i) La aplicación y fiscalización de la CDR y la interpretación de la ley que establece este tributo, corresponderán al SII, pudiendo además impartir instrucciones y dictar órdenes al efecto (artículo 8).

(ii) De acuerdo al artículo 7, a autoridad encargada de notificar las resoluciones, emitir los certificados o dar cuenta de las circunstancias (referido en el artículo 3) deberá informar al SII, por medios electrónicos, dentro del plazo de 3 días hábiles contados desde la recepción definitiva de obras por parte de la Dirección de Obras Municipal, o en caso de que esa recepción no sea aplicable al proyecto, desde que se informe a la SIA de la gestión, acto o faena mínima del proyecto o actividad que dé cuenta del inicio de su ejecución conforme a la respectiva Resolución de Calificación Ambiental y el artículo 25 ter de la ley Nº 19.300.

(iii) El SII, mediante resolución, determinará la información que permita individualizar debidamente a la empresa que adquirió, construyó o importó los bienes físicos del activo inmovilizado, el proyecto al cual se adscribe y demás datos relevantes (artículo 7).

(iv) El SII podrá requerir información, en la forma y plazo que establezca mediante resolución, para determinar los ingresos operacionales asociados a cada proyecto de inversión de manera separada (artículo 3); y para determinar el valor de adquisición de los bienes físicos del activo inmovilizado respecto de cada contribuyente (artículo 2).

(v) Será competencia del SII, previa citación al contribuyente e informe de la SIA, determinar la infracción de la prohibición de fraccionamiento del proyecto para eludir la obligación tributaria.

(vi) La aplicación y fiscalización de este tributo corresponderá al SII (artículo 8).

(N) Normas supletorias (artículo 8). En lo no previsto en estas reglas, se aplicará el Código Tributario.

(O) Prohibiciones y sanciones. El artículo 10 dispone que:

(i) Los contribuyentes no podrán, a sabiendas, fraccionar sus proyectos o actividades con el objeto de alterar el valor del proyecto de inversión en los términos definidos por la ley.

(ii) Será competencia del SII, previa citación al contribuyente e informe de la SIA, determinar la infracción de la prohibición de fraccionamiento del proyecto para eludir la obligación tributaria.

(iii) El retardo u omisión de declaración y pago del tributo regional será sancionada con una multa equivalente al 10% de la contribución adeudada, siempre que dicho retardo u omisión no sea superior a 5 meses. Pasado este plazo, la multa se aumentará en un 2% por cada mes o fracción de mes de retardo, con tope del 30% del valor de la contribución adeudada.

VII. Conclusiones

A nuestro juicio, la reforma tributaria como política pública:

(a) Es muy limitada y pobre, no obstante la existencia de extensos estudios e informes de organismos públicos en relación a esta materia.

(b) No obedece propiamente a una descentralización fiscal, sino más bien a una descentralización financiera, dado que se refiere a una forma más de transferencia de recursos que de generación de los mismos.

(c) No resuelve problemas de política pública cruciales que apunten a algo más que un mero uso fiscal de los tributos, quedando pendiente concretar objetivos tales como los de fomentar y promover un desarrollo económico sustentable y armónico a nivel nacional.

Bibliografía

AGHÓN, Gabriel et All. (2001): *Desarrollo económico local y descentralización en América Latina*: Análisis comparativo (Santiago, CEPAL/GTZ).

BAZAN, Víctor (2013): «El federalismo argentino: situación actual, cuestiones conflictivas y perspectivas». *Estudios constitucionales*, Santiago, V. 11, N° 1, pp. 37-88.

BERRY, Christopher (2009): Imperfet Union: Representation and Taxation in Multilevel Governments, (New York, Cambridge University Press).

BIBLIOTECA DEL CONGRESO NACIONAL (2020). Historia de la Ley N° 21.210, Boletín N° 12043-05. Disponible en: https://www.bcn.cl/historiadelaley/nc/historia-de-la-ley/7727/. Fecha de consulta: 27 de febrero de 2020.

BIRD, Richard (2018): «Fiscal Decentralisation and Decentralising Tax Administration: Different Questions, Different Answers», en Alice VALDESALICI & Francesco PALERMO (editores), *Comparing Fiscal Federalism*, (Leiden, Brill Nijhoff), pp. 190-221.

BOISIER, Sergio (2004): «Desarrollo territorial y descentralización. El desarrollo en el lugar y en las manos de la gente», *Revista Eure*, Vol. 30, N° 90, pp. 27-40.

CÁRDENAS, Jaime (2004): «México a la luz de los modelos federales», *Boletín Mexicano de Derecho Comparado*, año XXXVII, N° 110, mayo-agosto, pp. 479-510.

CONSEJO FEDERAL DE INVERSIONES (2014): Gobierno de la Provincia de Buenos Aires, «Luces y sombras del federalismo fiscal. Argentina y el mundo», *Informe Final*, mayo 2014.

DE MELLO, Luiz (2008): «La "guerra de impuestos brasileña": el caso de la competencia del impuesto al valor agregado entre los estados», *Revista Internacional de Presupuesto Público*, N° 66, pp. 39-66.

FÄRBER, Gisela (2018): «Taxing Powers of Subnational Entities: Between Domestic and Supranational Constraints», en Alice VALDESALICI & Francesco PALERMO (editores), *Comparing Fiscal Federalism*, (Leiden, Brill Nijhoff), pp. 149-168.

FERNÁNDEZ, Richard (2007): *Derecho Municipal Chileno*, Capítulo XVII, pp. 109-141; Cap. VIII. (Editorial Jurídica, Santiago de Chile), pp. 49-54.

GRANADOS, Sergio & RODRÍGUEZ, Jorge (2013): «Propuestas para avanzar en descentralización fiscal en Chile», *Programa Cohesión Territorial para el Desarrollo*, Documento de Trabajo N° 7, Serie Estudios Territoriales, junio (Santiago de Chile, RIMISP).

Informe de la Comisión Asesora Presidencial en Descentralización y Desarrollo Regional, denominado «Propuesta de Política de Estado y Agenda para la Descentralización y el Desarrollo Territorial de Chile. Hacia un país desarrollado y justo», (7 de octubre de 2014).

Lago, Santiago & Vaquero, Alberto (2016): *Descentralización y Sistema Tributario: Lecciones de la Experiencia Comparada*, (Madrid, Fundación Impuestos y Competitividad).

López-Aranguren, Eduardo (1999): «Modelos de relaciones entre poderes», *Revista de Estudios Políticos*, N° 104, abril-junio, pp. 9-34.

OECD, Territorial Reviews: Chile, 27 July 2009, Washington, Disponible en: https://www.oecd.org/cfe/regional-policy/oecdterritorialreviewschile.htm. Fecha de consulta: 10 de enero de 2020.

Pantoja, Rolando (2004): *La Organización Administrativa del Estado*, Capítulo XI, (Editorial Jurídica, Santiago).

Pegoraro, Lucio (2002): «Federalismo, regionalismo, descentralización: una aproximación semántica a las definiciones constitucionales y doctrinales», *Pensamiento Constitucional*, Año 8 N° 8, pp. 383-398.

Ropert, María Angélica (2011): «Evolución de la Descentralización Fiscal y Administrativa en Chile», *Documento de Trabajo*, (CIEPLAN, Santiago de Chile), disponible en: https://www.cieplan.org/. Fecha de consulta: 10 de enero de 2020

Serra, José y Alfonso, José (2007): «El federalismo fiscal en Brasil: una visión panorámica», *Revista de la Cepal* 91, abril 2007, pp. 29-52.

Von Baer, Heinrich & Rozas, Mario (s/d): *Hacia una Política de Estado en Descentralización y Desarrollo Territorial en Chile: Desafíos y oportunidades para las regiones y sus universidades*. Disponible en: http://archivospresidenciales.archivonacional.cl/uploads/r /null/4/8/0/480e75c187cb943dedf77e30cf88acc78eff5 0a888fe6e509b40406e79410d8b/_home_aristoteles_documentos_DT_4.pdf. Fecha de consulta: 10 de enero de 2020.

Valenzuela, Juan Pablo (1997): «Descentralización fiscal: los ingresos municipales y regionales en Chile, CEPAL, ONU, Proyecto Regional de Descentralización Fiscal, Serie Política Fiscal 101, (CEPAL/GTZ, Santiago)», disponible en: https://repositorio.cepal.org, Fecha de consulta: 10 de enero de 2020.

Wilson, John (1999): «Theories of Tax Competition», *National Tax Journal*, Vol. 52 N° 2, pp. 269-304.

EL IMPUESTO VERDE A LAS EMISIONES DE FUENTES FIJAS EN LA REFORMA TRIBUTARIA

SEBASTIÁN RIESTRA LÓPEZ[*]

El presente artículo tiene por finalidad exponer la conceptualización del impuesto a las emisiones de fuentes fijas como un instrumento económico de gestión ambiental en el contexto nacional. Para ello, se realizarán primeramente observaciones generales a la estructura del impuesto, teniendo en cuenta las razones de su incorporación al ordenamiento jurídico. Esto permitirá comprender la reciente reforma tributaria que modificó su estructura. Posteriormente, se revisarán las principales modificaciones de este instrumento, para profundizar en materias como el procedimiento de reclamo de actuaciones administrativas y el sistema de compensación de emisiones.

I. Los impuestos ambientales como categoría de intervención estatal y su función

Los impuestos ambientales son considerados, en sentido estricto, como un tipo de gravamen dirigido en contra de emisiones, efluentes, vertidos o procesos de consumo, en otras palabras, consecuencias —residuos, subproductos, etc.— de ciertas actividades que generan externalidades negativas e imponen un costo para el resto de la sociedad[1]; debiendo estas finalidades ambientales formar parte, a su vez, de los

---

[*] Abogado, Licenciado en Derecho, profesor del Departamento de Derecho Público de la Escuela de Derecho de la Pontificia Universidad Católica de Valparaíso; sebastian.riestra@pucv.cl.
[1] En este sentido, para la construcción del concepto se utilizan las definiciones dadas por ROSEMBUJ (2012) p. 760 y VAQUERA (1999) p. 121, en pos de diferenciarlas de otras categorías como tasas, contribuciones, precios públicos, etc.

elementos constitutivos del impuesto[2]. Este primer acercamiento conceptual nos reconduce a considerar el impuesto ambiental como una de las tantas formas de intervención jurídica estatal para adecuar las conductas de los particulares a un objetivo de interés púbico, en este caso, el control de la contaminación.

Según el instrumento que se utilice, la intervención estatal se clasifica en directa o indirecta. Así, será directa aquella referida a una regulación basada en mandatos legales y en el control administrativo (*command and control*), la cual en el plano medioambiental es reconocida por el otorgamiento de autorizaciones[3] o el establecimiento de límites superiores a la cantidad y calidad de los efluentes, emisiones o vertidos al medio ambiente[4]. Por su parte, en lo que respecta a los medios indirec-

---

[2]   Los autores mayoritariamente consideran que la presencia de consideraciones ambientales en la estructura y elementos del impuesto son necesarias para establecer la configuración de un impuesto ambiental en sentido estricto, no bastando las meras intenciones y declaraciones del legislador. En este sentido, SÁNCHEZ (2012) p. 27.

[3]   En el caso chileno, esto se identifica con el instrumento de gestión ambiental denominado SEIA (Sistema de Evaluación de Impacto Ambiental), que tiene por finalidad verificar si un proyecto cumple con la legislación ambiental vigente y si este se hace cargo de los potenciales impactos ambientales significativos. El proceso de evaluación culmina con una resolución que califica ambientalmente el proyecto evaluado, aprobándolo o rechazándolo (Resolución de Calificación Ambiental).

[4]   Nuevamente en el caso chileno, las definiciones de los instrumentos que reúnen las características descritas se encuentran en los literales n), ñ) y o) del artículo 2 de la Ley Nº 19.300, prescribiendo las siguientes definiciones:
«n) Norma Primaria de Calidad Ambiental: aquélla que establece los valores de las concentraciones y períodos, máximos o mínimos permisibles de elementos, compuestos, sustancias, derivados químicos o biológicos, energías, radiaciones, vibraciones, ruidos o combinación de ellos, cuya presencia o carencia en el ambiente pueda constituir un riesgo para la vida o la salud de la población;
ñ) Norma Secundaria de Calidad Ambiental: aquélla que establece los valores de las concentraciones y períodos, máximos o mínimos permisibles de sustancias, elementos, energía o combinación de ellos, cuya presencia o carencia en el ambiente pueda constituir un riesgo para la protección o la conservación del medio ambiente, o la preservación de la naturaleza;
o) Normas de Emisión: las que establecen la cantidad máxima permitida para un contaminante medida en el efluente de la fuente emisora».

tos (*incentive based*), existen los denominados instrumentos económicos, definidos como aquellos que afectan los costos y beneficios de acciones alternativas abiertas a los agentes económicos con la finalidad de influir en su comportamiento en un modo que sea favorable al interés público comprometido[5]. Para el caso que nos convoca, el concepto integra aquellos instrumentos que, con el objeto de mejorar el medio ambiente, proporcionan incentivos monetarios para la toma de decisiones voluntarias (no coercitivas) por parte de los particulares[6]. Los instrumentos que se identifican con esta categoría son muy variados a diferencia de los medios directos, debido a la flexibilidad que pueden adoptar y a la relatividad en la exigencia de sus resultados, encontrándonos con instrumentos tales como: derechos de emisión, subvenciones, tasas de uso, tributos ambientales, entre otras.

De un tiempo a esta parte, se ha puesto en duda la verdadera efectividad de la intervención estatal directa sobre la base de argumentos ampliamente reiterados —como el hecho de que la Administración se encuentra sobrecargada de tareas de difícil manejo y que le aqueja una notoria incapacidad para enfrentarlas eficazmente—, por lo que la gestión de los instrumentos de dicho tipo de intervención adolece de una vulnerabilidad importante. Esta incapacidad de asegurar un control eficaz por parte de las medidas de control directo, se debe principalmente a la multitud de centros contaminantes que debe regular el Estado y a la pluralidad de situaciones microsistémicas que se desarrollan a lo largo del territorio. Asimismo, la dificultad del control administrativo aumenta por la extensión de los daños de origen incierto que deben prevenirse y de la diversidad de sujetos a vigilar[7].

En atención a este diagnóstico, parte de la doctrina ha realizado las bondades de los instrumentos económicos en contraposición a los mecanismos directos. Se ha señalado que los primeros son más eficientes desde el punto de vista regulatorio, dado que contemplan una eficiencia, valga la redundancia, de costos al aumentar el ahorro de los agentes regulados, puesto que les obliga a buscar vías más convenientes para re-

---

[5]   Organización para la Cooperación y el Desarrollo Económico (1989).
[6]   Yábar (2002) p. 128.
[7]   Rosembuj (2005) p. 87.

ducir la acción gravada. Además, los instrumentos económicos suponen un incentivo a reducir permanentemente la contaminación por debajo de los niveles fijados. Finalmente, son más flexibles que las soluciones reglamentarias o administrativas[8].

La realidad que enfrenta actualmente la regulación ambiental —que siempre pareciese estar más cerca de un «laboratorio de la regulación del ordenamiento jurídico en su conjunto»[9]—, se decanta a favor del uso preferente de instrumentos indirectos para el control de conductas contaminantes. El empleo de éstos es cada vez más extensivo entre los distintos Estados, apareciendo recurrentemente como imposiciones en tratados y foros internacionales para el combate de problemáticas ambientales de orden global y local[10].

En esta tendencia, nuestro ordenamiento jurídico contempla dos tipos de impuestos ambientales en sentido estricto, esto a partir del proceso de reforma y sucesiva modernización tributaria que ha tenido lugar en nuestro país. En consecuencia, nos abocaremos a una revisión de dichos procesos para conocer las características de este tipo de impuestos y comentaremos las nuevas modificaciones incorporadas en la última reforma.

II. El establecimiento de los impuesto verdes en Chile y sus procesos de reforma

Con fecha 1 de abril de 2014, el Ejecutivo presentó ante la Cámara de Diputados un proyecto de ley tendiente a «impulsar una reforma

---

[8] *Idem.*

[9] KLOEPFER (1993) p. 34.

[10] Este es el caso que enfrenta Chile, que asumió una serie de compromisos internacionales para mitigar el calentamiento global, los cuales están presentes en la Contribución Nacional Determinada (NDC) en el marco del Acuerdo de París de la Convención Marco de las Naciones Unidas sobre el Cambio Climático. Chile ratificó el acuerdo ante la ONU, indicando que para el 2030 reducirá en un 30% las emisiones nacionales de gases de efecto invernadero por unidad de PIB con respecto a las emisiones de 2007; compromiso que se incrementa a un 45% si se cuenta con financiamiento internacional para la mitigación.

tributaria a través de cambios estructurales al sistema de tributación de la renta e introducir diversos ajustes en el sistema tributario vigente»[11]. Si bien los objetivos trazados por el legislador estaban orientados a incrementar la recaudación fiscal para el desarrollo de nuevas políticas sociales —v.g. la reforma educacional— y a establecer una mayor equidad tributaria[12], ante la amplitud de tal objetivo, se incorporaron una serie de medidas de distinta naturaleza junto con algunas correcciones que se encontraban pendientes en nuestro sistema tributario.

En este entendido, a partir del segundo acápite del mensaje presidencial, denominado «Sistema tributario y crecimiento económico», podemos apreciar planteamientos que hacen referencia al cuidado del medio ambiente y a la recaudación, al señalar que Chile «presenta una carga tributaria baja en término de impuestos ligados al cuidado del medio ambiente, si nos comparamos con países OCDE»[13], indicando a continuación que «si queremos aumentar nuestra recaudación total y tomamos como modelo la estructura tributaria de los países de mayor desarrollo, entonces debemos subir la carga tributaria a las rentas del capital y aumentar los impuestos ligados al cuidado del medio ambiente»[14]. Estas ideas permiten inferir un doble propósito en la incorporación de tributos ambientales: por una parte se establecen para lograr una mejor

[11]   Biblioteca del Congreso Nacional (2014) p. 1.
[12]   En el mismo mensaje presidencial se señala que la reforma tributaria «tiene cuatro grandes objetivos:
1. Aumentar la carga tributaria para financiar, con ingresos permanentes, los gastos permanentes de la reforma educacional que emprenderemos, otras políticas del ámbito de la protección social y el actual déficit estructural en las cuentas fiscales.
2. Avanzar en equidad tributaria, mejorando la distribución del ingreso. Los que ganan más aportarán más, y los ingresos del trabajo y del capital deben tener tratamientos similares.
3. Introducir nuevos y más eficientes mecanismos de incentivos al ahorro e inversión.
4. Velar porque se pague lo que corresponda de acuerdo a las leyes, avanzando en medidas que disminuyan la evasión y la elusión».
[13]   Biblioteca del Congreso Nacional (2014) p. 2.
[14]   Biblioteca del Congreso Nacional (2014) p. 4.

protección del medio ambiente y, por otra, involucran un fin expresamente recaudatorio[15].

Así, con fecha 29 de septiembre de 2014, se publicó en el Diario Oficial la Ley N° 20.780, que establece la reforma tributaria que modifica el sistema de tributación de la renta e introduce diversos ajustes en el sistema tributario, contemplando dos tipos de nuevos gravámenes de orientación manifiestamente ambiental.

Uno de estos corresponde a un impuesto que se aplica por única vez a la compra automóviles nuevos, livianos y medianos, por la emisión de partículas contaminantes denominadas óxidos de nitrógeno (NOx) calculadas según su rendimiento urbano[16-17].

El segundo, es el impuesto a las emisiones de fuentes fijas, que grava la emisión efectiva al aire de material particulado (MP), óxidos de nitrógeno (NO_x), dióxido de azufre (SO_2) y dióxido de carbono (CO_2),

---

[15] Respecto de la finalidad que deben tener estos tributos, si es posible admitir una función distinta a la recaudatoria, además si se adecua a un estándar de constitucionalidad exigido a cada tributo, existe una amplia discusión en derecho comparado en lo que se refiere a la aplicación particular de tributos ambientales, a modo de exposición de Vaquera (1999) y Rivas (2013). En Chile, se da cuenta de esta discusión en Mateluna (2005) y Navarro (2019).

[16] En los términos establecidos por el artículo 3 de la Ley N° 20.780, se calculará conforme a la siguiente fórmula:
Impuesto en UTM = [(35 /rendimiento urbano (km/lt)) + (120 x g/km de NOx)] x (Precio de venta x 0,00000006).
Donde g/km de NOx, corresponde a las emisiones de óxidos de nitrógeno del vehículo.
Donde, el Ministerio de Transportes y Telecomunicaciones determinará el rendimiento urbano y las emisiones de óxidos de nitrógeno a que se refiere la fórmula precedente, medidos y reportados según el ciclo de ensayo, de conformidad a las condiciones que al efecto se establezcan en un reglamento dictado por dicha repartición, a partir de la información constatada en el proceso de homologación vehicular o de otro que determine cuando, de acuerdo a la normativa vigente, dicho proceso no sea aplicable.

[17] El proyecto de ley contemplaba un impuesto adicional a la importación de vehículos livianos que utilicen diésel como combustible, con el objeto de incentivar el uso de vehículos menos contaminantes. Si bien se encontraba restringido al uso del diésel, la fórmula de cálculo estaba vinculada a la emisión otros contaminantes distintos al NO_x [Impuesto (en UTM) = 540/rendimiento urbano (en Km/lt)]. Biblioteca del Congreso Nacional (2014) p. 104.

producidos por establecimientos cuyas fuentes fijas, conformadas por calderas y/o turbinas, individualmente o en su conjunto, sumen una potencia térmica mayor o igual a 50 MWt (megavatios térmicos). Cabe señalar que la fórmula de la tasa de dicho impuesto sufrió modificaciones posteriores, inclusive antes de la entrada en vigencia de la aplicación del impuesto mismo[18], estableciéndose finalmente una fórmula que considera variables poblaciones, estado ambiental del territorio y la asignación del costo social del contaminante —este último asignado por el propio legislador[19]—.

---

[18]   El artículo 8 de la Ley N° 20.780 original contemplaba una fórmula de cálculo que consideraba la variable de coeficiente de dispersión de contaminantes en la comuna (CDcj), donde este podría tomar cinco valores dependiendo de si la comuna poseyese un factor de dispersión alto, medio-alto, medio, medio-bajo o bajo, determinándose el factor de dispersión a partir de los factores de emisión-concentración (FEC) estimados para material particulado 2,5 para cada comuna, conforme a los siguientes segmentos: Alto]600 - + 0.8 ton/ug/ m3. Medio-Alto]400 - 600] 0.9 ton/ug/m3. Medio]200 - 400] 1 ton/ug/m3. Medio-Bajo]100 - 200] 1.1 ton/ug/m3. Bajo 0 - 100] 1.2 ton/ug/m3. Esto finalmente fue sustituido por la variable denominada «coeficiente de calidad del aire» (CCAj), la que corresponderá a dos valores diferenciados dependiendo de si la comuna ha sido declarada zona saturada o zona latente. Esto último tuvo lugar por medio de la Ley N° 20.899 que simplifica el sistema de tributación a la renta y perfecciona otras disposiciones legales tributarias.

[19]   En el caso de las emisiones al aire de MP, NO_x y SO_2, el impuesto será equivalente a 0,1 por cada tonelada emitida, o la proporción que corresponda de dichos contaminantes, multiplicado por la cantidad que resulte de la aplicación de la siguiente fórmula: Tij = CSCpci X Pobj.
Donde:
Tij = Tasa del impuesto por tonelada del contaminante «i» emitido en la comuna «j» medido en US$/Ton. CSCpci = Costo social de contaminación per cápita del contaminante «i».
Pobj = Población de la comuna «j».
Respecto de estos mismos contaminantes, si el establecimiento se encuentra dentro de una comuna que a su vez forme parte de una zona declarada como zona saturada o como zona latente por concentración de MP, NO_x o SO_2 en el aire conforme a lo establecido en la Ley N° 19.300, sobre Bases Generales del Medio Ambiente, se aplicará a la tasa de impuesto por tonelada de contaminante un factor adicional consistente en el coeficiente de calidad del aire, resultando en la siguiente fórmula para su cálculo:
Tij= CCAji×CSCpci×Pobj.

En el último proceso de reforma, refrendado por medio de la Ley N° 21.210 de 2020[20], se introdujeron cambios estructurales a la forma en como se encontraba establecido originalmente el impuesto a las emisiones de fuentes fijas[21], las que podemos clasificar según la siguiente tipología:

i)   Hecho gravado: Este elemento del tributo estará condicionado a que se supere un umbral anual de emisiones, sin restricción de una determinada capacidad instalada. De este modo, se gravan con este impuesto todas las fuentes de compuestos contaminantes que emitan 100 o más toneladas anuales de material particulado (MP) o 25.000 o más toneladas anuales de CO_2.

Dónde:
CCAji= Coeficiente de calidad del aire en la comuna «j» para el contaminante «i».
El coeficiente de calidad del aire corresponderá a dos valores diferenciados dependiendo si la comuna «j» ha sido declarada zona saturada o zona latente por concentración del respectivo contaminante (Zona Saturada: 1.2 y Zona Latente: 1.1).
El Costo Social de contaminación per cápita (CSCpc) asociado a cada contaminante local será el siguiente: MP: $0.9, SO_2: $0.01 y NO_x: $0.025.
En el caso de las emisiones de CO_2, el impuesto será equivalente a 5 dólares de Estados Unidos de América por cada tonelada emitida.

[20]   Estas modificaciones entrarán en vigencia a partir del 1 de enero de 2023, quedando gravadas las emisiones de ese año en 2024. Por su parte, las nuevas normas sobre compensación de emisiones se aplicarán a contar del 24 de febrero de 2023, según lo expresado por el artículo trigésimo primero transitorio de la Ley N° 21.210.

[21]   A pesar del corto tiempo de implementación del impuesto a las emisiones de fuentes fijas y la inexistencia de estudios acabados de evaluación normativa de aplicación del instrumento, existían una serie de críticas a su configuración, muchas de ellas recogidas finalmente en el proyecto. Sin embargo, es llamativo que ninguna de estas discusiones se haya encausado en un foro jurídico, salvo aquella relativa a la obligación del SII de entregar una lista de empresas y la ciudad en la que se localizan aquellas a las que se les ha aplicado un impuesto por emisiones contaminantes [Corte de Apelaciones de Santiago. 26 de marzo de 2019. Rol N° 574-2018. «SII con Consejo para la Transparencia». Decisión que fue ratificada por la Corte Suprema por medio del rechazo del recurso de queja deducido por el Servicio de Impuestos Internos en contra de los miembros de la Corte de Apelaciones de Santiago. 4 de septiembre de 2019. Rol N° 8210-2019 (*LTM 16300667*)].

ii) Sujeto pasivo: Vinculado a lo señalado en el numeral anterior, la configuración del sujeto pasivo se definirá en relación a la emisión de toneladas producidas según el umbral establecido. El sujeto pasivo ya no se dependerá de las características de un proceso industrial en particular, como lo es la generación eléctrica, sino mas bien a la cantidad de emisiones producidas.

iii) Exenciones: Se amplían los supuestos de exención a determinadas calderas, grupos electrógenos y fuentes fijas cuya fuente de energía primaria sea la biomasa, incorporando en el supuesto la utilización de aditivos en la combustión.

iv) Creación de nuevas obligaciones secundarias: El Ministerio del Medio Ambiente publicará anualmente un listado de los establecimientos que deberán reportar de manera obligatoria sus emisiones, ampliadas a aquellos establecimientos que no necesariamente se encuentran en el supuesto del hecho gravado, a efectos de identificar de manera anticipada y fehaciente a los sujetos pasivos del impuesto y aquellos que se encuentren en supuestos grises.

v) Sistema de impugnación: Se reconoce de manera expresa la competencia de los Tribunales Ambientales (en adelante «TTAA») en la impugnación del acto informativo para la determinación del impuesto, la vía de impugnación administrativa ante la Superintendencia del Medio Ambiente (en adelante «SMA») y el alcance de la competencia de los Tribunales Tributarios y Aduaneros.

vi) Implementación de mecanismos de compensación: Se autoriza a los sujetos afectos a este impuesto a desarrollar proyectos de reducción de emisiones para la compensación de emisiones gravadas, bajo ciertos requisitos, comprobaciones y limitaciones territoriales —v.g. zonas de declaradas en latencia o saturación de un determinado contaminante—.

A pesar de que los cambios introducidos modificaron la fisonomía del impuesto, varios de los asuntos discutidos no fueron incluidos finalmente en la reforma. Este es el caso de haber mantenido el precio de cinco dólares (USD \$5) por tonelada de CO_2, ampliamente considerado como bajo, en atención al objetivo de desalentar conductas y a los compromisos internacionales adquiridos por Chile[22], y a la posibilidad de distribuir los ingresos fiscales en proporción relativa a las comunas que reciben la mayor cantidad de emisiones contaminantes[23].

III. Algunas consideraciones respecto a los mecanismos de impugnación y compensación de emisiones introducidos por la Ley Nº 21.210

1. Mecanismos de impugnación contra actos que determinan elementos definitorios del impuesto

En el plano del establecimiento de los mecanismos de impugnación asociados a la aplicación del impuesto, encontramos la principal modificación, puesto que se incorpora la formalización y exteriorización particular de un acto administrativo no considerado anteriormente en el procedimiento de determinación y aplicación del impuesto.

Este corresponde a la obligación impuesta a la Superintendencia del Medio Ambiente de notificar por medio de una resolución, aquel informe remitido al Servicio de Impuestos Internos (en adelante SII) con los datos y antecedentes necesarios para que proceda al cálculo y giro del

---

[22]   Según lo informado por el Banco Mundial en «Reporte de la Comisión de Alto Nivel sobre los Precios del Carbono» (mayo, 2017), se indica que: «se considera que el nivel de precio explícito al carbono compatible con la consecución delas metas relativas a la temperatura establecidas en París, debe situarse, como mínimo, entre USD 40 y USD 80 por tonelada de CO_2 para 2020 y entre USD 50 y USD 100 por tonelada de CO_2 para 2030, siempre que exista un entorno normativo favorable». En este mismo sentido, el Ministerio de Desarrollo social en reporte «Estimación del Precio Social del CO2» (Santiago, febrero 2017), estima que un precio social de carbono acorde a las obligaciones internacionales de Chile y la situación social correspondería a 32,5 (USD/ tCO_2) con un rango de sensibilidad entre 20,2 (USD/ton CO_2) y 43,2 (USD/ton CO_2).

[23]   De esta forma algunos diputados y alcaldes manifestaron su interés en implementar esta medida. En este sentido, BioBioChile.cl (10/02/2018) e intervención del H. Diputado Amaro Labra, en sesión Nº 66 de la legislatura 367 del miércoles 21 de agosto de 2019 de la Cámara de Diputados.

impuesto, declarando el legislador expresamente que este acto será impugnable administrativamente o reclamable ante el Tribunal Ambiental. A nuestro entender, la intención expresa del legislador es incorporar un mecanismo único, excluyente y concentrado de impugnación de actuaciones administrativas, inclusive de la propia vía contenciosa tributaria como se verá en la próxima sección. Sin embargo, algunos de los elementos que componen este tributo, son de competencia de otros órganos distintos de la SMA, información que es establecida tempranamente, mucho antes de la elaboración del informe que debe remitir la superintendencia en cuestión. Es por eso que resulta interesante explorar las posibilidades de revisión de otras actuaciones y de qué manera se contextualizan en el marco de la aplicación del impuesto.

a) Forma de determinación del sujeto pasivo de la obligación tributaria

La forma de identificación del sujeto pasivo, es decir, la persona del contribuyente, corresponde a un proceso complejo. En la forma en que quedó establecida, reconoce un rol preponderante del Ministerio del Medio Ambiente y de la SMA, lo que consistirá en la elaboración y difusión de dos listados de fuentes. El primero de estos, se encuentra bajo la administración del MMA, elaborado por medio un registro de fuentes de amplio espectro, ya que obligará a sujetos afectos y no afectos[24] a proporcionar información respecto de sus características, régi-

---

[24]   Para cumplir con el objetivo de una correcta y completa identificación, debiesen ser llamados a reportar no solo establecimientos que se encuentren en situación límite de configurar las características descritas del hecho gravado, sino que otras fuentes que tengan emisiones variables, operación intermitente, no estén sujetas a otro tipo de control de sus emisiones considerando además la contribución de este registro al catastro de emisiones que debe elaborar la autoridad política. Esto ya se encuentra reconocido en el artículo 4 del reglamento del D.S. N° 18 de 2016 del MMA, que establece un umbral bajo de entrada, prescribiendo: «Sujetos obligados al registro. Toda persona natural o jurídica, propietaria de una o más calderas y/o turbinas con una potencia térmica nominal superior a 5 MWt, deberá registrarse ante el Ministerio del Medio Ambiente conforme a lo establecido en los artículos siguientes».

men operacional y emisiones, con el único propósito de proveer correcta información al segundo listado de fuentes.

Por su parte, el segundo listado de establecimientos corresponde a la individualización de los sujetos que se encuentren en el supuesto legal de ser calificados como sujeto pasivo del impuesto, entendido como resultado del proceso de verificación y comprobación de los supuestos que componen el hecho gravado, cuestión que en esta ocasión será realizado por la SMA.

Respecto de esta forma de individualización, surgen dudas en relación a la fuerza vinculante de los listados y en relación a cuáles serán efectivamente los mecanismos de impugnación que tendrá disponible el titular del establecimiento que no está de acuerdo con la calificación dada por la autoridad ambiental.

Así, según la naturaleza de los actos de identificación del sujeto obligado al reporte de sus emisiones y, asimismo, de encontrarse afecto al gravamen, las discordancias que se generen en la información y la debida veracidad de las emisiones podrían provocar una cierta confusión en la elección de medios de impugnación y su legitimación procesal ante la judicatura.

En este entendido, el tribunal que por su naturaleza debería pronunciarse de la reclamación correspondería a los TTAA, sobre la base del tipo de órganos de la Administración del Estado involucrados en esta actuación. Sin embargo, debido a la forma en que se establecieron las competencias de éstos, es decir, un listado cerrado a determinados y precisos actos vinculados a la dictación y aplicación de instrumentos de gestión ambiental de cargo de una autoridad ambiental[25], quedaría

---

[25]   En este entendido, en lo que respecta a los actos impugnables del Ministerio del Medio Ambiente el artículo 17 de la LLTTA, prescribe que: «Los Tribunales Ambientales serán competentes para:
1) Conocer de las reclamaciones que se interpongan en contra de los decretos supremos que establezcan las normas primarias o secundarias de calidad ambiental y las normas de emisión; los que declaren zonas del territorio como latentes o saturadas y los que establezcan planes de prevención o de descontaminación, en conformidad con lo dispuesto en el artículo 50 de la ley N° 19.300. En el caso de las normas primarias de calidad ambiental y normas de emisión, conocerá el

excluida la posibilidad de revisión jurisdiccional, en un análisis apriorístico, de este tipo de actuaciones por no estar consideradas en dicho listado de actos.

En atención a que no es admisible considerar la falta de vías de revisión de actuaciones administrativas desde una lectura constitucional del derecho de tutela judicial efectiva y al principio de control de las actuaciones del Estado, necesariamente debiésemos reconducir el asunto al uso de recursos administrativos de aplicación general o a la invalidación, en este último caso, abriendo paso a una acción jurisdiccional ante los Tribunales Ambientales contenida en el artículo 17 n° 8 de la Ley N° 20.600 que crea los Tribunales Ambientales (en adelante LTTAA)[26], que dispone que los TTAA podrán «[c]onocer de las reclamaciones en contra de la resolución que resuelva un procedimiento administrativo de invalidación de un acto administrativo de carácter ambiental» o en el caso de lo resuelto por la SMA, entender el supuesto de competencia

---

tribunal que en primer lugar se avoque a su consideración, excluyendo la competencia de los demás.

Respecto de las normas secundarias de calidad ambiental, los decretos supremos que declaren zonas del territorio como latentes o saturadas, y los que establezcan planes de prevención o de descontaminación, será competente el Tribunal Ambiental que tenga jurisdicción sobre la zona del territorio nacional en que sea aplicable el respectivo decreto [...]

7) Conocer de las reclamaciones que se interpongan en contra de los actos administrativos que dicten los Ministerios o servicios públicos para la ejecución o implementación de las normas de calidad, de emisión y los planes de prevención o descontaminación, cuando estos infrinjan la ley, las normas o los objetivos de los instrumentos señalados. El plazo para reclamar será el establecido en el artículo 50 de la ley N° 19.300. Tratándose de las normas primarias de calidad ambiental y normas de emisión, conocerá el tribunal que en primer lugar se avoque a su consideración, excluyendo la competencia de los demás. Respecto de la aplicación de las normas secundarias de calidad ambiental, de los decretos supremos que declaren zonas del territorio como latentes o saturadas, y de los que establezcan planes de prevención o de descontaminación, será competente el Tribunal Ambiental que tenga jurisdicción sobre la zona del territorio nacional en que sea aplicable el respectivo decreto».

26   Este mecanismo nace a partir de una interpretación extensiva que realiza la Corte Suprema, con el objeto de enfrentar las restricciones que proponen las acciones jurisdiccionales especiales para acceder al Tribunal Ambiental, siendo intensamente discutida entre la doctrina nacional. En este sentido, Riestra (2019).

conforme a una interpretación amplia en lo que respecta al concepto de resolución[27].

b) Elementos cuantificadores del impuesto: coeficiente de calidad del aire aplicable y determinación de número de habitantes

El coeficiente de calidad del aire corresponderá a dos valores diferenciados dependiendo si la comuna del lugar donde se encuentra el establecimiento ha sido declarada zona saturada o zona latente por el respectivo contaminante. Si bien el dato de las comunas que se encuentran bajo dicha declaración es público[28], de todas formas la ley obliga al Ministerio del Medio Ambiente a publicar anualmente el listado de las comunas que han sido declaradas como saturadas o latentes para efectos de este impuesto.

Respecto del otro elemento cuantificador, relativo al número de población de cada comuna donde se ubiquen los establecimientos afectos, este corresponde a la proyección oficial informada por el Instituto Nacional de Estadísticas y será entregado por el Ministerio del Medio Ambiente a la Superintendencia del Medio Ambiente a más tardar el 30 de enero de cada año, con el objeto de que ésta elabore los informes con los datos necesarios para el cálculo del impuesto. En este caso, no existirá un acto o publicación de dicho dato, y sólo será conocida por el

---

[27]   El artículo 17 de la LLTTA, prescribe en su numeral 3): «Los Tribunales Ambientales serán competentes para: Conocer de las reclamaciones en contra de las resoluciones de la Superintendencia del Medio Ambiente, en conformidad con lo dispuesto en el artículo 56 de la Ley Orgánica de la Superintendencia del Medio Ambiente. Será competente para conocer de estas reclamaciones el Tribunal Ambiental del lugar en que se haya originado la infracción».

[28]   La declaración de una zona del territorio como saturada o latente se hará por decreto supremo que llevará la firma del Ministro del Medio Ambiente y contendrá la determinación precisa del área geográfica que abarca, siendo tramitadas de conformidad al procedimiento establecido por el reglamento, y en subsidio por la Ley Nº 19.880, cuestión que implica su publicación en Diario Oficial previa toma de razón por parte de la Contraloría General de la República (D.S. Nº 39 de 30 de octubre de 2012 del Ministerio del Medio Ambiente).

titular una vez que sea notificado del informe que remitirá la SMA al SII.

Según la manera en que se encuentran dispuestas las obligaciones de remisión de información de estos elementos cuantificadores, se hacen aplicables las mismas consideraciones ya expresadas en la sección anterior, referidas a la forma de impugnación de dicha información, el tribunal competente y la vinculatoriedad de la declaración tanto para la construcción del informe como a lo dispuesto en el giro que deberá emitir el SII.

2. *Reclamo contra actuaciones administrativas dictadas por el SII*

El texto de la reforma indica que, respecto del giro emitido por el Servicio de Impuestos Internos, podrá reclamarse ante los Tribunales Tributarios y Aduaneros de acuerdo al procedimiento establecido en el artículo 123 y siguientes del Código Tributario, «sólo en caso que no se ajuste a los datos o antecedentes contenidos en el informe enviado por la Superintendencia del Medio Ambiente o a los que fundamentaron un nuevo giro, según corresponda».

Al tenor de lo expresado, a nuestro parecer, se estaría estableciendo una restricción relativa a los asuntos que podrá conocer la autoridad jurisdiccional, ya que procedería sólo cuando el contenido del giro no se ajustare a los datos o antecedentes contenidos en el informe enviado por la SMA, o a los que fundamentaron un nuevo giro, máxime si consideramos que se ocupa la expresión «sólo en caso».

En los términos que esta regla se encuentra redactada, se colige que toda cuestión relativa a la determinación y aplicación del impuesto sea discutida única y exclusivamente al tenor de los actos que emitirán los órganos pertenecientes a la institucionalidad ambiental, debido a que la competencia del juez tributario se circunscribirá a la verificación meramente comparativa entre lo indicado por la SMA en su informe y lo expresado por el SII en el giro dictado.

Para entender la lógica que subyace al establecimiento de esta regla que modifica la extensión de competencia de los Tribunales Tributarios y Aduaneros en la materia en cuestión, es necesario suponer que la oportunidad procesal para reclamar y obtener una decisión técnica de fondo —respecto de los elementos determinantes que configuran la obligación tributaria para cada contribuyente— será aquella instancia seguida ante el contencioso ambiental.

Si bien la intención es trasladar los aspectos técnicos-ambientales de la institucionalidad tributaria al contencioso ambiental por razones de especialidad, eventualmente la aplicación literal de esta regla vetaría ciertos supuestos no propiamente ambientales —que por lo demás son parte del gravamen—, típicamente ventilados en reclamaciones de la aplicación de un impuesto en instancias judiciales. Así por ejemplo, el reclamo de prescripción en caso que el giro haya sido dictado extemporáneamente, existan vicios procedimentales en el cálculo que realiza el SII —tales como la notificación ilegal del giro— o definitivamente si el hecho no se encuentra gravado. Dichas categorías, entendemos, son propias del orden jurídico tributario y requieren ser interpretadas por las autoridades competentes en la materia.

3. *Incorporación de mecanismos de compensación de emisiones*

La versión anterior del impuesto verde no contemplaba la posibilidad de compensar emisiones en relación al desarrollo de otras medidas exógenas al proyecto emisor. Esto implicaba que proyectos que no podían incorporar nuevas tecnologías o tenían un acceso restringido a estas, no tenían incentivo alguno en reducir sus emisiones.

La situación descrita es menos marginal de lo que se estimaba inicialmente en el caso chileno. Actualmente las emisiones gravadas a lo largo de los años desde su implementación no han presentado una reducción[29], asunto que pondría en cuestión el objetivo fundamental de este tipo de instrumentos, donde lo principal no es la recaudación, sino que las empresas, motivadas por aliviar su carga tributaria, implemen-

---

[29]   En 2017, con cobro en 2018, con 94 establecimientos afectados se recaudaron US$ 191 millones. Al año siguiente la recaudación bajó a US$ 188 millones, pero también lo hicieron las empresas obligadas a pagar este gravamen, las que para 2018 bajaron a 93. La Tercera (7/02/2020).

ten en sus procesos productivos tecnologías que permitan una disminución de sus emisiones contaminantes.

Dado que esta nueva configuración del impuesto considera la posibilidad de compensar emisiones, es importante detenernos en el análisis de sus características e identificar sus puntos problemáticos.

a) Caracterización de emisiones

Para determinar si corresponde compensar emisiones, el titular de un proyecto debe cuantificar las emisiones que se producen únicamente durante la operación del proyecto, en atención a la forma en cómo se configura el hecho gravado, el cual gira en torno al proceso de la «combustión»[30], por lo que quedarían excluidas las etapas de construcción y cierre del proyecto.

Por otra parte, aquella emisión que se puede compensar no sólo contempla lo producido por una fuente, sino más bien es el resultado de la acción acumulada de dos o más de ellas, en tanto el sujeto gravado asume el concepto de «establecimiento»[31], definición que pone su énfasis en el control operacional de una faena para un determinado fin y no en la existencia de fuentes individuales dentro de aquélla.

Estas emisiones corresponden a emisiones directas, es decir, las que se emitan dentro del predio o terreno donde se desarrolle la actividad,

---

[30] El literal b) y c) del inciso segundo del artículo 8 de la Ley N° 20.780 contiene las siguientes definiciones: «(b) Fuente emisora: una fuente fija cuyas emisiones sean generadas, en todo o parte, a partir de combustión. (c) Combustión: un proceso de oxidación de sustancias o materias sólidas, líquidas o gaseosas que desprende calor y en el que se libera su energía interna para la producción de electricidad, vapor o calor útil, con la excepción de la materia prima que sea necesaria para el proceso productivo».

[31] El literal a) del inciso segundo del artículo 8 de la Ley N° 20.780 define establecimiento como «[...] un recinto o local en el que se lleve a cabo una o varias actividades económicas que implique una transformación de la materia prima o de los materiales empleados, o se dé origen a nuevos productos, cuyas fuentes emisoras estén bajo un control operacional único o coordinado».

cuestión que no consideraría las indirectas[32], ni tampoco aquellas emisiones asociadas a calderas de agua caliente utilizadas en servicios vinculados exclusivamente al personal y de grupos electrógenos de potencia menor a 500 kWt, por aplicación del concepto de «combustión» dado por el legislador en esta nueva versión del impuesto verde.

Es posible inferir de la presente redacción del artículo 8 de la Ley N° 20.780 que las emisiones a compensar corresponden a las que se produzcan en excedencia de los límites que establece el hecho gravado, debiendo necesariamente asumir que la situación basal de cada establecimiento definirá lo compensando, no siendo admisible que, por medio del mecanismo de compensaciones, se excluya a un sujeto afecto por no encontrarse en el umbral fijado por la ley, más considerando que la compensación no tiene límite, por lo cual es posible compensar el 100% de sus emisiones en exceso.

Por otra parte, se exige de parte del legislador una serie de características que debe reunir el tipo de compensación para su procedencia. Así, estas reducciones deben ser medibles, verificables, permanentes y adicionales.

Todas estas exigencias son reconducidas comúnmente al «principio de integridad ambiental», el cual comprende el estándar que debe tener un sistema de *offsets* respecto de su eficacia, entendida esta como aquella forma de hacer posible una reducción medible en comportamientos perjudiciales para el medio ambiente[33]. La opción tomada por el legisla-

---

[32]   Varios de los planes de descontaminación contemplan una definición respecto de este tipo de emisiones, en este el sentido el art. 42 letra b) del Plan de Descontaminación Atmosférica para las comunas de Concón, Quintero y Puchuncaví (D.S. N° 105/2018), define emisiones indirectas como aquellas; «[...] que se generan exclusivamente por la actividad, como por ejemplo las asociadas al aumento del transporte. En el caso de proyectos inmobiliarios también se considerarán como emisiones indirectas las asociadas al uso de calefacción domiciliaria».

[33]   Dicho principio se encuentra vinculado a los principios Faster, utilizados para la fijación acertada de los precios del carbono, en tanto hay dos tipos de instrumentos de mercado que le pueden poner un precio explícito al carbono: el comercio de emisiones e impuestos al carbono. Estos principios fueron desarrollados conjuntamente por el Banco Mundial y la Organización para la Cooperación y el Desarrollo Económico y se basan en la experiencia práctica que diferentes jurisdicciones tienen con la implementación de impuestos al carbono y los sistemas

dor fue enunciar sus características, y establecer que será un reglamento dictado por el Ministerio del Medio Ambiente el encargado de regular la conceptualización y procedimentalización de comprobación de dichas características[34].

i) Permanencia

Respecto de lo señalado acerca de su permanencia, se debiese exigir que el mecanismo permanezca mientras el titular se encuentre en el supuesto del hecho gravado, lo cual supone un ejercicio de proyección del funcionamiento del proyecto al momento de su aprobación. Cuestión sencilla respecto de proyectos bajo el sistema de evaluación ambiental —ya que tienen definida su vida útil—, pero compleja si se trata de proyectos ajenos al SEIA.

ii) Adicionalidad

Respecto al carácter adicional de la compensación, se exige por parte del legislador que sean adicionales a las obligaciones impuestas por planes de prevención o descontaminación, normas de emisión, resoluciones de calificación ambiental o cualquier otra obligación legal. Esto implicará, necesariamente, no sólo realizar una revisión de cada instrumento de gestión ambiental aplicable al establecimiento, sino también la forma en cómo se encuentran establecidos los mecanismos de compensación en los distintos instrumentos y si estos son asimilables a las características que precisa el legislador para ser entendido como adicional.

Así, por ejemplo, en el marco de los planes de prevención y descontaminación, en general la compensación considera tanto las emisiones di-

---

de comercio de emisiones. En este sentido, Banco Mundial y Organización para la Cooperación y el Desarrollo Económico (2015) y Banco Mundial y Organización para la Cooperación y el Desarrollo Económico (2016) pp. 3 y ss.

[34] El inciso vigésimo cuarto artículo 8 de la Ley N° 20.780 dispone que: «El Ministerio del Medio Ambiente establecerá mediante un reglamento la forma y antecedentes requeridos para acreditar las características necesarias para la procedencia de dichos proyectos, el procedimiento para presentar la solicitud y los antecedentes que se deberán acompañar a la misma».

rectas como las indirectas, restricciones particulares respecto a un componente, porcentaje a compensar, y objetivos propios de la naturaleza de estos instrumentos[35]

Por su parte, en el contexto del SEIA encontramos que los mecanismos de compensación proceden únicamente cuando se haya demostrado fehacientemente que se han agotado las opciones de mitigación y reparación del efecto adverso que produce un determinado proyecto[36].

Además de lo ya señalado, se debe considerar que el concepto de adicionalidad no se agota en lo expresado por el legislador en esta sección, ya que también debe incorporar aquella característica propia de estos mecanismos, referida al contexto propio del proyecto, excluyéndose proyectos de compensación si se determina que éste no hubiese sido factible de desarrollar sin el esquema de *offsets* y que no hubiese existido debido a otras razones. Por lo tanto, la adicionalidad integra criterios

---

[35]   El objetivo de todo plan, es que, a través de la incorporación de medias de control de emisiones contaminantes, se evite la superación del respectivo estándar fijado por una norma calidad ambiental —o llegar a ella en caso de latencia—, recuperar los niveles señalados en dicha norma según concentración temporal exigida y evitar que se superen los niveles de latencia, todo ello, en un horizonte temporal determinado. En lo relativo al caso de compensaciones y su contexto normativo en esta clase de instrumentos, es posible citar el caso reciente del Plan de Prevención y de Descontaminación para las comunas de Concón, Quintero y Puchuncaví (Decreto Supremo N° 105 del 27 de diciembre de 2018 del Ministerio del Medio Ambiente), que en el capítulo VII Compensación de Emisiones del D.S. 105/2018, en particular su artículo 42, exige que todos aquellos proyectos o actividades nuevas y la modificación de aquellos existentes que se sometan o deban someterse al Sistema de Evaluación de Impacto Ambiental (SEIA), deberán compensar sus emisiones totales anuales, directas o indirectas en un 120%.

[36]   Se define compensación en el art. 100 del Reglamento del Sistema de Evaluación de Impacto Ambiental —Decreto Supremo N° 40 del 30 de octubre de 2012 del Ministerio del Medio Ambiente— como aquellas que «[...] tienen por finalidad producir o generar un efecto positivo alternativo y equivalente a un efecto adverso identificado, que no sea posible mitigar o reparar. Dichas medidas incluirán, entre otras, la sustitución de los recursos naturales o elementos del medio ambiente afectados por otros de similares características, clase, naturaleza, calidad y función».

que permiten discernir si el proyecto va más allá del *business as usual* o la línea de base[37].

iii) *Medición y verificabilidad*

Quizás el elemento esencial que asegura la integridad ambiental del sistema, corresponde a los requisitos que el regulador establezca para la medición y verificabilidad de las emisiones. De su valía y certeza dependerá la correcta implementación de este tipo de instrumentos, además del real logro del objetivo de la política pública en juego.

Estos sistemas de monitoreo, reporte y verificación, reconocidos por su sigla MRV, tienen cuatro componentes[38]: el registro de las fuentes, que constituye una etapa previa de catastro de los potenciales afectos al impuesto; la medición; el reporte establecido por medio de mecanismos para informar sobre las emisiones y protocolizado a través del instructivo de reporte de emisiones; y la verificación, siendo analizados en particular las dos características anunciadas por el legislador.

El monitoreo implica la cuantificación de las emisiones mediante el cálculo o la medición directa, que debe ser consolidada en un informe de emisiones, debiendo el regulador encargarse de precisar cuáles serán las metodologías para la contabilidad y cuantificación de emisiones y otros datos necesarios; orientación sobre metodologías de monitoreo; plantillas para reportes; reglas para el uso de los verificadores; y demás detalles sobre el intercambio y la gestión de datos[39-40].

---

[37]   Banco Mundial (2017) p. 35.
[38]   Ministerio del Medio Ambiente (2017) p. 3.
[39]   Banco Mundial (2016) p. 122.
[40]   Una primera aproximación a esta temática es ofrecida por la regulación dada por la SMA en materia de reporte de emisiones gravadas por impuesto verde, indicando por medio de su instrucción general en la materia que el modelo general de cuantificación de emisiones de NO_x, SO_2, MP y CO_2 considera tres tipos principales de métodos de medición/cuantificación: medición continua, medición discreta y estimación de emisiones. Resolución Exenta N° 55 de 12 de enero de 2018 de la Superintendencia del Medio Ambiente, que aprueba Instructivo para el monitoreo, reporte y verificación de las emisiones de fuentes fijas afectas al impuesto del artículo 8° de la Ley N° 20.780.

A su vez, el proceso de verificación corresponderá a aquel conjunto de acciones que tiene como objetivo principal corroborar la validez de la información reportada, pero también debiese generar en los establecimientos afectos el deber de crear sistemas de documentación, gestión y control de calidad, de manera de que sea el establecimiento el control inicial y aquel que genere los registros y corroboraciones necesarias[41].

Dada la relevancia de este asunto, es importante considerar cuáles son las recomendaciones que se realizan por diversas entidades internacionales, las que se centran en tres aspectos: la verificación independiente de los reportes de emisiones, la transparencia de la información por medio registros o bases de datos —que lleven el registro y monitoreen la creación y la entrega de datos de todas las unidades dentro de un sistema— y por último la aplicabilidad creíble con sanciones adecuadas[42].

b) Procedimiento de aprobación de proyectos y aplicación de la compensación de emisiones

Para la procedencia de un proyecto de reducción, se deberá presentar una solicitud ante el Ministerio del Medio Ambiente, el que deberá pronunciarse, mediante resolución exenta en un plazo de 60 días hábiles, contado desde la fecha en que se reciban todos los antecedentes necesarios para verificar el cumplimiento de los requisitos que resultan aplicables.

Sin embargo, para la procedencia efectiva del proyecto de compensación, el legislador exige un trámite adicional, correspondiente a la certificación de un auditor externo de la reducción de emisiones, y que además dicha certificación sea acreditada ante la SMA.

Posterior a todas las certificaciones, comprobaciones y remisiones de información, dispone el actual artículo 8 de la Ley Nº 20.780 que la

---

[41]   En este sentido, lo expresado en Resolución Exenta Nº 55 de 12 de enero de 2018 de la Superintendencia del Medio Ambiente, que aprueba Instructivo para el monitoreo, reporte y verificación de las emisiones de fuentes fijas afectas al impuesto del artículo 8º de la Ley Nº 20.780, al referirse acerca del propósito que tiene la verificación del reporte de emisiones.

[42]   Banco Mundial (2016) p. 220.

SMA «será la encargada de realizar el cálculo de las emisiones de cada contribuyente afecto al impuesto, incluyendo aquellas reducciones de emisiones que se hayan utilizado como mecanismo de compensación, y deberá remitir dicha información al Servicio de Impuestos Internos, para efectos de realizar el cálculo y giro del impuesto que establece este artículo». Esta disposición sólo es una reiteración de lo ya descrito acerca del rol de la SMA, relativo al envío del informe pormenorizado de los antecedentes requeridos para el giro del impuesto, por lo que no será un informe distinto al que se debe remitir al término de cada periodo.

El procedimiento establecido pareciese distinguir entre la evaluación del proyecto y la comprobación de la efectividad de la compensación de emisiones; y, a su vez, otorga funciones a autoridades distintas y prevé la necesaria intervención de un particular. Así, la SMA no podrá pronunciarse acerca de la idoneidad del proyecto ni de la concurrencia de los requisitos para su procedencia, y el Ministerio no podrá pronunciarse acerca de si ese proyecto provocó efectivamente una reducción de emisiones en atención a las funciones dadas a cada una de estos órganos. Sin embargo, la falta de efectividad del proyecto en su fase de ejecución o su falta de comprobación, todas cuestiones que pueden debiesen ser comprobadas por la SMA, podría traer la pérdida de los requisitos para el desarrollo del proyecto.

Por otra parte, la dispersión funcional avizorada podría provocar un retardo en la sucesión de trámites, por lo que se requerirá una coordinación expedita entre órganos públicos, debiéndose ajustar los plazos de pronunciamientos, en particular aquel referido a la aprobación del proyecto que, si bien se encuentra explicitado en la Ley N° 20.780, éste es «contado desde la fecha en que se reciban todos los antecedentes necesarios para verificar el cumplimiento de los requisitos que resultan aplicables», lo que podría permitir aumentar artificialmente los 60 días de plazo para el pronunciamiento de la autoridad ambiental.

c) Auditoría externa para la certificación de la reducción de emisiones

En lo que respecta a la figura del auditor externo, se trataría de un tercero particular distinto de algún órgano del Estado; siendo regulado según lo dispuesto por el reglamento que deberá dictar el MMA, y siendo autorizado su funcionamiento por la SMA[43].

La forma en cómo está establecido este tercero, se asemeja regulatoriamente a aquellas entidades reconocidas en la LO-SMA denominadas entidades técnicas de fiscalización ambiental (ETFA) y entidades técnicas de certificación (ETCAS).

La ETFA es aquella entidad encargada —ya sea por mandato previo de la SMA o de un titular— de realizar labores de inspección, verificación, medición y análisis, incluido el muestreo, con el objeto de apoyar las labores de fiscalización ambiental. En cambio, la ETCA tiene como función la evaluación y certificación de conformidad, respecto de la normativa ambiental aplicable y del cumplimiento de las condiciones de una autorización de funcionamiento ambiental.

A pesar de que las funciones y objetivos de dichos terceros se circunscriben a procedimientos de fiscalización y constatación normativa, creemos que no se debiese crear una nueva categoría de entidades dada la forma en cómo se encuentran establecidos los ámbitos de actuación de los terceros ya reconocidos por la legislación, en particular en lo que se refiere a los certificadores, cuyas actividades —según lo establecido en el reglamento— se podrán llevar a cabo respecto de proyectos regulados por instrumentos de carácter ambiental cuando así lo establezca una ley, admitiendo una interpretación extensiva de los supuestos establecidos, o en caso que no sea admitida tal interpretación bajo un entendimiento de legalidad restrictivo, podrá ser incluido por medio de una modificación al Reglamento de Entidades Técnicas de Certificación Ambiental (Decreto Supremo N° 39 de 15 de octubre de 2013 del Ministerio del Medio Ambiente).

---

[43]   El inciso vigésimo cuarto artículo 8 de la Ley N° 20.780 dispone que: «Para acreditar la reducción de emisiones, los proyectos deberán ser certificados por un auditor externo autorizado por la Superintendencia del Medio Ambiente, sujeto a las metodologías que dicha Superintendencia determine. Para estos efectos, el Ministerio del Medio Ambiente determinará mediante reglamento los procedimientos de certificación, los requisitos mínimos para que un auditor forme parte del registro que llevará al efecto y las atribuciones de los auditores registrados».

Sin duda, el argumento más poderoso para no enfrentar el establecimiento de una nueva categoría de terceros viene dado por las circunstancias fácticas de lo que significa pasar por medio del proceso burocrático
de establecer un sistema *ad-hoc* únicamente para un sujeto que realizará
sólo una función específica respecto de un proyecto en particular, y la
posible falta de terceros disponibles para realizar aquella única actividad,
en tanto esta última no resulte rentable en relación a las condiciones y
burocracia que se establezca para tales efectos.

Bibliografía

Banco Mundial y Organización Cooperación y el Desarrollo Económico (2015): «The FASTER Principles for Successful Carbon Pricing: An Approach Based on Initial Experience». Disponible en: http://documents. World
bank.org/curated/en/901041467995665361/The-FASTER-principles-for-
successful-carbon-pricing-an-approach-based-on-initial-experience. Fecha de
consulta: 3 de marzo de 2020.

Banco Mundial (Paterner ship for Market Readiness) y Organización para la
Cooperación y el Desarrollo Económico (2016): «Comercio de Emisiones en la Práctica: Manual sobre el Diseño y la implementación de Sistemas
de Comercio de Emisiones». Disponible en: https://icapcarbonaction.com/
en/?option=com_attach&task=download&id=464. Fecha de consulta: 3 de
marzo de 2020.

Banco Mundial (Paterner ship for Market Readiness) (2017): «Propuesta de
medidas complementarias para un sistema mas integral de precios de carbono». Disponible en: https://www.ebpchile.cl/sites/default/files/project/
uploads/20171117_Alternativas-de-Dise%C3%B1o-y-Medidas-para-Siste-
ma-Integral-de-IPC_-REs_Ejecutivo.pdf. Fecha de consulta: 1 de marzo de
2020.

Biblioteca del Congreso Nacional (2014): «Historia de la Ley N° 20.780».
Disponible en http://www.bcn.cl/historiadelaley/nc/historia-de-la-ley/4406/.
Fecha de consulta: 1 de marzo de 2020.

Bío Bío chile.cl, (10/02/2018). Disponible en: https://www.biobiochile.cl/noti
cias/nacional/region-del-bio-bio/2018/10/02/region-del-bio-bio-piden-que-
recursos-de-impuesto-verde-se-queden-en-comunas-contaminadas.shtml. Fecha de consulta: 3 de marzo de 2020.

Kloepfer, Michael (1993): «En torno a las nuevas formas de actuación medioambientales del Estado», *Documentación administrativa*, N° 235-236, pp. 33-54.

La Tercera (7/02/2020). Disponible en: https://www.latercera.com/pulso/noti-
cia/impuestos-verdes-falta-esfuerzos-tecnologia-marcan-proceso-verificacion-
emisiones /999717/. Fecha de consulta: 7 de febrero de 2020.

MATELUNA, Rodrigo (2015): *Derecho tributario y medio ambiente. La posibilidad constitucional de establecer tributos ambientales en Chile* (Santiago, LexisNexis).

MINISTERIO DEL MEDIO AMBIENTE (2017): «Elaboración e implementación de un sistema MRV para los impuestos verdes». Disponible en: https://www.4echile.cl/4echile/wp-content/uploads/2018/05/3.-Elaboraci%C3%B3n-e-implementaci%C3%B3n-de-un-Sistema-MRV-para-los-Impuestos-Verdes-en-Chile.pdf. Fecha de consulta: 1 de marzo de 2020.

NAVARRO, María Pilar (2019): «El impuesto sobre las emisiones de fuentes fijas y su inserción en el sistema tributario chileno», en *Revista de Derecho de la Pontificia Universidad Católica de Valparaíso*, Nº 52, pp. 195-224.

ORGANIZACIÓN PARA LA COOPERACIÓN Y EL DESARROLLO ECONÓMICO, «Economic instruments for environmental protection» (PARIS, 1989).

RIESTRA, Sebastián (2019): «Algunas consideraciones sobre las acciones de impugnación contra la resolución de calificación ambiental ante la garantía de la tutela judicial efectiva», en FERRADA, Juan Carlos Bórquez, Andrés BORDALÍ y PRIETO, Magdalena, *La justicia ambiental ante la jurisprudencia* (DER Ediciones, Santiago).

RIVAS, Estela (2013): «La protección del medio ambiente y la extrafiscalidad en España», en UZQUIZU, Ángel (dir.), SALASSA, Rodolfo (coord.), *Políticas de Protección Ambiental en el siglo XX: Medidas Tributarias, Contaminación Ambiental y Empresa* (Madrid, José María Bosh), pp. 180-199.

ROSEMBUJ, Tulio (2012): «El impuesto ambiental: naturaleza jurídica», en PÉREZ, Esteban, ARANA, Estanislao, SERRANO, José Luis Moreno, MERCADO, Pedro (coord.) *Derecho, globalización, riesgo y medio ambiente* (Valencia, Editorial Tirant lo Blanch), pp. 759-812.

SÁNCHEZ, Víctor (2012): «Concepto e idoneidad de los tributos ambientales», en CHICO DE LA CÁMARA, Pablo (director) y RUIZ, Mercedes, *La fiscalidad ambiental: Problemas actuales y soluciones* (Civitas, Madrid), pp. 25- 74.

VAQUERA, Antonio (1999): *Fiscalidad y Medio Ambiente* (Valladolid, Lex Nova).

YÁBAR, Ana, (2002): «Instrumentos jurídicos-públicos de protección del medio ambiente», en YÁBAR, Ana (dir.), HERRERA, Pedro Manuel (coord.), *La protección Fiscal del Medio Ambiente. Aspectos económicos y jurídicos* (Madrid, Marcial Pons), pp. 127-184.

ANEXO

EL COVID-19 Y EL «DERECHO TRIBUTARIO DE EMERGENCIA»: A PROPÓSITO DE LAS MEDIDAS TRIBUTARIAS ADOPTADAS EN CHILE PARA AFRONTAR LOS EFECTOS DE LA EMERGENCIA SANITARIA
(Actualizado al 20 de mayo de 2020)[*]

Sergio Alburquenque Lillo[**]

I. Introducción

El 24 de febrero de 2020 fue publicada en el Diario Oficial la Ley Nº 21.210[1], modernizadora de la legislación tributaria, objeto de análisis en el cuerpo principal de este libro. Pocas semanas antes, más precisamente con fecha 30 de enero de 2020, la Organización Mundial de la Salud (OMS)[2], declaró que el brote mundial del virus denominado coronavi-

---

[*]   Las actualizaciones, en comparación a la primera versión de este estudio, versan sobre aspectos específicos de los apartados correspondientes a las medidas tributarias en los ámbitos del IVA (v.gr., postergación de IVA a la importaciones, implicancias tributarias del FOGAPE, tratamiento tributario frente al IVA de las adquisiciones y donaciones a que se refiere la Circular SII Nº 32 de 29 de abril de 2020), de los impuestos a la renta (v.gr., ampliación de plazo para presentación de algunas declaraciones juradas, implicancias tributarias del «Ingreso Familiar de Emergencia», criterios administrativos sobre la deducción de gastos y donaciones asociadas al COVID-19) y de la tributación aduanera (v.gr., medidas de facilitación de actividades vinculadas al comercio exterior).

[**]   Profesor de Derecho Tributario de la Facultad de Derecho de la Universidad Diego Portales. Candidato a Doctor en Derecho por la Universidad Complutense de Madrid. Dirección postal: Av. República 105, Santiago. Correo electrónico: sergio. alburquenque@mail.udp.cl.

[1]   Las modificaciones introducidas por esta ley entraron en vigor el primer día del mes siguiente de su publicación en el Diario Oficial, esto es, desde el 01 de marzo de 2020, salvo fecha especial de vigencia.

[2]   World Health Organization (2020), «Statement on the second meeting of the International Health Regulations (2005) Emergency Committee regarding

rus-2 del síndrome respiratorio agudo grave (SARS-CoV-2) que produce la enfermedad del coronavirus 2019 o COVID-19 (2019-nCoV) constituye una «Emergencia de Salud Pública de Importancia Internacional» (ESPII)[3], en virtud de lo establecido en el artículo 12 del Reglamento Sanitario Internacional (RSI), aprobado por Chile mediante Decreto N° 230, de 2008, del Ministerio de Relaciones Exteriores.

Luego, el Gobierno de Chile, teniendo en consideración dicho antecedente, y a través del Ministerio de Salud, decretó Alerta Sanitaria, otorgando a esa repartición facultades extraordinarias para enfrentar la ESPII por brote de COVID-19[4].

Cuatro días después de la publicación de la Ley N° 21.210, esto es, el 28 de febrero de 2020, la OMS elevó el riesgo de propagación del COVID-19 de «alto» a «muy alto»[5]. Estábamos en la antesala de la declaración de una pandemia. En efecto, el día 11 de marzo de 2020 la OMS calificó el brote de COVID-19 como una pandemia global[6].

---

the outbreak of novel coronavirus (2019-nCoV)». Disponible en https://www.who.int/news-room/detail/30-01-2020-statement-on-the-second-meeting-of-the-international-health-regulations-(2005)-emergency-committee-regarding-the-outbreak-of-novel-coronavirus-(2019-ncov). Fecha de consulta: 15 de abril de 2020.

[3]   Emergencia Sanitaria Pública de Importancia Internacional «significa un evento extraordinario que, de conformidad con el [RSI], se ha determinado que: i) constituye un riesgo para la salud pública de otros Estados a causa de la propagación internacional de una enfermedad, y 2) podría exigir una respuesta internacional coordinada» (artículo 1 del RSI). A propósito de emergencias sanitarias y tributación, el artículo 40 del RSI (Título VII sobre «Tasas sanitarias»), salvo ciertas excepciones, establece respecto de los viajeros que «los Estados Partes no percibirán tasa alguna en virtud del presente Reglamento por la aplicación de las siguientes medidas de protección de la salud pública:[...]», «por los exámenes médicos», «por las vacunaciones u otras intervenciones profilácticas», «por las medidas apropiadas de aislamiento o cuarentena de los viajeros», etc.

[4]   Decreto Supremo N° 4 de 05 de febrero de 2020.

[5]   Organización de las Naciones Unidas (2020), «El riesgo de propagación mundial del coronavirus COVID-19 se eleva al nivel máximo». Disponible en https://news.un.org/es/story/2020/02/1470351. Fecha de consulta: 14 de abril de 2020.

[6]   World Health Organization (2020), «Who Director-General's opening remarks at the media briefing on COVID-19 – 11 March 2020». Disponible en https://www.who.int/dg/speeches/detail/who-director-general-s-opening-re-

Pues bien, teniendo en consideración algunos de estos antecedentes, como asimismo el nivel propagación nacional e internacional del
virus en cuestión, incluidas las proyecciones para los próximos meses,
el Presidente de la República, mediante Decreto Supremo N° 104, de
18 de marzo de 2020[7], del Ministerio del Interior y Seguridad Pública,
declaró el estado de excepción constitucional de catástrofe por calamidad pública en el territorio chileno. La medida tiene una duración de
noventa días contados desde la publicación del decreto respectivo en el
Diario Oficial.

Un día después de haber declarado el estado de excepción constitucional, el Gobierno presentó su primer «Plan Económico de Emergencia por coronavirus»[8], que incluye medidas financieras y tributarias
para intentar paliar los efectos de la emergencia sanitaria respecto de las
familias, los trabajadores y la pequeña y mediana empresa.

Desde entonces, incluso antes, y hasta esta fecha, junto con el avance
del brote del COVID-19, se han propagado las leyes y normas de rango
inferior a la ley que disponen medidas para enfrentar los impactos sanitarios, sociales y económicos producidos por la emergencia sanitaria.
También se han sucedido algunas interpretaciones administrativas. En
todos los casos, el fundamento principal para la promulgación o dictación de tales normas e interpretaciones es la situación provocada en
Chile por el brote de COVID-19.

En este orden de ideas y acontecimientos, el objeto principal de este
trabajo es identificar, sistematizar y comentar las medidas tributarias
adoptadas en Chile para enfrentar los efectos de la emergencia sanitaria
producida por el brote y propagación del COVID-19. Para estos efectos, entiéndase por medidas tributarias las acciones o decisiones adoptadas por los órganos competentes relativas a la tributación fiscal interna y
externa cuyo fundamento inmediato sea la emergencia sanitaria en que

---

marks-at-the-media-briefing-on-covid-19---11-march-2020. Fecha consulta: 15
de abril de 2020.

[7]   Con esta misma fecha se publicó en el Diario Oficial.

[8]   Gobierno de Chile (2020), «Plan Económico de Emergencia por coronavirus».
Disponible en https://www.gob.cl/planeconomicoemergencia/. Fecha de consulta:
10 de abril de 2020.

se encuentra Chile por el brote de COVID-19, sea que estas consistan en prórrogas, condonaciones, deducciones, anticipaciones, suspensiones o cualquier otro tipo de beneficio con incidencia tributaria. En este sentido, además de las medidas tributarias establecidas en ciertas leyes y en algunos actos del Ejecutivo en ejercicio de su potestad reglamentaria, analizaremos también algunos pronunciamientos emanados del Servicio de Impuestos Internos (SII) y del Servicio Nacional de Aduanas (SNA). Asimismo, haremos una breve referencia a la incidencia del COVID-19 en el ámbito de la tributación municipal y aduanera.

En consecuencia, en las próximas páginas analizaremos las medidas tributarias que tengan el aludido fundamento sanitario distinguiendo entre los tributos en que incidan (IVA, Impuestos sobre la Renta, Impuesto Territorial, Impuesto de Timbres y Estampillas, tributos municipales y tributos aduaneros). En forma previa, expondremos algunas ideas generales y preliminares sobre nuestro entendimiento de aquella realidad normativa que denominamos «Derecho Tributario de Emergencia». Cerraremos con unas conclusiones.

II. El «Derecho Tributario de Emergencia»

Si concebimos el Derecho Tributario como el conjunto de normas que regulan el establecimiento y la aplicación de los tributos o, más extensivamente, «como el sector del Derecho Público cuyo objeto de estudio son las normas que disponen los tributos en todas sus especies, las relaciones que se originan por ellos entre el Estado y los contribuyentes y obligados, particularmente las normas relativas a la aplicación y cumplimiento de los tributos, a la verificación y fiscalización del cumplimiento del obligado al pago del tributo y a las normas que regulan las relaciones jurídicas complementarias a la obligación tributaria»[9], podría permitírsenos definir el «Derecho Tributario de Emergencia» como el conjunto de normas que regulan el establecimiento, aplicación y cumplimiento de los tributos en todas sus especies en casos de emergencia, es decir, cuando se produzcan situaciones de peligro o desastre que requieren acciones

---

[9]   ALTAMIRANO (2012) p. 28.

inmediatas o que deben solucionarse lo antes posible, como por ejemplo, incendios, sequías, terremotos, huracanes[10], pandemias, etc.

Con lo anterior, no pretendemos crear una nueva categoría tributaria, sino tan solo explicar por razones didácticas las normas tributarias que muchos Estados vienen aplicando en las situaciones de emergencia o catástrofe u otras que puedan dificultar o impedir el normal cumplimiento de las obligaciones tributarias presentes o futuras. En este sentido, aunque circunscrito a las catástrofes naturales, algunos autores han expresado que, dentro de ciertos parámetros, «el Derecho financiero y tributario debe aportar una especial respuesta a las situaciones provocadas por catástrofes naturales»[11], respuesta que suele traducirse en «una serie de medidas financieras y tributarias bastante similares en muchos supuestos, consistentes en ayudas directas, líneas de créditos y financiación o en la concesión de beneficios fiscales, que ayuden a la reconstrucción o reparación de las zonas afectadas, así como el estímulo de las mismas»[12].

En nuestra opinión, son notas caracterizadoras del «Derecho Tributario de Emergencia»:

(a) La excepcionalidad, toda vez que supone la existencia u ocurrencia de una situación de emergencia, o sea, un suceso fuera de lo normal que exige una rápida respuesta.

(b) La provisionalidad, transitoriedad o temporalidad, ya que dura por algún tiempo y se aplicará mientras se mantenga la emergencia o se mitiguen o eliminen sus efectos.

(c) El alejamiento o postergación de los fines primordiales de los tributos, esto es, podría implicar un apartamiento o aplazamiento de los fines fiscales o recaudatorios. Por lo tanto, el «Derecho Tributario

---

[10]   Así, por ejemplo, «Katrina Emergency Tax Relief Act of 2005». Disponible en https://www.irs.gov/pub/irs-tege/katrina_act_text.pdf. Fecha de consulta: 20 de abril de 2020. Dispuso prórrogas, incentivos a las donaciones, deducción de pérdidas, créditos, reglas especiales de depreciación y otros alivios tributarios.

[11]   López (2012) p. 172.

[12]   López (2012) p. 173.

de Emergencia» tiene ciertos elementos extrafiscales[13], pues supone una cierta instrumentalización del Derecho Tributario para la obtención de fines no fiscales, como podría ser, en el marco de la emergencia que analizamos, la protección de la salud, el empleo, la actividad económica, etc.

(d) La posible ampliación de los poderes del Ejecutivo en la emisión de normas tributarias, lo cual no presupone la inexistencia de autorizaciones legales previas o posteriores, ni mucho menos ausencia de controles.

(e) Las medidas o acciones en que se materializa suelen consistir en un alivio tributario para los sujetos obligados (v.gr., condonaciones, prórrogas, anticipación de plazos para hacer efectivos derechos, disminución de bases imponibles, suspensión de plazos y trámites procedimentales o procesales, deducciones, desgravación de las ayudas estatales, etc.). En este sentido, y en directa relación con la letra (c) anterior, podríamos calificarlo, parafraseando a CASADO, como un Derecho Tributario que se centra en la persona del contribuyente como sujeto de necesidades y no tan solo como un detentador de capacidad económica susceptible de tributación y/o información con relevancia tributaria[14].

(f) La convivencia de las normas tributarias ordinarias con normas tributarias excepcionales y transitorias. Transcurrida la emergencia y sus efectos o extinguidos los alivios o beneficios se va a producir automáti-

---

13   «La extrafiscalidad puede manifestarse de forma más o menos acentuada, según el mayor o menor protagonismo que adquiera la finalidad extrafiscal que persiga el tributo. Y es que la extrafiscalidad admite una gradación». VARONA (2009) p. 22.

14   CASADO (2006) pp. 905-906, plantea que a «este sector [Derecho Tributario], por tantos motivos tributario y suburbial del Ordenamiento y de la Ciencia Jurídica no parece interesarle la *persona* como sujeto de derechos, sino más bien como *"obligado tributario"*; esto es, como titular pasivo de un dilatado y expansivo elenco de obligaciones y deberes extraídos de un superior y, a lo que se ve, placentario deber (constitucional) de contribuir al sostenimiento de los gastos públicos [...]. Sin embargo, la realidad muestra que el Derecho Tributario, en cuanto *Derecho de la Recaudación*, se desentiende de la persona y se centra, de plano, en el contribuyente, [...] [y] no en el contribuyente como sujeto de *necesidades* y, por lo mismo, de *derechos*, sino como detentador de capacidad económica susceptible de imposición, y/o de información con trascendencia tributaria aprovechable para el efectivo control y gravamen de aquélla».

camente la reposición de aquella parte de la tributación regla o normal que fue inaplicada o diferida[15].

Antes de avanzar, conviene hacer una precisión sobre el vocablo «emergencia». Para los efectos de este trabajo, este término no se limita ni tiene como condición el «estado de emergencia» consagrado en el artículo 42 de la Constitución (CPR)[16], como tampoco ningún otro estado de excepción constitucional (estado de asamblea[17], estado de sitio[18] y estado de catástrofe[19]). Con todo, resulta indudable que declarado cualquiera de estos estados de excepción, en la medida que se produzcan las situaciones de hecho que habilitan su aplicación[20], y posiblemente con mayor ocurrencia en el caso del estado de catástrofe, el Derecho Tributario sea convocado a dar una especial respuesta a tales situaciones y sus efectos[21]. Dicho de otro modo, el «Derecho Tributario

---

[15] En la actualidad, por diversas causas, viene siendo más frecuente y menos excepcional la convivencia de estas normas. En cierta medida, podría hablarse de un "estado de emergencia permanente" (AGAMBEN, p. 13).

[16] La situación de hecho que habilita este estado de excepción constitucional es un «caso de grave alteración del orden público o de grave daño para la seguridad de la Nación».

[17] Este estado de excepción se puede declarar «en caso de guerra exterior» (artículo 40 CPR).

[18] El estado de sitio se aplica «en caso de guerra interna o grave conmoción interior» (artículo 40 CPR).

[19] Conforme el artículo 41 CPR, el estado de catástrofe procede «en caso de calamidad pública». Según ha apuntado la doctrina, las causales de la calamidad pública pueden tener el más diverso origen: aluvión, alud, avenida, cataclismos, ciclón, contaminación excesiva, diluvio, epidemia, envenenamiento de muchas personas, erupción volcánica, huracán, incendio, inundaciones, intoxicaciones, maremoto, peste, plaga, radiación nuclear, sequía, temblor, terremoto, tsunami. JIMÉNEZ (1997) p. 309.

[20] El artículo 39 de la Constitución dispone lo siguiente: «El ejercicio de los derechos y garantías que la Constitución asegura a todas las personas solo puede ser afectado bajo las siguientes situaciones de excepción [se refiere más bien a las situaciones de hecho habilitantes de los estados de dichos estados]: guerra externa o interna, conmoción interior, emergencia y calamidad pública, cuando afecten gravemente el normal desenvolvimiento de las instituciones del Estado».

[21] Así, por ejemplo, mediante DECRETO SUPREMO Nº 84 de 2017, del Ministerio del Interior y Seguridad Pública, se declaró el estado de catástrofe en las provincias de Colchagua y Cardenal Caro, ambas de la Región de O'Higgins, así como las

de Emergencia», aunque no sea una consecuencia inmediata y necesaria de la declaración de los estados de excepción constitucional, operaría cuando se aplique cualquiera de ellos. Sin embargo, entendemos que los estados de excepción no son una condición para que opere el «Derecho Tributario de Emergencia», toda vez que podrían verificarse situaciones de emergencia, sin que vigore uno de los mencionados estados de excepción constitucional, en las cuales el Derecho Tributario sea llamado a entregar una especial o extraordinaria respuesta[22-23]. En definitiva,

---

comunas de Vichuquén y Cauquenes, ambas de la Región del Maule, por causa de la multiplicidad de incendios producidos en esos territorios. Algunos días después, el 24 de enero de 2017, teniendo a la vista el referido decreto, como también otras normas constitucionales, el Ejecutivo mediante Decreto Supremo Nº 30 de 2017, del Ministerio de Hacienda, «dispone medidas de índole tributaria para las comunas y provincias de las Regiones de O'Higgins y del Maule» indicadas. En el considerando 6 de este último Decreto se indica: «Que, entre las medidas que se deben adoptar, se encuentran aquellas de índole tributaria, que requieren para su implementación facultar a los Servicios competentes de las atribuciones que les permitan llevar a efecto las medidas necesarias para enfrentar esta emergencia». Tales medidas, eran las siguientes: prórrogas para declarar y pagar el IVA y algunos impuestos sobre la renta; facultades para la Administración tributaria para condonar de intereses y multas; facultades para la Tesorería General de la República (TGR) para otorgar facilidades de pagos y para aplazar las cobranzas administrativas y judiciales programadas.

22   En este sentido, puede mencionarse la situación que se produce cuando el Ejecutivo, en ejercicio de su potestad reglamentaria (artículo 32 Nº 6 CPR), declara mediante decreto supremo zonas afectadas por catástrofes (no constituye la declaración del estado de catástrofe por calamidad pública establecida en el artículo 41 de la CPR), los cuales sirven de fundamento para la autorización de medidas de alivio tributario para las personas afectadas. Así, por ejemplo, el Decreto Supremo Nº 1.523 de 2014, del Ministerio del Interior y Seguridad Pública, el cual tiene como antecedente el correspondiente decreto de declaración de zona de catástrofe y sus ampliaciones, «autoriza medidas de alivio tributario para los pequeños y medianos agricultores de las comunas de La Ligua, Cabildo y Petorca, todas de la Provincia de Petorca, Región de Valparaíso, y de las comunas de las Provincias de Choapa, Elqui y Limarí, Región de Coquimbo» afectadas por la catástrofe derivada de la sequía. En esta virtud, se autoriza a la TGR para condonar ciertas deudas por concepto de Impuesto Territorial, para suspender las subastas de predios agrícolas por deudas morosas en el pago del mismo impuesto, para suspender en el envío de información y para condonar intereses, multas y recargos por mora en el pago de las patentes por no uso de derechos de aprovechamiento de aguas.

consideramos que al vocablo «emergencia» se le debe atribuir un sentido amplio como el que proporciona el Diccionario de la Real Academia Española de la Lengua[24] o como el que se contiene en algunas normas relativas al sistema de protección de emergencias[25].

---

[23]   El día 30 de octubre de 2019, cuando ya se habían levantado los estados de emergencia decretados como consecuencia del «estallido social» de octubre de 2019 en Chile (28 de octubre de 2019), el SII emitió la Circular Nº 42, a través de la cual «imparte instrucciones transitorias motivadas en la situación de emergencia y hechos posteriores relacionados», en atención a «los hechos de público conocimiento que han acaecido en el país desde el día 18 del mes en curso, que motivaron la dictación de diversos Decretos de Estado de Excepción Constitucional de Emergencia, y considerando la situación que afecta a gran número de contribuyentes, se imparten las siguientes instrucciones especiales que facilitan el cumplimiento de sus obligaciones en el ámbito tributario». Dichas facilidades guardan relación con la regulación de pérdidas de existencias o mercaderías, la obligación de dar aviso de la pérdida o inutilización fortuita de documentación contable, el derecho a solicitar revisión del avalúo de propiedades destruidas o gravemente dañadas por causas no imputables al propietario y sobre el tratamiento tributario de la entrega gratuita de alimentos, pañales y productos de higiene personal cuya comercialización sea inviable. Dicha Circular fue complementada por la Circular Nº 46, de 26 de noviembre de 2019, estableciendo un procedimiento especial y transitorio para obtención y recuperación de clave inicial de Internet que facilite el cumplimiento de las obligaciones tributarias de los contribuyentes. Adicionalmente, y teniendo como fundamento la misma situación de hecho, el SII dictó una serie de resoluciones, la mayoría de las cuales con el objeto de condonar intereses y multas a contribuyentes clasificados como microempresas, pequeñas empresas, medianas empresas y personas que han sufrido disminución de las ventas o la imposibilidad de abrir sus locales comerciales (Resoluciones exentas Nºs 117 de 21.10.2019; 121 de 30.10.2019; 124 de 11.11.2019; 138 de 10.12.2019; 140 de 20.12.2019; 4 de 10.01.2020 y 9 de 20.01.2020).

[24]   Voz «emergencia»: «1.f. Acción y efecto de emerger. 2.f. Suceso, accidente que sobreviene. 3.f. Situación de peligro o desastre que requiere una acción inmediata». *Diccionario de la Lengua Española*, 23ª edición, 2014. Disponible en https://www. rae.es/diccionario-de-la-lengua-espanola/la-23a-edicion-2014.

[25]   El Decreto Supremo Nº 1.434 de 2017 define emergencia como «un evento o incidente causado por la naturaleza o por la actividad humana que produce una alteración en un sistema, pero que no excede o supera su capacidad de respuesta». En similar sentido, el «Manual de Procedimientos de la Utilización de Recursos y los Bienes en Caso de Emergencia o Catástrofes», aprobado por Resolución Exenta Nº 2.415 de 2014, del Ministerio del Interior y Seguridad Pública, se-

Sin lugar a duda, ciertas normas de la Ley N° 16.282 integran nuestro «Derecho Tributario de Emergencia». En efecto, entre otras materias, este cuerpo legal establece normas para casos de sismos y catástrofes[26], algunas de las cuales fundamentan algunos de los decretos que

---

ñala: «Emergencia: Ocurrencia, accidente que sobreviene ante desastres de origen natural o provocados el hombre». «Emergencias y desastres de origen natural: Son aquellas derivadas de la manifestación de amenazas generadas por fenómenos naturales sobre un sistema vulnerable. Se enmarcan en dos grandes ámbitos, las de tipo geológico —terremotos, erupciones volcánicas, tsunamis— y las de origen hidrometereológico —sequía, temporales, aluviones, nevadas—, sin embargo algunas de ellas pueden relacionarse, al confluir dos o más en un mismo momento, o pueden ser gatilladas por ambas, como los deslizamientos y la erosión». «Emergencias y desastres de origen antrópico: Emergencias o desastres que se manifiestan a partir de la acción del propio hombre y sus interrelaciones, muchas veces en función de su desarrollo, o a veces originadas intencionalmente. Son eventos adversos de origen humano (antrópio) los incendios, los accidentes de tránsito, aéreos, marítimos, etc., las explosiones, los derrames, la contaminación ambiental, el terrorismo, etc.».

26 Entre ellas, algunas de algunas de naturaleza tributaria. El artículo 3°, por ejemplo, faculta al Presidente de la República para dictar normas de excepción, mediante decreto supremo fundado, en los siguientes casos: «d) Autorizaciones a los organismos correspondientes para que puedan condonar total o parcialmente los impuestos de cualquiera clase que graven la propiedad, las personas o sus rentas, actos y contratos, como asimismo, condonar los intereses penales, multas y sanciones, entendiéndose también para fijar una nueva fecha de pago o prórrogas. La autorización estará siempre limitada al hecho de que los impuestos a la propiedad, a las personas o sus rentas, actos o contratos sean devengados en la zona afectada»; «e) Autorización de la retasación de la propiedad determinando el procedimiento»; «f) Autorización para rebajar las presunciones de renta de la propiedad raíz contenida en la Ley de Impuesto a la Renta, respecto de los inmuebles agrícolas o no agrícolas situados en todas o algunas de las comunas comprendidas dentro de la zona del sismo o catástrofe. Esta rebaja afectará únicamente al monto de las rentas que deban declararse por el año calendario en que ocurrió el sismo o catástrofe». Por su parte, el artículo 7° establece que las donaciones estarán exentas de todo pago o gravamen. Igualmente, dispone que «las importaciones o exportaciones de las especies donadas con los fines indicados en el inciso anterior [que permitan satisfacer las necesidades básicas de alimentación, abrigo, habitación, salud, aseo, ornato, remoción de escombros, educación, comunicación y transporte de los habitantes de los habitantes de las zonas afectadas] estarán liberadas de todo tipo de impuestos, derecho, tasa u otro gravamen que sea percibido por Aduanas».

han dispuesto medidas tributarias para enfrentar la emergencia sanitaria generada por el COVID-19[27].

Pues bien, bajo este encuadramiento, en los próximos apartados analizaremos las medidas tributarias adoptadas hasta ahora en Chile para afrontar los efectos de la emergencia sanitaria generada por el brote del COVID-19.

III. Medidas en el ámbito del Impuesto a las Ventas y Servicios

En este ámbito, la primera medida adoptada por la Administración tributaria relacionada con el COVID-19 concierne a una obligación tributaria formal, el timbraje de ciertos documentos tributarios. En efecto, mediante Resolución exenta N° 33, de 24 de marzo de 2020, el SII autoriza modalidad de timbraje[28] de guías de despacho en formato papel por internet[29]. La guía de despacho es un documento tributario que debe emitir el vendedor para el traslado de especies afectas a IVA, realizado en vehículos destinados al transporte de carga[30]. Debe ser emitida en formato electrónico o, excepcionalmente, en papel. Pues bien, la Resolución en comento, con el razonable objetivo de evitar los trámites presenciales, establece que los contribuyentes autorizados a emitir guías de despacho en formato papel, que hayan realizado anteriormente el timbraje de estos documentos en las oficinas del SII, podrán solicitar autorización de números correlativos, a través de la página web institucional, previa autenticación con el RUT y la clave tributaria. El contribuyente recibirá un «Certificado de Autorización de Documentos» en el que se detallarán los folios autorizados y el código de validación. De esta

---

27   Así, por ejemplo, el DECRETO SUPREMO N° 420 de 30 de marzo de 2020.
28   El objetivo del timbraje es autorizar o legalizar la documentación para que el contribuyente pueda respaldar sus operaciones.
29   Rige a contar del 31 de marzo de 2020, fecha de su publicación en extracto en el DIARIO OFICIAL.
30   Artículos 54 y siguientes del DECRETO LEY N° 825 y artículo 70 del REGLAMENTO DEL IVA.

forma, se reemplaza el timbraje físico (cuño seco) en cada documento y sus copias por la autorización por internet.

La segunda medida adoptada respecto del IVA es la prórroga del plazo de pago del impuesto que debe declararse[31] o pagarse en los meses de abril, mayo y junio de 2020[32]. El plazo regular para declarar y pagar el IVA es hasta el día 12 del mes siguiente al período tributario que se desea declarar, salvo que se trate de facturadores electrónicos ya que para estos el plazo de vencimiento será el día 20 del mes siguiente al período tributario que se desea declarar. En consecuencia, esta medida guarda relación con los períodos tributarios de marzo, abril y mayo, los cuales deberían ser declarados y pagados, de no mediar la prórroga en cuestión, los días 12 o 20 de abril, mayo y junio de 2020. ¿Hasta cuándo se prorroga el plazo para pagar? Hay que distinguir: (a) Para los contribuyentes Pyme[33], la fecha de pago de la totalidad de los impuestos cuyo pago se prorrogue se posterga a partir de julio de 2020, es decir, a contar de este último mes se deberá comenzar a pagar la deuda tributaria, pero en 12 cuotas mensuales, iguales y reajustadas. Así, por ejemplo, si el monto total de la deuda por IVA cuyo pago se prorroga asciende a $1.200.000, está se dividirá por 12 y la cuota que resulte, en la especie $100.000, se deberá pagar en julio, agosto, septiembre, octubre, noviembre y diciembre de 2020, enero, febrero, marzo, abril, mayo y junio de 2021; (b) Para los contribuyentes no Pyme[34], pero que sus ingresos anuales no excedan de UF350.000, la totalidad de los impuestos prorrogados también se posterga a partir de julio de 2020, pero con la diferencia que la deuda se dividirá en 6 —y no 12 como en el supuesto anterior— cuotas mensuales, iguales y reajustadas. Asimismo, en este segundo supuesto, para calcular los ingresos anuales del contribuyente se sumarán los ingresos obtenidos por entidades relacionadas[35] (las entidades controladas y todas las entidades

---

[31] El plazo de declaración y pago de los impuestos, y las prórrogas, se regulan en artículo 36 del Código Tributario (CT).
[32] Decreto Supremo Nº 420 de 2020, artículo 1º Nº 1).
[33] Los contribuyentes que cumplan los requisitos para acogerse al régimen del artículo 14 D de la Ley de Impuesto sobre la Renta (LIR).
[34] Sus ingresos anuales exceden UF75.000.
[35] Artículo 8 Nº 17 letras a) y b) del CT.

que se encuentren bajo un controlador común). La Resolución exenta SII N° 41, de 13 de abril de 2020, ha venido a impartir instrucciones sobre esta prórroga en particular. Respecto del supuesto (a) anterior, complementa que debe tratarse de contribuyentes que cumplan con los requisitos para acogerse al régimen del artículo 14 D) de la LIR a la fecha de la publicación del Decreto Supremo N° 420 de 2020, esto es, al 30 de marzo de 2020. En cuanto al supuesto (b), aclara que la información para determinar los ingresos anuales del contribuyente, «será aquella disponible en las declaraciones mensuales de impuestos Formulario 29 [F29] de los contribuyentes considerando el promedio de los 3 últimos años comerciales»[36]. En cualquiera de los dos supuestos, se indica que el beneficio se hará efectivo en el F29 presentado por internet, rebajándose directamente el monto de la cuota correspondiente del IVA determinado en el mes correspondiente. De igual modo, se establece que las cuotas en que se divida la deuda no estarán afectas a multas ni intereses. Por otra parte, la misma Resolución establece que no hay incompatibilidad entre esta prórroga y otras postergaciones de que pueda estarse beneficiando el contribuyente, en particular, las dispuestas en la Ley N° 21.207[37] y en el artículo 64 del DL N° 825[38]. Por último, se resuelve que el beneficio de la prórroga también se aplica a los importadores que se encuentren en los supuestos (a) y (b) precedentes y, en consecuencia, podrán postergar el pago ·del IVA causado en la importación de mercancías cuyas declaraciones de importación se acepten a trámite en los meses de abril, mayo y junio de 2020, pudiendo, no obstante la normativa aduanera, retirar las mercancías de los recintos de depósito. El importador podrá utilizar el crédito fiscal originado por el IVA que gravó las importaciones[39], a

---

[36]   Se aplicará el período menor si se hizo iniciación de actividades con posterioridad a enero de 2017.

[37]   Medidas tributarias y financieras destinadas a apoyar a las micro, pequeñas y medianas empresas. Mediante RESOLUCIÓN EXENTA SII N° 44 de 24 de abril de 2020 se establecen las comunicaciones, verificaciones, obligaciones de información y registro, y modelo de certificado, por aplicación de la Ley N° 21.207 sobre Ley de Donaciones para Micro, Pequeñas y Medianas Empresas (MIPYMES).

[38]   Autoriza el pago diferido del IVA.

[39]   Artículo 8 letra a) del DL N° 825.

contar de julio de 2020, a prorrata de las cuotas mensuales, iguales y reajustadas antes mencionadas. Hay que tener presente que respecto del importador opera el cambio de sujeto de IVA legal de la letra a) del artículo 11 del DL N° 825.

En lo concerniente a la prórroga del impuesto en beneficio de los importadores, el SNA, mediante Resolución exenta N° 1.559, de 17 de abril de 2020, aprueba las instrucciones para diferir el IVA a las importaciones conforme a lo dispuesto en el numeral 8 de la Resolución exenta SII N° 41 de 13 de abril de 2020. La autoridad aduanera, a través de dicho acto administrativo, además de reiterar los sujetos beneficiarios, el número de cuotas en que dependiendo del caso podrá diferirse el pago del IVA y los meses en que aplica el beneficio, precisa una serie de aspectos relativos a su gestión y tramitación. En primer lugar, se observa que el SII emitirá un listado de los contribuyentes susceptibles de someterse al beneficio, el cual será entregado al SNA. Se advierte que si el contribuyente no está incorporado en dicho listado, la declaración de importación con forma de pago IVA diferido no será aceptada a trámite. Enseguida, se imparten precisas instrucciones sobre las declaraciones a utilizar y la forma de completarlas: (a) tipo de formulario: F-15 (declaración de ingreso de importación) o F-17 (declaración importación: tramitación simplificada), según corresponda; (b) tipo de pago: código 31 (pago al contado de derechos de Aduana e IVA diferido) o código 07 (sin pago de derechos de Aduana e IVA diferido), según corresponda; (c) se deberá indicar el monto del IVA correspondiente asociado al código de cuenta 178; (d) en el recuadro «cuentas y valores» de la declaración de ingreso, se deberá señalar el código de cuenta 700 y el monto total de IVA que afecta la importación, el que deberá corresponder a la sumatoria de los códigos de cuenta 178 de todos los ítems de la declaración; (e) en el código 191 de la declaración de importación, solo se deberá indicar la sumatoria de los códigos de cuenta señalados en el recuadro «cuentas y valores», sin considerar el monto del código 700; si solo fuera monto a pagar por IVA, en el código 191 se deberá señalar 0,00. Asimismo, se indica que el SII girará los montos correspondientes a cada una de las cuotas diferidas de acuerdo con el monto del IVA señalado en el código 700 de la declaración de importación. Se agrega que esta forma de pago diferida se aplicará respecto de todas las declaraciones de importación, pero quedan excluidas las DIPS[40] tramitadas por empresas de Courier (en este caso, para acceder al beneficio, la declaración de importación deberá ser tramitada por un Agente de Aduana o por la Aduana, dependiendo el monto de la operación. Finalmente, se reconoce a los contribuyentes que hubiesen tramitado una declaración de importación antes de la entrada en vigor de la Resolución, y a contar del 01 de abril de 2020, y esta se encuentre impaga y se cumplan los requisitos para acogerse al beneficio, el derecho a modificarla mediante una Solicitud de Modificación de Documento Aduanero (SMDA).

En suma, estamos en presencia de una medida de prórroga y pago fraccionado de una obligación tributaria material, focalizada correctamente a nuestro entender en los contribuyentes de más bajos ingresos, los cuales tendrán algo más de liquidez con este beneficio. Sin embargo, posiblemente el problema mayor de este tipo de contribuyentes es la disminución o la imposibilidad de vender y prestar servicios, esto es, la reducción o la no realización de hechos gravados con IVA.

Por otra parte, el Decreto Supremo N° 420 de 2020[41] faculta al SII y a la TGR para condonar, total o parcialmente, los intereses penales y multas a las declaraciones de impuestos presentadas fuera de plazo u otras gestiones vinculadas con declaraciones de los impuestos establecidos en el DL N° 825. Esta facultad podrá ejercerse hasta el 30 de septiembre de 2020. En caso de retardo en la obligación de declarar y pagar el IVA, entre otras consecuencias, el contribuyente deberá pagar además del impuesto adeudado los recargos legales correspondientes (reajuste[42], intereses[43] y multas[44]). Por ende, el beneficio no alcanza al impuesto ni a los reajustes, sino tan solo a los intereses y multas.

---

[40]   Sistema de Declaración de Importación y Pago Simultáneo.

[41]   Artículo 1° N° 9).

[42]   Se reajustará por el aumento del IPC en el período indicado en el inciso 1° del artículo 53 del CT.

[43]   El interés penal es de 1,5% por cada mes o fracción de mes de retraso (inciso 3° del artículo 53 del CT).

[44]   Siendo el IVA es un impuesto de recargo, se aplica la multa establecida en el artículo 97 N° 11 del CT.

Otra materia con cierta relación con el IVA es el Fondo de Garantía para Pequeños y Medianos Empresarios (FOGAPE) aplicable a las líneas de garantía COVID-19. En efecto, la Ley N° 21.229, teniendo en consideración la emergencia sanitaria, aumentó el capital del FOGAPE y flexibilizó temporalmente sus requisitos, habilitando de paso al Ministerio de Hacienda para dictar decretos supremos que reglamenten los requisitos y condiciones mínimas de funcionamiento del Fondo[45]. En esa virtud, mediante Decreto Supremo N° 130 exento, de 24 de abril de 2020[46], el Ministerio de Hacienda aprueba el Reglamento de Administración del FOGAPE aplicable a las líneas de garantía COVID-19. En el artículo 2 de este Reglamento, relativo a los beneficiarios o personas elegibles, se dispone que pueden optar al financiamiento con garantía FOGAPE COVID-19 las personas naturales o jurídicas que sean empresarios o empresas cuyas «ventas anuales» no excedan determinado monto[47]. El artículo 3 puntualiza que las «ventas anuales comprenderán a las ventas netas del impuesto al valor agregado (IVA) de los bienes, productos o servicios propios del giro de la empresa». La misma norma establece que la estimación de las ventas y la calificación de la empresa debe ser realizada por la institución financiera que otorgará el financiamiento, pudiendo esta ingresar al sistema de información del FOGAPE, «el cual consultará el rango de ventas al Servicio de Impuestos Internos (en adelante, el "SII")[48]. El resultado positivo de esta consulta bastará como acreditación suficiente de la elegibilidad de la empresa». En aquellos casos en que la consulta al SII no entregue información (microempresas informales, empresas con iniciación de actividades inferior a doce meses, empresas exentas de IVA o sometidas a tributaciones especiales, como renta presunta u otra), las ventas serán estimadas por la institución financiera al momento de la evaluación del solicitante, de-

---

[45]   Artículo quinto transitorio del Decreto Ley N° 3.472, de 1980, del Ministerio de Hacienda, incorporado por la Ley N° 21.229.

[46]   Publicado en el DIARIO OFICIAL de fecha 25 de abril de 2020.

[47]   UF 1.000.000.

[48]   Sin perjuicio de entender la necesidad de esta forma de consulta de información tributaria, y su razonable finalidad simplificadora, nos llama la atención que se regule en una norma de carácter reglamentario y que no se establezcan algunas restricciones expresas en cuanto al contenido y uso de la información.

biendo requerirle una declaración jurada simple sobre el nivel de ventas anuales estimado. Por otra parte, conviene recordar que los recursos provenientes de los financiamientos con garantía COVID-19 pueden ser destinados al pago de obligaciones tributarias (IVA, renta, etc.)[49]. Finalmente, hay que tener presente los ingresos del FOGAPE están exentos de todo impuesto, como también que los actos contratos y documentos necesarios para la constitución de las garantías otorgadas por el Fondo están exento del Impuesto de Timbres y Estampillas[50].

Igualmente, el SII ha recordado que el DL N° 825, artículo 12 letra B, N° 7, establece una exención de IVA en las importaciones que constituyan donaciones y socorros calificados como tales a juicio exclusivo del SNA, destinadas a corporaciones, fundaciones y Universidades. Los destinatarios de la donación deben acompañar los antecedentes que justifiquen la exención[51]. Como se desprende del tenor de la norma, son condiciones esenciales de procedencia del beneficio que el SNA califique las mercancías importadas como «donaciones y socorros» y que

---

[49] El artículo 5 del Reglamento estatuye expresamente: «Los recursos provenientes de los financiamientos con Garantías COVID-19 solamente podrán ser utilizados para cubrir necesidades de capital de trabajo de la empresa, incluyendo, entre otros, pago de remuneraciones y obligaciones previsionales, arriendos suministros y facturas pendientes de liquidación, boletas de garantía, gastos de seguros, gastos asociados al otorgamiento de Líneas, y cualquier otro gasto que sea indispensable para el funcionamiento de ésta. En particular, no podrán utilizarse los recursos de dichos financiamientos para el pago de dividendos, retiro de utilidades, préstamos a personas relacionadas, hasta el segundo grado de consanguinidad en el caso de ser personas naturales o de conformidad al artículo 100 de la Ley N° 18.045, de Mercado de Valores, en caso de personas jurídicas, o de cualquier otra forma de retiro de capital por parte de el o los dueños de la empresa». Tampoco podrán usarse para amortizar, prepagar o refinanciar créditos vigentes o para la adquisición de activos fijos, salvo la sustitución de activos esenciales para el funcionamiento de la empresa.

[50] Artículo 9 del DECRETO LEY N° 3.472 de 1980.

[51] Proyecto de Circular SII sobre gastos asociados al COVID-19 y donaciones efectuadas al amparo del artículo 7° de la LEY N° 16.282 (en adelante «Proyecto de Circular»). El artículo 6 A N° 1 del CT estatuye que las Circulares que «tengan por objeto interpretar con carácter general normas tributarias, o aquellas que modifiquen criterios interpretativos previos, deberán siempre ser consultadas» públicamente.

los donatarios sean corporaciones, fundaciones o Universidades. Por lo tanto, aun cuando el SNA califique la importación como «donaciones y socorros», resultará clave que los destinatarios de la donación sea uno de los sujetos donatarios enumerados por la norma. Supongamos, por ejemplo, que una empresa extranjera dona equipos médicos respiratorios de ventilación mecánica al Servicio Nacional de Salud de Chile. ¿Sería aplicable la exención en cuestión a la importación de esos equipos? Nos parece que la respuesta debería ser negativa al tenor de algunos pronunciamientos del SII. Así, por ejemplo, en el Oficio N° 738 de 2006 se analizó la procedencia de la exención a la importación de insumos médicos efectuada por un hospital donados por una institución extranjera. El SNA calificó la importación como «donación o socorro», permitiendo su despacho a través de la partida número 0012.0199 del Arancel Aduanero, con lo cual se satisface la primera de las condiciones señaladas. Sin embargo, el SII concluye que no se cumple con la segunda condición, ya que el donatario, institución estatal, dependiente del Servicio de Salud, «no posee el carácter de corporación, fundación o universidad, requisito esencial exigido por la ley para la aplicación de la exención en análisis». El mismo criterio se ha aplicado cuando el sujeto donatario de este tipo de insumos es un particular[52]. Ahora bien, en el escenario actual, podría entenderse que este tipo de importaciones de mercancías donadas sí están liberadas de IVA en virtud de lo establecido en el inciso 2° del artículo 7° de la Ley N° 16.282[53] o por aplicación de la exención genérica contenida en el artículo 37 del DL N° 1.939 de 1977 (en caso de que el donatario ea el Fisco). Con todo, no se aprecian medidas liberatorias generales respecto de la importación de dispositivos médicos y equipos de protección como ocurre en otras latitudes. Así, por ejemplo, la Comisión Europea ha decidido suspender durante la crisis del coronavirus los derechos de aduana y el IVA en la importación de dichos dispositivos y equipos[54].

---

[52]   Oficio SII N° 933 de 2004.
[53]   Así lo da a entender el SII en el «Proyecto de Circular» y en la subsecuente Circular SII N° 32 de 29 de abril de 2020.
[54]   C(2020) 2114 final, de 3.4.2020.

Finalmente, corresponde detallar los criterios establecidos por el SII sobre el tratamiento tributario frente al IVA de las adquisiciones y donaciones a que se refiere la Circular SII N° 32 de 29 de abril de 2020. En cuanto a las adquisiciones de bienes y servicios para el combate de la pandemia de COVID-19, consecuentemente con su calificación como gastos necesarios para producir la renta, se expresa que «según lo dispuesto en el N° 1 del artículo 23 de la LIVS, procede la utilización como crédito fiscal del IVA soportado en la adquisición de implementos tales como mascarillas, alcohol gel o jabón líquido, desinfectantes, medicamentos, dispositivos médicos, ropas y equipos especiales, papel higiénico, pañuelos desechables, guantes, así como la contratación de servicios de sanitización o desinfección de instalaciones, vehículos y locales comerciales, cobertura de salud en general de las personas y familias, pago de pólizas de seguros, habilitaciones para trabajo remoto, etc.». Respecto a las donaciones, la autoridad tributaria señala que: (i) no configuran el hecho gravado básico venta, ya que no son transferencias a título oneroso (ii) no se consideran retiros a los efectos del hecho gravado especial del artículo 8 letra d) del DL N° 825, en la medida que la donación cumpla con los requisitos indicados en la Circular y no tengan fines promocionales o de propaganda; (iii) no tienen incidencia en el derecho al crédito fiscal IVA soportado en la adquisición de los bienes donados (se puede utilizar el crédito fiscal soportado en la adquisición de las especies donadas); y (iv) no procede a su respecto la emisión de facturas exentas o no afectas, sino tan solo cualquier documento que dé cuenta fehaciente de la operación.

IV. Medidas en el ámbito de los Impuestos Sobre la Renta

Los impuestos sobre la renta, como se desprende de su propia denominación, son aquellos tributos que tienen como hecho gravado la renta, la cual se encuentra definida en el artículo 2 N° 1 de la LIR[55]. Hablamos

---

[55]   El artículo 2 dispone que se entenderá: «1.- Por "renta" los ingresos que constituyan utilidades o beneficios que rinda una cosa o actividad y todos los beneficios, utilidades e incrementos de patrimonio que se perciban o devenguen, cualquiera que sea su naturaleza, origen o denominación».

en plural porque la LIR establece distintas figuras impositivas. Las más importantes son: Impuesto Único de Segunda Categoría (IUDSC)[56], Impuesto de Primera Categoría (IDPC)[57], Impuesto Global Complementario (IGC)[58] e Impuesto Adicional (IA)[59].

La mayor parte de las medidas adoptadas hasta el momento en este ámbito dicen relación con la prórroga de obligaciones declarativas (declaraciones juradas), condonación de recargos legales y facilidades de pago de los impuestos. También se han establecido criterios sobre la deducibilidad de ciertos gastos relacionados con el COVID-19.

Según el SII, una declaración jurada es una «manifestación que presentan las personas naturales y jurídicas bajo juramento ante el SII para cumplir con el trámite legal de dar a conocer información de carácter tributaria propia o de terceros, relacionada con los movimientos que tuvieron en el año comercial anterior»[60]. Una parte significativa de la información que se da a conocer a través de las declaraciones juradas es esencial para la determinación de los impuestos a la renta que deben declararse a partir de 01 de abril de cada año tributario. Todas ellas tienen un plazo preestablecido de presentación. Teniendo en consideración las dificultades generadas por la emergencia sanitaria del COVID-19, el SII ha emitido una serie de resoluciones exentas ampliado los plazos para presentar declaraciones juradas. La primera, de 18 de marzo de 2020, extendió hasta el 27 del mismo mes y año el plazo para que los empleadores presenten la declaración jurada anual de rentas del trabajo dependiente del artículo 42 N° 1 de la LIR (sueldos), otros compo-

---

[56]   Este impuesto grava mensualmente las rentas del trabajo dependiente (cuando hay contrato de trabajo).
[57]   Impuesto que grava las actividades en las que predomine el capital por sobre el esfuerzo personal.
[58]   Impuesto anual y tasa progresiva que afecta a las personas naturales que tienen residencia o domicilio en Chile por sus rentas de distinta naturaleza (honorarios, sueldos, utilidades, dividendos, intereses, etc.).
[59]   Es un impuesto final que afecta a las personas naturales y jurídicas que no tienen domicilio ni residencia en Chile, sobre el total de las rentas percibidas o devengadas de fuente chilena. Tiene una tasa general de 35%.
[60]   Servicio de Impuestos Internos, «Diccionario Básico Tributario Contable». Disponible en http://www.sii.cl/diccionariotributario/diccd.htm. Fecha de consulta: 18 de abril de 2020.

nentes de la remuneración y retenciones del IUDSC (Formulario N°
1887)[61]. Luego se sucedieron las resoluciones exentas N°s 32 de 23 de
marzo de 2020[62], N° 35 de 26 de marzo de 2020[63], N° 37 de 02 de abril
de 2020[64] y N° 53 de 11 de mayo de 2020[65].

De igual modo, el tantas veces mencionado Decreto Supremo N°
420 de 2020, dispuso medidas en este ámbito.

La primera consiste en instruir al SII para eximir de los pagos provisionales mensuales (PPM) que corresponde pagar en los meses de abril,
mayo y junio de 2020 (por los ingresos obtenidos en los meses de marzo,
abril y mayo del mismo año)[66]. Los PPM son anticipos de impuestos
anuales sobre la renta que deben efectuar mensualmente (entre el 1° y
el 12 del mes siguiente al de obtención de los ingresos) algunos contribuyentes en forma voluntaria u obligatoria. Los beneficiarios de la
medida son los contribuyentes del IDPC (contribuyentes que desarrollen actividades de los números 1°, 3°, 4° y 5° del artículo 20 de la LIR,
que declaren impuestos sobre renta efectiva) que debe efectuar PPM
obligatorios[67]. La medida exime del pago, pero no de la obligación de
presentar los formularios correspondientes (Formularios N°s 29 y 50)[68].

La segunda medida consiste en instruir al SII y a la TGR para que
realicen el pago anticipado por medios electrónicos, en el mes de abril
de 2020, de la devolución de impuestos sobre la renta que corresponda

---

61   Resolución exenta SII N° 30 de 18 de marzo de 2020.
62   Amplía hasta el 27 de marzo de 2020 el plazo para presentar las siguientes de-
      claraciones juradas: 1812, 1832, 1835, 1862, 1879, 1895, 1897, 1899, 1904, 1909,
      1914, 1919, 1932 y 1941. Además, amplía hasta el 03 de abril de 2020 las declara-
      ciones juradas anuales: 1923, 1924, 1940, 1942 y 1943.
63   Amplía hasta el 09 de abril de 2020 el plazo para presentar la declaración jurada
      1933, y hasta el 31 de agosto las declaraciones juradas 3225 y 3226.
64   Amplía hasta el 06 de abril de 2020 plazo para presentar declaraciones juradas:
      1923, 1924, 1940 y 1943.
65   Amplía hasta el 14 de mayo de 2020 el plazo para presentar las declaraciones
      juradas anuales: 1847 (Balance de 8 columnas y otros antecedentes), 1913 (Ca-
      racterización Tributaria Global) y 1926 (Base Imponible de Primera Categoría y
      Datos Contables Balance).
66   Artículo 1° N° 3) del Decreto Supremo N° 420 de 2020.
67   Artículo 84 letra a) de la LIR.
68   Resolución exenta SII N° 40 de 13 de abril de 2020.

efectuar (y cuando corresponda efectuar) a personas naturales y a los contribuyentes que cumplan los requisitos para acogerse al régimen Pro Pyme (artículo 14 D de la LIR)[69]. Esta medida rige respecto de la declaración de impuesto a la renta que se efectué a través del Formulario N° 22 (F22) del año tributario 2020 (correspondiente a las rentas del año comercial 2019).

La tercera medida beneficia a las Pymes[70] y consiste en la postergación hasta el 31 de julio del plazo de pago de impuesto a la renta correspondiente a la declaración anual de impuesto a la renta que se efectúe a través del F22 del año tributario 2020. De no mediar esta prórroga, el plazo para declarar y pagar el impuesto vencería el 30 de abril de 2020 y, por lo tanto, los contribuyentes en cuestión tendrán 3 meses de diferimiento para el pago del impuesto correspondiente[71].

La cuarta medida también se relaciona con la Pymes[72], ya que se prorroga hasta el 31 de julio de 2020 el plazo para optar a los regímenes establecidos en el artículo 14 A)[73], y D)[74] N° 3[75] y 8[76], de la LIR. Conforme a lo establecido en los artículos noveno transitorio y decimocuarto transitorio, ambos de la Ley N° 21.210, los beneficiarios de esta medida tenían hasta el 30 de abril de 2020 para ejercer dicha opción.

Asimismo, se instruye al SII y a la TGR para condonar y devolver la retención de impuesto aplicada en los meses de enero y febrero de 2020 a los contribuyentes del artículo 42 N° 2 de la LIR[77], es decir, a los contribuyentes que obtienen rentas del trabajo independiente[78].

---

[69] Artículo 1º N° 4) del Decreto Supremo N° 420 de 2020.

[70] Contribuyentes que cumplan los requisitos para acogerse al régimen del artículo 14 D) de la LIR.

[71] Las instrucciones específicas para acceder a este beneficio se contienen en Resolución exenta SII N° 40 de 13 de abril de 2020.

[72] Artículo 1º N° 6) del Decreto Supremo N° 420 de 2020.

[73] Régimen aplicable a las empresas obligadas a declarar IDPC según renta efectiva determinada con contabilidad completa.

[74] Régimen para las micro, pequeñas o medianas empresas (Pymes).

[75] Régimen Pro Pyme general.

[76] Régimen opcional de transparencia tributaria (Régimen Pro Pyme Transparente).

[77] Artículo 1º N° 7) del Decreto Supremo N° 420 de 2020.

[78] Ingresos provenientes del ejercicio de las profesiones liberales o de cualquiera otra profesión u ocupación lucrativa no comprendida en la Primera Categoría ni en

Estas retenciones tienen el carácter de pagos provisionales y deben ser declaradas y pagadas por los sujetos obligados a efectuar las retenciones dentro de los 12 primeros días de cada mes. El SII ha precisado que la devolución se realizará a los contribuyentes que hayan emitido boleta de honorarios electrónica, respecto de las retenciones realizadas por los pagadores de las rentas que se encuentren declaradas y pagadas a través del F29, como asimismo, las retenidas y pagadas por medio del mismo F29, por el propio contribuyente emisor de la boleta de honorarios[79]. No cabe duda de que esta medida, como también la exención de pago de PPM, constituyen en la actualidad un alivio tributario para los contribuyentes beneficiados, pero en perspectiva se traducirá en un menor crédito cuando en abril de 2021 se tengan que declarar las rentas correspondientes al año comercial 2020.

La sexta medida consiste en autorizar a la TGR para dar facilidades de pago a través de convenios especiales y la condonación de intereses penales[80] y multas[81] para contribuyentes del IGC, IUDSC e IDPC[82]. Los ingresos anuales de los contribuyentes del IGC e IUDSC no podrán exceder de 90 UTA. En el caso de los contribuyentes del IDPC no podrán exceder de UF350.000.

En último término, como séptima medida en este ámbito, el Decreto Supremo N° 420 de 2020 autoriza al SII y a la TGR para condonar intereses penales y multas aplicadas a las declaraciones de impuestos sobre la renta presentadas fuera de plazo u otras gestiones vinculadas con

---

el artículo 42 N° 1 de la LIR, incluyéndose los obtenidos por los auxiliares de la administración de la justicia, por los corredores que sean personas naturales y cuyas rentas provengan exclusivamente de su trabajo o actuación personal, sin que empleen capital y por sociedades de profesionales que presten exclusivamente servicios o asesorías profesionales.

[79]   Resolutivo 3 de la RESOLUCIÓN EXENTA SII N° 40 de 13 de abril de 2020.

[80]   Los intereses penales son los que se señalan en el inciso tercero del artículo 53 del CT.

[81]   La multa en el caso del IUDSC es la establecida en el artículo 97 N° 11 del CT. En los casos del IGC y del IDPC, se aplica la multa indicada el artículo 97 N° 2 del CT.

[82]   Artículo 1° N° 8) del DECRETO SUPREMO N° 420 de 2020.

impuestos establecidos en la LIR. Esta medida podrá aplicarse hasta el 30 de septiembre de 2020[83].

En fecha más reciente, mediante Decreto Supremo Nº 553 de 09 de abril de 2020[84] se agrega un nuevo numeral al artículo 1º del Decreto Supremo Nº 420[85], estableciendo una medida respecto del régimen de rentas presuntas del artículo 34 de la LIR. Los contribuyentes que tributan en base a rentas presuntas (en general, pequeños agricultores, transportistas y mineros) no contribuyen sobre su resultado real sino por un resultado presumido en función de un parámetro de rentabilidad preestablecido en la propia ley tributaria. Sin embargo, en todo momento, estos contribuyentes podrán optar por pagar el IDPC sobre sus rentas efectivas, dando aviso al SII entre el 01 de enero y el 30 de abril del año calendario en que deseen cambiar de régimen. Pues bien, el nuevo Decreto prorroga hasta el 31 de julio de 2020 el plazo que tienen dichos contribuyentes para optar por tributar sobre la base de renta efectiva demostrada según contabilidad completa, respecto de las rentas obtenidas en el año comercial 2019[86].

Otro importante aspecto que subrayar, por tener cierta incidencia en este ámbito, es el tratamiento tributario del bono extraordinario de apoyo a los ingresos familiares establecido en la Ley Nº 21.225. Este bono busca paliar, en alguna medida, las consecuencias socioeconómicas provocadas por el COVID-19 en las familias más vulnerables. Dicha ley señala expresamente que el bono que se concede «no constituirá remuneración o renta para ningún efecto legal, no será imponible ni tribu-

---

83   Artículo 1º Nº 9) del Decreto Supremo Nº 420 de 2020.
84   Publicado en el Diario Oficial de 18 de abril de 2020.
85   Artículo 1º Nº 11) del Decreto Supremo Nº 420 de 2020.
86   La Resolución exenta SII Nº 43 de 20 de abril de 2020 imparte instrucciones sobre este beneficio. En síntesis, se señala lo siguiente: los contribuyentes que ejerzan la opción, podrán hacerlo al régimen del artículo 14 A), 14 B) o 14 ter letra A) de la LIR; deberán reconstituir su contabilidad por el ejercicio comercial 2019 o solicitar la aplicación del artículo 35 de la LIR; se mantiene el plazo normal para presentar el F22, pudiendo diferir el pago del impuesto, y rectificar el F22 con posterioridad en caso de ejercer la opción; se deberán presentar las declaraciones juradas correspondientes al régimen por el cual se opte.

table y no estará afecto a descuento alguno»[87]. En definitiva, este bono tiene naturaleza de ingreso no constitutivo de renta[88].

En la misma línea, el artículo 11 de la Ley N° 21.227 estatuye que el complemento seguro de cesantía[89] no se considerará remuneración ni renta. Ello resulta coherente con el tratamiento tributario que en general tienen los ingresos por seguro de cesantía[90].

Tampoco se considerará remuneración ni renta para ningún efecto legal el «Ingreso Familiar de Emergencia» (IFE) consagrado en la Ley N° 21.230[91]. El IFE es una ayuda o subsidio estatal extraordinario destinado a mitigar los efectos socioeconómicos producidos por el COVID-19 y cuyos beneficiarios son los hogares (i) que pertenezcan al 90 % más vulnerable de la población nacional de acuerdo al «Instrumento de Caracterización Económica» del sistema intersectorial de protección social, (ii) que pertenezcan al 60% más vulnerable de la población nacional de conformidad al «Indicador Socioeconómico de Emergencia»[92], y (iii) que sus integrantes mayores de edad no perciban alguno de los

---

[87] Artículo primero, artículo 1 de la Ley N° 21.225.

[88] El artículo 17 N° 29 de la LIR estatuye que no constituirá renta: «Los ingresos que no se consideren renta o que se reputen capital según texto expreso de una ley».

[89] Se trata de un complemento a que tienen derecho ciertos trabajadores con cargo a los recursos de su cuenta individual por cesantía, y, cuando estos se agoten, se financiarán con cargo al Fondo de Cesantía Solidario.

[90] Según la Ley N° 19.728, los incrementos que experimenten las cotizaciones aportadas al Fondo de Cesantía no constituirán renta para los efectos de la LIR (artículo 53). Tampoco lo serán los fondos de la Cuenta Individual por Cesantía y los giros que con cargo a ellos se efectúen (artículo 50).

[91] Así lo dispone expresamente el inciso segundo del artículo 1 de la Ley N° 21.230.

[92] Este indicador será elaborado y administrado por la Subsecretaría de Evaluación Social del Ministerio de Desarrollo Social. Conforme dispone el artículo 2 de la Ley en cuestión, «tendrá por objeto identificar los hogares de la población nacional más afectados socioeconómicamente por los efectos producidos por la pandemia provocada por la enfermedad denominada COVID-19». En términos más concretos, «[m]edirá la vulnerabilidad socioeconómica de los hogares de la población nacional en el corto plazo, utilizando la información que caracterice la situación socioeconómica a partir de marzo del año 2020 del registro de Información Social». La caracterización de los hogares se producirá sin necesidad de solicitud alguna.

ingresos señalados en el artículo 4[93]. También podrán ser beneficiarios (pero solo respecto del segundo y tercer aporte) aquellos hogares que cumplan los siguientes requisitos copulativos: (i) pertenezcan al 80% más vulnerable de la población nacional de acuerdo al «Instrumento de Caracterización Económica»; y (ii) estén integrados por una o más personas que tengan 70 años o más de edad y sean beneficiarios de una pensión básica solidaria de vejez[94]. En general, el IFE está compuesto por un máximo de 3 aportes de distinto monto (decreciente) y en función del número de integrantes del hogar[95]. El procedimiento para el otorgamiento, solicitud (cuando los integrantes del hogar beneficiario no tengan ciertas calidades) y pago (a través del Instituto de Previsión Social y las entidades que celebren convenios con dicho Instituto) del IFE se encuentra regulado en el artículo 7 y siguientes de la Ley N° 21.230. De igual modo, se contempla un proceso de reclamación y reglas sobre la percepción indebida del IFE[96].

---

[93]   «Artículo 4.- También tendrán derecho al Ingreso Familiar de Emergencia aquellos hogares que estén integrados según lo dispuesto en el artículo 6, cuyos miembros mayores de edad perciban ingresos provenientes de pensiones de cualquier naturaleza en algún régimen de seguridad social o sistema previsional, de rentas del trabajo mencionadas en el artículo 42 números 1° y 2° de la Ley de Impuesto a la Renta; de remuneraciones o dietas percibidas en razón del ejercicio de un cargo público; o las prestaciones de seguro de cesantía que dispone la ley N° 19.728, que establece un seguro de desempleo, aquellas prestaciones percibidas en razón a la ley N° 21.227, y los subsidios de incapacidad laboral, cualquiera que sea la naturaleza de la licencia médica o motivo de salud que le dio origen, durante el tiempo en que se perciba dicho subsidio, siempre que se cumplan los siguientes requisitos copulativos: (i) que la suma de dichos ingresos sean inferiores al primer aporte que le correspondería conforme al artículo 3; (ii) que pertenezca al 90 por ciento más vulnerable de la población nacional, de conformidad al Instrumento de Caracterización Socioeconómica a que se refiere el artículo 5 de la ley N° 20.739, que crea el sistema intersectorial de protección social, y (iii) que pertenezca al 40 por ciento más vulnerable de la población nacional, de acuerdo al Indicador Socioeconómico de Emergencia a que se refiere el artículo 2. En este caso, el monto de cada aporte del Ingreso Familiar de Emergencia será equivalente a la mitad de las cantidades establecidas en el artículo 3 para cada uno de ellos, de acuerdo a lo establecido en el artículo 7».

[94]   Artículo 5 de la Ley N° 21.230.

[95]   Ver detalle de los montos en el artículo 3 de la Ley N° 21.230.

[96]   Artículos 10 y 11 de la Ley N° 21.230.

Finalmente, corresponde analizar la deducibilidad de los gastos asociados al COVID-19 en la determinación de los impuestos a la renta.
La cuestión ha sido tratada en el «Proyecto de Circular» y en la subsecuente Circular SII N° 32 de 29 de abril de 2020. En la versión original de este estudio señalamos que, por encima de ciertos detalles que
pudiesen cambiar, estimábamos que la posición del SII contenida en el
«Proyecto de Circular» se mantendría en la Circular que se emitiera en
definitiva. La lectura pormenorizada de la Circular SII N° 32 confirma
nuestra apreciación. Sin embargo, también hay que reconocer que el
proceso de consulta pública contribuyó a la precisión de algunas materias relacionadas. Veamos.

La posición del SII sobre la deducibilidad de los gastos tiene como
punto de partida el inciso primero[97] del artículo 31 de la LIR modificado por la Ley N° 21.210. Sobre el requisito de la aptitud para producir la renta, reconoce el órgano fiscalizador, anticipando el criterio que
contendría una próxima Circular sobre la deducción de los gastos en
general, que hay ciertos desembolsos que no siempre pueden garantizar
la obtención cierta de una renta, los cuales se realizan en el marco de
la existencia de operaciones o negocios cada vez más sofisticados y la
introducción de nuevas y más estrictas exigencias que la sociedad, la ley
o la autoridad administrativa imponen a las actividades económicas. En
esta línea, los gastos necesarios serían aquellos que son aptos o tengan
potencialidad de generar rentas, sea en el mismo ejercicio en que se efectúa o en futuros ejercicios, aunque en definitiva no se generen, siempre
que los desembolsos estén asociados al interés, desarrollo o mantención
del giro o negocio, sea que su origen provenga o no de una obligación
contractual. Así, quedan comprendidos los desembolsos relacionados
con eventualidades e imprevistos de ocurrencia transversal en las distintas actividades. No son necesarios —se agrega— los gastos que tengan

---

[97] Según este nuevo inciso, la renta líquida «se determinará deduciendo de la renta
bruta todos los gastos necesarios para producirla, entendiendo por tales aquellos
que tengan aptitud de generar renta, en el mismo o futuros ejercicios y se encuentren asociados al interés, desarrollo o mantención del giro del negocio, que
no hayan sido rebajados en virtud del artículo 30°, pagados o adeudados durante
el ejercicio comercial correspondiente, siempre que se acrediten o justifiquen en
forma fehaciente ante el Servicio».

como causa la culpa grave o dolo del contribuyente, ni las dádivas de co-
hecho o soborno, como tampoco los desembolsos relacionados con cualquier actividad ilícita. Bajo este nuevo concepto de gasto, se confirma
que pueden deducirse los gastos asociados al COVID-19, en particular:
a) aquellas cantidades incurridas, voluntaria u obligatoriamente, por los
contribuyentes y destinados a evitar, contener o disminuir la propagación del COVID-19; b) aquellos desembolsos destinados a aminorar o
palear sus efectos que tengan en general por objeto resguardar los intereses del negocio del contribuyente, garantizando, por ejemplo: (i) sus
ingresos presentes o futuros, (ii) la mantención o apoyo a sus trabajadores, incluyendo el pago de las remuneraciones de los trabajadores aunque
no hayan podido concurrir a sus lugares de trabajo, (iii) la realización de
planes estratégicos de negocios y de fidelización de clientes, (iv) evitar
un mayor gasto futuro o cualquiera que se efectúe para el desarrollo o
mantención de la actividad. En definitiva, el SII aceptará como gasto
«los desembolsos incurridos en la adquisición de mascarillas, alcohol
gel, jabón líquido, desinfectantes, medicamentos, dispositivos médicos,
ropas y equipos especiales, papel higiénico, pañuelos desechables, guantes, como también los servicios de sanitización o desinfección de instalaciones, vehículos y locales comerciales, cobertura de salud en general
de las personas y familias, pago de pólizas de seguro, habilitaciones para
el trabajo remoto, etc.». Estas reglas son aplicables cualquiera que sea
la actividad del contribuyente. Por último, el SII analiza la situación
desde la posición de las personas que reciben gratuitamente los bienes
y los servicios indicados para el combate de la pandemia, estableciendo,
razonablemente a nuestro entender, que salvo las remuneraciones, tales
bienes y servicios no constituyen renta tributable, ya que «se trataría de
beneficios que no aumentan el patrimonio de quien los recibe, sino que
sólo vienen a cumplir un deber de cuidado por parte de la empresa».

En la misma Circular Nº 32, de 29 de abril de 2020, se explica el tratamiento tributario de las donaciones asociadas al COVID-19. En este
sentido, se principia puntualizando, en cuanto a las donaciones reguladas
en el artículo 37 del DL Nº 1.939 de 1977 y en el artículo 4º de la Ley
Nº 19.896, que se reiteran las instrucciones contenidas en las Circulares
SII Nº 31 y 59, ambas de 2018. Enseguida, a la luz de lo dispuesto en
el primero de dichos artículos, se subraya que las donaciones efectuadas

a los órganos y servicios públicos incluidos en la Ley de Presupuestos que forman parte del «Fisco»: (a) estarán exentos de toda clase de impuestos (a este respecto se agrega «incluyendo el IVA en la importación de bienes donados» por aplicación del Oficio SII N° 2732 de 2019); (b) son deducibles como gasto necesario; (c) no están sujetos al límite global absoluto, y (d) no requieren de insinuación. Asimismo, se destaca que el artículo 4° de la Ley N° 19.896 libera de autorización previa a las donaciones (en dinero o en especies) «en situaciones de emergencia o calamidad pública». En cuanto a estas situaciones, recuerda que «este Servicio interpretó que no se refieren necesariamente al denominado "estado de emergencia" ni a la declaración de zona afectada por una catástrofe, bastando el decreto del órgano del Estado que corresponda, en ejercicio de sus facultades legales, declarando dicha situación». En un segundo apartado, se analizan las donaciones efectuadas al amparo del artículo 7° de la Ley N° 16.282, distinguiendo entre las donaciones amparadas en el inciso primero o segundo de dicha disposición. En el caso de las donaciones al amparo del inciso primero, se examinan pormenorizadamente cada uno de sus aspectos relevantes: (a) en lo que respecta al objeto de la donación, se deja sin efecto la Circular SII N° 19 de 2010, modificando el criterio interpretativo contenido en esta en el sentido de que la exigencia de efectuar donaciones consistentes en dinero o bienes que «formen parte del activo del donante» no es un requisito de procedencia de las donaciones amparadas en el inciso primero del artículo 7° de la Ley N° 16.282[98] y, en consecuencia, «conforme al nuevo criterio pueden ser objeto de donación tanto dinero como bienes de cualquier naturaleza o clase que permita satisfacer las necesidades básicas de alimentación, abrigo, habitación, salud, aseo, ornato, remoción de escombros, educación, comunicación y transporte de los habitantes de las zonas afectadas»; (b) estas donaciones no tienen límite en cuanto a su monto; (c) las donaciones efectuadas por donantes con

---

[98]   En esta misma línea, se subraya que solo son requisitos de procedencia: (i) la existencia de un decreto supremo fundado del Presidente de la República; (ii) que la catástrofe o calamidad pública sea la causa de la donación; (iii) que los donatarios sean el Estado, personas naturales o jurídicas de derecho público o fundaciones o corporaciones de derecho privado o Universidades reconocidas por el Estado; y (iv) que las donaciones permitan satisfacer ciertas necesidades básicas.

pérdidas deben ser aceptadas como gasto y no se aplica a este respecto el artículo 21 de la LIR (reconoce el SII que el donante podrá disminuir la base imponible del IDPC e incluso aumentar la pérdida tributaria para deducirla en los periodos tributarios sucesivos); (d) los donantes pueden ser contribuyentes del IDPC o contribuyentes del artículo 42 N° 1 (IUSC) y 2 (IGC) de la LIR; (e) pueden ser donatarios el Estado, las personas naturales y jurídicas de derecho público, las fundaciones y corporaciones de derecho privado y las Universidades reconocidas por el Estado; (f) el beneficio para el donante será la deducción del monto de la donación de la base imponible del impuesto a la renta; si la donación es en especie y el donante es contribuyente de IDPC se considera el costo tributario de dichos bienes, por el contrario si el donante es contribuyente del IUSC o del IGC, se tendrá en cuenta el valor de adquisición reajustado respecto de tales bienes; (g) para el donatario se configura el ingreso no constitutivo de renta contemplado en el artículo 17 N° 9 de la LIR; (h) por aplicación del artículo 21 del CT, corresponde al contribuyente acreditar la donación; e (i) los donatarios deberán presentar la declaración jurada N° 1832. En cuanto a las donaciones (importaciones) amparadas al inciso segundo del citado artículo 7°, nos remitimos a lo señalado anteriormente[99]. De igual modo, se establece que las donaciones pueden ser canalizadas por grupos de contribuyentes por medio de asociaciones gremiales o entidades sin personalidad jurídica, debiendo emitirse los certificados respectivos según las donaciones sean efectuadas directamente por el contribuyente o a través de terceros que la canalizan. Por último, se advierte que el mal uso de estos beneficios tributarios será sancionado conforme a lo dispuesto en el artículo 97 N° 4 y 24 del CT.

A este mismo respecto, debemos tener presente que la Resolución SII exenta N° 49 de 30 de abril de 2020, crea el Certificado N° 66 denominado «Certificado de donaciones y gastos asociados el brote mundial del virus COVID 19», el cual deberá ser emitido por los donatarios y autorizado por el SII conforme a los procedimientos vigentes. El Certificado en cuestión deberá ser emitido dentro de los 12 días hábiles del mes siguiente a la recepción de la donación. Tratándose de las donacio-

---

[99] Ver supra nota 26.

nes efectuadas antes de la entrada en vigencia de dicha Resolución (08 de mayo de 2020)[100], los certificados deberán emitirse hasta el 31 de agosto de 2020.

V. Medidas en el ámbito del Impuesto Territorial

El Impuesto Territorial es un tributo de carácter patrimonial cuyo hecho gravado es la propiedad o tenencia de bienes inmuebles de naturaleza agrícola y no agrícola y que tiene como base de cálculo el avalúo fiscal, siendo su recaudación destinada en su totalidad (sin perjuicio de algunas sobretasas a beneficio fiscal) a las municipalidades del país.

En cuanto a su pago, se trata de un impuesto anual que sin embargo se puede pagar en cuatro cuotas con vencimiento cada una de ellas el último día de los meses de abril, junio, septiembre y noviembre de cada año.

Pues bien, el artículo 1º Nº 2) del Decreto Supremo Nº 420 de 2020, dispone la prórroga del plazo de pago de la primera cuota de este impuesto del año 2020, es decir, posterga el pago de la cuota cuyo plazo normal de pago vence el día 30 de abril. ¿Cómo opera esta prórroga? La primera cuota prorrogada (la prórroga opera automáticamente si no se paga la cuota dentro del período normal de pago), se pagará en tres cuotas, iguales y reajustadas, en los plazos de pago de la segunda (junio), tercera (septiembre) y cuarta cuota (noviembre) del impuesto correspondiente al año 2020. En otros términos, la cuota que se prorrogue (la primera) se dividirá en tres y cada tercio de esa cuota se sumará a la segunda, tercera y cuarta cuota. Podrán beneficiarse de esta prórroga y fraccionamiento de pago[101]: (a) los contribuyentes del IGC o del IUDSC que sean propietarios de bienes raíces cuyo valor de avalúo fiscal individual no exceda de $133.000.000 a marzo de 2020; (b) los contribuyentes

---

[100] Fecha de publicación de la Resolución en el DIARIO OFICIAL.
[101] Según el SII, beneficiará a cerca de 1.240.000 contribuyentes (931.000 personas naturales y 309.000 empresas). Ver «SII implementa postergación primera cuota de contribuciones para personas y empresas». Disponible en http://www.sii.cl/noticias/2020/090420noti02pcr.htm. Fecha de consulta: 19 de abril de 2020.

del IDPC cuyo ingreso anual no exceda de la cantidad de UF350.000, debiendo computarse para su cálculo los ingresos de las controladas y de todas las entidades que se encuentren bajo controlador común.

En relación con el mismo tributo, el artículo 1° N° 8) del Decreto Supremo N° 420 de 2020 confiere facultades a la TGR «para dar facilidades de pago a través de convenios especiales y condonar, total o parcialmente, los intereses penales y multas que corresponda respecto de pagos de impuestos fiscales y territoriales, o cuotas devengadas en los meses de abril, mayo y junio de 2020». Pueden beneficiarse de esta medida: (i) los contribuyentes del IGC o IUDSC cuyos ingresos anuales no excedan de 90 UTA; (ii) los contribuyentes del IDPC cuyo ingreso anual no exceda de UF350.000, debiendo sumarse para estos efectos los ingresos de las entidades relacionadas controladas. La Circular Normativa TGR N° 283, de 14 de abril de 2020, en aplicación de la autorización en comento, establece las condiciones adicionales que deberán cumplir los contribuyentes para suscribir estos convenios especiales de pago (también se aplican a otros impuestos fiscales): (a) estar incluido en la nómina de contribuyentes confeccionada para estos efectos por el SII; y (b) pagar como pie al contado un monto de a lo menos el 3% del valor de la deuda liquidada. Asimismo, se dispone que el convenio se puede suscribir hasta en 24 cuotas y que se pueden postergar las cuotas de mayo y junio de 2020 pudiendo dejar su pago para el final del convenio, no aplicándose intereses ni multas.

En fin, también se autoriza al SII y a la TGR para condonar, total o parcialmente, los intereses aplicables respecto de pagos de cuotas efectuadas fuera de plazo. En este caso, nuevamente la facultad se otorga hasta el 30 de septiembre de 2020[102].

En consecuencia, en este ámbito, como también en los que analizamos en los apartados anteriores, hasta ahora, el Ejecutivo ha recurrido solo a una parte de la batería de medidas que autoriza la normativa tributaria de emergencia. En efecto, recordemos que el artículo 3 letra d) de la Ley N° 18.262, además de las prórrogas y las remisiones de intereses, multas y sanciones, permite también la autorización para con-

---

[102]   Artículo 1° N° 10) del Decreto Supremo N° 420 de 2020.

donar total o parcialmente impuestos de cualquiera clase. Por su parte, el inciso 3º del artículo 192 del CT, permitiría extender el plazo de 24 de meses antes indicado para la suscripción de convenios de pago: «No obstante lo dispuesto en los incisos anteriores, el Presidente de la República podrá ampliar el mencionado plazo [24 meses] para el pago de los impuestos atrasados de cualquiera naturaleza, en regiones o zonas determinadas, cuando a consecuencia de sismos, inundaciones, sequías prolongadas u otras circunstancias, se haya producido en dicha zona o región, una paralización o disminución notoria de la actividad económica. Se entenderán cumplidos estos requisitos, sin necesidad de declaración previa, en todas aquellas regiones o zonas en que el Presidente de la República disponga que se apliquen las disposiciones del Título I de la Ley Nº 16.282».

VI. Medidas en el ámbito del Impuesto de Timbres y Estampillas

El Impuesto de Timbres y Estampillas (ITE) es un tributo cuyo hecho gravado son ciertos documentos y actos jurídicos, principalmente aquellos que involucran una operación de crédito de dinero[103].

El artículo tercero de la Ley Nº 21.225[104] dispone la disminución transitoria de las tasas establecidas en los artículos 1º, numeral 3), 2º y 3º del DL Nº 3.475. La tasa 0% se aplicará al ITE que se devengue entre el 01 de abril y el 30 de septiembre de 2020, ambas inclusive.

El artículo 1º, numeral 3), del DL Nº 3.475 grava las siguientes operaciones: protesto de cheques por falta de fondos; letras de cambio, libranzas, pagaré, créditos simples o documentarios y cualquier documento que dé cuenta de una operación de crédito de dinero; instrumentos y documentos que contengan operaciones de crédito de dinero a la vista o sin plazo de vencimiento; la entrega de dinero a interés excepto cuando el depositario sea un Banco; los mutuos de dinero; la emisión de bonos

---

[103]   Se encuentra regulado en el Decreto Ley Nº 3.475 de 1980 (DL Nº 3.475).
[104]   Publicada en el Diario Oficial de fecha 02 de abril de 2020.

y debentures de cualquier naturaleza; entrega de facturas o cuentas en cobranzas a instituciones bancarias y financieras y las cartas de crédito (solo cuando no se emitan o suscriban otros documentos para garantizar su pago gravados). En la generalidad de estos casos[105], la tasa que estaba en vigor hasta el 30 de marzo de 2020 y que debería continuar a regir a contar del 01 de octubre de 2020, salvo prórroga de la vigencia de la tasa 0% o el establecimiento de una tasa distinta, era de 0,066% sobre el monto de la operación por cada mes o fracción de mes, no pudiendo exceder de 0,8%.

Por su parte, el artículo 2° del DL N° 3.475 se refiere a la prórroga o renovación de documentos. Si no se estipula plazo de vencimiento la tasa que se venía aplicando era de 0,332%. En los demás casos, era de 0,066% por cada mes completo que se pacte, sin embargo, la tasa máxima no podrá exceder de 0,8%.

El artículo 3° del DL N° 3.475 grava la documentación necesaria para efectuar una importación o para el ingreso de mercaderías desde el exterior. La tasa que se encontraba en vigor era de 0,066% que se aplica por cada mes o fracción de mes que medie entre la fecha de aceptación o ingreso y aquella en que se adquiera la moneda extranjera necesaria para el pago del precio o crédito. Con todo, la tasa definitiva no podrá exceder de 0,8%. Respecto de estas operaciones, el inciso tercero del artículo tercero de la Ley N° 21.225 señala que la tasa cero «se aplicará aun cuando su devengo se produzca con posterioridad al período indicado en el inciso primero [01 de abril hasta el 30 de septiembre de 2020], siempre que dentro de dicho período se realice la aceptación del respectivo documento de destinación aduanera o de ingreso a zona franca de la mercadería».

En cuanto al hecho gravado previsto en el artículo 2° bis del DL N° 3.475, se diferencia entre las colocaciones efectuadas entre el 01 de abril y el 30 de septiembre de 2020, las que se podrán beneficiar de la tasa 0%, y las líneas de emisión de bonos o de títulos de deuda de corto plazo

---

[105] El protesto de cheques por falta de fondos está afecto a un ITE de 1% del monto del cheque, con un mínimo de $3.927 y un máximo de 1 UTM. Los instrumentos y documentos que contengan operaciones de crédito de dinero a la vista o sin plazo de vencimiento deberán enterar la tasa de 0,332%.

cuya primera colocación se realice en el período en que rige la tasa 0%, las cuales mantendrán la determinación del ITE aplicable a las colocaciones acogidas a la línea hasta completar la tasa de 0,8%.

Atendido que la Ley N° 21.225 nada señala al respecto, entendemos que también mantendrán su tributación normal los hechos gravados del artículo 4° del DL N° 3.475, esto es, las actas de protesto de letras de cambio y pagarés a la orden que están afectos a un impuesto de 1% sobre su monto con un mínimo de $3.927 y con un máximo de 1 UTM.

El artículo 24° N° 17 del DL N° 3.475 establece una exención para los documentos que se emitan o suscriban con motivo de una operación de crédito de dinero, concedidas por instituciones financieras constituidas o que operen en el país por el monto que se destine exclusivamente a pagar préstamos otorgados por esta clase de instituciones, en tanto dichos préstamos no correspondan al uso de una línea de crédito. Dicho de otro modo, quedan liberadas del ITE los créditos destinados a pagar otros créditos originales, siempre que se cumplan las condiciones indicadas. Otra de las condiciones para que opere la exención es que al momento del otorgamiento del crédito que se paga, el ITE devengado por los documentos emitidos o suscritos con ocasión del crédito original, se hubiere pagado efectivamente. Pues bien, el inciso 4° del artículo tercero de la Ley N° 21.225, establece que cuando el ITE se devengue en el período de vigencia de la tasa 0% (01 de abril y 30 de septiembre de 2020), se considerará que dichas operaciones o documentos que son objeto de refinanciamiento (créditos originales) fueron afectadas por las tasas que hubiese correspondido aplicar de no mediar la señalada disminución. Es decir, se considerará que dichos créditos fueron afectados por el ITE normal y no por el ITE tasa 0%.

Finalmente, para ser coherente con el período de vigencia de la tasa 0%, el legislador tributario previó la situación que se produciría si la Ley N° 21.225 se publicaba después del 01 de abril de 2020, disponiendo que no procederá el cobro del ITE respecto de las operaciones antes señaladas, que se haya devengado entre el 01 de abril de 2020 y la fecha de publicación de esta en el Diario Oficial. Tampoco procederá el cobro de intereses y multas. Ahora bien, como el cuerpo legal en cuestión se publicó en el Diario Oficial el 02 de abril de 2020, entendemos que este beneficio se aplica solo a las operaciones realizadas los días 01 y 02 de abril de 2020. Se agrega que, si en dicho período se efectúo recargo o retención del ITE, los sujetos retenedores o responsables no deberán enterarlos en arcas fiscales, siempre que se restituya a las personas que lo soportaron. En caso de que el ITE ya hubiese sido declarado y pagado por los sujetos responsables o retenedores, procederá la devolución conforme al procedimiento administrativo establecido en el artículo 126 del CT.

Haciendo una valoración de estas medidas, creemos que son pertinentes, ya que como se expresó en la motivación del proyecto de ley, ellas disminuirán «los costos de los créditos que soliciten las empresas y las personas, permitiéndoles obtener nuevos recursos para hacer frente a la difícil situación económica actual»[106].

VII. Medidas en el ámbito de los Tributos Municipales

El COVID-19 también ha contagiado las finanzas municipales, afectando algunos de sus ingresos tributarios establecidos en la Ley de Rentas Municipales[107].

En este sentido, la Ley N° 21.223 prorrogó el plazo que vencía el 30 de abril de 2020 hasta el 30 de junio de 2020 para la renovación de los permisos de circulación correspondientes al año 2020, sin que ello implique el cobro de reajustes, intereses ni multas por los pagos efectuados hasta el 30 de junio de 2020. Asimismo, se permite el pago en dos cuotas. Los permisos de circulación son impuestos cuyo hecho gravado es la circulación por las vías públicas[108].

De igual modo, aunque con menor nivel de incidencia financiera, la Ley N° 21.222 prorrogó por un año la vigencia de las licencias de

---

[106] Biblioteca del Congreso Nacional, «Historia de la Ley N° 21.225», p 5. Disponible https://www.bcn.cl/historiadelaley/fileadmin/file_ley/7741/HLD_7741_37a6259cc0c1dae299a7866489dff0bd.pdf. Fecha de consulta: 18 de abril de 2020.

[107] Decreto Ley N° 3.063 de 1979.

[108] El artículo 12 de la Ley de Rentas Municipales establece: «Los vehículos que transitan por las calles, caminos y vías públicas en general, estarán gravados con un impuesto anual por permiso de circulación».

conducir que expiren durante el año 2020. Las municipalidades cobran tasas (la ley los denomina derechos[109]) por los servicios asociados a la renovación de dichas licencias.

VIII. Medidas en el ámbito de la Tributación Aduanera

En el ámbito de los tributos fiscales externos o aduaneros también se han adoptado ciertas medidas de facilitación, comenzando por la Resolución exenta SNA N° 1.179 de 18 de marzo de 2020. Esta Resolución, atendida la situación generada por el COVID-19, por un tiempo determinado, establece modalidades distintas a las vigentes para la tramitación de diversos procedimientos, presentación de documentos asociados a los mismos y la suspensión de los plazos de vencimiento de algunas destinaciones aduaneras que se estima que no podrán ser cumplidos antes de que termine el brote del COVID-19. En general, se otorgan una serie de autorizaciones para realizar trámites vía correo electrónico[110]. Por otro lado, se autoriza la realización de aforos físicos sin la presencia de los auxiliares de los Agentes de Aduana, a los agentes de aduana y a sus auxiliares para desempeñar sus funciones mediante trabajo remoto, la extensión de los carnés aduaneros que venzan y para retirar las mercancías que se encuentren en recintos de depósito aduanero a los funcionarios auxiliares de una agencia de aduana distinta a la responsable de su despacho[111].

Por su parte, la Resolución exenta SNA N° 1.313, de 26 de marzo de 2020, aprobó instrucciones para el ingreso simplificado de mercancías

---

[109] Artículo 41 N° 6 de la Ley de Rentas Municipales.

[110] La notificación de solicitudes de los Agentes de Aduana, la remisión de los B/L, el otorgamiento del mandato para despachar, el envío y recepción de los documentos de base para confeccionar y presentar a trámite las declaraciones aduaneras, la presentación de las SMDA, el envío de la documentación remitida por los exportadores, en el cabotaje, la entrega de documentos al arribo efectivo de la nave manifiesto, el envío de los documentos que deben ser acompañados a las solicitudes de emisión de pasavante.

[111] Dicha Resolución fue complementada por el Oficio Circular SNA N° 120 de 26 de marzo de 2020 y modificada por la Resolución exenta SNA N° 1.377 de 01 de abril de 2020.

declaradas como insumos críticos por la autoridad sanitaria al recaer sobre mercancías que serán destinadas por el importador a la prevención y control del COVID-19. La autoridad sanitaria, vía correo electrónico, solicitará su ingreso con carácter preferente. Se regulan otros procedimientos, por ejemplo, el relativo a la importación de mercancías donadas al Estado con ocasión de la catástrofe[112].

Posteriormente, respecto de la importación de petróleo y sus derivados, teniendo en consideración que ENAP es una empresa estratégica en el abastecimiento de combustibles al país, como asimismo la necesidad de resguardar la salud del personal crítico, mediante Resolución exenta N° 1.409 de 03 de abril de 2020, el SNA autoriza: (i) que las mediciones iniciales y finales sean realizadas por personal de ENAP sin la presencia física de personal de un organismo de inspección; y (ii) la realización de cálculos de descarga de forma remota, en base a las lecturas entregadas vía electrónica por el terminal de ENAP. Ahora bien, una copia de la Resolución exenta SNA N° 1.409 deberá ser incorporada a la carpeta de despacho, y en el caso de las declaraciones de importación, deberá indicarse en el campo «Observaciones Banco Central» la expresión «Contingencia COVID-19».

Por otra parte, con el propósito de facilitar la actividad de los colaboradores del comercio exterior, a través de la Resolución N° 1.556 de 17 de abril de 2020, el SNA modifica y complementa la comentada Resolución exenta SNA N° 1.179, en el siguiente sentido: (i) el despachador, dentro de los 30 días corridos desde que se deje sin efecto dicha Resolución, deberá obtener del emisor del B/L los originales para adjuntarlo a la carpeta correspondiente; (ii) en el caso del transporte marítimo, los Agentes de Aduana podrán confeccionar las declaraciones de ingreso en base a una copia no negociable del conocimiento de embarque enviado por correo electrónico por la Agencia de Naves emisora del documento (la comunicación deberá provenir de un correo electrónico corporativo o registrado en el SNA, debiendo señalarse en ella expresamente que, ante la imposibilidad de emitir el documento de embarque original, la copia

---

[112]   En la parte final, se establece que lo «dispuesto en la presente resolución tendrá carácter transitorio y se encontrará vigente por todo el período que dure la emergencia sanitaria decretada».

no negociable lo reemplaza únicamente para los efectos de la confección y tramitación de la declaración de ingreso; (iii) los órganos del SNA considerarán que los incumplimientos respecto al plazo por el que se ha otorgado un régimen de almacén particular, están suficientemente justificados por un caso fortuito y, en consecuencia, no cabe la presunción de abandono de mercaderías a que se refieren los artículos 136 y siguientes de la Ordenanza de Aduanas[113].

En este mismo sentido facilitador de trámites que producto de la emergencia sanitaria podrían verse dificultados, la Resolución exenta SNA N° 1.621, de 23 de abril de 2020, dispone la ampliación del plazo para la inscripción o la rectificación de la información en el Registro de Importadores y Exportadores de Sustancias Controladas. El plazo original iba de 01 de mayo de 2020 y hasta el 31 de julio de 2020. El plazo modificado correrá desde el 01 de agosto de 2020 y hasta el 31 de octubre de 2020.

También con el objeto de facilitar la realización de determinados trámites, mediante Resolución exenta SNA N° 1.628, de 23 de abril de 2020, se dispone que las audiencias que deben realizarse ante el SNA conforme lo establecido en los artículos 184 y 185 de la Ordenanza de Aduanas (audiencias en los procedimientos administrativos de aplicación de sanciones por infracciones aduaneras) se celebrarán por medios digitales (video conferencia u otro método digital equivalente). Se levantará acta, la cual deberá ser remitida a los intervinientes al término de la audiencia, para que la aprueben mediante correo electrónico.

---

[113]   Los almacenes particulares ya vencidos y que hayan incurrido en la presunción de abandono, podrán ser eximidos o rebajados de la aplicación del recargo del artículo 154 de la Ordenanza de Aduanas, pero no de sus demás obligaciones. Dicho recargo será de hasta un 5% del valor aduanero de las mercaderías, incrementado hasta un porcentaje igual al interés máximo convencional para operaciones no reajustables en moneda nacional de 90 días o más sobre el mismo valor por cada día transcurrido entre el día siguiente a aquel en que se devengó el recargo y el día de pago de los gravámenes y tasas que afecten su importación o el día de aceptación a trámite de la respectiva declaración de destinación aduanera, si esta no estuviere afecta al pago de dichos gravámenes.

IX. Otras medidas extraordinarias

Otra de las medidas adoptadas en el contexto de la emergencia sanitaria, aplicable a todos los ámbitos de los impuestos fiscales internos, es el establecimiento de un procedimiento especial y transitorio del SII para la obtención y recuperación de clave inicial de internet por parte de los contribuyentes[114].

Con respecto al funcionamiento de la Administración tributaria, según hemos podido apreciar, se han adoptado diversas medidas que privilegian la atención de los sujetos pasivos a través de medios electrónicos. En esta línea, a través de su página web[115], el SII ha comunicado que los contribuyentes que se encuentren en un proceso de fiscalización deberán presentar los antecedentes solicitados a través del expediente electrónico disponible en el sitio personal del contribuyente. En suma, mientras dure la emergencia sanitaria, los procesos de fiscalización también se desarrollarán a distancia.

X. Conclusiones

La emergencia sanitaria generada por el COVID-19 (o por la COVID-19) ha obligado a los Estados a adoptar medidas en diversos ámbitos para paliar sus efectos sanitarios, sociales y económicos.

El Derecho Tributario debe aportar una especial respuesta para enfrentar este tipo de situaciones de emergencia o catástrofe. A esta especial respuesta, y al conjunto de normas, medidas y decisiones en que se materializa, la hemos denominado con fines didácticos «Derecho Tributario de Emergencia».

Las medidas de alivio tributario adoptadas por el Estado de Chile para afrontar la emergencia sanitaria dicen relación con distintos ámbitos de la tributación fiscal interna, fiscal externa y municipal. La ma-

---

[114] Circular SII N° 18 de 19 de marzo de 2020.
[115] Servicio de Impuestos Internos, «Se implementan medidas tributarias para apoyar a las personas y a las Pymes». Disponible en http://www.sii.cl/noticias/2020/190320noti01srm.htm. Fecha de consulta: 19 de abril de 2020.

yor parte de estas medidas consisten en postergaciones de obligaciones tributarias declarativas, facilidades de pago y condonación de algunos recargos legales. Las medidas de condonación o exoneración de tributos en propiedad han sido mínimas y excepcionales hasta el momento. El mecanismo tributario sustantivo más recurrente en sentido liberatorio ha sido la calificación como ingreso no constitutivo de renta de algunos bonos y ayudas extraordinarias entregadas por el Estado a determinadas personas afectadas por la emergencia sanitaria. En fin, una incidencia no menor tendrá en ejercicios futuros, en la determinación de las bases imponibles de los impuestos sobre la renta, la deducibilidad de gastos y donaciones (sin límites en cuanto al monto) asociados al COVID-19.

En cuanto a la aplicación de los tributos, por razones naturales, vivimos tiempos en los que se privilegia la gestión y administración de los tributos electrónica o a distancia.

Bibliografía

Agamben, Giorgio (2010): *Estado de Excepção* (Traducción Miguel Freitas da Costa, Lisboa, Edições 70).

Altamirano, Alejandro (2012): *Derecho tributario. Teoría general* (Buenos Aires, Marcial Pons).

Biblioteca del Congreso Nacional (2020): «Historia de la Ley N° 21.225». Disponible https://www.bcn.cl/historiadelaley/fileadmin/file_ley/7741/HLD_7741_37a6259cc0c1dae299a7866489dff0bd.pdf. Fecha de consulta: 18 de abril de 2020.

Casado Ollero, Gabriel (2006): «Persona y Derecho Tributario», *Persona y Derecho*, N° 55: pp. 905-932.

Comisión Europea, «Comission Decision on relief from import duties and VAT exemption on importation granted for goods needed to combat the effects of the COVID-19 outbreak during 2020», C (2020) 2114 final, de 3.4.2020.

Gobierno de Chile (2020), «Plan Económico de Emergencia por coronavirus». Disponible en https://www.gob.cl/planeconomicoemergencia/. Fecha de consulta: 10 de abril de 2020.

Internal Revenue Service, «Katrina Emergency Tax Relief Act of 2005». Disponible en https://www.irs.gov/pub/irs-tege/katrina_act_text.pdf. Fecha de consulta: 20 de abril de 2020.

Jiménez Larraín, Fernando (1997): «El régimen jurídico del estado de catástrofe», *Revista de Derecho de la Universidad Católica de Valparaíso*, XVIII: pp. 305-314.

López Espadafor, Carlos María (2013): «Perspectiva Financiera y Tributaria de las Catástrofes Naturales y Medioambientales». *Derecho & Sociedad*, núm. 41, pp. 171-180.

Organización de las Naciones Unidas (2020), «El riesgo de propagación mundial del coronavirus COVID-19 se eleva al nivel máximo». Disponible en https://news.un.org/es/story/2020/02/1470351. Fecha de consulta: 14 de abril de 2020.

Servicio de Impuestos Internos, Oficio N° 933 de 17 de febrero de 2004.

Servicio de Impuestos Internos, Oficio N° 738 de 01 de marzo de 2006.

Servicio de Impuestos Internos, Circular N° 46 de 26 de noviembre de 2019, establece procedimiento especial y transitorio para obtención y recuperación de clave inicial internet.

Servicio de Impuestos Internos, Circular N° 42 de 19 de marzo de 2020, imparte instrucciones transitorias motivadas en la situación de emergencia y hechos posteriores relacionados.

Servicio de Impuestos Internos (2020), «Proyecto de Circular» sobre gastos asociados al brote mundial del virus denominado coronavirus-2 o COVID-19. Donaciones efectuadas al amparo del artículo 7° de la Ley N° 16.282. Disponible en https://www4.sii.cl/consultaProyectosNormativosInternet/#Inicio. Fecha de consulta: 01 de abril de 2020.

Servicio de Impuestos Internos, Circular N° 32 de 29 de abril de 2020, tratamiento tributario de gastos y donaciones asociados al brote mundial del virus denominado coronavirus-2 o COVID-19 tras las modificaciones introducidas al artículo 31 de la Ley sobre Impuesto a la Renta por el N° 13 del artículo 2° de la Ley N° 21.210. Deja sin efecto Circular N° 19 de 2010.

Servicio de Impuestos Internos, Resolución exenta N° 30 de 18 de marzo de 2020, amplía plazo para presentar la declaración jurada anual sobre rentas del art. 42 N° 1 (sueldos), otros componentes de la remuneración y retenciones del Impuesto Único de Segunda Categoría de la Ley de la Renta, Formulario N° 1887.

Servicio de Impuestos Internos, Circular N° 18 de 19 de marzo de 2020, procedimiento especial y transitorio del Servicio de Impuestos Internos para la obtención y recuperación de clave inicial internet.

Servicio de Impuestos Internos, Resolución exenta N° 32 de 23 de marzo de 2020, amplía plazo para presentar las declaraciones juradas que indica.

Servicio de Impuestos Internos, Resolución exenta N° 33 de 24 de marzo de 2020, autoriza modalidad de timbraje de guías de despacho en formato papel.

Servicio de Impuestos Internos, Resolución exenta N° 35 de 26 de marzo de 2020, amplía plazo para presentar las declaraciones juradas N° 1933, N° 3225 y N° 3226.

Servicio de Impuestos Internos, Resolución exenta N° 37 de 02 de abril de 2020, amplía plazo para presentar las declaraciones juradas que se indican.

Servicio de Impuestos Internos, Resolución exenta N° 40 de 13 de abril de 2020, aplica medidas tributarias en relación al Impuesto a la Renta a raíz de la catástrofe generada por la propagación del COVID-19 en Chile.

Servicio de Impuestos Internos, Resolución exenta N° 41 de 13 de abril de 2020, aplica medidas tributarias en relación al IVA a raíz de la catástrofe generada por la propagación del COVID-19 en Chile.

Servicio de Impuestos Internos, Resolución exenta N° 43 de 20 de abril de 2020, ejercicio de opción de contribuyentes que tributan en renta presunta para tributar en base a renta efectiva por las rentas obtenidas en el ejercicio comercial 2019 conforme al Decreto Supremo N° 553, del Ministerio de Hacienda, publicado en el Diario Oficial el día 18 de abril de 2020 que modifica el Decreto Supremo N° 420.

Servicio de Impuestos Internos, Resolución exenta N° 44 de 24 de abril de 2020, establece comunicaciones, verificaciones, obligaciones de información y de registro, y modelo de certificado, por aplicación de la Ley N° 21.207 sobre Ley de Donaciones para las Micro, Pequeñas y medianas Empresas (MIPYMES).

Servicio de Impuestos Internos, Resolución exenta N° 43 de 20 de abril de 2020, crea modelo de Certificado N° 66 sobre donaciones asociadas al brote mundial del virus denominado Coronavirus o COVID-19.

Servicio de Impuestos Internos, Resolución exenta N° 53 de 11 de mayo de 2020, amplía plazo para presentar las declaraciones juradas formularios 1847, 1913 y 1926.

Servicio de Impuestos Internos, «Diccionario Básico Tributario Contable». Disponible en http://www.sii.cl/diccionariotributario/diccd.htm. Fecha consulta: 18 de abril de 2020.

Servicio de Impuestos Internos (2020), «Se implementan medidas tributarias para apoyar a las personas y a las Pymes». Disponible en http://www.sii.cl/noticias/2020/190320noti01srm.htm. Fecha de consulta: 19 de abril de 2020.

Servicio de Impuestos Internos (2020), «SII implementa postergación primera cuota de contribuciones para personas y empresas». Disponible en http://www.sii.cl/noticias/2020/090420noti02pcr.htm. Fecha de consulta: 19 de abril de 2020.

Servicio Nacional de Aduanas, Resolución exenta N° 1.179 de 18 de marzo de 2020, dispone medidas de facilitación en el contexto del brote de Covid-19.

Servicio Nacional de Aduanas, Resolución exenta N° 1.313 de 26 de marzo de 2020, aprueban instrucciones para el ingreso simplificado de aquellas mercancías que sean declaradas por la autoridad sanitaria como insumos críticos para afrontar la emergencia provocada por la enfermedad Covid-19.

Servicio Nacional de Aduanas, Resolución exenta N° 1.409 de 03 de abril de 2020, adopta medidas relativas a las mediciones de graneles líquidos.

Servicio Nacional de Aduanas, Resolución exenta Nº 1.556 de 17 de abril de 2020, modifica la Resolución Exenta Nº 1.179 de fecha 18.03.2020, sobre diversidad medidas de facilitación por parte de las Direcciones Regionales, Administraciones de Aduana y los demás órganos de este Servicio Nacional, con objeto de atender adecuadamente la emergencia producida por el COVID-19.

Servicio Nacional de Aduanas, Resolución exenta Nº 1.559 de 17 de abril de 2020, aprueba instrucciones para diferir el Impuesto al Valor Agregado causado por las importaciones.

Servicio Nacional de Aduanas, Resolución exenta Nº 1.621 de 23 de abril de 2020, modifica Resolución Nº 822 del 28.02.2020.

Servicio Nacional de Aduanas, Resolución exenta Nº 1.628 de 23 de abril de 2020, dispone nuevas medidas de facilitación en el contexto del brote de COVID-19.

Servicio Nacional de Aduanas, Oficio Circular Nº 120 de 26 de marzo de 2020, complementa instrucciones a la Resolución Nº 1179, de 18 de marzo de 2020.

Tesorería General de la República, Circular Normativa TGR Nº 283 de 14 de abril de 2020.

Varona Alabern, Juan Enrique (2009): *Extrafiscalidad y dogmática tributaria*, (Madrid, Marcial Pons).

World Health Organization (2020), «Statement on the second meeting of the International Health Regulations (2005) Emergency Committee regarding the outbreak of novel coronavirus (2019-nCoV)». Disponible en https://www.who.int/news-room/detail/30-01-2020-statement-on-the-second-meeting-of-the-international-health-regulations- (2005) -emergency-committee-regarding-the-outbreak-of-novel-coronavirus- (2019-ncov). Fecha de consulta: 15 de abril de 2020.

World Health Organization (2020), «Who Director-General' s opening remarks at the media briefing on COVID-19 – 11 March 2020». Disponible en https://www.who.int/dg/speeches/detail/who-director-general-s-opening-remarks-at-the-media-briefing-on-covid-19---11-march-2020. Fecha de consulta: 15 de abril de 2020.

Normas citadas

Decreto Ley Nº 824 de 1974, sobre Ley de Impuesto a la Renta.

Decreto Ley Nº 825 de 1974, sobre Ley de Impuesto a las Ventas y Servicios.

Decreto Ley Nº 830 de 1974, sobre Código Tributario.

Decreto Ley Nº 1.939 de 1977, normas sobre adquisición, administración y disposición de bienes del Estado.

Decreto Ley Nº 3.063 de 1979, sobre Rentas Municipales.

Decreto Ley Nº 3.472 de 1980, crea Fondo de Garantía para Pequeños Empresarios.

Decreto Ley Nº 3.475 de 1980, sobre Ley de Timbres y Estampillas.

DECRETO SUPREMO N° 55 de 24 de enero de 1977, Ministerio de Hacienda, aprueba Reglamento de Ley sobre Impuesto a las Ventas y Servicios. Diario Oficial: 02 de febrero de 1977.

DECRETO SUPREMO N° 100 de 17 de septiembre de 2005, del Ministerio Secretaría General de la Presidencia, fija texto refundido, coordinado y sistematizado de la Constitución Política de la República de Chile. Diario Oficial: 23 de septiembre de 2005.

DECRETO SUPREMO N° 230 de 17 de septiembre de 2008, Ministerio de Relaciones Exteriores, promulga Reglamento Sanitario Internacional. Diario Oficial: 23 de diciembre de 2008.

DECRETO SUPREMO N° 1.523 de 22 de agosto de 2014, Ministerio del Interior y Seguridad Pública, autoriza medidas de alivio tributario para los pequeños y medianos agricultores de las comunas de La Ligua, Cabildo y Petorca, todas de la Provincia de Petorca, Región de Valparaíso, y de las comunas de las Provincias de Choapa, Elqui y Limarí, Región de Coquimbo. Diario Oficial: 10 de octubre de 2014.

DECRETO SUPREMO N° 84 de 20 de enero de 2017, Ministerio del Interior y Seguridad Pública, declara estado de excepción constitucional de catástrofe. Diario Oficial: 21 de enero de 2017.

DECRETO SUPREMO N° 30 de 24 de enero de 2017, Ministerio de Hacienda, dispone medidas de índole tributaria para las comunas y provincias de las regiones de O'Higgins y Maule que se indican. Diario Oficial: 02 de febrero de 2017.

DECRETO SUPREMO N° 1.414 de 29 de junio de 2017, Ministerio del Interior y Seguridad Pública, aprueba Plan Nacional de Emergencia. Diario Oficial: 04 de agosto de 2017.

DECRETO SUPREMO N° 4 de 04 de febrero de 2020, Ministerio de Salud, decreta alerta sanitaria por el período que señala y otorga facultades extraordinarias que indica por Emergencia de Salud Pública de Importancia Internacional (ESPII) por brote del nuevo coronavirus (2019-nCoV). Diario Oficial: 08 de febrero de 2020.

DECRETO SUPREMO N° 104 de 18 de marzo de 2020, Ministerio del Interior y Seguridad Pública, declara estado de excepción constitucional de catástrofe, por calamidad pública, en el territorio de Chile. Diario Oficial: 18 de marzo de 2020.

DECRETO SUPREMO N° 420 de 30 de marzo de 2020, Ministerio de Hacienda, establece medidas de índole tributaria, para apoyar a las familias, los trabajadores y a las micro, pequeñas y medianas empresas, en las dificultades generadas por la propagación de la enfermedad COVID-19 en Chile. Diario Oficial: 01 de abril de 2020.

DECRETO SUPREMO N° 553 de 09 de abril de 2020, Ministerio de Hacienda, modifica Decreto Supremo N° 420, estableciendo nueva medida de índole tributaria que indica. Diario Oficial: 18 de abril de 2020.

Decreto Supremo N° 130 de 24 de abril de 2020, Ministerio de Hacienda, aprueba Reglamento de administración del Fondo de Garantía para Pequeños y Medianos Empresarios aplicable a las Líneas de Garantía COVID-19. Diario Oficial: 25 de abril de 2020.

Ley N° 16.282 de 1965, fija disposiciones para casos de sismos y catástrofes.

Ley N° 19.728 de 2001, establece seguro de desempleo.

Ley N° 21.207 de 2020, contempla distintas medidas tributarias y financieras destinadas a apoyar a las micro, pequeñas y medianas empresas.

Ley N° 21.210 de 2020, moderniza la legislación tributaria.

Ley N° 21.222 de 2020, prorroga por un año las licencias de conducir que expiren durante el año 2020.

Ley N° 21.223 de 2020, prorroga el plazo para la renovación de los permisos de circulación correspondiente al año 2020, y otras materias que indica.

Ley N° 21.225 de 2020, establece medidas para apoyar a las familias y a las micro, pequeñas y medianas empresas por el impacto de la enfermedad COVID-19 en Chile.

Ley N° 21.227 de 2020, faculta el acceso a prestaciones del seguro de desempleo de la Ley N° 19.728, en circunstancias excepcionales.

Ley N° 21.229 de 2020, aumenta el capital del Fondo de Garantía para Pequeños y Medianos Empresarios (FOGAPE) y flexibiliza temporalmente sus requisitos.

Ley N° 21.230 de 2020, concede un Ingreso Familiar de Emergencia.

Resolución exenta N° 2.415 de 20 de febrero de 2014, Ministerio del Interior y Seguridad Pública, aprueba Manual de Procedimientos de la Utilización de Recursos y los Bienes en Caso de Emergencia o Catástrofe.